Transit und Transformation

CHARLOTTENGRAD UND SCHEUNENVIERTEL

Band 1

Herausgegeben von
Gertrud Pickhan und Verena Dohrn

Transit und Transformation

*Osteuropäisch-jüdische Migranten
in Berlin 1918–1939*

Herausgegeben von
Verena Dohrn und Gertrud Pickhan

WALLSTEIN VERLAG

Inhalt

Gertrud Pickhan

Vorwort

Multi- und auch Transkulturalität prägen Berlin nicht erst in unseren Tagen. Migranten waren bereits in der Vergangenheit ein integraler Bestandteil des großstädtischen Lebens.[1] Russki Berlin, das russische Berlin, ist seit den 1920er Jahren ein feststehender Begriff, verbunden mit einem konkreten Ort im urbanen Raum der deutschen Hauptstadt: Charlottengrad. Ein anderer historischer Raum, das Scheunenviertel, in dem jüdische Migranten aus dem Osten Europas lebten, war im Stadtraum Berlins bis 1933 noch deutlicher wahrnehmbar und präsenter als das russische »Charlottengrad« und ist heute ein Anziehungspunkt für Touristen.

In der Wissenschaft ist das russische Berlin vor allem dank zahlreicher Publikationen Karl Schlögels wesentlich besser erforscht als das osteuropäisch-jüdische Berlin. Dieses Desiderat ist der Ausgangspunkt eines Forschungsprojekts, an dem Michael Brenner, Karl Schlögel, Matthias Freise und Oleg Budnitskii mitwirken und das seit 2008 von der Deutschen Forschungsgemeinschaft gefördert wird. Die Leitung ist am Osteuropa-Institut der Freien Universität Berlin angesiedelt. Die Leitfrage des internationalen und interdisziplinären Forschungsprojekts wie auch dieses Sammelbandes, der den Auftakt zu einer Buchreihe bildet, lautet: War das osteuropäisch-jüdische Berlin ein möglicherweise virtueller, aber dennoch eingrenzbarer Raum, in dem jüdische Migranten aus Osteuropa lebten, arbeiteten, kommunizierten, fühlten und dachten? Dass nicht wenige Akteure des Russki Berlin jüdischer Herkunft waren, verdeutlicht schlaglichtartig das Problem einer Verortung des osteuropäisch-jüdischen Berlin.

Dieser Sammelband enthält Beiträge, die bei der Projektkonferenz in Zusammenarbeit mit der Wissenschaftlichen Arbeitsgemeinschaft des Leo Baeck Instituts im Oktober 2009 im Jüdischen Museum Berlin präsentiert wurden. »Transit und Transformation« waren dabei die Leitbegriffe. Jenseits aller Migrationsforschung, Cultural oder Spatial turns hat freilich wohl niemand besser als Joseph Roth in seinem immer noch und immer wieder lesenswerten Essay »Juden auf Wanderschaft« schon 1927 festgehalten, was damit gemeint sein könnte. Über Berlin als Transitstation schreibt Joseph Roth:

---

[1] Der besseren Lesbarkeit halber wird hier und im Folgenden das generische Maskulinum verwendet.

»Kein Ostjude kommt freiwillig nach Berlin. Wer in aller Welt kommt freiwillig nach Berlin? Berlin ist eine Durchgangsstation, in der man aus zwingenden Gründen länger verweilt. Berlin hat kein Ghetto. Es hat ein jüdisches Viertel. Hierher kommen Emigranten, die über Hamburg und Amsterdam nach Amerika wollen. Hier bleiben sie oft stecken. Sie haben nicht genug Geld. Oder ihre Papiere sind nicht in Ordnung (Freilich: die Papiere! Ein halbes jüdisches Leben verstreicht in zwecklosem Kampf gegen die Papiere.) Die Ostjuden, die nach Berlin kommen, haben oft ein Durchreisevisum, das sie berechtigt, 2 bis 3 Tage in Deutschland zu bleiben. Es sind schon manche, die nur ein Durchreisevisum hatten, 2 bis 3 Jahre in Berlin geblieben.«[2]

Auch zur Transformation der Stadt und der osteuropäisch-jüdischen Migranten finden sich bei Joseph Roth Überlegungen, die das hierarchisierende Denkmuster einer Ost-West-Dichotomie in Frage stellen und somit ihre Gültigkeit bis heute nicht verloren haben:

»Die meisten geben dem Westen mindestens soviel, wie er ihnen nimmt. Manche geben ihm mehr, als er ihnen gibt. Das Recht, im Westen zu leben, haben jedenfalls alle, die sich opfern, in dem sie ihn aufsuchen. Ein Verdienst um den Westen erwirbt sich jeder, der mit frischer Kraft gekommen ist, die tödliche, hygienische Langeweile dieser Zivilisation zu brechen – und sei es selbst um den Preis der Quarantäne, die wir den Emigranten vorschreiben, ohne zu fühlen, dass unser ganzes Leben eine Quarantäne ist […] in einem Land, in dem in so kurzen Abständen ›Organe der Öffentlichkeit‹ das Wort von der ›unproduktiven Masse der östlichen Einwanderer‹ wiederholen.«[3]

Man fühlt sich bei diesen Worten unweigerlich erinnert an aktuelle Debatten über Integration und Ausschluss gegenwärtiger Migranten in Berlin. Im Gegensatz zu so manchem Vertreter der politischen und wirtschaftlichen Eliten unserer Tage erkannte der selbst aus dem »Osten« Europas stammende Joseph Roth offenbar bereits 1927 die Notwendigkeit eines kritischen Blicks auf das Eigene und einer Kultur des Respekts und der Wertschätzung im Umgang mit Anderen.

Als ebenso geistreicher wie empathischer Schriftsteller nahm Joseph Roth für sich in Anspruch, seine Protagonisten, die jüdischen Migranten aus dem Osten im nur scheinbar zivilisierten Westen, mit Liebe darzustellen und nicht mit »wissenschaftlicher Sachlichkeit«, die er mit Langeweile gleichsetzt. Dieses Diktum widerlegend, versammelt dieser Band zahlreiche Texte, die dazu beitragen sollen, dem osteuropäisch-jüdischen Berlin im Gedächtnisraum der Stadt einen angemessenen Platz zu geben.

2 Joseph Roth, Juden auf Wanderschaft, Köln 1985, S. 47.
3 Ebd., S. 14-15.

Verena Dohrn und Anne-Christin Saß

Einführung

Seit den Jahren der ›großen Wanderung‹ (1880-1914), in denen mehr als zwei-einhalb Millionen Juden Osteuropa in Richtung Westen verließen, war Berlin wegen seiner geographisch und verkehrstechnisch günstigen Lage eine wichtige Transitstation im überseeischen Migrationssystem, als Emigrationsziel spielte es zunächst nur eine marginale Rolle. Nach dem Ersten Weltkrieg änderte sich die Situation jedoch infolge der protektionistischen Migrationspolitik im atlanti-schen Raum.[1] Das Weimarer Berlin wurde eines der großen jüdischen Migrati-onszentren in Europa. Die Hauptstadt der jungen Republik, die nach 1918 für osteuropäische Juden, meist Kriegs-, Pogrom- und Revolutionsflüchtlinge, die erste Station im Migrationsprozess darstellte, entwickelte sich für den Großteil von ihnen zu einem Aufenthaltsort von unbestimmter, oftmals längerer Dauer.[2] Die jüdischen Flüchtlinge und Migranten waren Teil der damals größten, ethnisch und sozial sehr gemischten Migration aus dem östlichen Europa in Deutschland, die ansonsten aus deutschen ›Grenzlandvertriebenen‹, ›Volks-deutschen fremder Staatsangehörigkeit‹, russischen Revolutionsflüchtlingen, Kriegsgefangenen, Studenten, polnischen und anderen Wanderarbeitern be-stand.[3] Von rund einer halben Million Migranten, die nach Ende des Ersten Weltkriegs auf dem Gebiet des Deutschen Reiches lebten und bei Volkszählun-gen registriert wurden, waren einige zehntausend jüdischer Herkunft. Mehr als die Hälfte von ihnen hatte zwischen den Weltkriegen, mehr oder weniger frei-willig, oftmals ein Jahrzehnt und länger den Wohnsitz in Berlin. Die Migranten trugen entscheidend dazu bei, dass Berlin eine Metropole wurde, denn sie wa-ren der Indikator dafür, wie viel Fremdheit die deutsche Hauptstadt vertrug, und sie gaben der Kultur der Republik in ihrer politischen und künstlerischen

---

1   Einen vergleichenden Überblick zur Migrationspolitik in Deutschland und Europa bietet Jochen Oltmer, Begrenzung und Abwehr: De-Globalisierung und protektionistische Migrationspolitik nach dem Ersten Weltkrieg in Deutschland und Europa, in: Grenz-überschreitungen. Differenz und Identität im Europa der Gegenwart. Herausgegeben von Holger Hegert, Chryssoula Kambas, Wolfgang Klein, Wiesbaden 2005, S. 153-172.
2   Siehe in diesem Band: Tobias Brinkmann, Ort des Übergangs – Berlin als Schnittstelle der jüdischen Migration aus Osteuropa nach 1918.
3   Zur Gliederung der Gruppen siehe: Jochen Oltmer, Migration und Politik in der Wei-marer Republik, Göttingen 2005.

Avantgarde wie in der Unterhaltungskultur wichtige Impulse. Osteuropäisch-jüdische Künstler und Schriftsteller wie Mark Chagall, El Lissitzki, David Bergelson, Leib Kwitko und Uri Zwi Grinberg gehörten zur Bohème im Weimarer Berlin. Viele Initiativen der osteuropäisch-jüdischen Migranten reichten weit über Deutschlands Grenzen hinaus. Der Journalist und Migrant Gershon Swet erinnerte sich:

> »In the early years of the Weimar Republic, Berlin was transformed overnight into a world Jewish center. [...] Prior to the Hitler period there lived in Berlin about 175,000 Jews, of whom 40,000 were immigrants from Poland, Lithuania, Russia, etc. Such holidays as Rosh Hashana and Yom Kippur were more strongly in evidence in the central streets of Berlin than in New York, where there are more than ten times as many Jews.«[4]

Die Beiträge des Sammelbandes, der aus der im Oktober 2009 im Jüdischen Museum Berlin abgehaltenen Konferenz »Transit und Transformation« Osteuropäisch-jüdische Migranten in Berlin 1918-1939« hervorgegangen ist, konzentrieren sich auf die raumzeitlichen Dimensionen der Migrationserfahrung und analysieren aus historischer, kultur- und literaturwissenschaftlicher Perspektive, wie die Migranten den Stadtraum Berlin wahrnahmen und sich ihn aneigneten, wie sie ihn gestalteten und von ihm geprägt wurden. Ausgangspunkt sind die in den letzten Jahren geführten Debatten um die »Verräumlichung von Geschichte«, die insbesondere im Bereich der jüdischen Geschichte zu einer produktiven Perspektiverweiterung und einem ganzheitlichen Verständnis jüdischer Kulturen und Lebenswelten geführt haben.[5] Dabei geht es im Folgenden nicht darum, analog zu den Topoi Russki und Polski Berlin *ex post* ein Osteuropäisch-Jüdisches Berlin zu konstruieren, sondern die spezifischen Erfahrungen und Visionen, sozialen Praktiken, Projekte und Handlungen der osteuropäisch-jüdischen Migranten im historischen Raum Berlin zu ermessen, zu dokumentieren und zu untersuchen. Wie reagierten die Migranten auf die Herausforderungen ihrer Übergangsexistenz in der Hauptstadt der Weimarer Republik und wie gingen sie mit der Lebenssituation im »Zwischenraum« um? In welchem Maße und nach welchen Kriterien bildeten die Migranten Netzwerke? Waren sprachliche, kulturelle, soziale, regionale, politische Bindungen dafür ausschlaggebend? Wurden bereits bestehende Netzwerke von ihnen genutzt? Welche kommunikativen Räume konstituierten die Migranten? Griffen sie dabei Tradi-

---

4 Gershon Swet, With the Wurmbrands in Pre-Hitler Berlin, in: Kurt R. Grossmann (Ed.), Michael Wurmbrand. The Man and His Work, New York 1956, S. 18/19.

5 Anna Lipphardt, Julia Brauch, Alexandra Nocke (eds.): Exploring Jewish Space. An Approach, in: Jewish Topographies: Visions of Space, Traditions of Place. Burlington, 2008, S. 1-23, hier S. 2.

tionen auf und wie führten sie diese weiter? Welche Ideen und Ideologien verfolgten sie in diesem Prozess? Spielten Migranten bei der Schaffung transnationaler sozialer und politischer Räume in Berlin eine Rolle, und wie nutzten sie die Möglichkeiten dieser Räume? Nicht zuletzt geht es um die Frage: Was zeichnete Berlin als Migrationszentrum besonders aus im Vergleich zu anderen europäischen Metropolen, die ebenfalls Migranten aus dem östlichen Europa Zuflucht boten und Zentren der Migration bildeten wie Istanbul, Sofia, Belgrad, Riga, Tallinn, Helsinki, Warschau, Prag, Paris, London oder Rom? Was machte Berlin für die Migranten zum Anziehungspunkt?

Die Migranten, die ihre Spuren im Stadtraum hinterließen, genauso aber auch von ihm geprägt wurden und das osteuropäisch-jüdische Berlin bildeten, waren zumeist mittellose, nicht selten traditionell lebende Flüchtlinge, die jiddisch sprachen und im Scheunenviertel – einem billigen Wohnquartier in der Nähe des Alexanderplatzes – unterkamen, aber auch russisch akkulturierte Geschäftsleute, Künstler und Intellektuelle mit europäischer Bildung und ausgezeichneten Kenntnissen der deutschen Sprache, die sich im Westen der Stadt niederließen. Die allgemeine Armut und die Inflation infolge des Krieges machten Leben und Unternehmungen für die Migranten in der Stadt bezahlbar, und die wirtschaftliche Not zwang die Mehrheitsbevölkerung zur Aufnahme und Akzeptanz zahlungsfähiger Migranten. Mit der Bildung von Groß-Berlin nach dem Friedensschluss und der Gründung der Weimarer Republik im Jahre 1920 war die Hauptstadt eine junge, expandierende Metropole, die Produzenten und Konsumenten genauso wie Impulse und Innovationen benötigte und auch integrieren konnte. Zwischen 1919 und 1925 verdoppelte sich die Bevölkerung von knapp 2 auf 4 Millionen.

Ungeachtet vieler Gemeinsamkeiten bezüglich ihres kulturellen Hintergrunds und bitterer Erfahrungen unterschieden sich die Einwanderer nach sozialer Herkunft, ihrem Verhältnis zur jüdischen Religion und Tradition wie hinsichtlich ihrer politischen Positionen. In der Nähe der reformorientierten Hochschule für die Wissenschaft des Judentums und des orthodoxen Rabbinerseminars in der Artilleriestraße (heute Tucholskystraße), wo zahlreiche Juden aus Polen, Litauen, Belorussland und der Ukraine neben deutschen Juden studierten, befanden sich Betstuben der Chassidim. Das unweit gelegene Scheunenviertel hatte sich seit der Jahrhundertwende zum Zentrum der überwiegend mittellosen und religiös geprägten galizischen und rumänischen Juden entwickelt. Neben koscher geführten Lebensmittelgeschäften und Restaurants, Betstuben und Wohltätigkeitsvereinen, Buchhandlungen und Leihbibliotheken boten mehrere jüdische Hotels und Pensionen – die jedoch eher Notunterkünften ähnelten – den osteuropäisch-jüdischen Flüchtlingen nach dem Ersten Weltkrieg eine vorläufige Bleibe. Auf der Straße kamen die Migranten mitein-

Vor der Leihbibliothek David Rosenberg in der Grenadierstraße, Walter Gircke 1928.
Beth Hatefutsot, Fotoarchiv, Tel Aviv

ander in Kontakt, tauschten Nachrichten aus der Heimat aus, diskutierten
mögliche Optionen der Weiterwanderung und die Aussichten eines dauernden
Aufenthalts in Berlin.

In den ersten, SPD-regierten Jahren der Weimarer Republik waren die
Aufenthaltsbestimmungen für ausländische Juden insgesamt nicht ungünstig.
Obwohl sich aus der in den beiden »Ostjudenerlassen« von 1919 formulierten
Duldung kein geregelter Aufenthaltsstatus für Juden aus dem östlichen Europa
ableiten ließ, handelte es sich dennoch »um eine Art Nichtausweisung« und
»eine begrenzte Ausnahme von der allumfassenden Ausweisungskompetenz der
Polizeibehörden«.[6] Konnten osteuropäische Juden eine Unterkunft und eine
Garantie für den Lebensunterhalt beibringen, wurden sie – zumindest in Preußen – geduldet. Gegenüber Staatenlosen erwiesen sich die Ausweisungsver-
fügungen zudem als wirkungslos, da die Betreffenden aufgrund eines fehlenden
Aufnahmelandes das Reichsgebiet nicht verlassen konnten. Im Hinblick auf die
Aufnahme jüdischer Flüchtlinge und Behandlung der jüdischen Minderheit
konkurrierte die Weimarer Republik mit den einstigen Kriegsgegnern der En-
tentestaaten. Deutschlands Ansehen in der jüdischen Diaspora war kein uner-
heblicher Faktor für seine internationalen politischen und wirtschaftlichen Be-

6 Jochen Oltmer, Migration und Politik, S. 243.

ziehungen. Deshalb richtete die Regierung beim Auswärtigen Amt ein Referat für Jüdische Angelegenheiten ein.[7]

Auf den Straßen des Scheunenviertels wurden Adressen von Vermieterinnen und Pensionen, Arbeits- und Fürsorgestellen ebenso weitergegeben wie Erfahrungen mit den Behörden. Im transnationalen Koordinatensystem eines jüdischen Transitmigranten übernahm die Grenadierstraße daher eine zentrale Funktion als Informations- und Kontaktbörse. Von hier aus war es nur wenige Fußminuten zur Friedrich-Wilhelms-Universität, an der 1925 etwa 332 Juden aus dem östlichen Europa studierten.[8] Der Historiker Simon Dubnow, damals selbst Migrant in Berlin, erinnerte sich:

»Ein symbolisches Bild steht mir vor Augen, das sich mir einst in Berlin in der Dorotheenstraße darbot, unweit der Universität. Inmitten der Passantenströme und der sich in der schmalen Straße drängenden Automobile, steht ein blasser junger Mann mit dem provinziellen Jeschiwe-Reisekorb in der Hand, der offenbar im Getriebe der ihm unbekannten Hauptstadt die Orientierung verloren hat. Er ist wohl soeben am Bahnhof Friedrichstraße aus dem Zug gestiegen, wo die Ankömmlinge aus Osteuropa eintreffen, und hat sich, da er nicht weiß, wohin er sich wenden soll, zum Universitätsgebäude auf den Weg gemacht. Ich dachte damals: Das ist er, der Typ des alten Jeschibotnik aus Rußland, der nun die europäische höhere Jeschiwa besuchen will – die deutsche Universität – um zu lernen und zu leiden ...«[9]

Am Kurfürstendamm und in seinen Nebenstraßen lebte der Großteil der russischen Juden, oft zur Untermiete oder auch in Pensionen, die anders als im Scheunenviertel in vielen Fällen von verarmten ›Kriegerwitwen‹, geführt wurden. Gershom Scholem, Simon Dubnow, David Bergelson und andere schrieben darüber.[10] Die russischen Juden wurden in der bisherigen Forschung weitgehend mit den russischen Emigranten, dem Russki Berlin identifiziert, wo die

7 Francis R. Nicosia, Jewish Affairs and German Foreign Policy during the Weimar Republic. Moritz Sobernheim and the Referat für Jüdische Angelegenheiten, in: Leo Baeck Yearbook 33 (1988), S. 261-283.
8 I[srael] Koralnik, Über den gegenwärtigen Stand und die Entwicklung der jüdischen Studentenschaft in Berlin, Berlin 1932, S. 12.
9 Simon Dubnow, Buch des Lebens. Erinnerungen und Gedanken. Materialien zur Geschichte meiner Zeit, 3 Bde. Herausgegeben von Verena Dohrn, übersetzt von Vera Bischitzky (Bd. 1 & 3) und Barbara Conrad (Bd. 2), Göttingen 2004/5, Bd. 3, S. 86/7.
10 Gershom Scholem, Von Berlin nach Jerusalem. Jugenderinnerungen. Aus dem Hebräischen von Michael Brocke und Andrea Schatz, Frankfurt am Main 1997, S. 92-107; Simon Dubnow, Buch des Lebens, Bd. 3, S. 88. Siehe dazu in diesem Band Marc Caplan, The Corridors of Berlin – Proximity, Peripherality, and Surveillance in Bergelson's Boarding House Stories.

Gruppe von russisch-
jüdischen Migranten im
Berliner Westen. Von
links nach rechts
(stehend): Frau Frommer-
mann, Dr. Cahn, Anna
Kashdan, Alexandra
Kashdan, Jakob
Lestschinsky; (sitzend)
Frau Charney, Ida
Dubnow, Simon Dubnow,
J. Rosenberg, Herr
Levitas, Daniel Charney,
Frau Cahn, Frau Berlin.
Aus dem Archiv des
YIVO Institute for Jewish
Research, New York

Bezeichnungen Nebskij prospekt und Charlottengrad entstanden. Viele der
russischen Juden identifizierten sich zwar mit dem Russki Berlin, aber sie wahr-
ten doch ihre Eigenheiten. Rund um den Kurfürstendamm trafen sich russisch-
jüdische Literaten im Romanischen Café und anderen Lokalen, die ihre Werke
auf Russisch, Jiddisch, Hebräisch und Deutsch verfassten.[11] Dort hatten verschiedene Organisationen ihren Sitz – die Redaktion des revisionistisch-zionis-
tischen *Rasswet*, der Verein *Bet am iwri*, die in St. Petersburg gegründete jüdische Selbsthilfeorganisation ORT (Obschtschestwo remesslenogo truda:
Gesellschaft für handwerkliche Arbeit), Welt-ORT seit 1921, und das Berliner
Büro der Jüdischen Telegraphen Agentur, das Nachrichten aus der jüdischen
Diaspora in Deutschland, Österreich, der Tschechoslowakei und auch aus der
Sowjetunion sammelte, in Europa und dem Nahen Osten verbreitete und in die
Neue Welt übermittelte.[12] Die geopolitisch günstige Lage prädestinierte Berlin

11   Siehe in diesem Band: Shachar Pinsker, Spaces of Hebrew and Yiddish Modernism –
     The Urban Cafés of Berlin.
12   Verena Dohrn, Diplomacy in the Diaspora: The Jewish Telegraphic Agency in Berlin
     (1922-1933). Leo Baeck Yearbook 2009, Vol. 54, S. 219-241.
     Online: http://leobaeck.oxfordjournals.org/current.dtl

dazu, die Rolle einer Drehscheibe für Informationen zwischen West und Ost zu übernehmen.

Geschichte und Gegenwart der Juden in Berlin zogen die Migranten an: Berlin war Ausgangspunkt der Haskala, der Mendelssohn'schen Bewegung, gewesen und im 19. Jahrhundert war vielen Juden trotz einer zögerlichen Emanzipationspolitik der wirtschaftliche und soziale Aufstieg ins deutsche Bürgertum gelungen.[13] Beides hatte dazu beigetragen, dass auch Juden zu denen gehörten, die als *outsiders* zu *insiders* wurden und das Weimarer Berlin mit gestalteten, woraus der nicht unumstrittene Topos vom sogenannten »Berlin-Jewish spirit« der Goldenen Zwanziger entstand.[14] Viele russisch-jüdische Migranten kannten Berlin schon aus ihrer Studienzeit vor dem Krieg. Sie kehrten in eine Stadt zurück, die Hauptstadt einer Republik geworden war, sich vom preußischen Militarismus und deutschen Nationalismus distanzierte und der kosmopolitischen Kulturtradition der Weimarer Klassik verpflichtete. Das Weimarer Berlin bot den Juden aus dem Russischen Reich eine Öffentlichkeit, wie sie sie in den Revolutionen von 1905 und im Februar 1917 gefordert, aber kaum kennengelernt hatten. Anders als in den Hauptstädten der jungen Republiken in Ostmitteleuropa, die ebenfalls Zentren der Migration wurden, wie Riga, Warschau, Prag und Belgrad, machten die materiellen und technischen Infrastrukturen, zum Beispiel Druckereien, Zeitungsredaktionen und Verlage, sowie die verhältnismäßig hohen Standards bei Kommunikations- sowie Informationssystemen die deutsche Hauptstadt für Migranten attraktiv.

In der besiegten, niedergeschlagenen, von wirtschaftlichen Krisen geschüttelten Hauptstadt der noch jungen Weimarer Republik bildete das osteuropäisch-jüdische Berlin eine eigene Welt, in der die verarmten und entwurzelten Migranten Außergewöhnliches bewirkten. Was sie mitbrachten, war kulturelles und nur in seltenen Fällen auch wirtschaftliches Kapital. Wenige Einwanderer wie die Familie des Ölmagnaten Chaim Kahan, der Kaufmann Faiwel Grüngard oder der Sozialpolitiker Meir Krejnin retteten etwas von ihrem Vermögen nach Berlin und finanzierten damit einen Neubeginn.[15] Alle trugen sie Erinne-

13 Simone Lässig, Jüdische Wege ins Bürgertum. Kulturelles Kapital und sozialer Aufstieg im 19. Jahrhundert, Göttingen 2004.

14 Peter Gay, Weimar Culture: The outsider as insider, New York 1968; dt.: Die Republik der Außenseiter. Geist und Kultur in der Weimarer Zeit 1918-1933, Frankfurt am Main 1970 (Neuausgabe 2004); Ders., The Berlin-Jewish spirit, a dogma in search of some doubts, New York 1972.

15 Verena Dohrn, Christoph Kreutzmüller, Tamara Or, Die Familie Chaim Kahan und die NITAG im russisch-jüdischen Berlin [unveröffentlichtes Manuskript]; Mejr Krejnin, Sichronot [Erinnerungen], unveröffentlichtes Manuskript, Jüdische National- und Universitätsbibliothek, Jerusalem; siehe in diesem Band: Anat Feinberg, »Wir laden Sie höflich ein« – The Grüngard Salon and Jewish-Zionist Sociability in Berlin of the 1920s.

rungen und Erfahrungen mit sich – eine Mischung aus Desillusionierung über den Verlauf der russischen Revolution, Traumatisierungen durch Anarchie, Gewalt und Entbehrungen infolge des Krieges und der Pogrome und mehr oder weniger bewussten Erinnerungen an gelebte jüdische Traditionen. Daraus formte sich bei vielen eine ausgeprägte Sensibilität für ihre neue Umwelt und deren politische Probleme sowie die Fähigkeit, über die Grenzen des nationalstaatlichen Europas hinauszublicken, Überlebensstrategien zu entwickeln und Weltanschauungen zu entwerfen, die ihrer Zeit weit voraus waren. Zugleich wurden sie, wie keine andere Gruppe, aktiv oder passiv in den politischen Antagonismus zwischen ›rechts‹ und ›links‹ verstrickt. Die Stereotype vom Ostjuden und vom jüdischen Revolutionär sind emblematisch dafür.[16]

Mit dem Ziel, der jüdischen Bevölkerung im östlichen Europa zu helfen, sich Domizile und eine Zukunft in der modernen Welt zu schaffen, agierten die jüdischen Selbsthilfeorganisationen[17] und Informationssysteme[18] im transnationalen Zusammenhang, wurden bahnbrechende Lebenswerke zur Geschichte geschrieben. Simon Dubnow verfasste die zehnbändige *Weltgeschichte des jüdischen Volkes* als globale Diasporageschichte.[19] Mark Wischnitzer interpretierte die jüdische Geschichte, Alexander und Eugene Kulischer deuteten Weltgeschichte als Geschichte von Migrationen.[20] Willentlich und unwillkürlich vollbrachten Migranten wie der Philosoph Aaron Steinberg, der Publizist Elias Hurwicz, der Demograph Jakob Lestschinsky, die Historiker Simon Dubnow, Mark Wischnitzer und Boris Brutzkus durch Vortragstätigkeiten, Übersetzungen und andere Publikationen, aber auch durch praktische soziokulturelle Arbeiten enorme Leistungen des Kulturtransfers.[21] Im Berlin der 1920er Jahre arbeiteten der Philosoph David Koigen und der Psychologe Fishl Schneer-

---

16   Siehe in diesem Band: Markus Wolf, Russische Juden gegen den »jüdischen Bolschewismus« – Der *Vaterländische Verband* im Russischen Berlin.

17   Siehe in diesem Band: Alexander Ivanov, Nähmaschinen und Brillantringe – Die Tätigkeit der Berliner ORT 1920-1943; Alexandra Polyan, Productive Help in Russian-Jewish Berlin – The *Union of the Russian Jews in Germany*.

18   Siehe in diesem Band: Gennady Estraikh, Weimar Berlin – An International Yiddish Press Center.

19   Simon M. Dubnow, Weltgeschichte des jüdischen Volkes, 10 Bde., Berlin: Jüdischer Verlag, 1925-1929.

20   Mark Wischnitzer, Die Juden in der Welt. Gegenwart und Geschichte des Judentums in allen Ländern, Berlin: Reiss, 1935; Alexander und Eugene M. Kulischer, Kriegs- und Wanderzüge Weltgeschichte als Völkerbewegung, Berlin: De Gruyter, 1932; Eugene M. Kulischer, Europe on the Move. War and Population Changes, 1917-1947, New York: Columbia University Press, 1948.

21   Siehe in diesem Band: Olaf Terpitz, Berlin als Ort der Vermittlung – Simon Dubnow und seine Übersetzer.

son an einer überkonfessionellen Ethik.[22] Migranten eröffneten in Berlin das Jiddische Wissenschaftliche Institut (JIWO, heute YIVO in New York), als osteuropäische Variante der Wissenschaft des Judentums parallel zur Hebräischen Universität in Jerusalem. Von Berlin aus stritten die einen – wie der Anwalt Alexis Goldenweiser – für ein demokratisches Russland,[23] andere für die internationale Anerkennung der Juden als Diasporanation, eine dritte Gruppe wiederum für die jüdische Heimstatt in Palästina. Die Verfechter des Diasporanationalismus, die von Simon Dubnow und dem Diplomaten Leo Motzkin angeführt wurden, planten von Berlin aus zusammen mit Albert Einstein und anderen deutsch-jüdischen Wissenschaftlern eine Jüdische Weltuniversität im osteuropäischen Grenzland.[24] Dank der Initiative des Philosophen Simon Rawidowicz entwickelte sich das Weimarer Berlin zum Weltzentrum der hebräischen Bewegung.[25] In Enzyklopädie- und Archivprojekten legten Migranten aus unterschiedlichen Motiven Wissensspeicher an. Im Berlin der 1920er Jahre begannen die Editionen der *Encyclopaedia Judaica* wie der *Algemeynen entsiklopedie*.[26] Zahlreiche Migranten waren als Autoren auch an Georg Herlitz' und

---

22 Martina Urban, Religion of Reason Revised: David Koigen on the Jewish Ethos. In: Journal of Jewish Thought and Philosophy 16/1 (July 2008), S. 59-89; Verena Dohrn, »Wir Europäer schlechthin«. Die Familie Koigen im russisch-jüdischen Berlin, In: Osteuropa 58 (2008) 8-10, S. 211-232. Anne-Christin Saß, Ikh bin an emigrant... tsvishn emigrantn...ikh vil es mer nisht...«. Jüdische Migranten aus dem östlichen Europa in Berlin 1918-1933. In: Oleg V. Budnickij (Hg.) Evrejskaja ėmigracija iz Rossii (1881-2005), Moskva 2008, S. 119-142].

23 Siehe in diesem Band: Oleg Budnitskii, Von Berlin aus gesehen – Die russische Revolution, die Juden und die Sowjetmacht.

24 Verena Dohrn, Novoe prostranstvo kommunikacii v diaspore i proekt Vsemirnogo evrejskogo universiteta. In: Budnickij: Evrejskaja ėmigracija, S. 143-167.

25 Siehe in diesem Band: Tamara Or, Berlin, Nachtasyl und Organisationszentrum – Die hebräische Bewegung 1909-1933.

26 Arndt Engelhardt, Divergierende Perspektiven. Zur Rezeption der deutsch-jüdischen Enzyklopädien in der Weimarer Republik. In: Trumah 17 (2007 [2008]), Special Issue: Jüdische Studien und jüdische Identität, S. 39-53. Ders., Die ›Encyclopaedia Judaica‹. Verhandlung von Deutungshoheit und kollektiver Zugehörigkeit in jüdischen Enzyklopädien der Zwischenkriegszeit. In: Paul Michel/Madeleine Herren/Martin Rüesch (Hg.), Allgemeinwissen und Gesellschaft [Akten des internationalen Kongresses über Wissenstransfer und enzyklopädische Ordnungssysteme, vom 18. bis 21. September 2003 in Prangins], Aachen 2007, S. 225-246. [http://www.enzyklopaedie.ch/kongress/aufsaetze/engelhardt.pdf]. Ders., Palimpsests and Questions of Canonisation. The German-Jewish encyclopedias in the Weimar era. In: Journal of Modern Jewish Studies 5 (2006), no. 3: Special Issue: Jewish Encyclopedias and Dictionaries, S. 301-321; Barry Trachtenberg, Jewish Universalism, the Yiddish Encyclopedia, and the Nazi Rise to Power. In: Gennady Estraikh, Michail Krutikov (Ed.), Yiddish in Weimar Berlin, Oxford 2010, S. 195-214.

Anzeige des Eschkol Verlags zum Editionsprojekt der Encyclopaedia Judaica in der Juedischen Rundschau.

Bruno Kirschners *Jüdischem Lexikon* beteiligt.[27] Im Berliner Verlag »Slowo«
(Kochstraße 23/4, im Ullsteinhaus) brachte Iossif Gessen das *Archiv russkoi
rewoljuzii* heraus, und Elias Tscherikower verwahrte das Ostjüdische Historische Archiv, aus dem damals nur einige Bände über die Pogrome in der Ukraine
veröffentlicht wurden und das bis Anfang der 1930er Jahre im Büro des gleichnamigen Vereins in der Spichernstraße 8, Wilmersdorf, untergebracht war, nach
dessen Auflösung zuletzt in seiner Wohnung, Charlottenbrunnerstraße 42 a,
in Schmargendorf.[28] Miteinander konkurrierend arbeiteten Migranten in Berlin am nationalen Kanon jüdischer Literatur ebenso wie an der Modernisierung
des Hebräischen als Nationalsprache. Schriftsteller in Berlin trugen zur Teilhabe des Jiddischen wie des Hebräischen an der modernen Weltliteratur bei.[29]

Bemerkenswert ist, dass sich die Migranten, ihren soziokulturellen und politischen Differenzen wie ihrer polyglotten Bildung entsprechend, in vier verschiedenen Sprachen verständigten: Jiddisch, Russisch, Deutsch und Hebräisch.[30] Sie schufen vielfältige Kommunikationsräume, die sich in zahlreichen
Projekten manifestierten. Die allermeisten der jüdischen Migranten brachten
aus dem östlichen Europa Kenntnisse des Jiddischen, des *mameloshn* (der Mut-
ter- und Alltagssprache) mit, während ihre Fähigkeit, Hebräisch zu lesen und
zu sprechen, variierte – je nachdem aus welcher Region sie kamen und wie sie
kulturpolitisch orientiert waren. Das beste Hebräisch sprachen ohne Zweifel
die *litwaken*, Migranten aus Litauen als dem Zentrum der jüdischen Aufklärung (Haskala) und des religiösen Zionismus in Osteuropa. Nur wenige, vor
allem die akademisch Gebildeten, verfügten über russische und deutsche Sprach-
kenntnisse. Allerdings konnte die Mehrheit der Migranten Deutsch als Nah-
sprache des Jiddischen gut verstehen. In dieser Hinsicht bot Berlin ihnen ähnliche sprachliche Vorteile wie die Hauptstädte Sofia, Belgrad, Prag, Warschau
sowie Tallinn und Riga den russischsprachigen Migranten. In diesem Zusammenhang ist es notwendig, den jeweiligen Status der Sprachen im Berlin der
zwanziger Jahre zu berücksichtigen. Die traditionelle Alltagssprache Jiddisch

27 Jüdisches Lexikon. Ein enzyklopädisches Handbuch des jüdischen Wissens in 4 Bänden,
   herausgegeben von Georg Herlitz und Bruno Kirschner, Berlin 1927. Siehe Verzeichnis
   der Mitarbeiter.
28 Protokoll der Mitgliederversammlung des Ostjüdischen Historischen Archivs, 25.3.1933,
   YIVO RG 80, folder 668, Bl. 57423; Verena Dohrn, Anmerkungen zu Simon Dubnow,
   Buch des Lebens, Bd. 3, S. 244.
29 Siehe in diesem Band Shachar Pinsker, Spaces of Hebrew and Yiddish Modernism;
   Rachel Seelig, A Yiddish Bard in Berlin – Moyshe Kulbak's *Naye lider* and the Flourishing of Yiddish Poetry in Exile; und Michail Krutikov, »Oberflächenäußerungen«
   and »Grundgehalt« – Weimar Berlin as a Memory Site of Yiddish Literature.
30 Verena Dohrn, Anke Hilbrenner, Einführung zu Simon Dubnow, Buch des Lebens,
   Bd. 3, S. 19/20.

sowie die Sprache der Bibel und der Traditionsschriften Hebräisch waren mitt-
lerweile offiziell zu miteinander konkurrierenden jüdischen Nationalsprachen
deklariert und als solche angenommen worden und entwickelten sich zu modernen Literatur- und Wissenschaftssprachen. Russisch und Deutsch gehörten
als Weltkultur-, Staats- und Verwaltungssprachen zum Bildungskanon der modernen Juden in der europäischen Diaspora. Das Russische, einst *lingua franca*
eines Imperiums, bot sich in der Emigration den Migranten aus dem ehemaligen Russischen Reich als kulturelle Heimat an. Deutsch brauchte man, um
sich in der fremden Umgebung zurechtzufinden und sich in das neue Umfeld
zu integrieren. Die Migranten waren an ihren jüdischen Idiomen Jiddisch und
Hebräisch leicht zu erkennen, nicht so leicht aber war und ist es, sie in der deutschen oder in der russischen Sprachwelt zu identifizieren. Von der existentiellen
Not der Selbstbehauptung wie den Verwandlungskünsten der Literaten unter
den Migranten und der komplexen Struktur russisch-deutsch-jüdischer Identitäten wie Selbst- und Fremdwahrnehmungen zeugen mehrere Beiträge in die-
sem Band.[31] Die Mehrsprachigkeit der osteuropäisch-jüdischen Migranten im
Berlin der Zwischenkriegszeit ist eine Besonderheit der deutschen Metropole als
Migrationszentrum, dem die Vielfalt der im vorliegenden Band repräsentierten
Forschungsansätze entspricht. Erst aus der Synopse entsteht ein Bild, das dieser
Besonderheit Rechnung trägt.

Ein wesentliches Ergebnis der hier versammelten Beiträge ist, dass die These
von den kulturellen Unterschieden zwischen Ost- und Westjuden für das Weimarer Berlin differenziert betrachtet und relativiert werden muss, denn die
sozialen Differenzen waren mindestens ebenso wirksam wie die kulturellen. Die
osteuropäischen Juden bildeten keine homogene Gruppe, sie gehörten unterschiedlichen sozialen Schichten an und vertraten das gesamte politische, kulturelle und religiöse Spektrum der galizischen, polnischen, rumänischen und russischen Juden. Es gab Befürworter und entschiedene Gegner der Revolution,
Zionisten und Diasporanationalisten, Orthodoxe und Liberale, Chassidim und
Misnagdim sowie Bundisten und Poale Zionisten. Tiefgehende Differenzen
bestanden auch zwischen Arbeitern und Handwerkern, Händlern und kleineren Kaufleuten sowie Vertretern der jüdischen Intelligenz. Russisch-jüdische
und galizische Migranten, wie der Vorsitzende des *Verbandes russischer Juden*
Jakob Teitel und der aus Czernowitz stammende Sozialpolitiker Salomon Adler-
Rudel wirkten vermittelnd zwischen den armen »Ostjuden« des Scheunenvier-

---

31 Siehe in diesem Band: Zsuzsa Hetényi, Nomen est ponem? – Name and Identity in
    Russian Jewish Emigré Prose on and in Berlin of the 1920s; Karin Neuburger, Fiktion
    und Wirklichkeit – Micha Joseph Berdyczewskis Leben und Werk in Berlin (1912-1921);
    Britta Korkowsky, »The Narrator that Walks by Himself« – Schklowskis Erzähler, Kip-
    lings Kater und das Freiheitsparadoxon in Berlin.

tels und den deutschen Juden. Im Unterschied dazu suchten die Anhänger der jüdischen Arbeiterparteien entsprechend ihrem Selbstverständnis eine enge Verbindung zur deutschen und internationalen Arbeiterbewegung.[32] Die Verbindungen zur Mehrheitsgesellschaft waren vereinzelt, lose und fragil. Deutsche Zionisten um Kurt Blumenfeld agierten als Mittler zwischen den osteuropäisch-jüdischen Migranten insgesamt und den deutschen Juden, während einzelne prominente deutsch-jüdische Intellektuelle wie Albert Einstein, Eduard Bernstein, Leo Baeck sich in der Berliner Mehrheitsgesellschaft für die Migranten einsetzten.

Die Migranten differenzierten sich in Berlin entlang der politischen Konfliktlinien der Weimarer Republik.[33] Sie integrierten sich in das gesamte Spektrum von den rechten (russischen) Monarchisten und (jüdischen) Nationalisten bis hin zu den (internationalen) Anarchisten. Berlin hatte allen politischen Fraktionen etwas zu bieten: den liberalen und konservativen Migranten die erfolgreiche Unterdrückung der Revolution in Deutschland und den linken Migranten die frühe Anerkennung der Sowjetunion durch die Weimarer Republik im Vertrag von Rapallo 1922, zumindest so lange die Sowjetunion noch offen war für Kontakte und Kooperationen. Tradition und Stärke der deutschen Sozialdemokratie wirkten ebenfalls anziehend auf die jüdische Linke.[34] Migranten beteiligten sich auch an Frauen- und Jugendbewegung, den beiden großen Bewegungen zur Neuordnung der Generationen und Geschlechter.[35] Migrantinnen waren in Berliner zionistischen wie auch sozialistischen Organisationen aktiv. Im Bund zionistischer Frauen engagierten sich von Berlin aus beispielsweise Betty Leszynsky, die Tochter des Journalisten und Historikers Jakob Lestschinsky, und Helene Koigen, die Ehefrau des Sozialphilosophen David Koigen.[36] Sophie Dubnova-Erlich, die Tochter des Historikers Simon Dubnow, arbeitete Mitte der zwanziger Jahre eine Zeit lang von Berlin aus für den *Bund*.[37] Alexandra Ramm-Pfemfert wirkte an der Seite ihres Ehemannes Franz Pfem-

32 Siehe in diesem Band Gerben Zaagsma, Transnational networks of Jewish migrant radicals – The case of Berlin.
33 Karl Schlögel, Berlin: »Stiefmutter unter den russischen Städten. In: Ders.: Der grosse Exodus. Die russische Emigration und ihre Zentren 1917-1941, München 1994, S. 234-259.
34 Gertrud Pickhan, The »Bund« in Poland and German Social Democracy in the Thirties. In: Proceedings of the Twelfth World Congress of Jewish Studies, Jerusalem, July 29 – August 5, 1997, Division B: History of the Jewish People. Jerusalem 2000, S. 257-263.
35 Peter Longerich, Deutschland 1918-1933. Die Weimarer Republik. Handbuch zur Geschichte, Hannover 1995, S. 183-189.
36 Tamara Or, Vorkämpferinnen und Mütter des Zionismus. Die deutsch-zionistischen Frauenorganisationen (1897-1938), Frankfurt am Main [u. a.] 2009, S. 192-206.
37 Sofija Dubnova-Èrlich, Chleb i maza, Sankt Petersburg 1994, S. 202-204.

fert für den politischen Expressionismus. Sie trat als deutsche Übersetzerin von
Leo Trotzkis Autobiographie an die Öffentlichkeit.[38]

Das osteuropäisch-jüdische Berlin stellte nicht mehr als ein zeitlich begrenz-
tes Phänomen dar, einen Zwischenraum, der nur an seinen Rändern, wo er sich
mit dem Raum der Mehrheitsgesellschaft überschnitt, eine hybride Stadtkultur
bildete. Die Offenheit der Stadt im doppelten Sinn – als Schwäche des Neu-
anfangs und als Stärke der Weltoffenheit – war für die Migranten zunächst
günstig, erwies sich aber im Laufe der Zeit angesichts des zunehmenden Ein-
flusses der Nationalsozialisten auf die deutsche Gesellschaft als lebensgefähr-
lich. Die den Deutschen nach der Kriegsniederlage und in der wirtschaftlichen
Not abverlangte Akzeptanz der Fremden verflüchtigte sich in dem Maße, wie
Nationalisten die Verfügungsgewalt über den öffentlichen Raum gewannen. In
dieser Situation half nicht einmal eine maximale Anpassungsbereitschaft. Walter Laqueur folgend, lässt sich die fragile Ambivalenz und deren historische
Konsequenz schlüssig in dem Satz zusammenfassen: Der Übergang vom Kaiserreich zur Republik bedeutete Konfrontation von Linksintellektuellen und
politischer Rechten, Aufstieg und Niedergang der künstlerischen Avantgarde,
das Amüsement der Berliner Szene und endete mit dem Schrecken der ›Machtergreifung‹ durch die Nationalsozialisten.[39] Als Ausländer waren die jüdischen
Migranten aus dem östlichen Europa ab 1933 noch nicht so leicht angreifbar
wie die deutschen Juden. Einige von ihnen wie Vera Nabokow, Rachel und
Mark Wischnitzer, Braina und Faiwel Grüngard, Alexis Goldenweiser blieben
noch weit bis in die 1930er Jahre in Berlin. Dennoch wurde die deutsche Metropole nach 1933 ein Unort für jüdische Migranten. Früher oder später waren
sie gezwungen, weiter zu fliehen – über Triest oder Rom nach Palästina, zurück
ins östliche Europa, über Paris, Marseille, Lissabon nach Übersee. Viele der jüdischen Migranten, die in Berlin eine zeitweilige Bleibe gefunden hatten, konnten sich vor den Nationalsozialisten retten. Einzelne – wie die Lyrikerin Vera
Lourié (1901-1998) und der Übersetzer Elias Hurwicz (1884-1973) – überlebten
den Holocaust in Berlin. Einer der vielen Orte, wo jüdische Migranten aus dem
östlichen Europa ein neues Domizil in der Diaspora gründeten, war Boyle
Hights.[40] Unabhängig davon, inwieweit das Scheunenviertel mit dem Vorort
von Los Angeles zu vergleichen ist – die deutsche Geschichte gab ihm keine
Chance, Boyle Heights zu werden.

---

38 Julyjana Ranc, *Alexandra Ramm-Pfempfert: Ein Gegenleben* (Hamburg: Edition Nau-
    tilus, 2003), S. 31-38.
39 Walter Laqueur, Weimar. Die Kultur der Republik 1977.
40 Siehe in diesem Band: Jeffrey Wallen, Migrant Visions – the Scheunenviertel and Boyle
    Heights, Los Angeles.

Topographie

Tobias Brinkmann

Ort des Übergangs –
Berlin als Schnittstelle der jüdischen Migration aus Osteuropa nach 1918

Die jüdische Migration aus Osteuropa, die im letzten Drittel des 19. Jahrhunderts einsetzte, gehört zu den am besten erforschten Themen der neueren jüdischen Geschichte – so erscheint es jedenfalls auf den ersten Blick. Die Migration von mehreren Millionen Juden zwischen 1880 und 1925 veränderte in wenigen Jahren das seit der Vertreibung der Juden aus Spanien etablierte System der Zentren der jüdischen Diaspora. Die jüdische Gemeinde in den Vereinigten Staaten, vor 1880 ohne große Bedeutung, etablierte sich in den drei Jahrzehnten nach 1880 als das einflussreichste Zentrum jüdischen Lebens außerhalb Osteuropas. Die Migration aus Osteuropa war eine globale Bewegung, sie führte zur Gründung zahlreicher neuer Gemeinden und definierte jüdisches Leben in vielen kleineren Zentren der Diaspora völlig neu, unter anderem in Großbritannien, Südafrika, Argentinien und Palästina.

Die Migration aus dem Russischen Reich, der Habsburger Monarchie und Rumänien verschob nicht nur die Balance zwischen den Zentren der jüdischen Diaspora innerhalb und außerhalb Europas, sie war die treibende Kraft hinter der »Metropolisierung« der Juden. Mit diesem Begriff beschrieb der Soziologe und Zionist Arthur Ruppin nicht die überproportional starke jüdische Land–Stadt Wanderung zwischen 1870 und 1920 in verschiedenen Teilen von Europa, sondern die Präferenz jüdischer Migranten für eine Handvoll europäischer und amerikanischer Metropolen: Warschau, Budapest, Łódź, Chicago, Philadelphia, Odessa, London, Wien, Berlin und vor allem New York. Diese Zentren zogen zehntausende, teilweise hunderttausende jüdischer Zuwanderer an, die ganz überwiegend aus Osteuropa kamen. Eine Stadt stellte dabei alle anderen Metropolen in den Schatten: 1880 lebten rund 60.000 Juden in New York und Brooklyn, 1925 waren es über eine Million – sogar fast zwei Millionen, wenn man den Großraum New York mit einbezieht; das waren über zehn Prozent der jüdischen Weltbevölkerung.[1] Mehrere Metropolen – Odessa, Wien, Budapest, Łódź und Warschau – befanden sich in Ost- und Mitteleuropa, ein Indiz für die starke jüdische Binnenwanderung innerhalb der Imperien.

---

1 Arthur Ruppin, Soziologie der Juden, Berlin 1930, Bd. 1, S. 67-86.

Berlin fällt in dieser Aufzählung aus dem Rahmen. Zwar wuchs die jüdische Bevölkerung Berlins auf über 130.000 im Jahr 1910, aber die Zahl jüdischer Zuwanderer aus dem Russischen Reich, der Habsburger Monarchie und Rumänien blieb mit etwas über fünfzehn Prozent deutlich geringer als in den anderen Metropolen. 1925 lebten rund 175.000 Juden in Berlin. Der Anteil der »gemeldeten« ausländischen und staatenlosen Juden betrug etwa ein Viertel. Die Dunkelziffer war sicherlich höher. Doch die Fluktuation – ein weiteres Berliner Charakteristikum – war groß. In den amerikanischen Metropolen gab es durchaus auch eine hohe Fluktuation, nicht zuletzt in Hafenstädten wie New York. Doch die meisten Juden kamen mit der Absicht, sich auf Dauer niederzulassen und taten dies auch. Der Anteil der nach 1870 eingetroffenen Juden aus dem Ausland (einschließlich ihrer in den USA geborenen Kinder) lag 1910 in New York, Chicago und Philadelphia bei über 90%.[2]

Der Berliner Sonderweg hatte politische Gründe: Die preußischen Behörden begannen in den 1880er Jahren, den Zuzug von Ausländern aus dem Osten durch diverse »administrative Maßnahmen« zu unterbinden. Die polizeiliche Meldepflicht und das damit einhergehende Damoklesschwert der Ausweisung erklären, warum viele potentielle Zuwanderer Berlin und andere deutsche Städte links liegen ließen und weiter wanderten. Deutschland reagierte schärfer aber keineswegs früher als andere Staaten auf die starke Zunahme der Migration aus Osteuropa. Diese war nur eine Facette eines weltweiten Mobilisierungsschubes. Auch die Vereinigten Staaten und Australien begannen in den 1880er Jahren, »unerwünschte« Migranten abzuweisen, insbesondere Chinesen, aber auch Mittellose allgemein. In Großbritannien setzte in den 1890er Jahren eine Debatte über Zuwanderungsbeschränkungen ein, die sich speziell gegen jüdische Einwanderer aus Osteuropa richtete. Der 1905 vom Parlament verabschiedete restriktive Aliens Act wurde vor 1914 jedoch großzügig ausgelegt.[3]

Aber Berlin war nicht von Osteuropa abgeschnitten. Die Stadt war vor und nach 1918 einer der zentralen europäischen Umschlagplätze einer gewaltigen Migration von Ost nach West. Ein großer Teil der jüdischen und anderen Osteuropäer auf dem Weg nach Westen reisten vor 1914 über Berlin. Während des Ersten Weltkrieges begannen eine Reihe von Einwanderungsländern, allen vo-

---

2 A.a.O.; Gabriel E. Alexander, Die jüdische Bevölkerung Berlins in den ersten Jahrzehnten des 20. Jahrhunderts: Demographische und wirtschaftliche Entwicklungen. In Reinhard Rürup (Hg.), Jüdische Geschichte in Berlin: Essays und Studien, Berlin 1995, S. 117-148, hier: 142.

3 Jack Wertheimer, Unwelcome Strangers: East European Jews in Imperial Germany, New York 1987, S. 42, 75-119; Aristide R. Zolberg, The Great Wall Against China: Responses to the First Immigration Crisis, 1885-1925. In Leo und Jan Lucassen (Hg.), Migration, Migration History, History, Bern 1997, S. 291-315; Todd Endelman, The Jews of Britain 1656 to 2000, Berkeley 2000, S. 159 f.

ran die Vereinigten Staaten, ihre Tore zu schließen. Die Einwanderungsrestriktionen hatten unmittelbare Auswirkungen auf wichtige Stationen entlang der
Hauptwanderungsrouten, nicht zuletzt auf Berlin.

Der folgende Essay ist ein Versuch, Berlins Ort auf der dynamischen Karte
jüdischer Migrationen aus Osteuropa vor und insbesondere nach 1918 genauer
zu bestimmen. Dahinter steht letztlich die Frage, wie die Geschichte jüdischer
Migration im Rückblick zu bewerten ist. War sie ein spezifisches Phänomen
oder spiegelt jüdische Migration lediglich allgemeine Entwicklungen wider? In
Berlin begann unmittelbar nach dem Ersten Weltkrieg eine Debatte über diese
Frage, die sich während der 1940er Jahre in den Vereinigten Staaten fortsetzen
sollte.

Binnenwanderer und Durchwanderer vor 1918

Dem geringen Anteil von ausländischen Juden in Berlin steht eine beachtliche
Binnenwanderung gegenüber. Ähnlich wie in Wien, Budapest, Łódź und Warschau, deren jüdische Bevölkerung sich fast ausschließlich aus Binnenwande-
rern aus Teilen der Habsburgermonarchie oder des Russischen Reiches rekru-
tierte, stammten die meisten Juden, die am Vorabend des Ersten Weltkrieges in
Berlin lebten, aus Preußen oder waren in Berlin geborene Kinder dieser Binnenwanderer. Sie waren in der zweiten Hälfte des 19. Jahrhunderts überwiegend aus
den Provinzen Posen, Westpreußen und Schlesien nach Berlin gezogen. In den
kleinen Landgemeinden, in denen die meisten der Migranten aufwuchsen, waren die kulturellen und religiösen Unterschiede zu jenen Juden, die im polnischen Teil des Russischen Reiches lebten, vor 1900 relativ gering. Das galt vor
allem für Posen, der östlichen Provinz mit dem höchsten Anteil jüdischer Be-
wohner. Die preußische Regierung vernachlässigte die wirtschaftliche Entwicklung in Posen im neunzehnten Jahrhundert. Die Emanzipation der jüdischen
Bevölkerung in Posen verlief ebenfalls schleppend. Die Posener Juden erhielten
erst 1869, also genau zu dem Zeitpunkt, als alle Juden in Preußen vollständig
emanzipiert wurden, die gleichen Rechte wie Juden in anderen preußischen
Provinzen.[4]

Schon früh assoziierten »westliche« Juden in Berlin ihre »östlichen« Glau-
bensgenossen mit Tradition und Rückständigkeit. 1870, auf dem Höhepunkt
der Zuwanderung, attestierte der Chefredakteur der *Allgemeinen Zeitung des
Judentums*, der Bonner Rabbiner Ludwig Philippson, jüdischen Neuberlinern
aus Posen und anderen preußischen Ostprovinzen einen Mangel an »Geschmack«

---

4 Bernhard Breslauer, Die Abwanderung der Juden aus der Provinz Posen, Berlin 1909;
Thomas Serrier, Provinz Posen, Ostmark, Wielkopolska: eine Grenzregion zwischen
Deutschen und Polen, 1848-1914, Marburg 2005.

und »Bildung«.[5] Um die Jahrhundertwende stellten Juden aus den Ostprovinzen die Mehrheit der Berliner jüdischen Bevölkerung; führende Repräsentanten der Gemeinde wie Leo Baeck kamen aus der Provinz Posen. Doch die meisten Juden distanzierten sich schon bald nach ihrer Ankunft von ihren östlichen
Wurzeln, da »Ostjuden« mit Tradition und Rückständigkeit assoziiert wurden.[6]
Die Unterschiede zwischen zugewanderten Juden aus dem »Osten« und assimi-
lierten Juden manifestierten sich lange vor 1918 im Berliner Stadtbild. Schon
seit den 1860er Jahren verlief eine imaginäre jüdische Binnengrenze zwischen
Ost und West mitten durch die preußische Metropole. In Berlin lagen zwischen
den bürgerlichen Vierteln im Westen und den Arbeiterquartieren im Zentrum
nur ein paar S-Bahnstationen, aber auf der innerjüdischen Ebene erschien die
soziale und kulturelle Distanz zwischen Ost und West unermesslich. Doch sie
war nicht unüberwindbar. In seinen 1947 in Tel Aviv verfassten Memoiren beschrieb der Hannoveraner Anwalt Sammy Gronemann, wie sich Zuwanderung,
Assimilation und soziale Mobilität in der innerjüdischen Topographie Berlins
um 1900 widerspiegelten:

> »Ostjude und Westjude waren in Berlin nicht so sehr geographische wie
> zeitliche Begriffe. Gar oft kam es vor, daß aus dem Osten eingewanderte
> Juden zunächst in den oben genannten Straßen ihr Quartier nahmen [in der
> Nähe des Alexanderplatzes, T.B.], dann allmählich zu Wohlstand gelangten,
> in das vornehmere Bellevue-Viertel zogen, der Heimat des besseren Mittel-
> standes, und dann auf der sozialen Leiter aufsteigend, ihren Wohnsitz nach
> Charlottenburg verlegten und Westjuden wurden, die dann oft mit unge-
> heurer Verachtung auf die eingewanderten Elemente jenes östlichen Viertels
> herabsahen.«[7]

Gronemann konfrontierte die etablierten Berliner »Westjuden« bereits 1920 mit
ihrer östlichen Vergangenheit. In seinem in Berlin verlegten Roman *Tohuwabohu* appellierte er an die etablierten Juden, ihre eigene Geschichte nicht zu
verleugnen und ihre Brüder und Schwestern aus dem Osten mit offenen Armen
aufzunehmen, anstatt sich sozial von ihnen zu distanzieren. Allerdings wählte
Gronemann als Genre eine bitterböse Gesellschaftssatire, und er machte keinen
Hehl aus seiner zionistischen Überzeugung.[8]

---

5 Ludwig Philippson, Berlin. In Allgemeine Zeitung des Judenthums, 8. Februar 1870.
6 Zum Hintergrund: Steven Aschheim, Brothers and Strangers: The East European Jew in
   German and German Jewish Consciousness, 1800-1923, Madison 1982.
7 Sammy Gronemann, Erinnerungen (herausgegeben von Joachim Schloer), Berlin 2002,
   S. 256.
8 Sammy Gronemann, Tohuwabohu, Berlin 1920.

Während die meisten Mitglieder der Berliner jüdischen Gemeinde aus den preußischen Ostprovinzen stammten, ebenso wie ein großer Teil der christlichen Bevölkerung der rasch expandierenden Stadt, blieb der Anteil der ausländischen Zuwanderer gering. Unter den gemeldeten Juden aus dem Ausland dominierten Zuwanderer auf Zeit, vor allem Studenten und Geschäftsleute. Die Zahl der Durchwanderer dagegen war hoch. Berlin war lange vor der Jahrhundertwende einer der wichtigsten Knotenpunkte der jüdischen Migration aus Osteuropa in die Vereinigten Staaten, vor allem aufgrund der zentralen Lage der Stadt im mitteleuropäischen Eisenbahnnetz.

Die Dimension der Durchwanderung war gewaltig. In einigen Jahren nach der Jahrhundertwende durchquerten fast 200.000 Osteuropäer die preußische Hauptstadt in geschlossenen (vielfach von den Schiffahrtsgesellschaften zusammengestellten) Transporten auf dem Weg in die großen Nordseehäfen. Dazu kamen Rückwanderer und eine erhebliche Zahl von nicht offiziell registrierten Migranten. Viele Polen, Juden, Ukrainer, Litauer und andere Osteuropäer verbrachten nur ein paar Stunden auf der Durchreise in der Stadt. Die Kapazität der Berliner Bahnhöfe stieß bereits in den späten 1880er Jahren an ihre Grenzen, und es häuften sich Klagen über soziale Unordnung. Um die illegale Einwanderung zu verhindern, aber vor allem um die Ordnung sicherzustellen, begannen die preußischen Behörden Anfang der 1890er Jahre »Auswanderer« von den übrigen Reisenden zu trennen. Nach 1891 reiste eine wachsende Zahl in geschlossenen Transporten und versiegelten Zügen durch die Stadt, ohne die Möglichkeit auszusteigen. Umgestiegen wurde ab November 1891 unter behördlicher Aufsicht im hermetisch abgeriegelten »Auswandererbahnhof« Ruhleben, mehrere Kilometer westlich von Berlin.[9]

Doch das Transitsystem war nicht perfekt; viele Durchwanderer wussten die Kontrollen zu umgehen, und eine Ausweisung erfolgte nicht unmittelbar, sondern manchmal erst nach mehreren Jahren. Während Durchwanderer aus dem Russischen Reich in der Regel isoliert wurden, auch aufgrund des Verdachts einer Infektion mit Cholera und anderen ansteckenden Krankheiten, ließ der preußische Staat gegenüber Bürgern der Habsburgermonarchie Milde walten. Wiederholte Beschwerden der Regierung in Wien zeigten Wirkung. Schon in den 1880er Jahren gehörten größere Gruppen jüdischer Durchwanderer aus Osteuropa zum Berliner Stadtbild, und nicht nur im unmittelbaren Umfeld der Ost- und Westbahnhöfe. Die Geschichte jüdischen Lebens im Umfeld der

9 Tobias Brinkmann, Traveling with Ballin: The Impact of American Immigration Policies on Jewish Transmigration within Central Europe, 1880-1914. In: International Review of Social History 53 (2008), S. 459-484; eine eindringliche Schilderung der Transitreise über Berlin für das Jahr 1894: Mary Antin, From Plotzk to Boston. With a Foreword by Israel Zangwill, Boston 1899, S. 41-43.

Der ehemalige Auswandererbahnhof Ruhleben, Zustand 2006.
Foto: Tobias Brinkmann

Grenadierstraße reicht in diese Zeit zurück. Im September 1895 berichtete ein
Polizeibeamter, der für den Hamburger Senat inkognito die Reiserouten osteuropäischer Durchwanderer und Grenzstationen auskundschaftete, nicht ohne Ent-
setzen: »Berlin ist von russischen Juden überflutet. [...] Die meisten Juden woh-
nen in der Königsstadt, Grenadier-, Linien-, und Königstrasse. Sie haben sich
hier einfach festgesetzt und das Hierbleiben der Auswanderung vorgezogen.« Im
September 1911 findet sich im *Israelitischen Familienblatt* eine detaillierte Beschreibung des »Berliner Ghetto[s]«. Der Autor schilderte die Grenadierstraße als
das »wirtschaftliche und geistige Zentrum« der jüdischen Durchwanderer aus
dem Osten im Herzen der deutschen Metropole. Die nah gelegene Kleiderbörse
war ein wichtiger Umschlagplatz für jüdische Groß- und Kleinhändler, die Alt-
kleider nach Russland verschickten. Schon eine oberflächliche Recherche in Berliner Adressbüchern bestätigt diese Beschreibungen. Schon in den 1890er Jahren
existierten in den Straßen nördlich des Alexanderplatzes, nicht zuletzt in der Grenadierstraße, jüdische Betstuben und Synagogen.[10]

10 Wertheimer, Unwelcome Strangers, S. 71 f; Kiliszewski an Dr. Sthamer, 21. September
    1895 (Berlin), Staatsarchiv Hamburg, Auswanderungsamt I, 373-7 I; Hans Ermy, Das
    Berliner Ghetto. In Israelitisches Familienblatt (Hamburg), 14. September 1911; Adreß-
    buch für Berlin und seine Vororte 1900, Berlin 1900, Bd. 2, S. 218 (Grenadierstraße,
    Nr. 6: zwei »Synagogen«).

In der Literatur wird die Durchwandererung von Juden und anderen Osteuropäern kaum thematisiert, weil Durchwanderer wenige Spuren hinterließen und sich quer durch den durch das nationalstaatliche Paradigma definierten Untersuchungsrahmen vieler Studien bewegten.[11] Die meisten Autoren im Feld der neueren jüdischen Geschichte ignorieren vor allem zwei wesentliche Aspekte der jüdischen Migration aus Osteuropa nach 1870 fast völlig, den Kontext der Auswanderung in Osteuropa und den eigentlichen Prozess der Migration. Im Vordergrund steht – aus nachvollziehbaren Gründen – das Ankommen in der Neuen (oder einer anderen) Welt. Diese einseitige Ausrichtung der Forschung ist teilweise der Quellenproblematik geschuldet. Es liegt buchstäblich näher, die Geschichte der Einwanderung für einen bestimmten Ort zu rekonstruieren, als die Routen der Migration durch Archive in verschiedenen Staaten und Erdteilen zu verfolgen. Die jüdische Massenmigration aus Osteuropa – das ist heute keine kontroverse These mehr – hatte vor allem wirtschaftliche Gründe. Die Pogrome waren Auslöser und nicht Ursache; die starke und scheinbar unvermittelte Zunahme der Wanderung in den frühen 1880er Jahren lässt sich nicht zuletzt auf die Ausdehnung des Eisenbahnnetzes im Russischen Reich zurückführen.[12]

Durchwanderung nach 1918

Obwohl die Erfahrung des Transits die Lebenswelt jüdischer und anderer Migranten und Flüchtlinge aus Osteuropa im Berlin der Nachkriegszeit prägte, konzentrieren sich die meisten Forscher auf das Ankommen und thematisieren nicht die kontinuierliche Verschränkung von Ankommen und Weiterreisen im Berlin der Zwischenkriegszeit. Die Bedingungen für die Migration hatten sich mit dem »Großen Krieg« und dem Zusammenbruch der Imperien grundlegend geändert – insbesondere für Osteuropäer und speziell für Juden. Vor dem Krieg waren viele Migranten auf dem Weg von Ost nach West (und zuweilen in die andere Richtung) in Berlin nur umgestiegen; viele reisten in geschlossenen Transporten. Nach dem Krieg wurde Berlin zu einer wichtigen Anlaufstation für Migranten und Flüchtlinge aus Osteuropa. Aber auch jetzt war die deutsche Hauptstadt für die meisten nur eine Destination auf Zeit.

11 Bernhard Karlsberg, Geschichte und Bedeutung der deutschen Durchwandererkontrolle, Hamburg, Leipzig 1922; Michael Just, Ost- und südosteuropäische Amerikawanderung: 1881-1914. Transitprobleme in Deutschland und Aufnahme in den Vereinigten Staaten, Stuttgart 1988, S. 37.
12 John D. Klier, Emigration Mania in Late-Imperial Russia: Legend and Reality, in Aubrey Newman und Stephen W. Massil (Hg.), Patterns of Emigration, 1850-1914, London 1996, S. 21-30.

Auf der einen Seite, im Osten, nahm der Druck zur Abwanderung massiv zu
– viele Menschen wurden schon während des Krieges gezwungen, ihre Heimat
zu verlassen. Im Russischen Reich ließen die Militärbehörden 1915/16 zehntausende Juden und deutschsprachige Protestanten als potentielle Kollaborateure
der Mittelmächte aus den westlichen Provinzen ins Landesinnere umsiedeln,
häufig unter Verlust ihres Eigentums. Viele Juden und Polen, die in Gebieten
lebten, die bereits von der deutschen Armee besetzt worden waren, wurden
zwangsweise für die deutsche Kriegswirtschaft nach Berlin und an andere Orte
in Deutschland verpflichtet. In der Habsburgermonarchie flüchteten Juden
vor allem aus Galizien, das lange im Brennpunkt der Kämpfe stand, nach
Wien, Budapest und Prag. Der Zusammenbruch der Imperien 1918 zog eine
Vielzahl regionaler Konflikte in der Region zwischen dem Schwarzen Meer und
dem Baltikum über die neuen Grenzen und politische Vorherrschaft nach sich,
die bis in die frühen 1920er Jahre andauerten. Das Ausmaß an Gewalt gegen
Zivilisten erreichte eine völlig neue Qualität. In der Ukraine und Südostpolen
fielen mindestens 60.000 Juden 1918/19 gezielten Pogromen zum Opfer. Die
Wirtschaft brach in vielen Regionen Osteuropas fast völlig zusammen. Die Folgen waren eine Hungerkrise und eine massive Flüchtlingswelle.[13] Boris Bogen,
der Leiter des europäischen Hilfsprogramms des *American Jewish Joint Distribution Committee* (JDC) schilderte seine Eindrücke einer Reise nach Galizien
im Jahr 1919:

> »[…] the road to Lwoff was a Via Dolorosa of hunger and death and sickness
> and fear. Jewish refugees were tramping on the highways, going God knows
> where, living in abandoned barns like cattle, crowded often many in a room
> in houses that gave them shelter.«[14]

Auf der anderen Seite, im Westen, schlossen traditionelle Einwanderungsländer
wie die Vereinigten Staaten und Großbritannien nach dem Krieg ihre Tore. Das
war kein Zufall, sondern ausdrücklich eine Reaktion auf die absehbare Flüchtlingswelle aus dem Osten. Die westliche Öffentlichkeit beobachtete insbesondere die Machtergreifung der Bolschewiki und ihre Erfolge im russischen
Bürgerkrieg mit großer Sorge. Das Szenario einer Masseneinwanderung von
Kommunisten und eine Wirtschaftskrise gaben in den USA den Vertretern der
starken und gut organisierten Anti-Einwanderungslobby schlagkräftige Argu-

---

13 Peter Gatrell, A Whole Empire Walking: Refugees in Russia during World War I,
    Bloomington (IN) 1999; Eric Lohr, Nationalizing the Russian Empire: The Campaign
    against Enemy Aliens during World War I, Cambridge (MA) 2003; Michael R. Marrus,
    The Unwanted: European Refugees in the Twentieth Century, New York/Oxford 1985,
    S. 52-80.
14 Boris Bogen, Born a Jew, New York 1930, S. 190.

mente an die Hand. Antisemitische und rassistische Stereotype spielten in der Kampagne für Einwanderungsbeschränkungen eine wichtige Rolle. Der amerikanische Kongress stimmte 1921 mit großer Mehrheit für ein äußerst restriktives Einwanderungsgesetz, das 1924 noch einmal deutlich verschärft wurde. Die meisten Ost- und Südeuropäer, sowie Asiaten wurden von der Einwanderung ausgeschlossen. Andere Staaten wie Kanada und Argentinien verschärften die Einwanderungsgesetze teilweise als Reaktion auf die amerikanischen Beschränkungen. Eine Ausnahme vom Trend zu Einwanderungsbeschränkungen im Westen war Frankreich, das vor dem Krieg als Zuwanderungsland für Juden und andere Osteuropäer eine untergeordnete Rolle gespielt hatte. Frankreich konnte seine Armee nur teilweise demobilisieren und benötigte Arbeitskräfte im Bergbau und in bestimmten Schlüsselindustrien. Und es galt, den stark zerstörten Norden des Landes wiederaufzubauen. Daher handhabe die Pariser Regierung die Einwanderung aus Ost- und Südeuropa nach 1918 liberaler als die meisten Staaten in Europa und Übersee.[15]

Im Unterschied zur Vorkriegszeit mussten viele Durchwanderer in Berlin nach dem Krieg Station machen, häufig nach einer umständlichen Reise aufgrund kriegsbedingter Zerstörungen der Infrastruktur im Osten und blockierter Grenzen wie etwa der zwischen Litauen und Polen. Die Häfen Hamburg und Bremen waren bis Ende 1921 für den Überseeverkehr gesperrt. Bis 1920/21 führte der einzige Weg zu den Häfen in Antwerpen, Le Havre und Cherbourg über die Niederlande, weil Frankreich und Belgien die Grenze zu Deutschland geschlossen hatten. Daher reisten nicht wenige Durchwanderer von Berlin nach Danzig, wo 1919 eine Schiffsverbindung nach New York eingerichtet wurde. Der Andrang von jüdischen und anderen Migranten war 1919/20 so groß, dass viele unter katastrophalen Bedingungen in provisorisch errichteten Zeltlagern außerhalb von Danzig monatelang kampieren mussten.[16]

Zwischen 1918 und 1925 avancierte Berlin für kurze Zeit zu einem Dreh- und Angelpunkt der jiddischsprachigen Diaspora, zwischen den alten jüdischen Zentren in Osteuropa und den Schnittstellen eines globalen Diaspora-Netzes wie Harbin, Shanghai, New York, Chicago, Buenos Aires, Tel Aviv, Moskau, Leningrad, Warschau und Paris. Berlin war keineswegs die einzige Stadt, in der jüdische und andere Durchwanderer und Flüchtlinge aus Osteuropa in den ersten Jahren nach dem Krieg ihre Reise unterbrachen. Wien, Warschau, Prag,

15 Mae M. Ngai, Impossible Subjects: Illegal Aliens and the Making of Modern America, Princeton 2003, S. 23; Higham, Strangers in the Land, S. 277-286; Clifford Rosenberg, Policing Paris: The Origins of Modern Immigration Control Between the Wars, Ithaca (NY) 2006, S. 85.
16 Mark Wischnitzer, To Dwell in Safety: The Story of Jewish Migration since 1800, Philadelphia 1948, S. 146-151.

Leipzig und andere Städte dienten vielen als erste Zufluchtsorte. Doch Berlin war Sitz einer der größten jüdischen Gemeinden Europas und neben Paris und London das wichtigste geistige und wirtschaftliche Zentrum Europas. Und trotz der Niederlage war Berlin Hauptstadt einer wichtigen europäischen Großmacht. Letzteres hatte für Durchwanderer auch den konkreten Vorteil, dass sich Pässe, Visa und Transitvisa leichter beschaffen ließen als in Städten ohne diplomatische Vertretungen. Es kristallisierte sich relativ schnell heraus, dass die Behörden der jungen Weimarer Republik gestrandete Flüchtlinge nicht abschieben würden. Die politische Instabilität der ersten Jahre bot Durchwanderern in der riesigen Stadt paradoxerweise einen gewissen Schutz; allerdings konnte der Staat gewalttätige Extremisten nur bedingt in Schach halten. Polizisten, niedere Verwaltungsbeamte und Angestellte der Bahn, mit denen die meisten Durchwanderer täglich konfrontiert waren, machten keinen Hehl aus ihrer Geringschätzung von unerwünschten Ausländern, insbesondere »Ostjuden«. Auch deshalb blieb Berlin für die meisten nur Station.[17]

Die Inflation machte Berlin ebenfalls zu einer durchaus lukrativen Anlaufstation. Der rapide Verfall der deutschen Währung eröffnete gerade Migranten mit Beziehungen in andere Währungsgebiete ökonomische Nischen: im Kleinhandel, im Transport von Gütern über die polnische Grenze und für diverse Spekulationsgeschäfte. Der Boom der jiddischen Zeitungen war größtenteils dem Währungsverfall geschuldet; viele Zeitungen wurden in Berlin für Leser in Polen produziert. Doch die Hyperinflation war ein zweischneidiges Schwert. Deutsch-jüdische Hilfsorganisationen mussten ihre Arbeit 1922 und 1923 nahezu einstellen, da Geldspenden praktisch wertlos geworden waren.[18]

In Berlin hatte sich über Jahrzehnte eine kaum sichtbare informelle Infrastruktur der Durchwanderung herausgebildet: sie bestand aus Anlaufstellen, Unterstützungsnetzwerken, vielfältigen persönlichen Beziehungen, kleinen Märkten, spezifischen Dienstleistungen, aber auch wirtschaftlichen Nischen. Der Roman *Die Straße der kleinen Ewigkeit* von Martin Beradt vermittelt einen unmittelbaren Eindruck dieser für Außenseiter kaum sichtbaren, kleinen Welt in der großen Stadt. Beradt, ein deutsch-jüdischer Anwalt, recherchierte für

---

17 Joseph Roth, Juden auf Wanderschaft, Berlin 1927, S. 65-74; Trude Maurer, Ostjuden in der Weimarer Republik, Hamburg 1987; Jochen Oltmer, Migration und Politik in der Weimarer Republik, Göttingen 2005, S. 221-260; speziell zu Berlin: Eike Geisel, Im Scheunenviertel: Bilder Texte und Dokumente, Berlin 1981; Delphine Bechtel, La Renaissance culturelle juive: Europe centrale et orientale 1897-1930, Paris 2001, S. 201-251.

18 Marion Neiss, Presse im Transit: Jiddische Zeitungen und Zeitschriften in Berlin von 1919 bis 1925, Berlin 2002; Mark Wischnitzer, Die Tätigkeit des Hilfsvereins in den Nachkriegsjahren mit besonderer Berücksichtigung der Auswandererfürsorge. In Festschrift anlässlich des 25-Jährigen Bestehens des Hilfsvereins der Deutschen Juden, Berlin 1926, S. 47-59.

den Roman über die Grenadierstraße als Durch- und Übergangsort über mehrere Jahre und kompilierte den Text 1940 im Londoner Exil. Er hegte unverhüllte Sympathien für die marginalisierten jüdischen Menschen im Umfeld der Grenadierstraße. Er schildert den Alltag der Durchwanderung, die ständige Angst vor der Polizei, aber auch die Hoffnungen auf eine bessere Zukunft im Westen:

> »Er kam unmittelbar aus einer Judengasse in Piaseczno und wußte genau, in welche Gasse er hier zu gehen hatte; es gab nur eine. In Amsterdam gibt es ein Viertel für Ostjuden, in New York füllen sie ganze Stadtteile, in London lange Straßenzüge. Hier, in einer Stadt von vier Millionen Einwohnern, einer der größten und bedeutendsten der Welt, waren so ausgeprägt nur wenige Gassen; die wichtigste betrat er. Dreitausend Menschen hatte sie bisher beherbergt, jetzt sollte es einer mehr sein.«[19]

Jüdische Flüchtlinge und Migranten fanden nach 1918 Unterstützung von jüdischen Hilfsorganisationen, wie dem bereits 1901 gegründeten *Hilfsverein der Deutschen Juden*, amerikanischen Organisationen wie dem JDC, aber auch Vereinigungen, die Migranten selbst aufbauten. Besonders wichtig war *Emigdirect*, eine Föderation von mehr als zwanzig Hilfsvereinigungen in sechzehn Staaten, die aus einer Konferenz in Prag 1921 hervorging. Berlin wurde zum Sitz von *Emigdirect* bestimmt.[20] Die Unterstützung jüdischer Migranten hatte in Berlin eine lange Tradition. Entlang der wichtigsten Transitrouten hatte sich in der zweiten Hälfte des 19. Jahrhunderts ein dichtes und zunehmend professionell organisiertes jüdisches Unterstützungs-Netzwerk herausgebildet, das flexibel auf eine Zunahme der Migration reagieren konnte. Die Hilfskomitees gewährten materielle Unterstützung und professionellen Rat. Sie überzeugten viele hilfsbedürftige Durchwanderer, wieder in die Heimat zurückzukehren, weil sie die Auswanderung nicht ausreichend vorbereitet hatten und keine realistische Vorstellung von den Lebens- und Arbeitsbedingungen in Amerika hatten. Die meisten Migranten wurden indes weiter geschickt, vor allem wenn sie Verwandte hatten, die ihnen nach der Ankunft in Amerika unter die Arme greifen konnten.

Der Wegfall der amerikanischen Option stellte jüdische Hilfsvereinigungen in Europa und Nordamerika nach dem Ersten Weltkrieg vor eine völlig neue Ausgangslage. Nur noch eine Minderheit von hilfsbedürftigen Migranten konnte in die USA weiterreisen. Die amerikanisch-jüdischen Hilfsorganisationen, die sich traditionell um Einwanderer in den USA gekümmert hatten, übernahmen schon im Krieg Verantwortung für Juden in Europa und Ostasien. Sie waren

19 Martin Beradt, Die Straße der kleinen Ewigkeit, Frankfurt am Main 2003, S. 61 (Zitat).
20 Wischnitzer, To Dwell in Safety, S. 146-151.

auch aufgrund ihrer finanziellen Reserven wichtige Akteure im Nachkriegs-
europa, vor allem in Polen. Berlin war einer der zentralen Orte für die Neuaus-
richtung der jüdischen Hilfstätigkeit. Der *Hilfsverein der Deutschen Juden* ließ
zweimal im Jahr ein Informationsblatt mit den aktuellsten Daten zur weltweiten Migration drucken. Auch *Emigdirect* verschickte regelmäßig einen jiddischsprachigen Newsletter an jüdische Gemeinden in Osteuropa. Die Organisationen sammelten Informationen vor Ort und versuchten mit Regierungen
Lösungen für bestimmte Gruppen von Migranten auszuhandeln. 1923 und 1925
etwa entsandte *Emigdirect* einen Emissär von Berlin nach Südamerika, um Informationen über die Ansiedlung von jüdischen Migranten zu sammeln. Gleichzeitig trafen sich *Emigdirect*-Abgesandte mit Regierungsvertretern in Litauen,
Lettland und der Sowjetunion, um die Aus- und Durchwanderung von Juden
zu ermöglichen. Verschiedene Organisationen öffneten in Berlin in der ersten
Hälfte der 1920er Jahre Büros. Das Büro des *Hilfsvereins* in der Steglitzer Straße
(der heutigen Pohlstraße) im Bezirk Tiergarten war schon in der Vorkriegszeit
eine wichtige Anlaufstelle für jüdische Durchwanderer. Mitarbeiter des *Hilfsvereins* halfen im Rahmen der »Auswandererfürsorge« bei der Erlangung mate-
rieller Unterstützung, nicht zuletzt durch die Berliner Jüdische Gemeinde. Eine
zentrale Aufgabe des *Hilfsvereins* und anderer jüdischer Vereinigungen war die
Hilfe bei der Antragstellung von Pässen und Visa.[21]

Mit dem Zusammenbruch der Imperien hatten viele Juden ihre Staatsangehörigkeit verloren und die Nachfolgestaaten waren häufig nicht bereit, Mitgliedern von unerwünschten Minderheiten, Pässe auszustellen. Staatenlosigkeit
bedeutete erzwungene Immobilität, da Personen ohne gültige Reisedokumente
nach 1918 in der Regel keine internationale Grenze legal überqueren konnten.
Der vom Völkerbund ausgestellte »Nansenpass« ermöglichte Staatenlosen eine
gewisse Bewegungsfreiheit. Aber auch wer im Besitz von gültigen Papieren war,
musste ein Visum beantragen – und das konnte dauern.[22] Das Schwanken zwischen Hoffnung und Verzweiflung war für viele Migranten im Rückblick ein
prägendes Element ihrer Berlin-Erfahrung. In seinem 1927 in Berlin publizierten Essay »Juden auf Wanderschaft« assoziierte der Schriftsteller und Journalist
Joseph Roth genau diesen Aspekt mit der deutschen Hauptstadt:

> »Berlin ist eine Durchgangsstation, in der man aus zwingenden Gründen
> länger verweilt. […] Hier bleiben sie [die jüdischen Emigranten, T.B.] oft ste-

---

21 Wischnitzer, To Dwell in Safety, S. 150 f; Neiss, Presse im Transit, S. 102-106; Hilfsver-
    ein der Deutschen Juden, Jahresbericht für 1928, Berlin 1929, S. 23.
22 Zum Hintergrund: Marc Vishniak, The Legal Status of Stateless Persons (Pamphlet
    Series: Jews and the Post-War World, Nr. 6, hg. American Jewish Committee), New
    York 1945.

Gruppe von Migranten in Berlin im Jahre 1926, möglicherweise im Hilfsverein der
deutschen Juden. Aus dem Archiv des YIVO Institute for Jewish Research, New York

cken. Sie haben nicht genug Geld. Oder ihre Papiere sind nicht in Ordnung.
(Freilich: Die Papiere! Ein halbes jüdisches Leben verstreicht im zwecklosen
Kampf gegen ›Papiere‹).«[23]

Wie Gronemann wandte sich Roth vor allem an die deutsch-jüdische Öffentlichkeit. Auch er wollte Verständnis für das Schicksal der jüdischen Migranten
aus Osteuropa wecken.

Wie viele Juden reisten nach 1918 durch Berlin? Die in der Literatur kolpor-
tierte Zahl von angeblich über 300.000 »Russen«, die Anfang der 1920er Jahre
in Berlin gelebt haben sollen, ist sicherlich übertrieben.[24] Damalige Schätzungen gelten heute als nicht verlässlich, zumal sie viele Doppelzählungen mit ein-
schließen. Diverse zeitgenössische Kommentatoren wie etwa Albert Einstein im
Dezember 1919 betonten immer wieder, dass die Zahl jüdischer Flüchtlinge und
Migranten aus dem Osten in Berlin weitaus geringer war, als von Antisemiten

23 Roth, Juden auf Wanderschaft, S. 65.
24 Siehe etwa: Karl Schlögel, Berlin Ostbahnhof Europas: Russen und Deutsche in ihrem
    Jahrhundert, Berlin 1998, S. 78; Jochen Oltmer plädiert für eine konservativere Schät-
    zung, siehe: Oltmer, Migration und Politik, S. 262 f; auch der liberale britische Politiker
    John Hope Simpson hielt die Zahl von über 200.000 Flüchtlingen für übertrieben: John
    Hope Simpson: Refugees. Preliminary Report of a Survey, London 1938, S. 40.

Auswanderer auf der
Durchfahrt, Berlin, Schlesischer
Bahnhof 1928/29.
Bahnhofsdienst des Hilfsvereins
der deutschen Juden.
Jahresbericht des Vereins für
1929, Berlin 1939, S. 23

und anderen Befürwortern einer harten Linie gegenüber unerwünschten Gästen behauptet.[25] Auch verlässliche Nettoeinwohnerzahlen sagen wenig über die tatsächliche Dimension von Durchwanderungsbewegungen aus. In einer der klassischen Studien der soziologisch geprägten amerikanischen Stadtgeschichte, *The Other Bostonians*, hat der Autor Stephan Thernstrom auf das ungeheure aber statistisch kaum nachweisbare Ausmaß von Durchwanderung in modernen Großstädten hingewiesen.[26] Berlin hatte sich mit dem Ausbau des kontinentalen Eisenbahnnetzes als eine wichtige Durchgangsstadt etabliert, nicht zuletzt für Ausländer, die sich ohnehin nicht legal in der Stadt ansiedeln konnten. Es kann kein Zweifel daran bestehen, dass sich daran nach 1918, trotz der völlig neuartigen Bedingungen für internationale Migration, viel änderte.

Der *Hilfsverein* erhob einige Daten, die einen vagen Eindruck von der Dimension der Bewegung vermitteln. Der Bahnhofsdienst des *Hilfsverein* am Schlesischen Bahnhof, der schon um die Jahrhundertwende eingerichtet wurde, betreute 1921 fast 44.000 Personen; 1925 und 1926 lag die Zahl immer noch über 30.000 Personen. Darunter waren auch einige Nichtjuden, die von jüdischen Hilfsorganisationen traditionell unterstützt wurden. Eine unbekannte, vielleicht höhere Zahl von durchreisenden Juden nahm den Bahnhofsdienst gar nicht in Anspruch, schon weil sie nicht auf dem Schlesischen Bahnhof eintrafen (oder abfuhren). Und nicht alle Personen reisten nach Westen. Der Hilfsverein beobachtete in der zweiten Hälfte der 1920er Jahre einen Anstieg der Rückwan-

25 Albert Einstein, Die Zuwanderung aus dem Osten. In: Berliner Tageblatt, 30. Dezember 1919.
26 Stephan Thernstrom, The Other Bostonians: Poverty and Progress in the American Metropolis, 1880-1970, Cambridge (MA) 1973, S. 15-20.

derung nach Osteuropa. Viele Juden pendelten auch regelmäßig zwischen Ost und West.[27]

Wohin konnten jüdische Migranten und Flüchtlinge nach 1918 von Berlin aus gehen? Bis 1925 gelang einer ganzen Reihe von jüdischen Durchwanderern noch die legale Einreise in die Vereinigten Staaten. Dafür waren gültige Papiere und (nach 1921) ein Visum erforderlich. Einige nahmen auch den Weg über Mexiko und überquerten illegal die mexikanisch-amerikanische Grenze. Anfang der 1920er Jahre wurden einige polnische Juden in der texanischen Grenzstadt El Paso aufgegriffen, als sie mit (nach ihren Angaben) in Berlin gefälschten Pässen in die USA einreisen wollten.[28] Laut Mark Wischnitzer, seit 1921 Geschäftsführer des *Hilfsvereins*, gingen zwischen 1920 und 1925 rund 400.000 Juden aus Osteuropa in die USA, nach Kanada, Argentinien und Palästina, die Mehrheit über Berlin.[29] Erst 1925 verschärfte sich die Lage. Die Zunahme der Migration nach Palästina 1924 und 1925, welche die vierte Alijah einläutete, war bereits eine direkte Folge der 1925 deutlich reduzierten amerikanischen Einwanderungsquoten. Doch bürokratische Hürden erschwerten auch die Einwanderung nach Palästina. Zudem waren die Lebens- und Arbeitsbedingungen im britischen Mandatsgebiet schwierig, und die Rückwanderungsquote war hoch. Im Jahr 1926 wanderten rund 13.000 europäische Juden nach Palästina, 7.300 nahmen den umgekehrten Weg. 1928 betrug die Nettoeinwanderung gerade einmal zehn Personen; die britischen Mandatsbehörden registrierten 2.178 jüdische Zuwanderer und 2.168 Abwanderer.[30]

Paris war eine der attraktivsten Destinationen für viele jüdische und andere Durchwanderer aus Osteuropa. Wien, traditionelles Ziel galizischer Juden, war nach 1918 ein schwieriges Pflaster. Die Wiener Regierung ließ Anfang der 1920er Jahre zahlreiche jüdische Kriegsflüchtlinge nach Polen abschieben, obwohl sie während des Krieges als Inländer aus Galizien nach Wien gekommen waren. Paris war relativ leicht von Berlin aus zu erreichen, die meisten Ausländer konnten sich in der französischen Metropole dauerhaft niederlassen, es gab ökono-

27 Arthur Goldschmidt, Zur Geschichte des Hilfsvereins der Deutschen Juden. In Zeitschrift für Demographie und Statistik der Juden 4 (1927), Heft 5/6, S. 78-85, hier 85.
28 Hollace Ava Weiner, Jewish Stars in Texas: Rabbis and Their Work, College Station 1999, S. 102-120; Clifford Alan Perkins, Border Patrol: With the U.S. Immigration Service on the Mexican Boundary 1910-1954, El Paso 1978, S. 89-92.
29 Mark Wischnitzer, Programm und Werk des Hilfsvereins der Deutschen Juden. In CV-Zeitung (Berlin), 8. November 1929.
30 Korrespondenzblatt des Centralbüros für jüdische Auswanderungsangelegenheiten des Hilfsvereins der Deutschen Juden (Berlin), März/April 1927; Jahresbericht für 1928 (Hilfsverein der Deutschen Juden), Berlin 1929, S. 30.

mische Nischen für Zuwanderer, und Juden bildeten in der multiethnischen Stadt keine besonders auffällige Minderheit.[31]

Für Juden aus Polen gewann nach 1918 vor allem Danzig als Durchgangsort an Bedeutung. Danzig war seit 1920 ein extraterritoriales Gebiet, das direkt vom Völkerbund verwaltet wurde. Dieser Status bot insbesondere staatenlosen Personen einen gewissen Schutz. Viele polnischen Juden, die aus Deutschland ausgewiesen wurden, aber nicht nach Polen zurückkehren wollten oder konnten, warteten in Danzig auf eine neue Perspektive.[32] Eine andere Option war Shanghai, das nach 1918 zahlreichen jüdischen Migranten und Flüchtlingen aus dem ehemaligen Russischen Reich zur vorläufigen Heimat wurde.[33]

Vor allem in den Nachkriegsjahren gab es noch die Option der Migration in die sowjetischen Metropolen, die schon in der Endphase des Krieges eingesetzt hatte. In der ersten Hälfte der 1920er Jahre schloss die Sowjetunion allmählich die Grenzen für Auswanderer. Als Destination spielte die Sowjetunion danach eine eher untergeordnete Rolle.[34] Mit der Weltwirtschaftskrise begannen auch die letzten Einwanderungsländer, ihre Grenzen zu schließen, darunter vor allem Mexiko und Südafrika.

Reflektionen über Durchwanderung

Berlin befand sich auch auf einer übergeordneten Ebene im Schnittpunkt einer sich neu formierenden fragilen Ordnung der internationalen jüdischen Migration. Eine Reihe immer noch einflussreicher Texte zum Thema Juden und Migration entstanden während der 1920er Jahre in Berlin, oder lassen sich auf den Berliner Kontext zurückverfolgen. Ein roter Faden, der sich von Joseph Roth zu Hannah Arendts Texten der 1940er und 1950er Jahre zieht, thematisiert die legale Ausgrenzung der Juden als transterritorial verfasster Gruppe aus der postimperalen Ordnung der national verfassten Territorialstaaten. Staatenlose jüdische Flüchtlinge befanden sich in einer legalen Grauzone zwischen neuen Grenzen, ohne dass eine internationale Institution ihnen ausreichend Schutz bot.[35]

---

31 Roth, Juden auf Wanderschaft, S. 65, 75; Beatrix Hoffmann-Holter, »Abreisemachung«: Jüdische Kriegsflüchtlinge in Wien 1914 bis 1923, Wien 1995, S. 225-271.

32 Jahresbericht der Jüdischen Centralwohlfahrtsstelle im Gebiet der Freien Stadt Danzig 1. April 1927 bis 31. März 1928, Danzig 1928, S. 3 f.

33 Marcia Reynders Ristaino, Port of Last Resort: The Diaspora Communities of Shanghai, Stanford 2001, S. 21-26; 79 ff, 97.

34 Jahresbericht der Jüdischen Centralwohlfahrtsstelle, S. 3 f; Gabriele Freitag, Nächstes Jahr in Moskau! Die Zuwanderung von Juden in die sowjetische Metropole 1917-1932, Göttingen 2004.

35 Hannah Arendt, The Minority Question, in Jerome Kohn, Ron H. Feldman (Hg.), Hannah Arendt – The Jewish Writings, New York 2007, S. 125-132.

Erstaunlich viele Autoren, die sich eingehender mit der jüdischen Migration nach 1918 auseinandersetzten, waren jüdische Durchwanderer aus dem Russischen Reich und der Habsburgermonarchie, die zwischen 1918 und 1933 für längere Zeit in Berlin lebten. Einige, wie Mark Wischnitzer, waren als Vertreter jüdischer Hilfsorganisationen täglich mit der jüdischen Migration konfrontiert, andere waren Demografen, wie etwa der Mitbegründer des YIVO, Jacob Lestschinky, oder Eugene Kulischer. Dazu kamen Publizisten wie Joseph Roth und zahlreiche kaum bekannte Journalisten, die für die jiddischsprachige Presse schrieben. Auch deutsch-jüdische Autoren wie Arthur Ruppin oder der Mitbegründer des *Hilfsvereins* Paul Nathan publizierten nach 1918 zum Thema jüdische Migration.

Die ersten Texte erschienen bald nach Kriegsende in der jiddischen Presse. Sie berichteten von der verzweifelten Situation in Osteuropa und schilderten die Nöte der Emigranten.[36] Mitte der 1920er Jahre stabilisierte sich die Lage in Osteuropa, aber Einwanderungsrestriktionen und Staatenlosigkeit zwangen zehntausende jüdische und andere Flüchtlinge aus Osteuropa in Übergangsorten wie Berlin oder Danzig, aber auch an vielen anderen Orten in eine legale Grauzone, die sich als permanenter Transit beschreiben lässt. Dieser Hintergrund erklärt teilweise das zunehmende Interesse am Thema Migration. Insbesondere im Umfeld des 1925 in Berlin gegründeten YIVO entstanden unter der Ägide von Jakob Lestschinky mehrere Studien über jüdische Migration und Demographie.[37]

Die im Rückblick einflussreichsten Studien, Mark Wischnitzers umfassender Überblick über jüdische Migrationsgeschichte seit 1800, *To Dwell in Safety*, und Eugene Kulischers Geschichte der europäischen Migrationen zwischen 1917 und 1947, *Europe on the Move*, wurden erst 1948 in den USA publiziert. Doch die Entstehungsgeschichte beider Arbeiten geht auf die 1920er Jahre zurück. Mark Wischnitzer (1882-1955) und Eugene Kulischer (1881-1956) waren als Emigranten aus dem Russischen Reich um 1920 nach Berlin gekommen. Beide hatten in Russland als Wissenschaftler gearbeitet. In Berlin trennten sich ihre Wege. Wischnitzer verließ die Wissenschaft und arbeitete für den *Hilfsverein*. Kulischer erhielt einen Lehrauftrag an der Friedrich Wilhelms-Universität. 1932 veröffentlichte er zusammen mit seinem Bruder Alexander die wissenschaftliche Pionierarbeit *Kriegs- und Wanderzüge: Weltgeschichte als Völkerbewegung*,

---

36 Dazu v.a. Neiss, Presse im Transit; siehe etwa: Der Mizrach-Jid (Berlin), 15. Oktober 1920.
37 Gennady Estraikh, Jacob Lestschinsky: A Yiddishist Dreamer and Social Scientist. In: Science in Context 20 (2007), S. 215-237; Gur Alroey, Demographers in the Service of the Nation: Liebmann Hersch, Jacob Lestschinsky, and the Early Study of Jewish Migration. In: Jewish History 20 (2006), S. 265-282, v.a. 279 f.

eine ambitionierte Neuinterpretation der Geschichte der Menschheit auf der Folie von Migrationen. Wischnitzer und Kulischer gingen nach 1933 über Paris ins amerikanische Exil. Wischnitzer verließ Deutschland erst 1937, nachdem er zahlreichen deutschen Juden den Weg in die Emigration geebnet hatte. Nur über den Umweg in die Dominikanische Republik gelangte er in die USA, da ihm zunächst das amerikanische Visum verweigert worden war. In New York kam er zunächst beim JDC unter, bevor er auf eine Stelle an der Yeshiva University wechselte. Kulischer zog nach Washington, wo er – wie schon in St. Petersburg, Berlin und Paris – als Politikberater tätig war.[38]

Wischnitzer und Kulischer bewerteten jüdische Migration seit 1800 unterschiedlich. Für Wischnitzer repräsentierte jüdische Migration ein außergewöhnliches Phänomen. Die Migration aus Osteuropa führte er in erster Linie auf antijüdische Verfolgungen zurück. Daher sah er keinen signifikanten Unterschied in der Situation jüdischer Migranten vor und nach 1918, nicht einmal nach dem Holocaust, sie waren stets »Flüchtlinge« auf der Suche nach »Sicherheit«. Die massiven Vertreibungen und legalen Ausgrenzungen von Juden nach 1918 und 1933 und der Holocaust standen aus seiner Sicht in einer langen Kette von antijüdischen Verfolgungen. Für Wischnitzer war es ein Skandal, dass viele Holocaust-Überlebende Anfang 1948 noch keine sichere Zuflucht gefunden hatten und in DP-Lagern in Deutschland und Österreich leben mussten. Die Nachricht der Unabhängigkeitserklärung Israels erreichte ihn in letzter Minute vor Abgabe des Buchmanuskripts, und er konnte einen hoffnungsvollen Absatz zu einer ansonsten pessimistisch gehaltenen Einleitung hinzufügen. *To Dwell in Safety* ist bis heute die einzige Studie, die einen Überblick über jüdische Migrationsgeschichte im 19. und 20. Jahrhundert jenseits des nationalstaatlichen Paradigmas bietet. Unabhängig von seiner Bewertung recherchierte Wischnitzer seine Quellen sorgfältig – auch nach Einschätzung von Kulischer, der das Buch für die Zeitschrift *Jewish Social Studies* rezensierte. Allerdings kritisierte er den Fokus Wischnitzers auf die »spezifischen Faktoren« der jüdischen Geschichte und seine Vernachlässigung des »allgemeinen« Kontextes.[39]

Kulischer vertrat eine die jüdische Erfahrung dezidiert relativierende Position, von der er sich auch nach dem Holocaust nicht distanzierte. Er deutete jüdische Migration als Teil der allgemeinen Migration. Die häufig wiederholte

38 W. Parker Mauldin, Obituary of Eugene M. Kulischer. In American Sociological Review 21 (1956), S. 504; Necrology (Wischnitzer). In American Jewish Yearbook 58 (1957), S. 477; Wischnitzer, To Dwell in Safety; Alexander und Eugene Kulischer, Kriegs- und Wanderzüge: Weltgeschichte als Völkerbewegung, Berlin 1932; Eugene M. Kulischer, Europe on the Move: War and Population Changes 1917-47, New York 1948.
39 Wischnitzer, To Dwell in Safety, S. ix; Eugene M. Kulischer, Review of Wischnitzer, To Dwell in Safety. In: Jewish Social Studies 12 (1950), S. 281-283.

These, dass jüdische Geschichte durch die Erfahrung von Migration geprägt sei, hatte für ihn begrenzte Aussagekraft, denn, wie er in einer knappen Studie über jüdische Migration 1943 betonte, Migration sei charakteristisch für die Geschichte der Menschheit. Schon 1932 unterstrich Kulischer den engen Bezug zwischen wirtschaftlich und politisch bedingten Wanderungen. *Europe on the Move* stellt wie schon die Berliner Arbeit *Kriegs- und Wanderzüge* einen Zusammenhang zwischen ökonomischen und demografischen Entwicklungen und Zwangsmigration her. Der jüdischen Migration und dem Holocaust widmete Kulischer in *Europe on the Move* nur wenige Sätze. Diese Auslassung ist auffällig.[40]

Die Unterschiede der Erklärungsansätze bei Wischnitzer und Kulischer waren schon in den Berliner Jahren angelegt. Wischnitzer und seine Frau bewegten sich in Berlin, ebenso wie später in New York, in einem jüdischen Milieu. Rachel Wischnitzer war eine bedeutende Kunsthistorikerin, die als Kuratorin an der Gründung des Berliner Jüdischen Museum beteiligt war und in Berlin und später in New York zum Thema jüdische Architektur publizierte. Mark Wischnitzer beschäftigte sich fast zwanzig Jahre professionell mit der Not jüdischer Migranten. Seine wissenschaftliche Arbeit der 1940er und frühen 1950er Jahre reflektiert diesen Hintergrund. Er wandte sich in erster Linie an eine jüdische Öffentlichkeit. Bis heute werden seine Arbeiten, vor allem *To Dwell in Safety*, primär im Feld der neueren jüdischen Geschichte rezipiert. Kulischer dagegen publizierte schon in Berlin für eine allgemeine wissenschaftliche Öffentlichkeit und beteiligte sich nicht an den Aktivitäten des YIVO oder des bereits 1905 von Arthur Ruppin und Jacob Segall in Berlin gegründeten *Bureaus für die Statistik der Juden*. Letzteres stand hinter der *Zeitschrift für Demographie und Statistik der Juden*, für die unter anderem Lestschinsky und gelegentlich auch Wischnitzer Artikel verfassten. Das Fehlen von Kulischers Namen in der Liste der Autoren fällt ins Auge, da er ein ausgewiesener Experte im Feld der Demographie war. Kulischer ging es darum, seinem Ansatz in der allgemeinen sozialwissenschaftlichen Forschung Geltung zu verschaffen. Heute gilt er tatsächlich als einer der Gründerväter der modernen Migrations- und Flüchtlingsforschung, der unter anderem den Begriff *displaced persons* prägte.[41] Dieser Hintergrund erklärt teilweise, warum er im Gegensatz zu Wischnitzer jüdische Geschichte in *Europe on the Move* fast vollständig ausklammerte. Seine ambitionierte Studie wäre im antisemitischen Klima an den amerikanischen Univer-

---

40 Eugene M. Kulischer, Jewish Migrations: Past Experiences and Post-War Prospects (Pamphlet Series: Jews and the Post-war World Nr. 4, ed. American Jewish Committee), New York 1943, S. 7; Kulischer, Europe on the Move, S. 264.
41 Eugene M. Kulischer, The Displacement of Population in Europe, Montreal 1943.

sitäten der späten 1940er Jahre sonst wohl kaum ernst genommen worden und hätte allenfalls innerhalb einer jüdischen Öffentlichkeit Widerhall gefunden.

War die Geschichte der jüdischen Migration nach 1800 eine spezifische, durch Verfolgungen geprägte Erfahrung oder bildete sie nur eine Facette der allgemeinen europäischen Migrationsgeschichte? Wischnitzers lachrymose Interpretation der Geschichte jüdischer Migrationen ist immer noch einflussreich. Kulischers Plädoyer für eine Kontextualisierung der jüdischen Erfahrung ist schlüssig und gewinnt zunehmend an Bedeutung. Aber gerade für die Jahre zwischen 1914 und 1948 leuchtet seine Entscheidung, jüdische Migration an den Rand seiner Darstellung zu rücken, nicht ein. Im Gegensatz dazu überzeugt Wischnitzers eher einseitige Argumentation ausgerechnet für diese Zeitphase, zumal sich hier seine Rolle als Historiker mit der des ausgezeichnet informierten Zeitzeugen deckt. Eine mögliche Antwort liegt in der Kombination von Elementen beider Erklärungsansätze.

Im Rückblick illustriert die spezifische Erfahrung jüdischer Migranten nach 1918, nicht zuletzt der Durchwanderer in Berlin, die Gefahren, mit denen staatenlose Flüchtlinge nach dem Zusammenbruch der Imperien konfrontiert waren. Die Erforschung der jüdischen Migrationen in der Zwischenkriegszeit kann als Schlüssel zum besseren Verständnis der Lage von Flüchtlingen bzw. *displaced persons* im zwanzigsten und einundzwanzigsten Jahrhundert dienen. In ihrer wichtigsten Studie *Origins of Totalitarianism* wies Hannah Arendt 1951 auf genau diesen Zusammenhang hin und verband scheinbar gegensätzliche Argumentationsstränge, wie sie in Wischnitzers und Kulischers Studien zu erkennen sind. Flüchtlinge wurden und werden vielfach gewaltsam aus dem System der Territorialstaaten ausgegrenzt, sie waren und sind vor Verfolgung nicht ausreichend geschützt; wirksame Schutzmechanismen fehlen bis heute.[42] In diesem Zusammenhang ist die Tätigkeit von transnational agierenden jüdischen Hilfsorganisationen von besonderer Bedeutung, da sie sich wie humanitäre *Nongovernmental Organizations* der Gegenwart schon vor 1914 ausdrücklich den »Schutz« von »schutzlosen« Migranten auf die Fahnen geschrieben hatten. Die Vorschläge, die Wischnitzer und andere Vertreter jüdischer humanitärer Hilfsvereinigungen zwischen 1918 und 1948 zur Verbesserung der Lage von jüdischen Flüchtlingen entwickelten, haben nichts an Aktualität verloren.

42 Hannah Arendt, The Origins of Totalitarianism (New York: Harcourt, 1951), v.a. S. 269-289.

Marc Caplan

The Corridors of Berlin –
Proximity, Peripherality, and Surveillance in Bergelson's Boarding House Stories[1]

Dovid Bergelson's most famous essay, *Dray tsentern* (1926), a polemic advertising the need for Yiddish authors to tie their writing to the cause of the Soviet Union, presents many mysteries to its readers. Its fundamental premise is to examine the options available for Yiddish writers in the 1920s as determined by the three primary locations for Yiddish culture at the time, Poland, the United States, and the Soviet Union. In Poland, Bergelson states, Yiddish literature possesses a readership, but no material support or cultural infrastructure to sustain itself. In America, writers have material resources and cultural institutions, but fewer and fewer readers. Only in the Soviet Union, he concludes, is it possible to find a substantial audience, institutional support, and a purpose in creating a Yiddish-speaking future tied to revolutionary ideals.[2] Leaving aside what became of these hopes for the Soviet Union and Bergelson's own tragic fate— murdered by Stalin in 1952—the essay's analysis of the possibilities for Yiddish in 1926 is perfectly reasonable, yet as Seth Wolitz has written, underneath the rational decision to affiliate with the largest and most committed Yiddish-speaking culture of the day lurks the desperation that Bergelson, whose early work had taken for its subject a staid, provincial, and relatively affluent Jewish bourgeoisie, should here reject his previous habitat in favor of a newly strident solidarity with the Soviet-Jewish working class.[3]

1   This article was researched and partly written under the auspices of a fellowship in the Kulturwissenschaftliches Kolleg at the University of Konstanz (Germany); the Kolleg, its staff, and my colleagues there have my sincere gratitude for their support of my work. Additional thanks are due to Eléonore Veillet and Dr. Brukhe Lang Caplan for their kind response to my translation queries. Special thanks are due Professor Sara Nadal-Melsió for her encouraging reading of this essay in draft form.
2   See Dovid Bergelson, Dray tsentern, In shpan, Vilna 1926, pp. 84-96; for an English translation see »Three Centers (Characteristics)« in David Bergelson: From Modernism to Socialist Realism. Edited by Joseph Sherman and Gennady Estraikh, Oxford: Legenda, 2007, pp. 347-355.
3   See Seth L. Wolitz, »The Power of Style. A Tribute to David Bergelson,« Jewish Affairs 52:3 (1997), pp. 131, quoted in Sasha Senderovitch, »In Search of Readership: Bergelson

Perhaps the most curious feature of Bergelson's essay is its location as a publication—originally appearing in a fellow-traveling publication printed in
Vilna—by the most famous Yiddish writer to live in Berlin during the Weimar
era. As Sasha Senderovich has suggested, when read against the backdrop of
Bergelson's contemporaneous fiction, the essay is »a work striving to be at one
and the same time a non-fictional narrative [sic] that defines itself on the basis
of stating a newly accepted ideology, and a work that solves the larger concerns
of the exilic Berlin text in a kind of concealed fictional form that only pretends
to be non-fiction« (Senderovich, 164). Taking a cue from Senderovich's interpretation, one notes immediately the paradox at the heart of both Bergelson's
essay and his Berlin sojourn generally; if *Dray tsentern* is part of what Senderovich terms Bergelson's »Berlin text,« the template of his writings produced
while living in Berlin, it functions in completely negative terms—Berlin is
nowhere mentioned in it.

Bergelson in fact spent approximately twelve years in Berlin, far longer than
any other Yiddish writer of his stature, and as his son's brief memoirs on the
period indicate, he was at the heart of a lively Yiddish expatriate culture there
throughout.[4] Yet the scant fiction he produced directly engaging this experience—only eight short stories, collected in a translated edition of little more
than 100 pages[5]—provides limited description and even less insight into this
milieu: no account of convivial evenings spent at the *Romanisches Café* or the
Sholem Aleichem Club; no reflection on his engagement with artistic or political
controversies in Yiddish, Russian, or German-speaking circles; no acknowledg-
ment of his encounters with figures as diversely illustrious as Marc Chagall,
Alfred Döblin, or Albert Einstein. Although the motivation for these omissions
is perhaps apparent, and is in any event a subject which this cursory discussion
will examine, what remains to be considered is what Bergelson's Berlin fiction
does in fact include, how it creates a spatial poetics to depict the social dislocation and cultural peripherality of Jewish refugees who were exiled both from the
Yiddish-speaking centers Bergelson had identified in his programmatic essay
and the German-speaking environment in which they had only provisionally
settled.

Among the Refugees (1928),« David Bergelson: From Modernism to Socialist Realism,
p. 163.

4   See Lev Bergelson, »Memories of My Father: The Early Years (1918-1934),« David Bergelson: From Modernism to Socialist Realism, pp. 79-88.

5   Dovid Bergelson, The Shadows of Berlin. Translated by Joachim Neugroschel, San Fran-
cisco 2005. Subsequent citations from this edition incorporated in text as »E.«

One such story is *Far 12-toyzend dolar fast er 40 teg* (For 12,000 Bucks He Fasts 40 Days).[6] This narrative, as its title indicates, depicts a Jewish refugee undergoing a 40-day fast in the middle of a restaurant to collect a prize of $12,000. Delphine Bechtel, contrasting the story both with the motif of fasting in traditional Jewish piety as well as Franz Kafka's treatment of the theme in his story »The Hunger Artist,« thus writes,

>»Bergelson revives anew the theme [of fasting] in order to give it an entirely new inflection. For the determinant motif of fasting, this time, is money. Is this Bergelson's ironic self-critique of the situation of Russian-Jewish artists in Berlin, who were accused from Moscow or Warsaw of having departed to the land of dollars, but who in reality were struggling to survive?«[7]

To articulate this critique, Bergelson produces a narrative about life lived under surveillance; the spectacle of a man fasting at a restaurant creates an inverted carnival to express the isolation and poverty of Jewish life in Berlin.

The ensuing examination will reflect further on the theme of surveillance, focusing primarily on two stories set in Berlin, *Tsvishn emigrantn*[8] (Among Refugees, 1923) and »In Pension fun di dray shvester«[9] (The Boarding House of the Three Sisters, 1927), both of which take as their setting the *pension* or boarding house to illustrate the fundamental transience and spectacle of »Yiddish« Berlin. For Bergelson, the boarding house functions as the representative location for the Berlin experience, not only because of the empirical, ethnographic reason that many Jews and other refugees resided in these dwellings, but also because as a social space the boarding house stands halfway between older, communal hostels and the modern, autonomous, anonymous apartment building. Moreover, as a literary genre, the *pension* narrative was a favored premise for other expatriate writers of his generation—most notably Samuel Y. Agnon in

---

6   According to Roberta Saltzman's outstanding bibliography of Bergelson's writings in Yiddish and in English translation, published in David Bergelson, From Modernism to Socialist Realism (312), this story first appeared in the *Forverts* newspaper on March 30, 1926 (see Saltzman, 312); as far as I know, it has never been collected in Yiddish. The English translation appears in *The Shadows of Berlin*, pp. 57-64.

7   Delphine Bechtel, La Renaissance culturelle juive en Europe centrale et orientale, 1897-1930, Paris: Berlin, 2002, p. 235. The translation from French, such as it is, is my own.

8   *Tsvishn emigrantn* apparently first appeared in book form in the volume *Shturemteg: dertseylungen*, published in Kiev by the Kultur-lige, 1927; references in this essay will be taken from Volume 3 of the edition *Ale verk* published by YKUF, Buenos Aires, 1961-1964, and incorporated in text as »Y.«

9   »In Pension fun di dray shvester« first appeared in the New York communist newspaper *Frayhayt* on April 10, 1927, p. 10 (Saltzman 313); references in this essay will be taken from Volume 6 of the edition *Geklibene verk* published by B. Kletskin, Vilna, 1928-1930, and incorporated in text as »Y.«

Hebrew (Ad-Henah, 1951), Christopher Isherwood in English (Mr. Norris Changes Trains, 1935; Goodbye to Berlin, 1939), and Vladimir Nabokov in Russian (Mashen'ka, 1926)—which drew on an earlier, largely bypassed literary convention in German. The belatedness of the *pension* genre for expatriate writers signifies their peripheral status to German culture at that time, but this peripherality in turn suggests their relevance to larger dynamics of German culture in a moment of flux and upheaval.

In *Tsvishn emigrantn*, the best regarded of Bergelson's Berlin stories, the issue of peripherality precedes the unnamed protagonist's arrival in Berlin or his residence in the boarding house: appearing at the home of the narrator, a correspondingly unnamed but apparently successful Yiddish writer, the protagonist calls to mind »gray dust on the roads of small towns, and he gave the impression of someone who had breathlessly traveled a long distance« (Y 221; E 21-22). The protagonist embodies not only the shtetl—»dust of small towns«—but also the dislocation between shtetl and city; he is breathless because he is neither in Berlin nor in the Pale of Settlement, but constantly in transit, in conspicuous contrast with the narrator's settled life in a home with his family. Physically, the protagonist's face is described as a kind of map, made up of two warring sides traversed by a moustache like a bridge. His face, »at war with itself and with the world« (Y 221; E 22), is a contested landscape, so that the protagonist is at once a refugee from a civil war, but also an internalized embodiment of the war itself.

Before the upheavals of war and pogrom that brought him to Berlin by way of Palestine, the protagonist was an orphan, living with his grandfather in the shtetl. Just as the protagonist's face resembles a map, his grandfather's face is »like a clock« (Y 226; E 27), and this correspondence underscores how the grandfather's relationship with the protagonist figures the temporal suspension of the narrative, just as the protagonist's face signifies the spatial dislocation of the refugee: for both characters, the pogroms of civil war have interrupted the natural order of successive generations so that time itself, represented by the clocks in the grandfather's house, becomes »a grave, a memorial candle« (Y 226; E 27). In light of these disruptions, both the grandfather and the protagonist occupy a metaphorical space removed from everyday life, which for the protagonist occurs across the street in the affluent home of the Pinsky family (Y 226; E 27). This dwelling stands as a mirror, an inversion of the protagonist's home, representing abundance, sexuality, and femininity as opposed to death, sterility, and the neutered masculinity of an impotent grandfather and a sexually immature grandson. For the protagonist, the Pinskys perform everyday life—riding bicycles, playing piano, and hosting parties. The protagonist projects every feature of an ordinary existence onto the Pinskys, while his own life, both in its erotic and its violent dimensions, remains purely imaginary. These tendencies were already trademarks of Bergelson's earlier, »provincial-bourgeois« fictions, but here crucially they are played against historical events of dramatic political urgency. The protagonist's fate in *Tsvishn emigrantn*, as with all of Bergelson's characters, is self-reflexive; his thematic significance, distinctively, is not.

The political implications of the protagonist's predicament enter the story with his arrival in Berlin, when he ostensibly recognizes a man responsible for the pogroms that drove him from his hometown, and who supposedly had violated the Pinsky daughter for whom the protagonist had pined. Bergelson writes,

> »Listen, for nearly three weeks now I've been living ›with him‹, here ... in a squalid rooming house. I, in room number three. He, in room five—our doors facing one another« (Y 224; E 24-25).

As with the Pinsky household, the protagonist in Berlin has established a spatial relationship in which the substance of his existence becomes projected onto the dwelling opposite him, and the substitution of his murderous designs on the »pogromist« for the erotic aspirations toward the Pinsky daughter serve to underscore the illusory, fantastic nature of all his desires. Understood spatially, the protagonist and the »pogromist« are mirrors of one another, inversions, but also projections of one another:

> »I can still feel his glare right here and here. (The young man quickly smacked both his cheeks.) ... I wonder what the pogromist saw in me. A sordid young Jew« (Y 224; E 24-25).

As is apparent, this is how the protagonist sees himself, so his neighbor—who may or may not be the pogromist he's accused of being—becomes not just the object of the protagonist's fantasies, but also the instrument of his own self-abnegation.

That the neighbor might not be an actual pogromist can perhaps be deduced from the hyperbolic way the protagonist describes him. Bergelson thus writes,

> »I've known him since my childhood: from every Jewish trouble ... You think he's like Puriskevitsh ... [who founded the Black Hundred]? You think he's like Krushevan, [who was the chief instigator of the Kishinev Pogrom]? He's a lot worse« (Y 224; E 25).

At once this remark reflects the historical truth that the pogroms of the Ukrainian civil war far exceeded previous anti-Semitic violence in Czarist Russia, but it also makes of the »pogromist« a cosmic force responsible for the protagonist's condition, divesting the protagonist of personal agency in precise proportion to the degree that the protagonist projects his self-destructive violence onto him.

Ultimately, the nature of these fantasies blurs the distinction between erotic desire and a desire for destruction, so that the protagonist actually pines for the physical presence of the man he would ostensibly wish to destroy:

>»It was good to know that he was there, in the room across from me, behind door number five. And I always felt desolate whenever he went off somewhere and his room remained empty. The hours would stretch and stretch, and the minutes too« (Y 232; E 33).

Here, at last, the generic dictates of the *pension* narrative—which deals characteristically with the interrupted, fleeting, frustrated attraction of two boarders at the rooming house—take over, so that the two desires for *eros* and *thanatos* are superimposed on one another via the collapse of distance separating Volhinya from Berlin; the intersection of eroticized longing and political hatred creates a *Liebestod* for the protagonist.

Similarly, the blurring of erotic and destructive fantasies serves to disrupt the distinction between subject and object, or between the human and the inanimate. As the protagonist relates,

>»Our two doors glared at each other harshly. I tell you, the only doors that can glare at each other like that are the doors in a rooming house where that thing has to happen. Door number three glared at door number five and appeared to be saying: ›My man, who lives behind me, is going to kill your man, who lives behind you‹« (Y 231; E 32).

Bergelson here draws on a technique already familiar from his earlier shtetl stories, of personifying inanimate objects, which in these earlier narratives illustrate the fundamental proximity or similarity between the living and the inert to suggest that insofar as immobile objects can behave like people, people conversely can be seen as immobile objects. Here, however, this technique is coupled with an historical immediacy that Bergelson had previously minimized, so that the effect is both a psychological indication of the protagonist's mental instability and a narrative enactment of the »surreal« instability and unpredictability of life in a foreign metropolis.

The protagonist's longing simultaneously for his neighbor's presence as well as his destruction raises the inevitable implication of a poorly repressed homosexual desire on the part of the protagonist. This dimension, novel nearly to the point of uniqueness in modern Yiddish literature,[10] can be connected to the

10   One possible precursor to a putative homoerotic motif in *Tsvishn emigrantn* is Sholem
     Aleichem's monologue »Dray almones« (Three Widows, 1907); see *Ale verk* fun Sholem
     Aleichem, Vol. 25, New York 1937, pp. 165-212. For a discussion of the homoerotic di-

protagonist's paranoid suspicion of his neighbor's supposedly murderous past via then-current theories regarding the relationship of paranoid psychosis with repressed homosexuality. As Sigmund Freud writes on the subject,

> »Paranoia is a disorder in which a sexual aetiology is by no means obvious; on the contrary, the strikingly prominent features in the causation of paranoia, especially among males, are social humiliations and slights. But if we go into the matter only a little more deeply, we should be able to see that the really operative factor in these social injuries lies in the part played in them by the homosexual components of affective life.«[11]

This perspective—which, however dated in the present moment, was nonetheless part of a vanguard of ideas circulating preeminently in Berlin during the 1920s—suggests that the protagonist's previous desire for the Pinsky daughter consists not of a wish for possession or relationship, but identification. Of issue in the fictional case history Bergelson creates is not just the instability of his »subect's« desire, but of the character's identity as such.

Frustrated desire, similarly, is the dominant theme in »Pension fun di dray shvester«, a story which in half-lurid, half-satirical narration describes the projected longings a group of East European Jewish boarders cultivate toward their three apparently married, ostensibly related East European Jewish landladies. The description of the *pension* in the first paragraph suggests its bordello-like ambience: a young woman at the door, luxurious carpets in the salon, seemingly countless photographs of women covering the walls and returning the masculine gaze with »bleary-passionate eyes« (Y 101; E 45). Yet in fact the boarding house is the opposite of a brothel because its economic model depends on frustration and temptation rather than quick and efficient consummation of desire in order to stay in business.

Indeed, »In Pension fun di dray shvester« depends for its dramatic tension on the inaccessibility of the three sisters as much as their attractiveness. As with *Tsvishn emigrantn*, the suspension of erotic desire here signifies not only the non-productive, isolating, narcissistic predicament of the Berlin exile—a continuous theme whenever Berlin is depicted in the Yiddish literature of the era—but also the psychologically debilitating and erotically perverse character of the

mension in this narrative, see Dan Miron, Hatsad Haafal b'tskhoko shel Sholem Aleichem, Tel Aviv 2004, p. 50.
11 Sigmund Freud, »Psychoanalytic Notes Upon an Autobiographical Account of a Case of Paranoia (Dementia Paranoides)« [1911], Three Case Histories, New York 1963; 1993, p. 136. Freud's assumptions about the relationship between paranoia and homosexuality can be dismissed easily enough by considering that »non-repressed« homosexuals might also be susceptible to paranoia.

society that congregates there. These themes, which find expression for the Berlin Yiddishists not just »subliminally,« in the Freudian sense, but »subcutaneously,« burrowing actively just under the surface, correspond to the most prominent feature of Berlin representations in refugee or expatriate literature, as well as the post-war nostalgia for Weimar Berlin (the film *Cabaret*, most exemplarily), but also in the contemporaneous literature of the *neue Sachlichkeit*; the fracturing of erotic desire therefore provides not only a motif for the absence of community in Berlin, but also a subterranean link between the peripheral literature of Berlin Yiddishists and the main currents of the 1920s German avant-garde.

The three sisters exploit their tenants' frustrated desires by staging the simulacrum of a seduction with a boarder only referred to by the suggestively non-Jewish name »the Greek.« As the boarder known as »Herr Moses« relates, »And it was only afterward that I realized the Greek wasn't at home during those hours« (Y 110; E 54), when the three sisters spent time in his room, titillating the other boarders with their supposed escapades with him. The Greek boarder never actually interacts with the sisters; he is a phantom of the projected erotic contact none of the boarders will experience firsthand, just as the protagonist in *Tsvishn emigrantn* will never assassinate the alleged pogromist. While embedding the story of the Greek in the larger description of the boarding house, Bergelson offers an additional image of failed reciprocity, tellingly constructed from the archetypal emblem of exile from paradise:

> »Herr Moses peels an apple with such holiday enthusiasm as if he wanted to give the whole apple to his beloved. But because the apple is already peeled, he slices off pieces and inserts them into his own mouth with the same holiday enthusiasm« (Y 109; E 53).

This image conveys not only the closed circuit of Herr Moses's self-reflexive desire, but also the spatial condition of the boarders, and the three sisters as well. They have not moved to Berlin, they have relocated their old home, so that just as Herr Moses's apple never reaches any mouth other than his own, the boarders never interact with anyone except other East European Jewish boarders. This figure of hermetic isolation is a historical anomaly, as Bergelson's own experiences in a cosmopolitan émigré culture suggest, but as such it functions all the more significantly in the poetics of Berlin Yiddish literature.

The tale of »the Greek« therefore serves to represent the unproductive isolation of life during the Berlin exile, a place where in Bergelson's writing there is no sex, no commerce, and no human interaction, only a pantomime of all three. This frustrated existence is determined and intensified by the boarding-house ambience of voyeurism and spectacle. In these two stories life is neither public nor private, but experienced under the gaze of other boarders; the *pension* stands halfway between pre-modern collectivity and modern anomie, just as Berlin for Bergelson is never more than a transitional space between origin and return, from the Pale of Settlement »back« to a radically reconfigured Soviet Union. »In Pension fun di dray shvester« conveys this atmosphere of incomplete, inadequate privacy in its opening description:

> »All around, from the walls of the open, warmly furnished room, pictures and photographs of women peer down... The shadowy corridor recalls one such picture, a too naked image: you feel you are both in the city and very remote from its millions of inhabitants« (Y 101; E 45).

At the heart of this passage is an imitation of reciprocity—the photos on the wall look back at the voyeur—just as in the boarding house generally no distinction between the spectacle and the spectator endures.

Even when seen from the outside, the *pension* is both a liminal space and a site of instruction where the incompletely modern tenants come to internalize the lessons of urban alienation. Bergelson thus writes,

> »Now it becomes clear why of all streets in Berlin the boarding house sought out this very street, in an area that is neither too noisy nor too quiet. The boarding house itself is that kind of place—it teaches everyone who comes in: ›Don't be too noisy and don't be too quiet‹« (Y 102; E 46).

The model for urban life that the *pension* provides suggests that it is an apt, if ultimately exploitative, destination for its boarders, who will inevitably gravitate toward unsettled conditions between noise and silence, public and private, modern and primitive, and who in this disrupted, suspended condition will ultimately never integrate into either the city or a genuinely private, autonomous life.

What remains of this brief and provisional discussion is a sense of where Bergelson himself stands in relation to Berlin, and what role his writing plays for Yiddish literature, having already designated Berlin, inversely, as the periphery of the three centers for Yiddish culture. In *Tsvishn emigrantn*, the disturbed protagonist appeals to the narrator because the narrator is a writer: »People read a writer's works because they want to learn how his nation lived in his time« (Y 242; E 42). The protagonist invokes the »national« mission of the writer—a very 19th century and Russian obligation for a Yiddish modernist in 1920s Berlin to assume—precisely to underscore the absence of nationhood for Jewish refugees, unlike the status of Jews in America, Poland, Russia, or the strategically omitted possibility of Mandate Palestine. In Bergelson's reckoning, the East European Jews of Berlin live merely as fugitives; Berlin does not function for them as a location, only as a dislocation. This interpretation of Berlin as a city without community captures for Bergelson both an aesthetic and an ideological crisis that would eventually, though with greater delay and more apparent misgivings than most of the other »Berlin« Yiddishists, send him back to the Soviet Union, where he would come to make an uneasy peace with the conventions of Socialist Realism. His Berlin stories are significant in the larger context of his writing precisely because they constitute experiments in creating a narrative practice emancipated from his previous, »Chekhovian« aesthetic of impressionism and stasis[12] but also independent from dominant aesthetic trends such as Expressionism, *neue Sachlichkeit*, or avant-garde Marxism.

In *Tsvishn emigrantn*, the failure of the writer to represent the refugees provides a further instance of how the narrator serves as an inversion for the protagonist. Having set up the spatial dimensions of his predicament at the boarding house, the protagonist describes his journey from Volhinya to Palestine to Berlin, where he intends to write. In this respect he takes over the narrator's role within the story and disrupts the narrator's position in equal measure to his own:

> »I thought up a story, not about me, but about someone else; the story begins by describing a certain Jewish pauper in our town... The pauper is greatly despised by the Christian children there... The moment they spot him, they pelt him with rocks and sic their dogs on him... When the pauper arrives in the Christian neighborhood, he halts in the middle of the street and starts to cough, so that the children will see him and sic their dogs on him...« (Y 227-228; E 28-29).

This act of narration is simultaneously a gesture of creation and destruction; the story apparently only exists in this spoken recitation. The protagonist states that the character he describes is »not me,« but the allegorical interpretation he adds to it undermines this declaration by stating, »The Christian neighborhood, that was my town in disguise... My cough—that's my military service, my going to war, my leaving for Palestine as a common laborer.... The act of spite that I've wanted to commit ever since my childhood—that's my way of begging for alms« (Y 228; E 29). The story, like its creator, negates its own existence even in the telling of it, and it serves as such only as a code for reading his solipsism.

The destabilized, triangulated oppositions on which *Tsvishn emigrantn* is structured—among Berlin, Volhynia, and Palestine; the narrator, the protago-

---

12   For a perceptive discussion of Bergelson's productive use of the Chekhovian aesthetic, see Joseph Sherman's essay »Bergelson and Chekhov: Convergences and Departures« in *The Yiddish Presence in European Literature: Inspiration and Interaction*, edited by Joseph Sherman and Ritchie Robertson, Oxford 2005, pp. 117-133.

nist, and the »pogromist«; the protagonist, the Pinsky daughter, and the »po-gromist«; truth, falsehood, and fantasy, etc.—serve to destabilize the narrative by keeping structural contrasts always in a state of flux. At the end of these con-trasts the narrator and the protagonist remain poised between the choices rep-resented by the pen and the gun, word and deed, art and life, figured as death. But these oppositions dissolve, rather than resolve, when the protagonist sends the narrator a letter announcing his intention to kill himself rather than his neighbor. The act of suicide differentiates the protagonist from the narrator in the story, but it also suggests their ultimately interchangeable impotence: the protagonist turns to the narrator because as a writer he carries an ostensible re-sponsibility to his »people.« The narrator's subsequent inability or refusal to supply the gun, his passivity in the face of a demand for action, signifies both the abdication of his »national« role as well as the ineffectuality of »mere words« to affect history or help the dispossessed. Drastic actions, decisions that only decades later would prove calamitous, were called for in the historical moment that Bergelson confronted, and this, finally, provided the motivation for him to abandon what he had characterized as the passivity and futility of life in exile, and return to the Soviet Union.

Shachar Pinsker

Spaces of Hebrew and Yiddish Modernism –
The Urban Cafés of Berlin

In October 1930, the Hebrew poet and prose writer Lea Goldberg traveled from Kovno (Kaunas) in Lithuania to Berlin in order to pursue advanced studies at the Friedrich-Wilhelms-Universität.[1] As much as the young Jewish woman was interested in ancient Semitic philology, she was fascinated with the city itself, or with what we might call the cultural topography of the German metropolis. In *Michtavim mi-nesi'a meduma* (»Letters from an Imaginary Journey,«), the epistolary novel Goldberg published in 1937, Ruth, the thinly disguised autobiographical narrator, writes about wandering around the streets of Berlin. The first places Ruth explores after arriving in the city are a number of urban cafés. She explains that,

> because those who now sit at the *Romanisches Café* are Jews looking for sensational news in foreign press, and because *Café Lunte* doesn't exist anymore, and because the disciples of Jesus who worshipped Else Lasker-Schüler left the temple of *Café-des-Westens* a long time ago and found their Mt. of Olives in *Le Dome* and *La Coupole* in Paris ... and because Menzel, who used to sit in *Café Josty* had died before I was even born ... because of this and other reasons, I'm sitting in »Kwik,« a small café which our Jewish »brothers« still frequent.[2]

Goldberg is clearly aware of her own belatedness in the city. Her narrator, Ruth, writes about the fact that the early 1930s are years of »twilight,« and that the »golden-age« of Berlin's cafés have already passed:

> They say that the lions of the art and literature used to sit in the Romanisches Café ... I didn't see these lions ... But for anyone interested in Jewish

---

1 On the period in which Goldberg spent in Berlin and Germany as a student, see Yfaat Weiss, »A Small Town in Germany: Leah Goldberg and German Orientalism in 1932,« Jewish Quarterly Review, 99:2, (2009), pp. 200-229; Yfaat Weiss, »›Nothing in My Life Has Been Lost.‹ Lea Goldberg Revisits Her German Experience,« Leo Baeck Institute Yearbook, 54:1, (2009), pp. 357-377.

2 Leah Goldberg, Mikhtavim mi-nesi'a meduma, Tel Aviv 1937, pp. 15-16.

literature, there was a rare opportunity to encounter some of their wild
manes in this café …[3]

At first glance, the attention given to the coffeehouses of Berlin in Goldberg's
novel might seem strange and rather esoteric. However, anyone familiar with
Berlin of this period knows that Goldberg actually captured in her novel something significant about Berlin's modernism, and Hebrew and Yiddish modernism in particular. However, before focusing on these Berlin cafés and exploring
their role in the topography and spatial history of East European Jewish modernism, we must take a step back and ask a basic, but crucial question: What
was Berlin for the Hebrew and Yiddish writers who immigrated to the city in
the early decades of the twentieth century, especially during the years of the
Weimar Republic?

As is well known, in this period, Berlin became an important site of literary
activity in these languages, and yet most scholars consider the city as a »temporary asylum« for Hebrew and Yiddish writers, a mere »station« on their way to
other locations.[4] It is only recently that scholars have begun to truly grasp the
magnitude of the encounter with Berlin for the development of Hebrew and
Yiddish modernism, and to discover that the impact was both immediate and
long-lasting, continuing for years after writers had moved to very different locations and cultural contexts.[5] In order to understand this encounter and its impact, though, we must abandon the tendency to look at Berlin as if it was an
isolated case, and begin to understand it in comparison with other European
enclaves of Hebrew and Yiddish literature in the early twentieth century (in cities like Odessa, Kiev, Vilna, Lemberg, Vienna, London and Paris). Equally
problematic is the prevalent tendency to examine Berlin in the context of Hebrew and Yiddish literature as if they were two different and isolated phenom-

---

3   Ibid, 16. The narrator mentions that the only figures she was able to catch a glimpse of
    at the Romanisches Café were the actor Alexander Granach and the writer Bernhard
    Kellermann.
4   On Berlin in the context of Hebrew literature and culture, see Gershon Shaked, »Halevay
    nitna lahem ha-yecholet le-hamshich,« Tarbitz, 51:3 (1982), pp. 479-90; Zohar Shavit,
    »On the Hebrew Cultural Center in Berlin in the Twenties: Hebrew Culture in Europe
    — The Last Attempt,« Gutenberg-Jahrbuch, 68 (1993), pp. 371-80. On Berlin in the con-
    text of Yiddish literature, see Delphine Bechtel, ›Babylon or Jerusalem: Berlin as Center
    of Jewish Modernism in the 1920s‹, in Dagmar Lorenz and Gabriele Weinberger (eds.),
    Insiders and Outsiders: Jewish and Gentile Culture in Germany and Austria, Detroit
    1994, pp. 116-23; Heather Valencia, ›Yiddish Writers in Berlin 1920-1936‹, in Timms Ed-
    ward and Andrea Hammel (eds.), The German Jewish Dilemma; From the Enlighten-
    ment to the Shoah, Lewiston/New York 1999, pp. 193-207.
5   See the essays in Gennady Estraikh and Mikhail Krutikov (eds.), Yiddish in Weimar
    Berlin: At the Crossroads of Diaspora Politics and Culture, Oxford 2010.

ena. In fact, in spite of the growing political and ideological separation, literature was created in Berlin side-by-side in Hebrew and Yiddish by East European émigré writers and intellectuals who were multilingual, and for whom reading (and sometime writing) in Hebrew, Yiddish, Russian and German was quite natural.

No doubt, the presence of so many Hebrew and Yiddish writers in Berlin and the intensive publishing activity caused many people either to expound or to dismiss Berlin as a »center« of Hebrew and Yiddish literature during the 1920s. But the very question of center was highly contested and fraught with tensions. While Yiddish literature was continuously created across the globe, there were fierce debates on where the »true center« was or should be located.[6] In modern Hebrew literature, the issue of »center« is even more problematic because attention is focused on a narrative of »negation of exile« and search for a Jewish national home in Palestine.[7] The attempts to write a historiography of Hebrew and Yiddish modernism as if it was a »normal« national literature, with its own »literary center,« miss a critical point. This historiography conceals a dizzying and constantly shifting array of European urban enclaves in which Hebrew and Yiddish modernism developed.[8]

Berlin was one of these enclaves, and thus it is a mistake to think about the city as a »center«. There was a significant difference between Berlin as a »center of Jewish publishing,«[9] and Berlin as an enclave of Hebrew and Yiddish modernism.[10] Figures like Haiym Nahman Bialik, who came to Berlin in order to advance their publishing activities, left the city as soon as the rate of inflation

6   The debate about centers can be seen in the writing of David Bergelson, Melech Ravitch, Peretz Markish, and others, for example Bergelson's well-known essay ›Dray tsentren‹ (›Three Centers‹, 1926), which was written in Berlin, but claimed that the »real« center should be in the Soviet Union. For a discussion of the question of centre and Bergelson's essay, see Allison Schachter, ›Bergelson and the Landscape of Yiddish Modernism‹, East European Jewish Affairs, 38.1 (2008), pp. 7-19.

7   Gershon Shaked, ›The Great Transition‹, in Glenda Abramson and Tudor Parfitt, The Great Transition (Totowa, NJ: Rowman and Allanheld, 1985), p. 124; Zohar Shavit, ›The Rise and Fall of Literary Centers in Europe, and America and the Establishment of the Center in Eretz Israel‹, Iyunim bi-tkumat Israel, 4 (1994), pp. 422-39.

8   For more on the issue of centers and enclaves in Europe, see my forthcoming book, Shachar Pinsker, Literary Passports: The Making of Modernist Hebrew Fiction in Europe, Stanford 2010.

9   On Yiddish publishing, see Glenn S. Levine, »Yiddish Publishing in Berlin and the Crisis in Eastern European Jewish Culture, 1919-1924,« Leo Baeck Institute Year Book, 42 (1997), pp. 85-108. On Hebrew publishing, see Shavit, ›On the Hebrew Cultural Center in Berlin‹.

10 For more on this, see Shachar Pinsker, »Deciphering the Hieroglyphics of the Metropolis: Literary Topographies of Berlin in Hebrew and Yiddish Modernism« in Estraikh and Krutikov (eds.), Yiddish in Weimar Berlin, pp. 28-54.

was tamed.[11] But the significance of Berlin for the development of modernism in Jewish languages cannot be reduced to economic forces or the existence of the publishing market in the city. There is also a manifest difference between older writers of Bialik's generation (figures like Berdyczewski, Frishman and Nomberg) and the younger writers who arrived in Berlin at a point at which their style and voice were still evolving. For Hebrew and Yiddish writers like David Shimonvitz, Uri Zvi Greenberg, Ya'acov Shteinberg, Shmuel Yosef Agnon, David Bergelson, Moyshe Kulbak, Avrom Nokhem Stencl and many others, the encounter with Berlin was crucial, regardless of the length of their stay in the city.

As émigrés and refugees with an attachment to the *shtetlakh* and the urban centers of Eastern Europe, they were nonetheless far from being oblivious to the contemporary modernist discourse and preoccupations of Berlin. They were engaged with issues of body, gender and sexuality, surface (*Oberfläche*) and visuality. As recent studies of Weimar Berlin indicate, these issues were inextricably linked not only to modernist »high culture«—literature, art and architecture of Expressionism and *Neue Sachlichkeit* (New Objectivity)—but also to the new forms of »mass culture« (photography, cinema, fashion and advertising) in Berlin of this period.[12]

The cafés of Berlin, especially the so-called »literarische Kaffeehäuser« were essential spaces in this cultural and literary topography, particularly in the era of literary and artistic modernism (1890-1939).[13] These cafés were especially attractive places for immigrant writers and artists. In order to understand why, we must remember that many Hebrew and Yiddish writers lived in proletarian areas in the east of the city—most notably in the Scheunenviertel and Alexanderplatz area—or in tiny rented rooms within *pensions* in the more affluent western part of the city (Charlottenburg). With this kind of transitory émigré existence, it is hardly surprising that they were so attracted to the local urban café, which was indeed one of the emblems of Berlin modernity and modernism. The café was partly a refuge from harsh physical conditions and the disorientation of the metropolis. It provided amenities that one could not obtain in a pension or in a rented room: telephone, newspapers from all around the world

11 Shimon Rawidowicz, Sichotai 'im Byalik. Jerusalem 1983, pp. 42-45.
12 Janet Ward, Weimar Surfaces: Urban Visual Culture in 1920s Germany, Berkeley 2001; Dorothy Rowe, Representing Berlin: Sexuality and the City in Imperial and Weimar Germany, Aldershot 2003; Sabine Hake, Topographies of Class: Modern Architecture and Mass Society in Weimar Berlin, Ann Arbor 2008.
13 For an overview of Berlin cafés and their role in modernist literature and culture, see Roy F. Allen, Literary Life in German Expressionism and the Berlin Circles, Ann Arbor 1983; Alfred Rath, »Berliner Caféhäuser (1890-1933),«, in: Michael Rössner (Hg.), Literarische Kaffeehäuser, Wien (u.a.) 1999, pp. 108-125.

(including in some cases in Hebrew and Yiddish), free chessboards and billiard tables and heating. More important, the café was an unparalleled place of communication. Recent information about publishing and art work was available, and many publication activities were in fact carried out inside cafés. This fact created the image of the café as an artistic and literary »stock exchange.« The café was also an unparalleled site for observation and inspiration. Many writers needed the café in order to write, spending hours at their marble tables, which often became their »writing desks.«[14]

At the same time, Berlin cafés were far from being sterilized spaces of high culture. Most scholars recognize now that Jürgen Habermas's influential idea of the coffeehouse as an emblem of the »public sphere«—the democratic space of rational and »non-hierarchical deliberation« is idealized and not very accurate.[15] While there is no doubt that these cafés were sites of debate and of significant literary and artistic activity, they were also sites of consumption, leisure and the spectacle of commodity. This was true in Berlin as elsewhere in Europe and beyond. This is something that keen observers of Berlin modernity—figures like Walter Benjamin, Siegfried Kracauer and Erich Kästner,[16] as well as many Hebrew and Yiddish writers—articulated very well in their writings. For example in his well-known essay *Berliner Chronik* (1932), Walter Benjamin uses various Berlin cafés of the 1910s and 1920s (*Victoria Café, Café-des-Westens, Romanisches Café* and *Café Princess*) to chart his »lived experience« of Berlin, not as a linear history but as the »space of his life [...] on a map.« Benjamin attempts to create what he calls a »physiology« of Berlin cafés. He begins by dividing these cafés into »professional« and »recreational« establishments, but immediately notes that this is a superficial classification, since the two categories always coincide and collapse upon each other.[17]

14 Sigrid Bauschinger, »The Berlin Moderns: Else Lasker-Schüler and Café Culture,« in Emily Bilski, (ed.) Berlin Metropolis: Jews and the New Culture, 1890-1918, Berkeley 1999, pp. 58-101.

15 Jürgen Habermas, Strukturwandel der Öffentlichkeit: Untersuchungen zu einer Kategorie der bürgerlichen Gesellschaft, Neuwied 1962. For critical evaluation of Habermas' influential concept, see Geoff Eley, »Nations, Publics, and Political Cultures: Placing Habermas in the Nineteenth Century,« in Craig Calhoun (ed.), Habermas and the Public Sphere, Cambridge 1992; Markam Ellis, The Coffee House: A Cultural History, London 2004; Brian W. Cowan, The Social Life of Coffee: The Emergence of the British Coffeehouse, New Haven 2005.

16 See, Erich Kästner, »Das Rendezvous der Künstler,« Neue Leipziger Zeitung, 26. April 1928.

17 Walter Benjamin, Berliner Chronik, Frankfurt am Main 1972, pp. 43-50.

Berlin's so-called »literary cafés« are better understood as what cultural geographer Edward Soja has called a »thirdspace.«[18] Soja argues that the nature of human existence is made known to us through what he calls the »trialectics of being«: spatiality (or the production of space), historicality (or time) and sociality (or being-in-the-world). Building on Henry Lefebvre and Homi Bhabha,[19] Soja attempts to problematize the distinction between real and imagined space by challenging the dichotomy of thinking of space as either real (that is, physical or material) or imagined (that is, mental, abstract or ideational).[20] What Soja calls »thirdspace« – a »purposefully tentative and flexible term that attempts to capture what is actually a constantly shifting and changing milieu of ideas, events, appearances and meanings« – offers a new of way of thinking about »the inherent spatiality of human life: place, location, locality, landscape, environment, home, city, region, territory, and geography«.[21] The literary cafés of Berlin are a good example of a thirdspace, which is located, as it were, between real and imaginary, the inside and outside, public and private, mass consumption and the avant-garde, men and women. For the East European Jewish writers, Berlin cafés were also space in which complex negotiations between Jews and Gentiles, »East« and »West,« »the local« and the immigrant took place. While »literary cafés« were important in all European enclaves of Hebrew and Yiddish modernism (Odessa, Warsaw, Kiev, Lemberg, Vilna and Vienna) the café played an especially important role in Yiddish and Hebrew culture in Berlin.[22]

Several cafés in Berlin emerged at the points of intersections between German, Russian, Hebrew and Yiddish modernism. In the first decade of the twentieth century, *Café Monopol* on Friedrichstraße in Berlin's *Mitte* (not far from the Scheunenviertel), was a favorite meeting place for German writers and

---

18 Henri Lefebvre, The Production of Space, Oxford 1991; Edward Soja, Thirdspace: Journeys to Los Angeles and Other Real-and-Imagined Places. Oxford 1996.
19 For Homi Bhabha, the third space involves a simultaneous coming and going in a borderland between different modes of action. To do so will require inventing creative ways to cross perceived and real »borders.« The third space is a place of invention and transformational encounters, a dynamic in-between space that is imbued with the traces, relays, ambivalence, ambiguities and contradictions, with the feelings and practices of both sites, to fashion something different, unexpected (Bhabha, »The Third Space«, in: Jonathan Rutherford (ed.), Identity, Community, Culture, Difference, London 1991, pp. 207-221).
20 See Soja, Thirdspace.
21 Edward Soja, »Thirdspace: Toward a New Consciousness of Space and Spatiality,« in Karin Ikas and Gerhard Wagner, (eds.), Communicating in the Third Space, London 2008, pp. 49-50.
22 Shachar Pinsker, »The Urban Literary Café and the Geography of Hebrew and Yiddish Modernism in Europe« in Mark Wollaeger, (ed.), The Oxford Handbook of Global Modernisms, (Oxford, forthcoming, 2010).

Café des Westens
Der Weltspiegel
(illustrated biweekly
section of Berliner
Tageblatt), No. 41,
May 21, 1905

young theater artists (Jewish and non-Jewish), including Max Reinhardt and
his dramatic advisor, Arthur Kahane. It was during meetings and rehearsals
within the space of the café that Reinhardt developed his ideas and an agenda
for a new theater.[23] Around the same time, the Hebraists of Berlin had a *Stamm-
tisch* at *Café Monopol*. Aharon Hermoni and Itamar Ben-Avi (the son of Eliezer
Ben-Yehuda, the »reviver« of Hebrew) write in their memoirs that by 1908 even
the waiter knew some Hebrew in order to accommodate their table, which
included Shay Ish (Saul Israel) Hurwitz, Reuven Breinin, Horodetzky, Ben-Avi,
Hermoni and other Zionist activists and Hebrew writers.[24] Hermoni and
Y. D. Berkovitz wrote that journals like *HaOlam* and *He'Atid* were edited on the
black marble tops of this plush café, with its oriental-like appearance.[25]

The Hebraists in Café Monopol were far from isolated. Side by side with the
Hebrew table there were many »German tables,« occupied by Reinhardt and his
theater, critics like Alfred Kerr as well as figures like Erich Mühsam, Gustav
Landauer and Sammy Gronemann. Near the »Hebrew table« there was also a
»Yiddish table« that enjoyed frequent visits by luminaries such as Sholem Asch,
whose play *El nekamoth* (»God of Revenge«) was performed at Reinhardt's theater, and Sholem Aleichem. Interaction between these groups in the café was
inevitable and abundant.[26] In 1908, when the writer and critic Yossf-Haim

23 Erica Fischer Lichte, Theatre, Sacrifice, Ritual: Exploring Forms of Political Theatre,
    London 2005, p. 46.
24 Itamar Ben-Avi, 'Im shachar atzma'utenu, Tel-Aviv 1961, pp. 146-156; Aharon Hermoni,
    Be-ikvot ha-bilu'im, Jerusalem 1951, pp. 145-158.
25 Y.D. Berkovitz, Ha-rishonim ki vnei adam, Tel Aviv 1953, 533; Hermoni, Be-ikvot
    ha-bilu'im, p. 151.
26 Shmaryahu Gorelik, »Dos kafe Monopol,« Der fraynd, 15 September 1913, p. 3; Stanley
    Nash, In Search of Hebraism: Shai Hurwitz and His Polemics in the Hebrew Press,
    Leiden 1980, pp. 169-72;

Monopol Café, 1911.
(postcard)

Brenner made a short visit to Berlin on his way to Lemberg, he was surprised to
see the entire Hebrew and Yiddish community of writers and journalists sitting
in the café.[27]

Several other Berlin cafés (*Café Josty, Café Victoria, Café Bauer* and others)
were important for expressionist art and literature. Public recitals and cabarets
were given in these cafés, and editorial activities of expressionist journals like
Der Sturm and *Die Aktion* took place there. The most important of these cafés
was the small and rather homely *Café des Westens* on the Kurfürstendamm. By
1910 it was quickly becoming not only the chief gathering place for expressionist circles centered in Berlin, but also a magnetic pole for modernist writers and
artists from all over Europe.[28] The café became famous for the extravagant dress
and eccentric behavior of its *Stammgäste* as well as for its artistic and literary
activity. The German-Jewish expressionist poet Else Lasker-Schüler was the
queen of *Café des Westens* and portrayed it in her semi-autobiographical novel
Mein Herz (1912).[29] Hebrew and Yiddish writers were also attracted to the *Café
des Westens* during the 1910s. Berdyczewski, Shay Ish Hurwitz, David Shimono-
vitz, and other Hebrew, Yiddish and German writers and intellectuals used to
meet every Thursday evening for what Berdyczewski called »literary table«, first

27   Hermoni, Be-ikvot ha-bilu'im, p. 152.
28   Allen, Literary Life in German Expressionism, 67-73; Bauschinger, »The Berlin Mod-
     erns, p. 81.
29   Else Lasker-Schüler, Mein Herz: Ein Liebes-Roman, Frankfurt am Main 2004.

at the *Monopol* and then at the *Café des Westens*. Shmuel Yosef Agnon, who arrived in Berlin in 1912, spent some time there while he became acquainted with numerous German Jewish writers and intellectuals.[30]

Sometimes, around 1915, the *Café des Westens* »closed for remodeling« and banished the writers and bohemians so that it could reopen as a more »respected« bourgeois establishment. From 1917 and throughout the Weimar period, the huge and shabby *Romanisches Café* near the Kaiser-Wilhelm-Gedächtniskirche became the new headquarters of the expressionists, as well as the so-called *Neue Sachlichkeit* movement, and in fact of all writers, artists, intellectuals and bohemians—German and non-German alike. The *Romanisches Café* performed many of the functions of the *Café des Westens* in the 1910s, and it also inherited the dubious name »Café Megalomania«. Among many well-known figures who frequented the café were Else Lasker-Schüler, Franz Werfel, Kurt Tucholsky, Stefan Zweig, Alfred Döblin, Erich Kästner, Ludwig Meydner, Gottfried Benn, Joseph Roth, Bertolt Brecht and Walter Benjamin, many of whom wrote in and about the café. They described it as a second home for writers during the day; a place where heated debates on a variety of subjects were conducted far into the night; and a place where literary and artistic activities were carried on.[31] But the *Romanisches Café* was indicative of Weimar culture in many ways, including the fact that it was far from being the exclusive location of a small group of German expressionists.[32] Walter Laqueur described the atmosphere of this meeting place of the Weimar intelligentsia well, and highlighted its strange mixture of people and cultures:

> Avant-garde and mass culture met in the coffee houses such as the Romanisches Café… there you could see writers and critics, painters and actresses and quite a few original characters who never published a book, drew a line or composed a sonata, but nevertheless had some influence on contemporary literature, music and painting. The painters had their own little table… School reformers were sitting there next to all kinds of fanatics, revolutionaries next to pickpockets, people on drugs next to apostles of health-food and vegetarianism. Such a mixture caused a great deal of confusion, but it also acted as a strong stimulant.[33]

30 Immanuel Ben-Gurion, Reshut ha-yachid, Tel-Aviv 1980, 64-72. See also Berdyczewski's German diary of these years published in Ginzey Micha Yosef, vol. 7 (1997), pp. 90-113.
31 Jürgen Schebera, Damals im Romanischen Café: Künstler und ihre Lokale im Berlin der zwanziger Jahre, Frankfurt 1988.
32 Eric D. Weitz, Weimar Germany: Promise and Tragedy, Princeton 2007, pp. 77-78.
33 Walter Laqueur, Weimar: A Cultural History 1918-1933, New York 1980, p. 277.

Romanisches Café.
Bundesarchiv Koblenz

The Hebrew and Yiddish writers and artists, who immigrated to Berlin after World War I and throughout the Weimar period, flocked to the *Romanisches Café* like bees to the beehive. Their presence was intense and notable, and was attested by almost everybody who was part of the Hebrew and Yiddish immigrant colony in Weimar Berlin. In fact, some accounts create the false impression that *Romanisches Café* was a kind of a pan-Jewish urban space. Thus, Nahum Goldman writes that »each [Jewish] group had its own table; there were the ›Yiddishists,‹ ›Zionists,‹ ›Bundists‹ and so on, all arguing among themselves from table to table.«[34] The Yiddish poet Avrom Nokhem Stencl describes the scene of the *Romanisches Café* from the angle of those who were,

> fleeing the pogroms in Ukrainian *shtetls…* and the Revolution, a kind of Jewish colony formed itself in the west of Berlin, and the Romanisches Cafe was its parliament. It was buzzing with famous Jewish intellectuals and activists, well-known Jewish lawyers from Moscow and Petersburg, Yiddish writers from Kiev and Odessa…it buzzed like a beehive.[35]

Lev Bergelson wrote that his father, David Bergelson, used to »spend many evenings in the Romanisches Café, which at that time was the favorite haunt of Berlin bohemians. Sitting around the café's marble tables, people would drink

34 Nahum Goldmann, The Jewish Paradox, New York 1978, p. 21.
35 Avrom Nokhem Stencl, Loshn un lebn 10-11 (1968), p. 25.

coffee, smoke and chat, but they would also read and write poems, create script for new films, and play chess.«[36] Daniel Charney attested that

> »In the Romanisches Café of Berlin... I met again good old friends and colleagues who occupied the *East Wall* of the so-called ›Rakhmones Café‹ [Pity Café]: Bergelson and Numberg, Hirshkan and Onokhi, Der Nister and Kvitko, Latski-Bartoldi and Leschinski... I was simply drunk with joy.«[37]

Charney even claimed that the *Romanisches Café* was »the transit point for the whole of Yiddishland.«[38] When the editor of the New-York Yiddish newspaper *Forverts,* Abraham Cahan, came to Berlin, he knew he had to go to the *Romanisches Café*, a chief location for finding and recruiting the best Yiddish writers who could write for his paper.[39]

The intense presence of East European Jewish writers in the *Romanisches Café* attracted much interest outside Germany, and was praised by some and elicited strong criticism by others. The Yiddish educator and journalist Israel Rubin wrote that »At the tables of the Yiddish writers in the Romanisches Café all possible topics have already been exhausted ... Everyone has been denigrated and slandered... All literary and social dialogues and prognoses have been outlined, and matters are now approaching the point of repetition.« He noted that writers would congregate every evening in the café to »pray a Romanisches evening service (*ma'ariv*).«[40] When Melekh Ravitch (himself a habitué of cafés in Lemberg, Vienna and Warsaw) wanted to criticize the Yiddish writers who made Berlin home, he wrote that:

> Somewhere in Berlin, in the smoky atmosphere of the Romanisches Café, some of the best creators of Yiddish culture are hanging around, pretending to create a Yiddish culture. But those who are sitting in the Romanisches Café and looking at us from afar, as we are pulling the carriage of our culture, are simply deserters.[41]

36 Lev Bergelson, ›Memories of My Father: The Early Years (1918-1934)‹, in Joseph Sherman and Gennady Estraikh (Eds.), David Bergelson: From Modernism to Socialist Realism, Oxford 2007, pp. 79-88.
37 Daniel Charney, A yortsendlik aza: 1914-1924, Tel Aviv 1963, p. 335.
38 Daniel Charney, Oyfn shvel fun yener velt: tipn, bilder, epizodn, New York 1947, p. 36.
39 Gennady Estraikh, »The Berlin Bureau of the New York Forverts,« in Estraikih and Krutikov (Eds.), Yiddish in Weimar Berlin, p. 145.
40 Israel Rubin, »Bay di tishlekh fun romanishn kafe,« Literarishe bleter, January 10, 1930, p. 28.
41 Melekh Ravitz, »Vu iz der tsenter?« Bikhervelt 1, (1922).

The Yiddish writer Peretz Markish similarly attacked what he called »the new *Golus* (exile) of the Romanisches Café, which is becoming a new Jerusalem.« He mocked this »third temple, created with American funding.«[42] However, just a few months after he published this scathing criticism, Markish himself visited Berlin and rushed to the *Romanisches Café* to meet Uri Zvi Greenberg and Vladimir Mayakovsky, who were in Berlin at the time.

These conflicting images of the *Romanisches Café*— as »The Café of Pity,« a new Jerusalem or Yanve, and a place of *Kibetz Goluyos* (»the ingathering of the exiles«) —are a testimony to the tensions inherent in the »thirdspace,« which quickly became a metonymy of Berlin's modernity. While in some cases the café became a symbol of the detachment of Yiddish and Hebrew writers from the readers and the Jewish masses, it is clear that it was also a place of unprecedented creativity. Writers like Bergelson, Stencl, Greenberg and Shteinberg encountered many important figures of Berlin modernism in the *Romanisches Café*, and these experiences left strong marks on their literary and intellectual development. During these years, many important Jewish émigré artists from Eastern Europe lived and worked in Berlin, including Marc Chagall, Natan Altman, El Lissitzky, Issachar Ber Ryback, Ya'acov Adler, Henryk Berlewi, Mark Schwartz and Mordekhay Ardon. Many of them found in the *Romanisches Café* a space that opened their horizons to new developments in German and Russian modernism.[43] Marc Chagall, who arrived in Berlin in 1922, wrote that »never in my life have I met so many miraculous Hassidic rabbis as in inflationary Berlin, nor such crowds of constructivist artists as at the Romanisches Kaffeehaus.«[44]

Not surprisingly, there are many literary and artistic representations of the café. These representation are by no means ideal; they emphasize both the participation of Hebrew and Yiddish writers in modernist Berlin culture and their marginality, the energy of the modern metropolis and its decadence. In his essay on Else Lasker-Schüler (1926), the Hebrew and Yiddish modernist, Uri Zvi Greenberg, wrote in his characteristically fragmentary expressionist style, with its expansive grammar and outrageous images, that they »drank together dark coffee in the Romanisches Café, and until midnight this bitter drink was dripping in our hearts, and sipping through even deeper to the ›inner existence,‹

42 Peretz Markish, »Biznes, Moskve—Berlin,« Khalyastre 1 (1922), p. 62.
43 Sima Ingberman, ABC: international constructivist architecture, 1922-1939, Cambridge 1994.
44 Quoted in Martin Hammer and Christina Lodder, Constructing Modernity: The Art and Career of Naum Gabo, New Haven 1994, p. 101.

around the heart and beyond it like dark blood.«[45] In the large modernist poemas (narrative poems) that Greenberg published in Berlin and later in Palestine, the *Romanisches Café* plays a crucial role as a trope of urban modernity:

> We really loved the smoky hours in the cafés. Opera. Frock coat. Perfumed heads and dance halls. Opium. Ballet. Boulevards and brothels. Hot electron … and the noise, the noise of the cities![46]

In his book-length expressionist poema, *Disner tshayld garold* (Childe Harold of Disne, 1933), the Yiddish expressionist Moyshe Kulbak explores the high and low modernist culture of Berlin with its cabarets, coffeehouses, street facades, and many other visual images. The protagonist of the poema (»the man with the pipe«) is described as sitting in the Berlin café (most likely the *Romanisches*) which is full of writers as if »swimming« in »gentle smoke« and absorbed »deep in thought.«[47] Kulbak's description of the café brings to mind Matheo Quinz's account of the *Romanisches Café* as »a large bathing establishment with a big pool for swimmers and a small one for non-swimmers.«[48]

The *Romanisches Café* might be the prototype of the »Crocodile«, the Café-restaurant in Bergelson's story, *Far 12 toyzend dolar fasr er 40 teg* (»For 12,000 Bucles He Fasts 40 Days«, 1926), which is part of a series of short stories that were aptly subtitled *Berlin Bilder* (»Sketches of Berlin«).[49] The story is about a »fasting young man,« who is »sealed under glass« and »lives purely on seltzer and cigarettes.« The spectacle of the boy who is attempting to fast for forty days not only takes place in a café, but has been »the talk of every Berlin café and every Berlin home.« The show is so popular that »tens of thousands of visitors« are lining up, »waiting to buy a ticket for a quarter US dollar and be admitted so that they could see with their own eyes.« The story presents a mirror-house in which it is hard to tell what is »real« and what is a mirage of glittering surface.

Similar in spirit and style to Bergelson's sketches of Berlin, is Shmuel Yosef Agnon's Hebrew short novel *Ad Hena* (»Until This Day«). The novel was written over a long period of time after Agnon's lengthy stay in Berlin and Germany (1912-1924).[50] It takes place in Berlin during World War I, but is infused with

45 U. Z. Greenberg, »Dvorah be-shivya,« in U. Z. Greenberg, *Kol-Ktavav* Vol. 15, Jerusalem 2001, p. 127.
46 Greenberg, Kol ktavav, Vol. 1(1990), p. 34.
47 Moyshe Kulbak, Geklibene verk, New York 1953, p. 239.
48 Matheo Quinz, »Das Romanische Cafe,« Der Querschnitt 6 (1926), p. 608.
49 David Bergelson, »Far 12 toyzend dolar fast er 40 teg,« Forverts, March 30, 1926, p. 3.
50 Shmuel Y. Agnon, Ad hena, in Kol sipurav shel S. Y. Agnon, vol. 7, Tel Aviv and Jerusalem 1960 [1952], pp. 5-170.

figures, events and perspectives that are more characteristic of the Weimar period. This can be seen in the preoccupation, even obsession, with pensions and hotels, with clothing and fashion, architecture, cinema, physiognomy and coffeehouses.[51] The main preoccupation of the first-person narrator in the novel is to find and maintain a room in a metropolis after he has left it for a visit to Leipzig and lost his old room in his pension. In the course of his wandering, the narrator describes a number of grotesque scenes in Berlin cafés that are based on Agnon's first-hand familiarity with Berlin institutions like *Café des Westens*, the *Romanisches Café*, and lesser known Berlin coffeehouses. When he goes to one of these cafés he notes that,

> [t]he café was packed. All through the war the cafés were crowded with people. The men came to be with other men, and the women came because their husbands had gone out and they didn't want to be left behind. New cafés opened daily and still there wasn't enough. You had to push your way into them, and others pushed from behind while you were pushing. And once you were seated those standing in line eyed you as if you had stolen their seat, although they were only there because of you, since the whole point was not to be alone. Worse yet, the old waiters were in the army and the new ones were all cripples. And in case you doubted it, they wielded their trays as though they meant to cripple you. I don't remember how I managed to find a place. I ordered a cup of what was supposed to be coffee, and when I finished it, I ordered a second cup to keep the standees from thinking I was clinging to my chair…but then I chanced to meet an old friend whom I haven't seen since the war broke out; and now here he was, at the very table I had sat down at.[52]

Agnon's highly ironic narrator employs the space of the crowded café in a grotesque way, in order show the metropolis of Berlin as a place full of men and women who are afraid of being alone and being »left behind.« In this description, the café, which is clearly a metonym to the chaotic city, is full of cripples and ersatz substitutes, and yet it is the place that everybody is attracted to. As much as the narrator complains about »what passes as coffee,« about the crowds and the oppressive atmosphere, he himself clings to his seat in the café and doesn't want to let go. He even happens to meet his good friend, whom he hasn't seen for years, and whose first and middle names are identical to the narrator's name—a kind of alter-ego of the narrator, who spent many years as a

51 Pinsker, »Deciphering the Hieroglyphics of the Metropolis«, pp. 45-49.
52 Agnon, Ad Hena, p. 80.

student in Vienna and Berlin and now serves in the army and has witnessed first-hand the horrors of the Great War.

One of the most interesting modernist texts that were inspired by and devoted to the *Romanisches Café* is a cycle of Hebrew poems—*Sonnets from the Coffeehouse* (1922)—written by the Hebrew and Yiddish writer Ya'acov Shteinberg (see the English translation following the article). As the writer and critic Ya'acov Kopelovitz (Yeshurun Keshet), who was Shteinberg's good friend in Berlin, attested, Shteinberg came to understand the *Romanisches Café* both as a kind of »imaginary Jewish space« and a place in which »regulars« are the »cultural elite full of decadence, smoke and the syncopated rhythm of the metropolis.«[53] The cycle should be understood as a poetic distillation of Shteinberg's short but intense »residence« in the *Romanisches Café* and the endless hours he spent there in introspection. The cycle creates a tightly knit narrative that occurs solely in the space of the café, which becomes an object of observation and introspection. It presents a speaker who sits and »watches in front of the lampshade,« before disappearing again, »in a screen of smoke.«[54]

Each one of the sonnets in the cycle tells us a short and concentrated »story« with a character and with a specific event or narrative situation in the café– the waiter, a couple indulging in »a desire that has been revealed,« a woman who sits alone and one doesn't know if she is a »queen« or a »prostitute,« the abandoned newspapers after the café's closing. The large but enclosed space of the café, with its ever-changing vistas and moods, contains everything because it can be full or empty, bright and dark, airy and smoky, friendly and hostile, familiar and anonymous. All these different aspects of the café serve as an extended metonym for the urban experience of Berlin and the experience of western modernity in general from the point of view of the (Jewish) immigrant. The café is described both as a place of »happiness and chatter,« a place to which people can flock in order to avoid the »deep sadness« that lurks everywhere in the metropolis. This duality is beautifully captured in the metaphor of the »newspapers that are rolled up like idle hieroglyphic scrolls,« »idle hieroglyphic scrolls,« that require (and resist) deciphering.[55] as well as with the Hebrew expression *beit-moed*, which is both a space in which people congregate and a space that houses

53 Yeshurun Keshet, Maskiyot, Tel Aviv 1953, p. 138.
54 Ya'acov Shteinberg, ›Sonnetot mi-beit ha-kafe‹, in Kol-Kitvei Ya'acov Shteinberg, Tel Aviv 1959, p. 64.
55 Interestingly, critics of Weimar culture such as Siegfried Kracauer write about visual culture in Berlin in terms of hieroglyphics: »Spatial images are the dreams of society. Wherever the hieroglyphics of any spatial image are deciphered, there the basis of social reality presents itself.« Siegfried Kracauer, »Über Arbeitsnachweise,« Frankfurter Zeitung, 17. Juni 1930.

A woman sitting alone in the *Romanisches Café*. Bildagentur für Kunst, Kultur und Geschichte

people who are in fact dead in life. The café is thus both a space that is a refuge from oblivion as well as a space which embodies the void and abyss.

Shteinberg's sonnets well represent the ways in which Hebrew and Yiddish writers described the physiology and cultural topography of the *Romanisches Café*, which in turn captures their encounter with the urban space of Berlin. These writers encountered Berlin modernism in the »thirdspace« of the *Romanisches Café*, and these experiences left strong marks on their literary and intellectual development. Their experience of the café as a kind of »hieroglyphic« spatial image of Berlin emphasizes both their participation in modernist Berlin culture and their marginality, the commodity spectacle of »surface« and sexuality and the potential inherent in it for artistic creativity, the undeniable energy of the metropolis as well as its decadence, corruption and sense of deep despair.

Sonnets from the Coffeehouse
by Ya'acov Shteinberg
translated by Adriana X. Jacobs

1.

In holding cells we were confined to waste away
and our soul's music returned to the din of the sea—
This deep sadness slumbers in the darkness of your blood,
and moves in you like mist before it becomes a cloud.

Like a strange deep-sea fish it floats in still waters,
with a serpent's likeness in these metropolitan depths.
There its soft, heedless voice soothes passers-by,
biting like a snake on the bustling city street.

Like a city decked in lavish dress and opulence—
the rings of his skin flourish with speckled horror,
the whisper of his venom quivers amid the chatter.

Crawling from street to street over smooth limestone,
he stops and goes, resting and stirring in the market places—
and curls his rings over the graveyard of the café.

2.

In the coffeehouse song and joy and chatter come to an end,
the glow of an empty night fades from tired gazes.
Midnight passes, and in a smoke daze
a troupe of foreign musicians dozes over parched strings.

Newspapers coil like idle hieroglyphic scrolls,
on cold marble tops, each cup soiled by what remains,
and the coffeehouse keeps a long silent vigil
as a prison does on its forgotten inmates—

But under the chandelier a man sits and observes,
his cigar whispers as rancor drips between his teeth,
and the seared lips disclose his obscenities.
Why is my soul so angry? you grumble quietly.
Life is a drifting smoke screen. And its bitter end
he spits out, like a cigar's meager tip.

3.

A vigilant arm of the chandelier still glows
until the coffeehouse empties of its garrulous clientele.
And a waiter, who tarries to leave this smoke furnace
shakes out the foul charms from his face.

Bereavement pours through the hall—echo of an empty beehive
that bee-folk fill with their fruitless buzzing;
This is the silence of the graveyard to which men come in droves,
where the vain sorrow of daily affairs restrains itself.

The waiter walks calmly to the door,
pieces of many hearts roll about on his path—
and endless desires are trampled in the dust of his feet

Ah, the oblivion of these nights—too many to recall:
like the finespun wing dust of a sterile bee,
like a stillborn heart that sees a glimmer in the dark.

4.

The night yet young, a glint of anticipation
still rests over the café patrons like a city's deceit—
a man and woman sit on the heights of a soft couch
indulging a desire that has been revealed.

His hand reaches out and quietly twists her flesh,
with a swooning eye she looks about blindly.
Before them laughter delights witnesses of their shame,
Behind them warps the mirror's cold reflection.

In the violins' obscure tongue, busy players
at times rejoice and at times gently weep
for the shame of the flesh that frolics here senselessly.

Only the waiter comes and goes, his inner thoughts concealed:
in his short service, he refrains from judgment,
and turns away from these children of harlotry.

5.

At one of the small round tables a woman sits alone,
as though a veil has fallen from the marble heart.

When she turns her head, her expressive locks descend,
a queen among women, mute on her throne.

Every one recognizes her whore's charm,
but each eye beholds her beauty without judgment:
as though a veil had fallen from every heart—
men look past the prostitute and see only her sorrow.

In the hall no one notices the change in music:
the violin's song falls and rises joylessly,
and a dim, tender anguish stains the evening's frivolity.

The coffeehouse fills with applause and folly holds court.
A cry of yearning rumbles soundlessly in many hearts,
for no one can weep in that large gathering.

6.

A waiter's hand grasps the chairs where fools sat
and turns over these last remnants of the night.
In the end how is their exposed flesh unlike
that of corpses splayed stiffly in the dark!

The coffeehouse is closed now, sealing its vapors,
not one banished soul remains in the hall.
But something stirs in there—a discarded handkerchief
turns white on the ground like lost youth and innocence.

Darkness pervades but does not yet fill each window.
Above, the chandelier's crystal casts a cold deathly glow
and below a lady's fugitive stirs tenderness and desire.

This delicate souvenir rests here through the night
but in the morning the first waiter will collect it quietly
and mercilessly put it out with the garbage.

7.

I sit concealed by the smoke. In my mouth a cigar glows,
its eye fuming angrily like a repentant eye.
Though smoke fills the repentant eye and blinds it,
I will sit here until the door hinge turns one last time.

Fate misleads like a fool full of air,
streams of idle talk dry up and then rise anew.
This place too is just a way of life that people pass through,
indeed all of the world's passageways tremble over a void.

Here a song falls on my deaf ear, here there is light but my eyes are dark,
My quenchless desires lie next to women lusting in vain
and amid the crowd, I answer my soul with these words.

Who can tell me: a better place exists—go there?
In life's pig sty—gloom. And in the trough of night
vanished all the sweet and bitter grains of our life.

8.

You sit here to the end and in the smoke haze
an evil vision sweeps away vague delusions—
behold, the world teeters on a looming day of ruin
and on an old pile of wreckage only one chamber remains.

The world's darkness emerges. Only a trace of twilight
glows before going out in the last rooms of the universe;
for all living things must perish in the end —
the opaque mist stifles even this surviving man.

The last dreg of desire expires in men's eyes
and the pallor of vain mercies flecks a woman's cheek,
even a vestige of ancient violins still raises a jubilant song.

Ah, forsaken violin, quiet! People, listen!
Behold the wall clock strikes a secret tune,
and as midnight nears we exit all of life's dreams.

Commentary

The cycle of poems »Sonnets from the Coffeehouse« was written in Berlin in 1922 by the Hebrew and Yiddish poet and writer Ya'acov Shteinberg. Shteinberg lived in Berlin for a few years at the beginning of the 1920s and was part of the colony of Hebrew and Yiddish East European writers and intellectuals. The cycle is one of the most impressive modernist Hebrew texts of the interwar period. In my research it became clear that the cycle was inspired by and devoted to the famous Romanisches Café. Each one of the sonnets in the cycle tells us a short and concentrated »story« with a character and with a specific event or narrative situation in the café. These different aspects of the café serve as an extended metonym for the urban experience of Berlin and the experience of western modernity in general from the point of view of the (Jewish) immigrant. The cycle is present here in excellent English translation by Adriana Jacobs for the first time.

Shachar Pinsker

For the contemporary Modern Hebrew reader, as well as translator, Shteinberg's early-twentieth century Hebrew can seem, at first glance, as inscrutable as the »newspapers coil[ed] like idle hieroglyphic scrolls« over the café's tabletops. In my translation, I strove to offer the modern English reader a sense of Shteinberg's particular idiom and prosody, while also presenting his more crucial images and allusions in ways that were clear and accessible, perhaps more so than they are in the original. The final translations are indebted to Shachar Pinsker's thorough critique of early drafts. I am exceedingly grateful to him, both for the opportunity to tackle these difficult but satisfying texts, and also for the hours he invested sharing with me the historical and cultural context of these poems and deciphering their more obscure references.

Adriana Jacobs

Gennady Estraikh

Weimar Berlin –
An International Yiddish Press Centre

In the history of Jewish intellectual life, the Weimar period is associated with an important episode, whose actors – recent arrivals from eastern Europe – had formed in Berlin a cultural crossroads of the Yiddish-speaking *ecumene*. It was an environment hospitable only for a very limited number of Yiddish intellectuals. Although the city housed the local or global headquarters of several Jewish political and civic organizations, which provided a number of educated immigrants with employment and comradeship, Berlin-based Yiddish intellectuals had a small choice of satisfying occupations. Thus, they could not find employment at any long-living local Yiddish periodical for the simple reason that such periodicals did not exist in the city. The majority of Yiddish journals that appeared in Weimar Berlin were ephemeral house journals of locally based relief organizations and political groups, while the couple of weeklies that targeted the general reader declined soon after their debut.[1]

In immigrant communities, Yiddish newspapers often recruited their readership through an organizational network of civic organizations, such as mutual-aid associations, trade unions, party groupings, and clubs. In the United States, the biggest Yiddish daily *Forverts* (Forward), a namesake of the German Socialist Democratic Party's *Vorwärts*, was a forum of Jewish trade unionists linked with the Workmen's Circle, whose split organization, the Jewish People Fraternal Order, later formed the readership basis for the communist daily *Frayhayt* (Freedom). Clubs and other organizations of supporters kept afloat Yiddish dailies in such cities as Paris and Buenos Aires.[2] However, Berlin, and Germany in general, lacked influential civic organizations of eastern European Jewish im-

---

1   See, in particular, Y. Yanilovitsh, »5 yor yidishe prese (1926-1930): statistishe sakhaklen,« YIVO Bleter 2. 1-2 (1931), p. 105; Marion Neiss, Presse im Transit. Jiddische Zeitungen und Zeitschriften in Berlin von 1919 bis 1925, Berlin 2002.

2   Samuel Koenig, »The Social Aspects of the Jewish Mutual Benefit Societies,« Social Forces 18. 2 (1939), p. 271; Leonardo Senkman, »Repercussions of the Six-Day War in the Leftist Jewish Argentine Camp: The Rise of Fraie Schtime, 1967-1969,« in The Six-Day War and World Jewry, ed. Eli Lederhendler (Bethesda, MD, 2000), pp. 175-176; Aline Benain and Audrey Kichelewski, »Parizer Haynt et Naïe Presse, les itineraries paradoxaux de deux quotidiens parisiens en langue Yiddish,« Archives juives 1. 36 (2003), pp. 52-69.

migrants, many of whom lived dispersed in various localities of the country.[3] German-language newspapers could easily satisfy their desire to read the press, because Galicia-born Jewish immigrants often knew German well enough by the time of their arrival to Berlin, while affinity with Yiddish helped other immigrants to learn the language. Committed Yiddish readers would get newspapers from abroad, usually from Poland, though the Labour Zionists sporadically published in Berlin their literary and political journal *Unzer bavegung* (Our Movement) and a group of Bundists produced several issues of the newspaper *Morgenshtern* (Morning Star).[4]

For all that, Berlin housed a colony of Yiddish journalists who wrote for periodicals published in various countries. Abraham Cahan, editor of *Forverts*, argued that, for Jews, Berlin was »in a sense, the most significant city in the world« and »the Jewish world's main marketplace of ideas.« Cahan also assigned great importance to using Berlin as a communication hub, especially given the political barriers established in eastern and central Europe following its postwar remapping.[5] Morrell Heald, the historian of American journalism, comes to the conclusion that after World War I American reporters had weighty reasons to regard Berlin as »the liveliest and most interesting European assignment«:

The struggles of the young Weimar Republic to establish a democracy in the midst of a defeated and embittered Germany, the remnants of imperial society on the one hand and the presence of a powerful socialist party on the other, the persistent political influence of the military and the uneven, disturbing growth of the fledging Nazi movement all contributed to an uneasy but exhilarating life. Berlin also offered a window on much of eastern Europe with its mélange of ancient national rivalries and new, prideful, but pathetically ill-equipped states. It further served as a center for news of the Soviet Union, the most disturbing phenomenon of the decade. But the city offered rich attractions of other kinds as well. Its artistic and intellectual life was as rich or richer than ever before, and its contributions in theater and in the new mass medium of the era, film, were among the most significant to be found.[6]

3 Sholem Rudel, »Di yidishe aynvanderung keyn Daytshland,« Der veg: zhurnal far fragn fun yidisher emigratsye un kolonizatsye 1-2 (1922), p. 51.
4 Sarah Brener [Max Weinreich], »Dos yidishe Berlin,« Morgnshtern (Warsaw), 22 April 1921, p. 4.
5 Abraham Cahan, »Ir farshport tsu forn in Varshe, Vilne, Kovne, Rige oder Keshenev,« Forverts, 27 August 1921, p. 6.
6 Morrell Heald, Transatlantic Vistas: American Journalists in Europe, 1900-1940, Kent, Ohio 1988, p. 64.

While editors of English-language (and many other) publications had to dispatch their journalists to Berlin, Yiddish editors could establish local offices of their newspapers by recruiting local writers, who were happy to get a journalistic income paid in hard currency. Some writers would publish in newspapers their stories and novels, but to make ends meet they often had to mesh literature and journalism.

> It is a fact that some number of Yiddish writers in Poland, America, Berlin, and other places – belletrists, poets, essayists, and scholars – have been in recent years involved in journalistic jobs. A sympathetic observer can easily understand that, to all appearances, none of them does it with great pleasure. [...] The Yiddish writer cannot earn a living with his poems which nobody reads, with his stories which nobody purchases, with his plays which are usually staged without paying any royalties [...]. Whether he wants it or not, he has to divide his life in two parts: he is a poet in literary circles and a journalist in the press. He lives, so to speak, in two domains, in holiness and in commonness. It has always been like this: a writer is an artist and an artisan.[7]

Full- and part-time »journalist-artisans« formed the core group among the Yiddish intellectuals in Berlin. Failure in establishing and securing links with a foreign newspaper could make Yiddish literati's life miserable. The poet Avrom Nokhem Stencel's bohemian existence is a case in point. Although he put down roots in Berlin, was praised by Else Lasker-Schüler, Arnold Zweig, and Thomas Mann, and published numerous poetic volumes, both in Yiddish and in German, Stencel never had a permanent source of income. His odd jobs included stamping down the earth on fresh graves and collecting horse dung to manufacture manure.[8] Stencl's friend, the poet Moyshe Kulbak, lived in Berlin for a couple of years from hand to mouth.[9]

The Yiddish journalist colony left its traces in the topography of Jewish life in Berlin. Thus, the home of Michael Wurmbrand (1879-1952), who headed the Berlin office of the Jewish Telegraphic Agency (with scores of Yiddish periodicals among its subscribers), turned into a meeting place for Jewish literati, while the local bureau of the New York Yiddish daily *Morgen-zhurnal* (Morning Journal) opened a reading room, where over twenty Yiddish newspapers were avail-

7   Moyshe Gross, »Tsi meg a yidisher shrayber zayn a zhurnalist?,« Oyfkum 6-7 (1928), p. 15.
8   Heather Valencia, »A Yiddish Poet Engages with German Society: A. N. Stencl's Weimar Period,« in Yiddish in Weimar Berlin: At The Crossroads of Diaspora Politics and Culture, ed. Gennady Estraikh and Mikhail Krutikov (Oxford, 2010), 58, 60.
9   Avrom Nokhem Stencl, »Arop funem yarid…,« Loshn un lebn 10-11 (1968), p. 25.

able free of charge.[10] Yet, cafés became the main meeting points for Berlin producers of exported Yiddish journalism. According to the *Forverts* journalist Ben-Zion Hoffman (better known as Tsivion, »Character«), cafés had different functions in Berlin and Paris: »in Paris people go to a café to eat and to entertain themselves, whereas in Berlin people live in cafés. Cafés are Berliners' second homes, perhaps even the most important homes.«[11]

Yiddish journalists would visit various café societies, but they were particularly lured to the *Romanisches Café* and to the *Sholem Aleichem Club*, which was established, on 19 December 1924, in the western part of the city, at 9 Kleiststraße, near the Bnai Brith *Logenhaus*. The club was clearly modelled on the Association of Yiddish Writers and Journalists, in Warsaw, at 13 Tłomackie Street. The club's members were writers, artists, and political activists of democratic currents. It was essentially a men's club, because women generally built a very small minority among Yiddish literati. In Berlin, the poet Rosa Gutman was an exceptional female member of the milieu.[12] Although an increasing number of women wrote for Yiddish newspapers in the 1910s and 1920s, their poems, stories and essays usually appeared in literary departments or as part of the material that targeted the female readership. However, editors usually saw Berlin as a source of political and sensational articles or of literary (as well as art and theatre) criticism, which remained journalistic territories dominated by men, even if they signed their articles with female pseudonyms.

Some of the journalists were at the same time visible figures in political life. For instance, Leon Chasanowich (1882-1925), a Labour Zionist leader and enthusiast of Jewish agricultural colonization, shortly ran the Berlin office of the American Labour Zionist daily *Di tsayt* (Time).[13] Some men of letters contributed to several newspapers. Yeshayahu Klinov (1890-1963) wrote for the Yiddish newspapers *Morgen-zhurnal*, *Haynt* (Today, Warsaw), *Yidishe shtime* (Jewish Voice, Kaunas), and *Yidishe tsaytung* (Jewish Newspaper, Buenos Aires), while the Tel Aviv-based *Ha'aretz* translated his correspondences from Yiddish into Hebrew. He also wrote for Russian newspapers.[14] A committed Zionist, he however argued that no movement had the right to monopolize Yiddish or He-

10 Verena Dohrn, »Diplomacy in the Diaspora: The Jewish Telegraphic Agency in Berlin (1922-1933),« Leo Baeck Institute Year Book 54 (2009), pp. 222, 226, 239.
11 Tsivion [Ben-Zion Hoffman], »In der literarisher kibetsarnye fun Berlin,« Forverts, 29 July 1921, p. 3.
12 See Anat Aderet, »Di yidishe dikhterin Roza Gutman – ir lebnsveg un shafung,« Toplpunkt 2 (2001), pp. 36-38.
13 Rachel Rojanski, »The Rise and Fall of Die Zeit (Di tsayt): The Fate of an Encounter between Culture and Politics,« Jewish History 14 (2000), p. 94.
14 Zalman Reisen, Leksikon fun der yidisher literatur, prese un filologye, 4 vols., Vilna ²1926-1929), vol. 3 (1929), p. 690.

brew.[15] Klinov began his journalist career in 1917, in Petrograd, where he wrote for Russian and Yiddish newspapers. For a couple of years he edited the Kishenev newspaper *Der yid* (The Jew). He came to Berlin in the spring of 1922, together with his friend Gershon Swet (1893-1968), who became a Berlin correspondent of the Warsaw Yiddish daily *Moment*, but also wrote for various Russian and German newspapers.[16]

Daniel Charney (1888-1959) worked for early Soviet Yiddish periodicals in Moscow before moving to Berlin, where he became an accredited correspondent of the New York daily *Der tog* (The Day). The holder of a Soviet passport, Charney became stuck in Berlin after the Ellis Island doctors diagnosed him with a lifelong chronic illness and did not allow him to enter the United States, where his two brothers played central roles in the Yiddish press: the prominent socialist leader Baruch Charney Vladeck was manager of *Forverts* and the master critic Shmuel Niger wrote for *Der tog*. Daniel Charney's notebooks preserved in YIVO contain information about sources of his income. Thus, in January 1929, he received payments from his main employee, *Der tog*, as well as from the Buenos-Aires-based *Di prese* (The Press), the Riga-based *Frimorgen* (Morning), and the Russian-language journal *Tribuna* (Forum), published in Moscow as an organ of the Association for the Settlement of Toiling Jews on the Land.[17]

From time to time, Yiddish intellectuals made attempts to create an organizational network that would link them with the Jewish population of Berlin. Thus, at the end of 1921, several recent activists of the Kiev Culture League, led by Jacob Lestschinsky (1876-1966), made an attempt to establish a local league, but they soon realized that Berlin was »a city where Yiddish culture and politics were produced for export.«[18] In addition, even before World War I the Yiddish-speaking immigrants were divided into, on the one hand, predominantly »Russian« (or Ukrainian, Belorussian, and Lithuanian) Jewish intellectuals and, on the other hand, less educated »Ostjuden« from Poland and Austro-Hungary.[19] This composition of the immigrant community hindered relations between the Yiddish culture bearers and consumers. Warsaw, with its similar mosaic of east

15 Yeshayahu Klinov, »Monopolistn,« Di tribune 12-13 (1922), p. 38-46.
16 Shmuel Niger (ed.), Leksikon fun der nayer yidisher literatur, 8 vols. New York 1956-1981, vol. 6 (1965), pp. 344-45; Gershon Swet, ›Oyfn frishn keyver fun Klinov,‹ Forverts, 26 October 1963, p. 8.
17 YIVO Archive, RG 421, file 271B.
18 »Gringungs-farzamlung fun ›kultur-lige‹ in Berlin,« Unzer bavegung 4 (1922), p. 11; »Berliner ›kultur-lige‹,« Unzer bavegung 5 (1923), p. 12; Karl Schlögel et al. (eds.), Chronik russischen Lebens in Deutschland, 1918-1941, Berlin 1999, p. 85.
19 Rudel, »Di yidishe aynvanderung keyn Daytshland,« p. 41.

Sholem Aleichem Club (1928). From right to left (standing): Michael Wurmbrand, Ben-Adir (Abraham Rosin), Nakhum Shtif, Jacob Lestschinsky, Gershon Swet, Zeev Wolf Latzki-Bartoldi, two unknown persons, Issachar Ber Ryback, Nokhum Gergel, an unknown person, Meir Kreinin, Rebecca Tscherikower, Deborah Shtif, Elias Tscherikower; (sitting) Leah Swet, Sonya Ryback, Mrs. Gergel. From the Archives of the YIVO Institute for Jewish Research, New York

European Jewish sub-groups, clearly demonstrated much the same internal conflicts.[20]

»Russian« Jewish literati formed the majority among the denizens of the Yiddish corner in the *Romanisches Café* and of the *Sholem Aleichem Club*. On 12 February 1926, the same circle of people gathered in the *Sholem Aleichem Club* to establish an association of Berlin-based Jewish writers and journalists.[21] Presumably, some of them had previously been members of the Association of Russian Journalists and Writers, which was active in Berlin in 1920-1923.[22] Nonetheless, while the Association of Russian Journalists and Writers boasted a hundred members in its heyday, the number of Yiddish journalists hardly exceeded twenty people. This was, perhaps, one of the reasons why their association did not become active.

20 See, e.g., Gennady Estraikh, »Varshe – a yidishe shmeltstop,« Forverts, 25 September 2009, pp. 12-13.
21 YIVO Archive. RG 82, Reel 60, file 730, folio 62107-62111; file 731, folio 62117, 62118.
22 See G. V. Zhirkov (ed.), Zhurnalistika russkogo zarubezh'ia (St Petersburg, 2003), pp. 194-208.

Berlin was known as the place where journalists writing for ideologically rivalling Yiddish dailies would sit around the same café table. Klinov saw the secret of such peaceful coexistence in the virtual absence of mass activities, which in other places antagonized Jewish intellectuals.[23] In addition, this circle of Yiddishists was so small that sharp conflicts among its denizens would easily destroy their frangible setting.[24] For all that, various political and aesthetic views would cool friendship in some cases, eroding the circle's intramural solidarity. Thus, in January 1926, Lestschinsky, the politician and journalist Wolf Latzki-Bertoldi, and the historian Elias Tcherikower formed the court of honour, which met several times discussing – and condemning – sensational articles, most notably by the seasoned Yiddish journalist Yehuda Hirsh Shayak (1892-1958), best known as an editor of Yiddish periodicals in London, Copenhagen, Stockholm, and Danzig.[25] Similar »trials« took place in other Yiddish journalist organizations. For instance, in 1931 Vilna journalists censured their colleague, Aaron-Itshok Grodzenski, for printing »bad« material.[26] It seems that the dainty »judges« did not want to face the reality of journalistic work:

The modern newspaper, including the Yiddish one, is increasingly turning into an industrial enterprise. It demands from its journalistic workers to produce the goods, which the market is able to consume in this time. Therefore it would be absolutely wrong to admonish the worker or the engineer of a military factory for making weaponry rather than producing sweet jam.[27]

Among the Yiddish newspapers which maintained their presence in Berlin, the *Forverts* bureau remained the strongest journalist body during the whole Weimar period. The bureau's establishment was part of the general infrastructure building, which was characteristic of the 1920s, the heyday of *Forverts* and, generally, the Yiddish press. Prestige, rather than pure practicality, motivated Cahan and his circle to invest money in the outpost in Berlin. It also was a way of paying due tribute to German Social Democracy, which had shaped the outlook of the older generation of American Jewish socialists.[28]

Initially, the bureau was headed by Nahman Shifrin (1893-1984), who first emerged as a *Forverts* correspondent in Copenhagen, where (due to Denmark's

23 Yeshayahu Klinov, »A briv tsu Daniel Tsarni,« in Daniel Tsarni-bukh, ed by Moyshe Shalit (Paris, 1939), pp. 166-167.
24 Zishe Weinper, »David Bergelson,« Oyfkum 22 (1930), pp. 18-19.
25 YIVO Archive. RG 82, Reel 60, file 730, folio 62107-62111; file 731, folio 62117, 62118.
26 »Vilner zhurnalistn-sindikat farurteylt di shund-prese,« Vokhnshrift far literatur, kunst un kultur, 6 November 1931, p. 1.
27 Gross, »Tsi meg a yidisher shrayber zany a zhurnalist?,« p. 18.
28 See Gennady Estraikh, »The Berlin Bureau of the New York Forverts,« in Yiddish in Weimar Berlin, pp. 141-162.

neutrality during the war) many newspapers kept their desks. Later he owned large photo agencies in Berlin and, after 1933, established a similar business in Palestine.[29] Jacob Lestschinsky, who replaced Shifrin from 1 December 1921, was an experienced journalist, a Marxist theoretician of Jewish nation-building and, at the same time, a respected independent scholar whose articles on demography and economy appeared in German academic periodicals.[30] By that time, *Forverts* already had two other journalists in Berlin: Max Weinreich (1894-1969), the central figure in Yiddish scholarship later in life, and David Eynhorn (1886-1973), an established Yiddish writer.

Weinreich was born and grew up in Latvia, where his merchant family preferred German and Russian, but he came under the influence of the Bund and Yiddishism. In 1907, at the age of thirteen, he began his journalistic career with occasional essays and translations. After the 1917 revolution, Weinreich was active in politics, and edited several Bundist newspapers. He met Cahan when the latter visited Vilna in the summer of 1918. In September 1919 he came to Germany to continue his tertiary education, which he had started in 1913 at the University of St. Petersburg. He studied at Berlin and finally Marburg, where he took his doctorate in 1923. Four decades later, Weinreich recalled:

> I wrote to Mr Cahan from Berlin Germany reminding him of our acquaintance in Vilno [sic] several months earlier and asking him whether I could contribute articles to the *Forward* because I had to come to Berlin for my studies and was eager to earn money so that it would make it easier for me to pursue my studies. Then an answer came that he would be glad to purchase my articles and I started sending them before the end of 1919. The first article that I wrote, I still remember, was about a play by Ernst Toller at that time in Berlin.[31]

Amy Blau, who studied the Berlin period of Weinreich's life, describes somewhat differently the story of his contacts with Cahan:

29 Ruth Oren and Guy Raz, Zoltan Kluger, Chief Photographer, 1933-1958, Tel Aviv 2008, pp. 18-23.
30 Gennady Estraikh, »Jacob Lestschinsky: A Yiddishist Dreamer and Social Scientist,« Science in Context 20. 2 (2007), pp. 215-237.
31 This piece of memoirs is, in fact, part of Max Weinreich's legal case that, apparently, had to do with his financial claims. See Supreme Court of the State of New York. Max Weinreich, Plaintiff, against, Forward Association, Defendant. Examination before trial of Max Weinreich, taken by the Defendant pursuant to Notice, dated December 3, 1959, before Santa DeLuca, a notary Public within and for the State of New York, p. 4. I would like to thank Chana Pollack for drawing my attention to this document in the Archive of the Forward Association.

Weinreich's activity as a correspondent for *Forverts* began with a misdirected letter of enquiry regarding his translation of Ernst Toller's play *Die Wandlung*. [...] Weinreich's references to Cahan's reply to the initial letter of enquiry indicate that it must have been a kind rejection letter, explaining that *Forverts* did not publish plays, recalling a meeting with Weinreich in Vilna in 1919, and probably suggesting that Weinreich send articles more appropriate for a foreign correspondent to *Forverts*. Weinreich accordingly sent sample articles with his letter of 24 March 1920 [...]. Clearly, Cahan found them acceptable, as the reports from Sore Brener (which Weinreich mentioned explicitly as his old pseudonym from before the war) began to appear with an article on the general strike against the Kapp putsch was published on Friday, 28 May 1920.[32]

In any case, Weinreich's articles, usually signed Sore (Sarah) Brener, regularly appeared in *Forverts*. A successful story-getter, he tended to concentrate on events in Berlin and, generally, German life, most notably on high-profile criminal cases, though in April 1920 he also covered the Genoa Conference, convened to discuss monetary economics of the post-war world. Weinreich and other Berlin correspondents had to take into account that the post would bring their articles some days after the events had occured (telegrams were expensive and, therefore, reserved for very urgent dispatches). As a result, Weinreich learned to »produce feuilleton-style coverage of the politics or economics of everyday life, or ›recent scandals‹ in the German papers, as the time frame in which such analysis would be relevant was more forgiving.«[33] In 1923, Weinreich moved to Vilna, but there he also continued to act as a *Forverts* correspondent.[34]

From 1904, Eynhorn's poems were published in Yiddish labour periodicals and, by 1909, he was already recognized as a promising modern Yiddish poet, politically affiliated with the Bund. In 1912, following an arrest and a six-month-long prison incarceration in Vilna, he left Russia and spent five years in France and Switzerland. He came to Warsaw by the end of the war and lived there for a couple of years before moving to Berlin, where he began writing for *Forverts*. To Eynhorn, Berlin was »a city without tradition, / without romance, / a city with Wilhelm's great history, / void of contemporaneity, / in expectation of the future.«[35] Anne-Christin Sass's analysis of Eynhorn's articles published in *Forverts* show his disappointment with the setting of Germany. The menace of

32 Amy Blau, »Max Weinreich in Weimar Germany,« in Yiddish in Weimar Berlin, p. 170.
33 Ibid.
34 Gennady Estraikh, »Maks Vaynraykh – a ›Forverts‹-forshteyer in Eyrope,« Forverts, 16 October 2009, p. 11.
35 David Eynhorn, Fun Berlin biz San-frantsisko, Warsaw 1930, p. 19.

fascism and the Jewish intellectual-vs-proletarian divide were among the main reasons for Eynhorn's moving to Paris, his main place of residence from 1924.[36] Both Eynhorn and Weinreich eventually distanced themselves from their early ideological affiliation, probably because of the mainstream Bundist disregard of Jewish traditions.[37]

In the early 1920s, *Forverts* also published articles by two other Berlin-based contributors: Yitshak Eliezer Leyzerovitsh (1883-1927), a career journalist, and Yitshak Charlash (1892-1973), a Bundist activist and educator. Leyzerovitsh's reports appeared under the by-line of Abi-Ver (»Anybody«), while Charlash's pseudonym was Ben-Baruch (»Baruch's son«). Lestschinsky had to deal with other people, too. Thus, Shmuel (Sam) Agursky (1884-1947), who in the early 1920s travelled between Russia and America, presumably as an agent of the Third International (Comintern), also spent some time in Berlin, where he tried to convince Lestschinsky to accept his articles for publication in the newspaper.[38]

At the same time, some people would earn much-needed money by doing a spot of writing for the newspaper. For instance, the historian Simon Dubnow wrote two articles, published in *Forverts* on 8 and 15 April 1923, about the anti-Jewish violence in Alsace at the time of the French revolutions in 1789 and 1848. Later, Cahan was not interested in Dubnow's contributions, deeming them abstruse for his readers, so Dubnow serialized in the New York Yiddish daily *Der tog* his memoirs, which in 1929 came out in book form under the title *Fun zhargon tsu yidish* (From Jargon to Yiddish). *Forverts* published numerous articles by the Social Democratic theoreticians and politicians Karl Kautsky and Eduard Bernstein. Bernstein was widely known and respected among eastern European Jewish emigrants. Hundreds of them were able to settle in Germany thanks to the socialist veteran's reference letters and other forms of generous support.[39] In 1928, when he retired from political life and subsequently lost his Reichstag salary, *Forverts* honoraria became an important source of his income.[40]

---

36 Anne-Christin Sass, »Reports from the ›Republic Lear‹: David Eynhorn in Weimar Berlin 1920-24,« in Yiddish in Weimar Berlin, pp. 179-194.
37 Cf. Hillel Rogoff, Der gayst fun »Forverts«: materyaln tsu der geshikhte fun der yidisher prese in Amerike, New York 1954, p. 216.
38 Jacob Lestschinsky, »Stalin un di amol-barimte Ester fun ›Bund‹,« Forverts, 27 February 1932, p. 9. For Agursky in Berlin, see also Alexander Pomerantz, Di sovetishe haruge-malkhes, Buenos Aires 1962, p. 354.
39 Raphael Abramovitch, »Der mentsh un sotsyalist,« in N. Chanin, New York 1946, pp. 110-111.
40 Jack Jacobs, On Socialists and ›the Jewish Question‹ after Marx, New York, 1992, p. 194.

Berlin was important as a surrogate place for journalism about Russia, which here and now was one of the main concerns of Yiddish readers. Journalists »scanned the Soviet press, which reached Berlin within two days after publication, and maintained contact with some of their friends who remained in the Soviet Union.«[41] Information about the situation in Russia was very valuable for Cahan, who – like the majority of the *Forverts* staff – welcomed the Bolshevik Revolution and continued to lend his paper's support to the new Russian regime, though he was an opponent of the Third International and its American stablemates, such as the circle of the New York Communist Yiddish daily *Frayhayt* (Freedom). From 1923, *Forverts* had its correspondent in Moscow, Zalman Wendroff, who would send his reports either directly to New York or via Berlin. Cahan, who returned from a European trip in September 1921, told in an interview to a socialist periodical:

> Berlin is a whole world, it is a wonder city. The whole world passes before you there. I met officials of the Soviet government, and I discussed matters with them for long and weary hours. They know all about the *Forward* in Moscow, and they know that no matter how we differ with the Communist leaders in theory, the *Forward* is the friend and staunch supporter of Soviet Russia, and it will continue to be.

At the same time, he argued that »the Third International is an absolute failure. It is a joke. Lenin would like to get rid of it if he could.«[42] At the end of 1926, rumours circulated that the newspaper's editors were planning to turn *Forverts* into a pro-Soviet forum.[43] In reality, the relations of *Forverts* with the Soviet regime developed in two directions: while ideologists of the Jewish sections of the Soviet Communist Party treated the New York paper as a major enemy, a modus vivendi had been established with other, often more influential constituents of the Soviet apparatus, which valued the significant contribution of the *Forverts* milieu to the fundraising campaigns aimed at helping Soviet Jews. Until 1928, when the Kremlin stopped advocating cooperation with Social Democracy, Cahan was under the delusion that the Soviet Union would eventually return to democracy. Ultimately, mainly in the early 1930s, *Forverts* redefined its politics and became »the only really outspoken [American Yiddish] anti-Communist paper«.[44]

41 Boris Smolar, In the Service of My People, Baltimore, Maryland 1982, p. 6.
42 »Cahan Says the Forward Supports the Party,« New York Call, 11 September 1921, pp. 1, 6.
43 David Shub, Fun di amolike yorn: bletlekh zikhroynes, New York 1970, p. 716.
44 Simon Weber. Transcript of an interview. William E. Wiener Oral History Library of the American Jewish Committee. New York Public Library Oral Histories, box 229, no. 6 (1984), pp. 1-32.

Cahan's ideological transformation left an imprint on his relations with Raphael (Rein-)Abramovitch (1880-1963), a leading figure among the Mensheviks and Bundists. The two socialists first met in 1907, when Abramovitch visited America as a representative of the Bund. Cahan valued him as »a highly developed and sympathetic socialist, a tactful, clever and cultural person«. In 1913-1915, when Abramovitch lived in Vienna, he contributed to *Forverts*.[45] Although Abramovitch from time to time cooperated with Lenin before 1917, he turned into an opponent of the Soviet regime, which he regarded as a travesty of socialism. In 1920, when Abramovitch left Russia and settled in Berlin, Cahan invited him to write for *Forverts*, but initially tried to dissuade him from criticizing the Soviet government. Some of Abramovitch's articles had an editorial comment, such as: »The Bolsheviks deserve to be forgiven for many things. They have been standing at the helm during a very difficult period. The whole world united against them and only an iron hand of discipline could help the skipper to save his ship from a disaster.«[46]

Among Berlin residents was also Shmuel (Semen) Portugeis (1880-1944), best known as Stepan Ivanovich, the leading representative of the right-wing Mensheviks in the West. Portugeis had left the party and formed a separate organization of staunch anti-communist socialists. In the 1920s he began to write articles for Yiddish periodicals, first the journal *Veker* (Awakener), a sister title of *Forverts*, and later for the newspaper *Forverts* proper. Although Portugeis grew up in a poor Yiddish-speaking family in Kishinev, his articles had to be translated from Russian or, when he later learned to write in Yiddish, heavily edited for publication.[47]

David Bergelson (1884-1952), who settled in Berlin in the second half of 1921, joined the Berlin group of *Forverts* correspondents. By that time, Bergelson was known in Yiddish literary circles as a talented writer whose prose appealed to intellectual readers. He was active in Kiev during the short-lived period of Ukraine's independence and later worked for several months in Moscow, in Soviet Jewish cultural institutions. It was a measurement of the esteem in which Bergelson was held that, in a 1922 *Forverts* advertisement celebrating 25 years since the founding of the newspaper, his name, printed boldface, appeared among such prominent Yiddish writers of his days as Sholem Asch, Yona Rosen-

45 Elyahu Shulman and Shimon Veber (eds.), Leksikon fun Forverts-shrayber, New York 1987, p. 1.
46 »Notitsn fun ›Forverts‹-redaktsye: Artiklen fun R. Abramovitsh,« Forverts, 12 February 1922, p. 4.
47 Shub, Fun di amolike yorn, pp. 614-615, 717, 950-951. For an analysis of Portugeis's criticism of the Soviet regime, see Aleksei Kara-Murza, »Pervyi sovetolog russkoi emigratsii: Semen Osipovich Portugeis,« Polis, 1 (2006), pp. 122-140.

feld, and David Eynhorn. For all that, Bergelson had problems with establishing a rapport with Cahan.[48]

In 1926, Bergelson severed his relations with *Forverts* and started writing for its arch rival, *Frayhayt*, and other Communist periodicals. In his letter of resignation to Cahan, dated 1 May 1926, Bergelson was at pains to play down ideological reasons for his break with *Forverts*. Instead, he spoke of his constant frustration at the fact that some of his stories and articles were not published in the newspaper. Hence his decision »to find another newspaper, whose spirit corresponds better with the work I write and will write«. Like in the majority of cases of such reorientation, it is hard to distinguish the decisive component in the combination of ideology, hubris and peer influence that urged him to join the ranks of those intellectuals who believed that the Soviet Union was the epitome of a new civilization. To all appearances, Bergelson later wanted to return to *Forverts*, but Cahan made it plain that he did not want to take on a person who had forfeited his respect. In addition, although Cahan was fascinated with Bergelson's early writings, he later did not find him a valuable asset for the newspaper.[49] Indeed, Bergelson had problems with writing pieces of journalism, suitable for a mass-circulation newspaper.[50] It is no coincidence that *Frayhayt* would get journalism proper from another Berlin correspondent, the long-standing Communist Leo Katz (1892-1954), who wrote in Yiddish and German for the Communist press (in 1930-33 he worked for the Berlin Communist daily *Die Rote Fahne*), though as a novelist he preferred German.[51]

As for Bergelson, his chief contractual obligation to *Frayhayt* was to write prose works; around this time, the newspaper began to serialize *Penek*, the first volume of Bergelson's major new, autobiographical novel, *Baym Dnyepr* (At the Dnieper). In the event, this was hardly a lucrative deal, because the newspaper did not fulfil its obligations: during the 36 weeks between mid-May 1929 and mid-January 1930, Bergelson had received only 400 dollars, or 11 dollars per week. In an aggrieved letter dated 11 January 1930 and addressed to Paul (Pey-

48 See, in particular, Ellen Kellman, »Uneasy Patronage: Bergelson's Years at Forverts,« in David Bergelson: From Modernism to Socialist Realism, ed. Joseph Sherman and Gennady Estraikh, Oxford 2007, pp. 183-204.

49 Gennady Estraikh, »David Bergelson in and on America,« in David Bergelson: From Modernism to Socialist Realism, ed. Joseph Sherman and Gennady Estraikh, Oxford 2007, pp. 212-213.

50 Gennady Estraikh, »The Old and the New Together: David Bergelson's and Israel Joshua Singer's Portraits of Moscow Circa 1926-27,« Prooftexts, 26 (2006), pp. 53-71.

51 Melech Epstein, Pages from A Colorful Life: An Autobiographical Sketch, Miami Beach Florida 1971, p. 81. A seasoned Communist, with a PhD from Vienna, Katz in 1934-38 edited the Parisian Communist Yiddish newspaper Naye prese (New Press) and then a similar newspaper, Frayvelt (Free World), in Mexico.

sekh) Novick, one of *Frayhayt*'s editors, Bergelson described his financial straits
and even threatened to go public and reveal to *Frayhayt* readers how shabbily
their newspaper had been treating its leading writer. *Frayhayt* later stated paying
him more regularly, as he admitted in a subsequent letter to Novick on 30 September 1930.[52]

In the 1920s and early 1930s, Yiddish periodicals showed mounting concern
about the menace of Nazism and condemned the anti-Jewish pronouncements
and violence in Germany. Yet there was a large element of wishful thinking
among many journalists, who believed that the Nazi storm would blow over
shortly and the Social Democrats would be able to prevent Hitler's party from
coming to power.[53] Vladimir Grossman, a Yiddish journalist and a functionary
of Jewish relief organizations, describes his conversation with Jewish journalists
(presumably in the *Romanisches Café*) during a short stopover in Berlin. So
deeply entrenched was the belief in the strength of the German proletariat and
the sanity of the German establishment that none of them could imagine Hitler's appointment as Chancellor. This conversation took place a day before this
consequential appointment, on 30 January 1933.[54] Still, on 23 February 1933,
Lestschinsky's article appeared in *Forverts* under the headline »Hitler will break
his head against the iron wall of the united German workers«.[55] Less than a fort-
night later, by 6 March 1933, following the arson attack on the Reichstag building in Berlin on 27 February 1933, the Nazis closed down all Communist and
socialist publications.[56]

On 11 March, it became known that Lestschinsky had been arrested by the
German police. (A decade earlier he had already experienced an incarceration in
Berlin, when the police accused him of describing the riots of the local mob as
anti-Semitic violence and appealing to American Jews to voice their protest.)[57]
In the meantime, Yeshayahu Klinov telephoned to London and arranged the
sending of an alarming telegram to *Forverts*. In addition, the Lithuanian Con-

---

52 Bergelson's letters to Novick are preserved in YIVO Archive, RG 1247, folder 14.

53 Charles Cutter, »The American Yiddish Daily Press Reaction to the Rise of Nazism,
    1930-1933« (unpublished Ph.D. dissertation, Ohio State University, 1979), p. 249.

54 Vladimir Grossman, Amol un haynt, Paris 1955, pp. 66-67.

55 Jacob Lestschinsky, »Hitler vet brekhn dem kop on der ayzerner vant fun di fareynikte
    daytshe arbiter,« Forverts, 23 February 1933, p. 4. Raphael Abramovitch wrote in the
    same vein as late as May 1934, when he already lived in Paris – see Anne-Christin Saß,
    »Wenn die Nazi-Verbrecher nach Hause kommen« – Dovid Eynhorns Berichte über die
    nationalsozialistischen Verbrechen im New Yorker Forverts 1940-1945,« PaRDeS: Zeit-
    schrift der Vereinigung für Jüdische Studien, 14 (2008), p. 77.

56 Peter de Mendelssohn, Zeitungsstadt Berlin: Menschen und Mächte in der Geschichte
    der Deutschen Presse, Berlin 1959, p. 329.

57 Estraikh, »The Berlin Bureau of the New York Forverts,« pp. 149-150.

sulate (Lestschinsky was a Lithuanian citizen) and the Foreign Press Association attempted to influence the authorities. The situation was particularly complicated because Joseph Goebbels, the newly appointed Minister of Propaganda, announced that he would boycott the Foreign Press Association, whose chairman, the American journalist Edgar Ansel Mowrer, had just published his anti-Hitler book *Germany Puts the Clock Back*. Therefore the association did not have the clout to rescue Lestschinsky. Still, under the pressure of the American State Department, Lestschinsky was released after spending four days in prison, but was given orders to leave Germany in two weeks' time.[58] Later a few other Yiddish journalists, including Klinov and Shmuel Mayzlish (1902-1942), were arrested and forced to leave the country.[59] The number of Berlin-based Yiddish journalists also began to dwindle after 28 March 1933, when the Nazis initiated anti-Jewish boycott.

In August 1933, Mowrer resigned from his post and departed in return for the release of the Austrian Jewish journalist Paul Goldmann, the founding chairman of the Foreign Press Association (1906). As a result, the Nazis stopped boycotting foreign journalists. Daniel Charney, known for his extreme sociability and therefore given the title of »the Yiddish ambassador to Berlin,« even attended several receptions thrown by the Nazi leaders for the foreign journalist colony. According to Charney, the Nazis simply did not realize that the New York daily newspaper *The Day*, which he represented, was, in fact, the Yiddish *Der tog*.[60] Still, by the end of 1933 Charney also moved from Berlin. The journal *Oyfgang* (Dawn), published in the Romanian town of Sighet (Sighetu Marmaţiei), announced in an article entitled »The ›Ambassador of Yiddish‹ Has Left Germany.«[61] Yet, several unconcealed Yiddish journalists continued to live in Berlin after 1933, remaining members of the Foreign Press Association. Publications of the association mention such people as Josef Lanczener, Nuchem Goldrosen, and Itsik Mayer Glücksmann. Unfortunately, I could discover very little

58 Jacob Lestschinsky, »Forverst-korespondent Leshtsinski dertseylt vi azoy di hitleristn hobn im arestirt,« Forverts, 13 April 1933, p. 4; Y. Klinov, »Di ›zibete melukhe‹ firt milkhome mint ›dritn raykh‹: vi azoyy arbetn un lebn itst yidish-oyslendishe zhurnalistn in Berlin,« Haynt, 23 July 1933, pp. 9-10; Harry Schneiderman (ed.), The American Jewish Year Book, Philadelphia 1934, p. 160.

59 Swet, »Oyfn frishn keyver fun Klinov«; Leksikon fun der nayer yidisher literatur, vol. 5 (1963), p. 587.

60 Daniel Charney, Di velt iz kaylekhdik, Tel Aviv 1963, pp. 336-38.

61 »Der ›ambasador fun yidish‹ hot farlozn Daytshland,« Oyfgang, December 1933, pp. 10-11.

about them. By October 1938, Glücksmann was the only Yiddish journalist listed among the association's members.[62]

In the autumn of 1937, Nakhman Meisel, editor of the Warsaw-based highbrow weekly *Literarishe bleter* (*Literary Pages*), wrote about Yiddish Berlin as a phenomenon of the past:

> During many years, Berlin was an address, a centre with vigorous [worldwide] links, a point on the world map of Yiddish, which generated interest and curiosity ... One would feel the need to visit it a couple of times a year, to stay in contact with a number of people and institutions ...
>
> Granted, Yiddish Berlin did not have a natural environment around itself, there was no hinterland, it did not have its own mass consumer for its manifold production. It was a head without a body. A general without soldiers. An actor without an audience. Too big was the role of the Romanisches Café. Everything would start and end in the offices, in the bureaus, where people always wrote on their typewriters.[63]

---

62   See Mitgliederliste: Verband Ausländischer Pressevertreter, published in Berlin, May 1933; January 1935; April 1936; May 1937; October 1938.

63   Nakhman Meisel, »Mir forn farbay Berlin,« Literarishe bleter, 22 October 1937, p. 690.

Identifikationen

Zsuzsa Hetényi

Nomen est ponem? –
Name and Identity in Russian Jewish Emigré Prose
on and in Berlin of the 1920s

»Do not let us curse exile. Let us repeat these days the words of a warrior of antiquity‹, writes Plutarch: ›on a waste land, far from Rome, I put up my tent, and it was my Rome.‹«[1]

Nabokov's words, written in an article for the 10th anniversary of the October Revolution in *Rul'*, November 18, 1927, clearly express the idea of the inner liberty of an emigré intellectual, who carries inside himself the patriotism that does not need a country. He had a portable homeland, his native language, the main element of identity for a writer.

Emigration strengthens patriotic feelings, an emigrant becomes a representative of his language and homeland abroad because he feels as if his identity is in danger. When a remote homeland gradually becomes abstract, it necessarily starts to consist of recollections and inevitably becomes closely related to the past. Since 1922, the date of the treaty of Rapallo and the formation of the Soviet Union, Russia had not only been definitely put in past perfect by the change of the regime, but a cultural watershed also emerged, thus »culture« gained extraordinary importance in its role of the carrier of Russia, the place of origin.

Russian-Jewish intellectuals traditionally exaggerated the role of literature and that of books in general, and they did it equally from the Russian side and the Jewish side of their dual identity. For in Russian culture not only the poet played a role of augur or prophet, but literature stood (and stands) for philosophy, social representation and all institutions missing in postfeudal, underdeveloped society. Jewish devotedness to books does not need further explanation.

Heine was the first to say that the Bible is the portable homeland for Jews in exile (»die Juden hätten sich im Exil aus der Bibel ihr »portatives Vaterland« gemacht«, or as often falsly cited, »tragbare Heimat«); this expression became a basic truth and is still often quoted even by religious Jews.[2]

---

1   Vladimir Nabokov: Godovshchina. *Rul'* 18 November 1927.
2   It is curiously transformed when cited by the German-Jewish critic Marcel Reich-Ranicki, who says that for him German culture is his homeland. Marcel Reich-Ranicki, Vom Tag gefordert. Reden in deutschen Angelegenheiten, Stuttgart and München 2001. also in:

Jewish intellectuals from Russia in emigration represent an exceptionally complicated identity paradigm, because of the many parallel marginalities they represented. They brought with them a double cultural affiliation, but with the domination of the Russian. For example Ilya Erenburg, being a Jew, felt he was a propagandist for Russian culture abroad, a »Russian patriot«.[3] When he »arrived in the West, he described Moscow as a Mecca of modern art«.[4] It became a literary commonplace to call him a cultural ambassador of Moscow.[5] He wrote to a friend in 1922: »I am writing only for Russia«.[6] In fact, in 1922 he was expelled from France, perceived to be a Bolshevik propagandist.[7] Shimon Markish in his detailed essay examined Ehrenburg's Jewishness and called him »a non-christianed Christian, self-appointed Pravoslav and uninvited patriot«.[8]

Russian Jews lived with many languages, even if they did not have perfect knowledge of all of them, but still with a mixture of awareness of all of them in mind—Hebrew, Yiddish, Russian and some European languages. Further borderline, »in-between« situations they lived in were different religions (and atheism), strata of social and political life — all that divided their self-identification. In addition, Berlin was in their mind rather a transit city than a second home. Confined by the choice of Russian language, organically linked to the Russian culture, Russian Jewish emigré writers, already representing a duality, practically could not find a place for the third, the German culture and language.

There is one circumstance left out of consideration by emigration research in critical discourse. Assimilated Russian Jewish intellectuals were less cosmopolites than the European Jewish were — first, because they were deeply rooted in the forceful and dynamic Russian culture, while the German, French and Austrian (and to a lesser degree Hungarian, Polish, Czech, Romanian) cultures were part of mixed, over-national European cultural background; second, for the nations coming from the territories of the former Austro-Hungarian monarchy, German was a second native language, so their assimilation to Berlin was much

  Die Zeit, 2001. His reference reminds us of Zhabotinsky's words in the following paragraph (see later in the main text).

3 Anatol Goldberg: Ilya Ehrenburg. Writing, politics and the Art of Survival. With an Introduction, Postscript and additional material by Erik de Mauny. London: Weidenfeld and Nicolson, 1984, p. 53.

4 Ibidem.

5 See e.g. »On chuvstvoval sebia v Parizhe poslom Moskvy«. Slova Evgeniia Evtushenko. http://www.peoples.ru/art/literature/prose/roman/ilia_erenburg/history.html.

6 Commentary to Julio Jurenito in: Sobraniie sochinenii, v. 1, 1990, p. 613.

7 Joshua Rubinshtein: Tangled Loyalties. The Life and Times of Ilya Ehrenburg. Basic Books of Harper and Collins, 1991, p. 70.

8 Shimon Markish: Il'ja Erenburg. In his: Babel i drugiie. Kiev: Personalnaia tvorcheskaia masterskaia »Michail Shchigol'«. 1996, p. 132.

easier than for those from Russia. This is also to say that the common cultural references for Russian-Jewish writers were rather Russian than Russian-Jewish authors. Russian rather than Jewish culture amalgamated Russian-Jewish intellectuals in Berlin, and most of them did not seek German or Berlin-based Jewish connections. One can see, for example, how weak the Russian cultural link was for Jews in Vladimir Rozenberg's preface to the first issue of the periodical *Na chuzhoi storone.*[9] Rozenberg in his »Skazka o rybake i rybke« (appearing in the contents only under the heading »Ot redaktsii«, without title) is astonished at the absence of Russian periodicals in Berlin libraries, and he does not even mention Jewish journals.

Also the formula of »Russian language is a vehicle of Russian culture« becomes more complicated in the case of Russian-Jewish emigrés, as Vladimir (Zeev) Zhabotinsky says in 1926 (just one year before Nabokov's formulation cited above), in the American *Morgen zhurnal*, in an article on Hebrew language learning:

> »Russia became strange for nearly all of us. We absolutely do not mind what future comes for it. But the Russian language is there soaked in all corners of our mind, in spite of the fact that we live among distant people, whose language does not even remind us of Russian. We take Russian newspapers, we prick our ears when we hear Russian being spoken. This language sentenced us to a life attachment with a people and a country, whose cast does not appeal to us.«[10]

Literature is an artistic transmission, an expression of the Self by means of narrative structures and cultural codes. In émigré literature, when identity and personality is in the focus, the name-giving of the characters gains a special importance, and very often it is accompanied by a meaningful »ostranionnyi« (estranged) portrait that is more than a face description, often representing an evident metaphor of doubleness, the paradigm of mask. The split or diffuse, vague identity is expressed by grotesque names, the uncertainty of character by name-changing, namelessness or multi-named heroes. The new aspect of my approach lays in analyzing personal names in literature, portraits and narration as interconnected expressions of identity. The connection between nomen and »ponem«, word and image, posteriorly seems to be quite evident: not only because name and face are labels that usually let one recognize a Jew, but because a name means the totality of the selves, and being »face to face,« as in a mirror or on a picture, evokes reflections on someone's identity.

9 Na chuzhoi storone. Istoriko-literaturnyie sborniki (1923-1925, Berlin, later in Prague).
10 Vladimir Zhabotinsky: Letnie lager'a i sviatoi iazyk. In: Moshe Bela: Mir Zhabotinskogo. 2nd edition. Ierusalim-Moskva 1992, p. 289. *Morgen zhurnal*, July 26, 1926.

The relationship between a person and his/her name certainly is not the same as for common or abstract nouns. Is there a connection? If so, is it arbitrary or accidental? What is the meaning of naming, unnaming, renaming in life and literature? How can the message sent by an author by his name-giving strategy be decoded? Most of us attribute to names a special function, due to an archetypical metaphoric notion that goes back to the myths. We tend to connect »magic« power and »fate« with names.

Writers of the 1920s were all products of the Russian Silver Age, they artistically grew up in this philosophic renaissance era of philosophy and symbolic sophistication. The religious and mystical nominalism of Symbolism had a spiritual impact on the avantgarde name theory and literary practice. The generation of Russian Jewish emigrants of the 1920s was also a generation of name-changers. Beyond philosophic »finesse« and literacy, they were finally free to change their names in life, an act prohibited by law in Russia until 1917. They did it with different purposes, but always meaningfully, with the experience of multilinguism and multiculturalism (see later).[11]

A name is of ambivalent nature in many aspects. Synchronically, a name distinguishes, picks out its owner from the many others with other names, but also links him or her with other bearers of the same name. Diachronically, a name carries history, associations with peoples of the same name, in the case of Jews, first of all, Biblical personalities, and they not only are connected with the Hebrew meaning of the name, but also with the associations of the letters it contains, with the implicit words consisting of the same letters, and their number value.

A Chassidic Jewish parable illuminates the Jewish concept of the meaning of a name.

Moshe is dying, and is afraid to be questioned by the Almighty, why did not he become a Rotschild or an Einstein in his life. He dies, stands in front of the Almighty, who asks him:
Moshe-Moshe, why did you not become Moshe?

---

11   Christian, Gnostic and Kabbalistic philosophy were alredy introduced in literary thinking by Vladimir Soloviov, who also on wrote extensively Kabbala and Judaism, and his oecumenic views greatly influenced Symbolistic philosophy and literature. The rebirth of religious syncretism of this era was organically continued in several avantgarde tendencies. *Imiaslaviie* (»Name glorification«) was a movement still active in the 1920s. Beside the omnipresent Symbolism, and the ornamental prose inherited from them in avantgarde prose, two concepts are to be mentioned as important factors in contemporary literary thinking: the Adamism of the Acmeists, that refers the Platonic idea of name-creation (referring to Adam who gave names to animals), and Khlebnikov's *zaum* (transrational) language that puts it in practice, by creating a new language of senseless words made of meaningful sounds, for repeating the act of creation of the language.

In this little piece of literature the name Moshe stands here partly to connect our common Moshe with prophet Moshe. But the story says that every name can carry a meaning, and every name is with a notion, everyone has to fulfil his own vocation, fate, create himself in life, namely: fill his name with a meaning. The symbol-forming tetragrammaton name, according to the orthodox Chassidic ritual, is pronounced as *Shem*, that is Name. (In the Kabbala several words combinations of letters replace it, coming from three Biblical verses of 72 letters.)

A name determines identity by its pure lingusitic form, being language- and nation-specific. A name can be changed if one wants to get rid of this genealogical label, hide his/her origin, if the name becomes dangerous, stigmatizing. Someone's face or typical features can also give a prompt impression of his/her nationality or origin, especially in the case of small or tradition-regulated exclusive national minorities.

Being renamed by God in the Bible represents a special sacred act of devotion. Abram becomes Abraham, Sarai — Sarah, by adding an H, a divine letter from the tetragrammaton. This ancient ritual change went on in Christian tradition: Simon was renamed Peter and Saulus took the name Paulus.

Orthodox Jews do not change their names, in keeping with a tradition of a magic connection between name and person: the name does not describe, but determines a person and his or her identity, already by the parallel with a memorable or dead person of the same name. »No name should be erased from Israel« is said in the Tora.

Jewish family or surnames (cognomen) were given relatively recently, in Europe at the end of 18th century, in the Habsburg Empire in 1787, in Russia – under Alexander I in 1802. A special law of 1804 prohibiting a change of the family name for Jews was in force until 1917, aggravated in 1850 by another saying that even in case of a change of religion the family name should be kept, and a further law of 1893 against Russifying names of birth in variants such as Avrum for Abram, or Itsek for Isaak.[12] Being quite new lingustic formations and often given by force or mockery, these family names, German, Ukranian or Russian geographical placenames, colour names, crafts or professions are well traceable and typical for Jews. Karl-Emil Franzos lists some artificial surnames, invented by policemen for Jews in the Habsburg Empire.[13]

---

12 See also http://mishpoha.ru/family.htm.
13 Bettelarm (destitute), Diamant (diamond), Drachenblut (dragon's blood), Edelstein (gemstone), Elephant, Eselskopf (donkey's head), Fresser (glutton), Galgenvogel (gallows bird), Geldschrank (safe, as in: for money), Goldader (gold vein), Gottlos (godless), Groberklotz (clumsy clod), Hunger (hunger), Karfunkel (carbuncle), Küssemich (kiss me), Ladstockschwinger (ramrod swinger), Lumpe (crook, rag), Maizel, Maulthier (mule), Maulwurf (mole), Nachtkäfer (night beetle), Nashorn (rhinoceros), Nothleider

Family names changed from Jewish to non-Jewish among émigrés in Berlin, following different strategies. Shpoliansky became Don Aminado, which is an imitation of a Spanish name, but comes from Shpoliansky's Jewish first name, Aminad Petrovich. Mark Landau made an anagram of his name to become Mark Aldanov. David Fikhman changed to a meaningful family name: the word Knut means whip in Russian. Nikolai Vilenkin, who changed his name to Minskijs followed a tradition of Jewish family names from the 18th century, inserting his place of birth into his family name. Such constructions were wide-spread in Europe, because they imitated the noble family names that referred to their properties. Boris Vladimirovich Yastrebinsky first changed his name to the Yiddish Vilde, and later used its Russian translation *Dikoi* (»strange«) as a pen-name, a specific form of the Russian word *dikii* meaning »savage«.

Personal names are relevant if contemplating the identity and culture of Russian-Jewish emigrants in a wider context. Leonid Yuniverg lists some impor-tant publishing houses in Berlin during the 1920s, saying that nearly all of them were founded and run by Jewish owners and editors,[14] who used concealing, »neutral« names for these publishing houses and literary journals. But it was not at all a general phenomenon. If we examine some publishing houses and peri-odicals, we can see that there were, on the other hand, many owners who »iden-tified« themselves with their undertaking by using their Russian or Jewish names, such as Grzhebin, Efron, Gutnov, Syrkin, Syialsky or Saltzmann. The example of the edition house Ladyzhnikov case is a special one — this Russian name was kept by the next owner, Boris Nikolevich Rubinshtein. This fact gave rise to a comic misunderstanding: an enthusiastic reader wrote a letter to say how happy he was to see that the publishing house could maintain its »Russian position free of Jewish prepondance«.[15] Some names of publishing houses are neutral from the point of view of Jewish identity, and follow a Russian Silver

(being needy), Ochsenschwanz (ox tail), Pulverbestandtheil (powder component), Rindskopf (cow's head), Säuger (infant; lit. suckler), Saumagen (stomach of a sow), Schmetterling (butterfly), Schnapser, Singmirwas (sing me something), Smaragd (eme-rald), Stinker (bad smelling), Taschengreifer (pickpocketer), Temperaturwechsel (change of temperature), Todtschläger (cudgel / manslayer), Trinker (drinker), Veilchenduft (violet's fragrance), Wanzenknicker (bug killer), Weinglas (wineglass), Wohlgeruch (good smelling).

14 Leonid Yuniverg: Evrei-izdateli »russkogo Berlina«. Lekhaim, May 2008. http://www.lechaim.ru/ARHIV/193/univerg.htm. Last visited September 2009.

15 I.D, Levitan: *Russkie izdatel'stva v 1920-kh g.g. v Berline*. In: Kniga o russkom evrei 1917-1967. Soiuz russkikh evreev, New York 1968. Reprinted in the series: Pamiatniki evreis-koi istoricheskoi mysli. Gesharim, Ierusalim 5762; Mosty Kultury, Moskva, Minsk, MET, 2002. p. 458. Levitan lists all Jewish personalities involved in the Book edition in berlin during the 1920s.

Seal of the Grzhebin
Publishing House,
affiliated parallely in
Moscow, St. Petersburg
and Berlin

Age fashion by using Classical Greek references: *Obelisk, Alkonost or Gelikon.*
Some others use Russian-Greek mythological or historical concepts: *Skify,*
Petropolis, Siniaia Ptitsa, Gamaiun, Mednii vsadnik; some of them are philosophic—*Vozrozhdenie, Mysl', Slovo, Znanie, Grani, Tvorchestvo, Epokha, Parab-*
ola,; some of them such as *Rul', Nakanune, Vostok, Sever* or *Ogon'ki* — metaphorical; and most of them neutral and general, with a place, profession, or
direct reference to art or literature in the title such as *Vrach, Moskva, Nauka i*
zhizn', Grani, Novia Kniga, Bibliofil, and some of them put the identifying word
»Russian« at the beginning: *Russkii Berlin, Russkoie Iskusstvo, Russkoie Tvorchestvo,*
Russkaia Kniga.

The Russian-Jewish periodical *Safrut (Books* in Hebrew) kept the Hebrew
title (and partly the same content) of its 1918 Moscow edition for the 1922 Berlin edition. The modified content of the Berlin volume exemplifies the coexistence of cultures and languages in an emblematic way. Works of fiction include
an essay and poetry by Khaim Nakhman Balik and Saul Chernikhovsky's poetry
in a Russian translation (they wrote in Hebrew), two pieces by Semion An-sky,
who wrote in Yiddish and Russian, a philosophical essay in Russian by Khaim
Grinberg on national identity and one by Simon Dubnow, as well as writings
by Ivan Bunin and Valery Briusov, the best representatives of Russian literature,
and finally by Samuil Marshak, Andrei Sobol' and Gershon Shofman, Russian-
Jewish writers with double identity, by Leib Yaffe, the editor of the volume, and
Khaim Tadir's essay. Safrut was a multicultural European and Russian phenomenon of a rare historical moment not repeated for a long time afterwards. The
volume was banned already during the 1920s in the Soviet Union.[16] For comparison with Berlin Russian or neutral publishing house names and titles we can
list some names of publishing houses elsewhere with an expressed Jewish orientation and devotion: *Tsere Tsion* (Moskva), *Gehover* (Prague), *Kadima* (Prague).[17]

16 Arpen Viktorovich Blium: Evreiskaia tema glazami sovietskogo tsenzora (Po sekretnym
   dokumentam Glavlita epokhi Bolshogo terrora. // Evrei v Rossii. Istoriia i kultura. Pe-
   terburgskii Evreiskii Universitet. Seriia »Trudy po iudaike«. Vyp.3. http://www.jewish-
   heritage.org/tp3a14r.htm See also his: Hebrew Publications and the Soviet Censor in the
   1920s // East European Jewish Affairs. 1993. vol. 1, pp. 91-100.
17 Ibidem.

A name choice expresses identity boundaries, reflects the personal entities by concretizing contrastive self-definitions. Reflecting a voluntary choice of cultural resources along with the distribution of linguistic codes, name choice expresses the belonging to a community or the exclusion from it. In assimilation »immigrants transform the society and its culture, at the very place at which they transform themselves«,[18] but in the case of Russian immigrants in Berlin this does not happen.

The problem of name-giving in Lev Lunc's short story »The Homeland«[19] and in Ilya Erenburg's prose *Julio Jurenito*[20] were already in my scope of interest in earlier times (see fn. 24). Lunc arrived to join his parents because of his illness in 1923 and died in Hamburg in 1924. With regard to Lev Lunc I argued that the double name was a key element of the dominant principle of twofold structures, among the other structure-forming constructions as the two protagonists, both their dialogue and the implicit, inner dialogue of their internal doubts, as well as the duality of different times and places: in real and actual Petersburg, and the dreamy Babylon of Jewish exile. The simultaneity of the two cultures, the juxtaposition of the two homelands are mirrored in the names. When the protagonists, Lyova and Venya return in time, their names transform into their Hebrew version: Yehuda and Benyomin. Lunc also creates a twofold structure in the repetitions of portraits. The portrait of present-time Venya is repeated for his past-time alter ego, Benyomin, in a romantic, heroic image of the prophet, while Lyova's portrait is a negative version of it, with these same details (in a mirror, a symbol of split). The contrapuntal poles show »Doppelgänger« characters. They are brothers in the Bible, Judah and Benjamin, and these brothers in history and in myth are duplicated in the two characters created by Lunc, Yehuda and Benyomin in Babylon, then once again in Petersburg (Lyova and Venya),[21] and finally in the characters' background-figures, in the two writers, the Serapion Brothers Lev Lunc and Venyamin Kaverin, in Petersburg. Lunc uses the phonetic transcription of the Hebrew names (Yehuda and Benyomin), not the spelling of the Russian Bible, to emphasize the etymological meaning of

18 Eliezer Ben Rafael, Idit Geijst, Elite Olshtain: Identity and Language. The Social Insertion of Soviet Jews in Israel. In: Russian Jews on three Continents. Migration and Resettlement. Eds. Noah Lewin-Epstein, Zaakov Ro'I, Paul Ritterband. London ²1997, p. 367.
19 Published in Evreiskii Almanakh, Praga –Moskva, 1923. Lunc wrote to his parents: »I will publish a Jewish short story in a Jewish volume, edited by Kleinman and B. I. Kaufman.« Lev Lunc. Vne zakona. Piesy, rasskazy, statii. »Kompozitor«, Sankt-Peterburg, 1994, p. 233.
20 Berlin, Gelikon, 1922; in German: Berlin, Welt-Verlag, 1923.
21 About the Russian-Hebrew name equivalence see: Anna Veršik: O russkom yazyke evreev. In: *Die Welt der Slaven*, XLVIII (2003), pp. 135-148.

the names. Yehuda does not answer to the meaning of his name, Lion (Genesis 49:9.) But Benyomin's destiny is anticipated in his name (›the son of the right hand‹), and Lunc makes him fulfil the fate hidden in his name when he becomes a one-armed prophet after having cut off his left arm.²²

Ehrenburg arrived in Berlin through Belgium in 1922 after being expelled from France, with the ready manuscript of »The Extraordinary Adventures of Julio Jurenito«. As Shimon Markish argues, the Berlin years were the »most Jewish-oriented« in his life and œuvre. Even if as a Jew he felt himself to be a fully Russian writer, and was not at all educated in Judaic tradition, in Western Europe he turned towards Jewish folklore and tradition, as, for example, the Hagada,²³ probably under the influence of Martin Buber's writings on Chassidic tradition.

This alien name of Jurenito in the title is an »alienated« creation and doesn't refer to the well known European or Russian culture or history. It is taken out of strong national context of other characters with his four names: Maria Diego (=Jacob) Pablo Angelica, by such a misty origin, being a Mexican-Spanish revolutionary with Buddha-like birth. In his four names there is a divine hint (he is many-named as a powerful mythical God), a mythological androgynic sense, a Satanic mask or incognito, and a funny name-dropping allusion to Erenburg's friends in Paris, Diego Rivera and Pablo Picasso.²⁴

22 See in detail: Zsuzsa Hetényi: Heimat und Fremde. Die literarische Selbstidentifikation. Lev Lunz als russischer Schriftsteller und Jude und die Beziehungen einer Erzählung »Die Heimat« zur deutschen Literatur (Franz Rosenzweig, Gustav Meyrink). In Christina Parnell [Hg.]: Ich und der/die Andere in der russischen Literatur. Zum Problem von Identität und Alterität in den Selbst- und Fremdbildern des 20. Jahrhunderts. Frankfurt am Main [u. a.] 2001, pp. 185-197.

23 See footnote 8, 149, 150. Markish ingeniously summarizes Ehrenburg's Berlin period, the growing, then passing interest to Jewish characters, the way from Jewish sympathy to anthipathy, from the point of view of Jewish writing: »the line starts by the red-haired baby in Julio Jurenito through red-haired Lazik Roitshvantes up to red-haired Vulf.« 166. Vulf Vainshtein is a negative Jewish figure, the rich protagonist of the anticapitalistic novel »Edinyi front« (United front), Berlin: Petropolis, 1930. In German: Die heiligsten Güter: Berlin: Malik-Verlag, 1931.

24 Zsuzsa Hetényi: Entsiklopedia otritsaniia: Khulio Khurenito Ilyi Erenburga. In: Studia Slavica Hung. 45 (2000) 3-4, pp. 317-323. I argue that Julio's character in many aspects is shaped in a Jesus-Christ-pattern that is encoded in his name: alliterating initials in Latin reminds us of Jesus, as in Cyrillic the emblematic double »X« reminds us of Christ. The double XX in the Roman numbers evokes the XXth century, the real protagonist of this novel. Using different alphabets, a coexistence of different cultures was an everyday experience for Erenburg and emigrants. The problem of other names was not analyzed in my article.

Erenburg presents the identity of his characters by giving them obvious tell-ing names representing stereotypical features.[25] Deprived of psychological depth, these telling names are parodies in a style of the school dramas of the Classicism era, or of educational literature of the Enlightment period.

As Mary Louise Pratt defines, foreign people are »othered« — that means they are compressed or lumped into a collective and homogeneous »they«, in a next step distilled into an invariably masculine anonymous »he«. »The portrait of manners and customs,« argues Pratt, »is a normalizing discourse, whose work is to codify difference, to fix the Other in a timeless present where all »his« ac-tions and reactions are repetitions of »his« normal habits. Thus, it textually produces the Other without an explicit anchoring in the observing self or in a particular encounter in which contact with the Other takes place.«[26]

The gapping difference between Jews and »other« non-Jews is exposed by Jurenito in one question: what word of two, »yes« or »no,« should be left as the last, only word of all? Only the Jew, Erenburg (the narrator, bearing the writer's name), says that »no« should be kept, with a reference to the Jewish tradition: »My for-for-for-father Solomon, the wise man said: there is a time to cast away stones, and a time to gather stones together. But I am a simple man, I have not two faces, but one.«[27]

A type is created and defined in the easiest way, a type of name and face not only in literature, but also in the everyday perception of people. If faces and names of different personalities from different nations are common and sche-matic in the novel, Jews are also picked out by every new authority in Elizavet-grad by their typical names and faces. They »hurried to »establish a normal way of life«, that is […] to pill utmost Jewish horologists and to liquidate all people with antipathetic faces and badly sounding names.«[28]

<hr />

25   Mr Cool has »nothing special« on his face (»shirokoie, ploskoie, upytannoie, nichego osobenno ne vyrzhaiushchee« litso, Ch. 3); Monsieur Delhaie: »rozovoie, opriatnoe litso« (Ch 9); in Germany the crowd is a uniformed mass (»poteriannyie vsiakii indivi-dualnii smysl litsa«, Ch 10). (As an English translation was not available in Hungary and Berlin, so references are given in my translation, with the name of the Chapter, or in footnotes in original Russian. Zs.H.).

26   Mary Louise Pratt: Scratches on the Face of the Country; or What Mr. Barrow Saw in the Land of the Bushmen. In: Henry Louis Gates Jr., (Ed.): »Race,« Writing, and Diffe-rence, University of Chicago Press, Chicago, 1986, p. 139-40. Further interesting obser-vations about the »othering« in travel literature can be found in a PhD dissertation: Ksenia Polouektova (Krimer): »Foreign land as a metaphor of one's own«: Travel and travel writing in Russian history and culture, 1200s-1800s. Central European University, Budapest, 2009.

27   Il'ya Erenburg: Neobychainyie pokhozhdeniia Khulio Khurenito. Moskva, »Moskovskii Rabochii« 1991, p. 86. English translation mine. Zs.H.

28   Ibidem p. 214. English translation mine. Zs.H.

The elevated notion of human face — the copy of God's — is mentioned only ironically. The highly civilized audience enjoys the »beauty of war« during a boxing match, while Tishin, seeing the face of a boxer in blood, exclaims in horror: »He read too much of Tolstoy« — this commentary added by the narrator is very tricky because it puts a distance not only between the narrator and Tishin, but between the text-writer and the narrator as acting and seeing persons.

The most interesting of all disciples of Jurenito is Ilya Erenburg, the narrator and the only Jew, well contrasted to others. If Jurenito is a diffuse figure with many names, here we have one name, Erenburg, and three narrative roles: the author, the fictitious narrator with his own voice, and the acting fictional person. The playful narration's structure reflects a split self-definition of the author. Autobiographization is a common method in émigré literature not only to play with the ambivalence of reality and fiction, but first of all to create the hero's Ego in fiction that can represent the most evident proof of someone's need for auto-definition. Erenburg, Sobol, Lunc, Shklovsky, also Nabokov make use of it in one way or other.

In his novel *The Stormy Life of Lazik Roitshvanets*[29] Ilya Erenburg created again a name-title, followed again by a long title of old-style imitation. Lazik comes from Lazar, from Eliezer (›God helps me‹), but his name is not his fate. The diminutive form carries a double connotation — besides the meaning of »malenkii chelovek« and Luftmensch it transmits the warm intimacy of a Jewish community or family. Erenburg consecrated all of Chapter I to the question of his hero's name, where two aspects of the name as defining identity are exploited. Our Lazik is put in a list of many other Laziks, from other towns in the Pale of Settlement, and as such, in this wider context and sense he becomes a representative of many similar individuals, of his people. Later the text concentrates on the semantic side of the name, on the problems of the silly family name (no woman agrees to walk with him, etc.). But the arrow of the parody is directed not towards the Jews, but to the new Soviet absurdities when the name Roitschwantz is contrasted with an even more grotesque name: Spartak Rosaliuksemburgskii. Lazik is proposed to change his name into this one, more corresponding to the Soviet times (mixing »high«, »sacred« emblematic names of the Socialist movement, but parodized in its exaggeration and, in addition, mixing feminine and masculine, in one). The tricky switch in Erenburg's parody of name-change comes at the end. Everybody, especially Russians change their family names in order to become adequate to Soviet time, except for Lazik, whose awkward, but

---

29 Berlin, »Petropolis«, 1929. German translation by Waldemar Jollos: Lasik Roitschwantz, Basel, 1928; München, 1974; Berlin 1985.

original Jewish name turns out to fit the best, because Roit means Red in Yiddish.

Andrei Sobol spent five years in different countries of Western Europe during the 1910s, and mentions Berlin several times also in his later works, written in the 1920s, *Oblomki, Poslednee puteshestviie Barona Fiubel-Fiutzenau* and *Chelovek za bortom*.[30] His short story *Get Up and Go* (1918), published in the volume *Safrut* (Berlin, 1922) is a parable of the emigration not only because of the Western European wanderings of the protagonist, but also because of his split personality. Sobol introduces a narrator-mediator plus a diarist, in order to double the author's distance from the narrative first-person »I« role. This diarist is a shadowy character, who bears a different name in every country — Yakov Baltsan in Paris, Mister Suraisky in Switzerland and Aleksandr Gomelsky in Italy. The many-faced diarist converted to Christianity for the sake of a marriage, but when his wife calls him a dirty Jew, he leaves for the world. Hiding his identity in every country under a different name, he finally doesn't have any other choice but to put on the yellow real mask, in a theatre. On the verge of starvation he must act in a theatre troupe the role of Pranaitis, the anti-Semitic Catholic priest, the prosecution's star witness in the Beilis blood libel trial. This role attaches a fourth name to him, a sort of penitence. The series of mask-identities is made complete by the recognition of Gomelsky's final role; he symbolically »changes clothes« and becomes a homeless wanderer.

The story's Russian title recalls the Book of Jonah (1, 2), but the Hebrew title of the diary, *lekh lekha* is taken from the Book of Creation *Get out of your country* (1 Mos. 12, 1, literally: »go for you«!) … The first escape can be read as an allegory for running away to emigration.[31]

Andrei Sobol' also had a separate small volume with two short stories in it, *Pogreb* and *Oblomki,* published in Berlin (Mysl', 1923). *Pogreb* was translated into German after Sobol's suicide in 1926 (*Der Keller,* in: *Menora,* Vienna 1927).

In *Pogreb* the moment of running away, the act of border crossing, is both real and symbolic. The micro-world of three men, a White Guard officer, a lawyer from the Cadet Party, and a Jew, aim to cross the Dniester in the boat of a smuggler, but the other two men throw the Jew out of the boat, and he dies in the river.

---

30 Andrei Sobol': Chelovek za bortom. Povesti i rasskazy. Moscow 2001.
31 The short story was published in both volumes of Safrut, the first (1919, Moscow) and second (Berlin, 1922). See more about Sobol in my book: Zsuzsa Hetényi: *In a Maelstrom. The History of Russian-Jewish Prose (1860-1940).* New York–Budapest 2008, pp. 196-200.

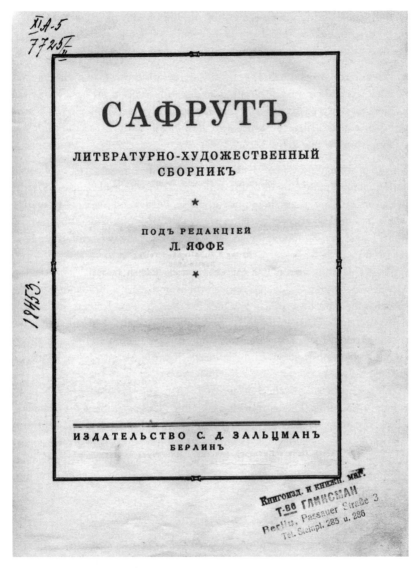

Frontpage of the Berlin edition »Safrut« 1922 with the bilingual stamp of the Russian Publishing House and Bookshop »Gliksman«. From the library of Shimon Markish.

Both name and face are estranged by the author with the Russian formalist method »ostraneniie« (peculiar making), both are made objects of mockery. Puzik is a diminutive name form, meaning »little potbelly«.

> David Puzik [...] bore three heavy crosses, a triple burden, all his life: he was Jewish, he had a wart of catastrophic dimensions upon his nose with a tail hanging down to his lips, and then there was also his name. He was beaten because of the first, mocked on account of the second, and the third was simply impossible to live with.[32]

This is an ambiguous way of characterizing, showing a Jew as a victim of persecution and a repulsive figure at the same time, thus the reader's sense of identification with him is anything but automatic. Puzik is on his way to Palestine where he hopes to change his name to the dignified, old name of his own by right, David ben-Simon, and find some peace from the persecutions under a Jewish sky.

Puzik's name is surrounded by other typical Jewish national label-names: Mendelevitchs and Goldbergs, Yankelevitchs and even a Brilliant.[33] On the »others' side« »bat'ko Danilchik« stands for the Ukrainan soldiers, with bayonet. The family name Puzik is repeatedly mocked in the text, enhancing the comic effect in the tragic short story and creating a sombre grotesque effect. »What is your family name? Little Stomach?«— he is asked with scorn when he changes his passport.[34]

The passport is a practical detail of life that grows to become symbolic in emigrant literature. The passport is a portable identity problem — changing, losing, obtaining, registering passports in fiction, in literature always confronts a character with his actual self-definition.[35] One might object that the passport problem is an obvious element of sujet in emigré fiction, but its presence is anything but natural if we consider the absence of other, otherwise typical mo-

32 Andrei Sobol: *Liubov' na Arbate*. Zemlia i Fabrika, Moscow-Leningrad [n.d.], pp. 32-33.
33 Andrej Sobol himself had many names, two of which were most significant: born as Israil' Moiseevich Sobel', he wrote and lived as Andrei Mikhailovich Sobol'. Several short stories written by him in emigration witness his sensitivity to the name problem. The main hero of the novel »Pyl'« (Dust, 1916) says that »any Jew can be a Sasha, Jews are Aiziks, Mendels Nakhmans, a Jewish Sasha would be a nonsense«. See also the double, Jewish and Russian name in the »Mendel-Ivan«, or »A man with many nicknames«, and the passport problem in »A man and his passport« (in *Rasskazy*, Moscow 1916).
34 In German translation his name is David Bauch. In the mocking scene it becomes Magen.– »Was ist Ihr Familienname? – Magen?« See *Menora* Jg 5 (1927) Nr 1, pp. 38-44.
35 No passport – no man, as we know from Bulgakov'a novel *The Master and Margarita*. In Nabokov's Mashenka, the old Russian émigré writer in Berlin dies after having lost his passport.

tifs of émigré literature, e.g. the railway station and the suitcase. The first is very central in many texts in Berlin prose of the 1920s, among them Nabokov's,[36] the second is even an allegoric title for Juri Slezkin's novel, the *Chemodan* (*The Suitcase*).[37]

The parody of passport and administration stems from the wishful thinking of emigration. Émigré Remizov, playing all his life the role of the King of the Monkeys, created for himself a monkey passport, as marked also by Shklovsky in his novel *Zoo, or letters not about the love* (Berlin: Gelikon, 1923].[38] In one of his letters the narrator of *Zoo* writes a fairy tale about a little mouse-girl, to whom a hermite gives a mouse-passport for mice, valid for all countries (248).[39]

Viktor Shklovsky arrived in Berlin in 1922. He felt endangered in Soviet Russia because of his past participation in the White Army, and at the moment when the controls hardened around the formation of the Soviet Union, in the winter of 1922, he walked on ice across the Baltic Sea and escaped to Finland, and then to Germany. In Berlin he experienced difficulties while trying to make a living as a writer. In 1924, after having spent only one year and some months in Germany, with the help of Vladimir Mayakovsky he obtained permission to return to Russia.

Zoo begins with a train of thought on changing identity (»as women clothes«, 175), and a woman is in the center of the poetic memoirs, the adressee of the letters. The nameless narrator, as if identical to the author, writes letters to a woman (or in the name of her?), who, on the contrary, is an unknown person for the readers, only a name, Alia, almost an object with many names. Her »real«, »official« name is given in the subtitle, Elsa Triolet. Later in an intertextual reference she obtains a third name, Héloïse (an allusion to her love letters exchanged with Abélard in the 12th century). The name Alia is fetishized by the narrator in a circular, feminine mythical image, where an embrace is a consolating home-substitute: »Berlin for me is embraced by your name«; »Your name is for me a ring.« (211, 222)

Alia's name is often used in the version Alik, a fourth name-version, identical in Russian to a masculine nickname, derived from Aleksei, so a androgynous

---

36 See Yuri Leving: Vokzal, garazh, angar. Vl. Nabokov i poetika russkogo urbanizma. Moscow 2004.

37 Yuri Slezkin: *Chemodan.* S predisloviem A. Drozdova. Berlin, 1921. (Yuri Slezkin 1887-1947.) There is a legend that Leo Szilard, who emigrated in 1919 to Berlin, always kept two suitcases ready packed for departure at the entrance door from 1933 onwards.

38 Viktor Shklovsky: *Zoo ili pisma ne o liubvi.* In: *Zhili-byli.* Moscow 1988. 165-256. References to this edition are given in the text, in brackets.

39 In *Zoo* personalities not only lose, but even change their identity: in a fairy tale invented by the narrator the fish is eats the fried prince (252).

nature appears, evoking references to Platonic ideas of the origin of love. A further step, a higher (if not the highest) level of associations is encoded in a joyful exclamation: »Automobile are also woken up or they went not yet to sleep. Al, Al, El—they cry, they want to pronounce your name.« (205) Alia becomes a divine creature when her name is playfully shortened to Al and El, not only due to the phonetical assosiations with God (*El* means God in Hebrew, *AL* is an element of Allah in Arabic) but also because of having many names.

The book ends by querying even the woman's existence, so the reader is puzzled not only because of diffuse identity matters but due to the playful conditionality of reality in the plot in general.

»The woman I wrote about, never existed. […] Alia—is a realized metaphor. I invented a woman and my love in order to write a book on not-understanding, on foreign people, on a foreign country.« (255) This foreign Berlin is represented also fragmentally, only by proper names of streets and stations. This phantom city is a motionless two-dimensional scenery without social life or personal flesh and blood.

Not only the woman, the addressee, but also the narrator is uncertain in *Zoo*. The reader does not know the name of this first-person narrator, although Shklovsky represents an implied author with internal focalisation when he speaks of his »previous Ego« in his second preface (of the year 1924). His change of identity is also declared in the last sentence of the introduction: »Here [in Berlin, Zs.H.] I am not like I used to be before, and it seems that here I am not good.« (178) This uncertain self-perception is parabolically objectified in a scene where the narrator wakes up in the middle of the night, discovering in his hand a black mask that has no connection to the events, so it is a pure emblematic sign for a visual association of a carnival, a masquerade where identity is questioned (244). The émigré life theatre not only has its scenery, but the masked persons acting in it. Erenburg's »Julio Jurenito« also starts with a masquerade in a Paris café (Chapter 1).

Shklovsky constructs a complicated schema for the acting, seeing and telling persons and voices. He pretends to do everything in a very clear and logical manner, that in reality serves to create a narrative confusion. Letter 19, said to be the best, is crossed out with red lines and is suggested to be left to the end. If so, of course, the author could have put it at the end, so a game is played with the composition. »If you believe what I explained of my composition, so you are obliged to believe also that it was me who wrote this letter to myself.« (227) The function of this plethora of formalist devices, that are used to create narrative distance, is simply to hide the real romantic message: a diagnose of a lonely émigré intellectual, who invents himself a dream, a sentiment, a superior being, in order to survive in a foreign, unknown culture.

Being a formalist, Shklovsky is very conscious of the importance of personal names, as carriers of emblematic semantic weight. Names are common references withhin the community of Russian emigrants. »We introduce to our work intimacy, called by name and patronyme by a force of necessity of new form in art. Such necessity of form is Solomon Kaplun in Remizov's new short story, and so is Maria Andreevna in her lamentation at the death of Blok«. (189)[40] Shklovsky notes a sentence by Remizov on literary name-giving, where the remote Russianness is condensed in a typical name: »I can not begin a novel any more with the words »Ivan Ivanovich was sitting at the table«.« (188) In a portrait of a Russian woman's fate Shklovsky connects name and existence: »She is a real woman, she is like the grass, as if she has no name, no self-estimation, she lives without noticing herself.« (225) A pen-name for Shklovsky is a sacred name, as if taken for entering a closed community, like by a monk: »His name is Andrei Bely. Worldly [»v miru« in the meaning of »secularly« — Zs.H.] Boris Nikolaevich Bugaev.« (194)

Shklovsky does not mention at all his partly Jewish origin (from his fathers side) in this text, and his misinterpreted reflections on a Biblical name reveal that he grew up without education in Judaism: »Alik, you got into my book, as Isaak on the fireplace, piled by Abraam – do you know that god (sic!) gave an additional »A« to Abraam in his name because of his great love to Abraam? An additional sound seemed to be a good present even for God.« (189) In spite of the fact that he knows the meaning of the two versions of Abraham's names, he makes a striking mistake: not an A, a vowel, but an H was added: not only is there no vowel in Hebrew, but this H is donated as one letter of the Divine name, the tetragrammaton.

Shklovsky is very sensitive and ironic towards identity changes: «Before I was angry with Erenburg for having turned from a Jewish Catholic or slavofil into a European constructivist, without forgetting the past.« (243) He wittily takes notice of the self-repetitions and name-giving methods in Erenburg's works: »There are rays coming out of Erenburg, these rays carry different names.« (242) Shklovsky can already feel in this very early period that Erenburg is able to reconciliate his Jewish origin and Russian culture with less conflict than others, and Shklovsky finds a good, short and witty metaphor for this double identity:

40 Solomon Gitmanovich Kaplun-Sumsky (1891-1940) was a well known publisher of the time in Berlin. »Beseda« (1923-1925, 7 issues) edited by his publishing house »Epokha« was a literary and scientific journal founded in Berlin by Maksim Gorky with the participation of Vladislav Khodasevich, Andrei Bely and others. See Vainberg, Iosif Irmovich.: Zhizn' i gibel' berlinskogo zhurnala Gorkogo »Beseda« (Po neizvestnym arkhivnym materialam i neizdannoi perepiske). Novoie literaturnoie obozreniie 1996. No 21, pp. 361-376. Nina Andreevna was Remizov's wife.

a mixed, unusual name and patronym combination: »He did not become Paul from Saul. He is Paul Saulovich ...« (243)

As it was said, in Erenburg's and Shklovsky's novels the narrator represents the pure form of an implied author — but while Erenburg is not a very reliable narrator, whose distance from the author, however, is not very distinct, Shklovsky, also a sophisticated prose theorist, applies all tricks of narration to confuse the reader. He pretends to be very personal, informal, direct, very reliable. Even when speaking in the name of the real author in the preface and explaining in details how the book was written, he seems to play the role of a juggler of narration. He tells the story of how he first wanted to write a book about Berlin, then he related it to the topic of a Zoo. Later he applied the form of letters, with the consequence that he had to introduce the motive love. But taking in consideration that the woman had no time and the Berlin-topic was not very romantic, he denied the subject love in the title. Nevertheless the chapters needed a connection, so the love line was introduced again, this time in a metaphoric way. This is how the reality level of the plot was eliminated and denied, to give free way to the metaphors. In this discourse not only the reality of the book is liquidated, but the untraceable steps of logic deconstruct the fictional base of the sujet, and the uncertainty of the author's identity comes to the narrative forefront. It is enough to recall a key sentence, just before Chapter 19, that is crossed out by Shklovsky with red lines on whole pages, as if it were deleted: »I give in my book a second conjecture of myself.« (227)[41]

Conclusions

Common myths, common history and common destiny are important components of national identity, which also implies a common view on the past and national symbols. Conversely, in émigré existence current reality challenges the individual for a new self-definition, where name and nationality can be the most imporant factors that define identity, by a basic commitment, but without the feeling of being part of a real community.

A very important counter-paradigm to émigré literature in general, and schema-like vision and external »othering« in literary name-giving in particular, is the key-novel. In a key-novel well known real personalities appear by invented, allegorical names.[42]

---

41 Siehe in diesem Band: Britta Korkowsky, »The Narrator that Walks by Himself« – Schklowskis Erzähler, Kiplings Kater und das Freiheitsparadoxon in Berlin.

42 The best known key novels of this time were »Kozlinaia pesn'« by Vaginov and »Sumashedshii korabl'« by Olga Forsh, both published in Petrograd. In the key-novel only an »initiated« reader can identify the well known personalities hidden behind the meta-

Names in a key-novel often appear with a pretension of becoming antonomasias, in the form of substitution epithets for a proper name, so called apellatives (such as »iunosha favn«, which means »a young Faun« for Lunc). The key-novel is the genre of »feeling at home«, being safe and secure in one's identity and belonging, marking a »definiteness« that anchors individuals in the world ontologically and cognitively. »Home« is a »null-point in our system of coordinates,« as a structure, built on the basis of shared experiences, that can produce a special esoteric system of codes, a special reference-based language.

Some texts of the Berlin-based Russian Jewish exile prose corpus were examined above exclusively from the point of view of the strategies of how the problematic émigré identity appears in antroponyms and verbal portraits. In these partial view on the texts a »Russian Jewish émigré intellectual identity« paradigm can be framed. If summarizing the key notions of my concept evolved above, many similarities or even identical elements can be traced in the texts on such different levels as sujet, structure, theme, character, narration, motifs, visual world and genre. All these motifs are supported by a name strategy that is attributed the role of the dominant, central emblem of identity. Some of them become emblems of Russian-Jewish fate in emigration by their allegoric charge: Lazik Roitschwanets, the grotesque wandering Jew, David Puzik, the innocent victim, Julio Jurenito, the divine provocator of history and diabolic prophet, a Teacher of his charge of nations, and Alia, the idolized and solipsized woman in the text-dreams of a writer without a homeland.

---

phorical names. In »Sumashedshii korabl'« the names are decoded as follows: Gaetan–Blok; Inoplanetnyi Gastrolior–Bely; Ieruslan–Gorky; Mikula–Kliuiev; Zhukanets–Shklovsky; Sosniak–Pilniak, Genia Chorn–Shvarts; iunosha-favn Vova–Lunc; Foma Zhanov–Vsevolod Ivanov.

Olaf Terpitz

Berlin als Ort der Vermittlung –
Simon Dubnow und seine Übersetzer

Berlin, Dubnow und Vermittlung

In ihrer Biographie zu Simon Dubnow berichtet Sophie Dubnowa-Erlich, wie ihr Vater in Berlin mit Vorliebe das Gedicht »Im frühen Herbst, bevor die Blätter fallen»[1] des russischen Dichters Fjodor Iwanowitsch Tjutschew zitierte. Dubnowa-Erlich schreibt:

> »He belonged to those lucky few upon whom fate bestows ›a fleet, enchanted time‹ of calm and self-assured maturity in the sunset of their days. By that time, thoughts that had been in his mind for years had finally crystallized, and the spiritual storms had abated.«[2]

Die »kurze, wunderbare Zeit« mit den »glasklaren, kristallenen Tagen« liest sich als Metapher der Schaffenskondition des russisch-jüdischen Historikers, der in den etwa elf Jahren seines Aufenthaltes in der deutschen Hauptstadt nicht nur sein zehnbändiges opus magnum *Die Weltgeschichte des jüdischen Volkes* vollendete und veröffentlichte, sondern auch eine zentrale Rolle im gesellschaftlichen, wissenschaftlichen und kulturellen Leben der jüdischen Emigranten aus Russland einnahm. Außerhalb dieser Zirkel, in der breiteren deutsch-jüdischen Öffentlichkeit und auch der amerikanischen Judenheit, erlangte Dubnow große Bekanntheit und Anerkennung durch die Übersetzung seiner Werke. Berlin wurde für ihn in dieser Weise zu einer Chiffre für Vermittlung – zum einen erlebte Dubnow eine äußerst produktive Schaffenszeit, in der er eine Reihe von

---

1   Tjutschew schrieb dieses Gedicht im August 1857 auf der Reise von Ostwug nach Moskau. Die erste Strophe lautet: »Im frühen Herbst, bevor die Blätter fallen,/ Ist eine kurze, wunderbare Zeit:/ Der ganze Tag glasklar, kristallen,/ Der Abend von azurner Helligkeit...« [Est' v oseni pervonačal'noj/ Korotkaja, no divnaja pora –/ Ves' den' stoit kak by chrustal'nyj,/ I lučezarny večera...]. Deutsche Übersetzung nach: Fëdor Ivanovič Tjutčev, Im Meeresrauschen klingt ein Lied. Herausgegeben und übersetzt von Ludolf Müller, Thelem 2003, S. 191-193.
2   Sophie Dubnov-Erlich, The Life and Work of S. M. Dubnov. Diaspora Nationalism and Jewish History. Translated by Judith Vowles, Bloomington/Indianapolis 1991 [Original: Žizn' i tvorčestvo S. M. Dubnova, New York 1950.], S. 199.

Schriften veröffentlichen konnte, zum anderen erfuhren seine Schriften und
seine Geschichtskonzeption eine Verbreitung und Wahrnehmung, die maßgeblich durch das Wirken von vier Übersetzern – Alexander Eliasberg, Israel Friedländer, Elias Hurwicz und Aaron Steinberg – befördert wurden. Die Rezeption
Dubnows unter den deutsch-jüdischen Intellektuellen freilich zeigte sich zunächst problembehaftet und auch angespannt – zu groß schien der Unterschied
zwischen seinem Autonomiekonzept und den Geschichtsnarrativen der *Wissenschaft des Judentums* zu sein.[3]

Als Dubnow im Alter von 62 Jahren 1922 aus Russland nach Deutschland
emigrierte, traf er auf ein Berlin, das zu einem Zentrum der jüdischen wie
nichtjüdischen Emigration aus dem ehemaligen russischen Zarenreich geworden war. Das Berlin der 1920er Jahre, von Karl Schlögel trefflich als »Ostbahnhof Europas« bezeichnet, war jedoch mehr als ein Verkehrsknotenpunkt oder
eine Relaisstation für Durchreisende. Es etablierte sich zu einem Knotenpunkt
für kulturelle Mobilität und Kulturtransfer. Hier wurde etwa 1925 das YIVO
(Yidisher Visnshaftlekher Institut) von Max Weinreich, Elias Tscherikower und
anderen gegründet. Hier entwickelte sich, wenngleich zeitlich begrenzt, ein blü-
hendes Vereins-, Presse- und Verlagswesen. Zu erwähnen seien beispielsweise
der *Jüdische Verlag* und der *Schocken Verlag*, die auf Deutsch publizierten, die
Verlage *Dwir, Eschkol, Klal*, die auf Jiddisch bzw. Hebräisch veröffentlichten,
die Verlage *Wostok, Grzhebin* und *Ladyschnikow*, die auf Russisch publizierten.[4]
Sprachliche Übersetzung und kulturelle Übertragung befanden sich an diesem
heterogenen Ort gewissermaßen im Zentrum des Geschehens. Im Sprach-
viereck von Jiddisch, Hebräisch, Russisch und Deutsch erfolgten intensive Aus-
handlungsprozesse um jüdische Zugehörigkeit, um ein nationales oder kosmo-

---

3 Vgl. Verena Dohrn, Anke Hilbrenner, Einführung. Simon Dubnow in Berlin, in: Simon
   Dubnow, Buch des Lebens. Erinnerungen und Gedanken. Materialien zur Geschichte
   meiner Zeit. 3 Bde. Herausgegeben von Verena Dohrn. Aus dem Russischen von Vera
   Bischitzky. Mit einem Vorwort von Dan Diner, Göttingen (Bd.1) 2004, (Bde. 2, 3) 2005
   [Original: Kniga žizni. Materialy dlja moego vremeni. Vospominanija i razmyšlenija,
   Riga (Bd.1) 1934, (Bd.2) 1935; New York, (Bd.3) 1957 [St. Peterburg 1998]], Bd. 3, S. 29-
   33.
4 Vgl. u.a. Karl Schlögel, Berlin. Ostbahnhof Europas. Russen und Deutsche in ihrem
   Jahrhundert, Berlin 1998; Franz Görner (Hg.), Russische Autoren und Verlage in Berlin
   nach dem Ersten Weltkrieg, Berlin 1987; Fritz Mierau (Hg.), Russen in Berlin, Leipzig
   1987; Saskia Schreuder/ Claude Weber (Hg.), Der Schocken Verlag Berlin. Jüdische
   Selbstbehauptung in Deutschland 1931-1938, Berlin 1994; Marion Neiss, Presse im Transit. Jiddische Zeitungen und Zeitschriften in Berlin von 1919 bis 1925, Berlin 2002; Michael Brenner/Derek Penslar (Hg.), In Search of Jewish Community. Jewish Identities in
   Germany and Austria 1918-1933, Bloomington 1998.

politisches Selbstverständnis,[5] wenngleich die verschiedenen Migrantengruppen und -milieus vermutlich nur punktuell miteinander im Austausch standen.

Zwei Jahre bevor Dubnow selbst nach Berlin kam, erschienen 1920 im *Jüdischen Verlag* die ersten beiden Bände seiner dreibändigen Studie *Die neueste Geschichte des Jüdischen Volkes* in der Übersetzung von Alexander Eliasberg. Die deutsch-jüdische Historikerin Selma Stern kommentierte das Erscheinen dieser Schrift und damit den Akt der Übersetzung in einer längeren Besprechung für die *Monatsschrift für Geschichte und Wissenschaft des Judentums*:

> »Die Übersetzung des schon vor dem Kriege in Rußland erschienenen Dubnowschen Werkes ist bei uns seit langem mit Spannung erwartet worden. Wußten wir doch, daß es in Rußland und Polen bis in weiteste Kreise Verbreitung gefunden hatte, von Gelehrten und Laien in gleicher Weise als eine Art nationalen Besitzes betrachtet.«[6]

Die Begegnung mit Dubnow als dem universal gebildeten Historiker war ebenso Teil der deutsch-jüdischen Erwartung wie die Begegnung mit Dubnow als dem Verfasser des politischen Konzeptes von kultureller Autonomie.[7] In der Zeitschrift *Der Jude* erschienen 1925 auf diese Weise die ersten drei *Briefe über das alte und das neue Judentum* in einer Neuübersetzung von Elias Hurwicz.[8] Die Redaktion führte in ihrer Vorbemerkung zum Text nicht nur aus, welche Bedeutung den Briefen im gesellschaftlichen Leben der russländischen Juden zukam, sondern verwies implizit auch auf die herausragende Stellung Dubnows in der zeitgenössischen jüdischen Historiographie und dem jüdischen Geistesleben.

> »Die Dubnowschen ›Briefe über das alte und neue Judentum‹ können heute zu den geradezu als klassisch zu bezeichnenden Darstellungen der nationalen Auffassung der Judenfrage gezählt werden. Sie waren vor dem Kriege in Rußland die ideologische Grundlage der politischen Richtung der Autonomisten, die neben dem politischen und kulturellen Zionismus und den ver-

---

5   Vgl. Michael Brenner, The Jewish Renaissance in Weimar Germany, New Haven 1996; Delphine Bechtel, La renaissance culturelle juive. Europe centrale et orientale 1897-1930, Paris 2002.

6   Selma Stern, in: Monatsschrift für Geschichte und Wissenschaft des Judentums (1921), Jahrgang 65, Nr. 5, S. 200-210, hier S. 200.

7   Zu Dubnows Autonomie-Konzept vgl. Anke Hilbrenner, Diaspora-Nationalismus. Zur Geschichtskonstruktion Simon Dubnows, Göttingen 2006.

8   Die Briefe waren seit 1897 in der russisch-jüdischen Zeitschrift *Woschod* erschienen. Eine Übersetzung der ersten beiden Briefe ins Deutsche besorgte Israel Friedländer unter dem Titel »Die Grundlagen des Nationaljudentums« (Jüdischer Verlag Berlin 1905). Der Neuübersetzung durch Hurwicz liegt die von Dubnow revidierte Fassung der Briefe in Buchform zugrunde.

schiedenen jüdischen sozialistischen Richtungen für die nationalen Rechte des jüdischen Volkes in der Diaspora wirkte.«[9]

Die Rezeption der Werke Dubnows und ihre sprachliche Zugänglichkeit außerhalb Russlands hingen, wie ersichtlich, in hohem Maße von den Übersetzern und ihrer vermittelnden Tätigkeit ab. Stehen und standen in der gegenwärtigen Dubnow-Forschung vor allem Leben und Werk Dubnows im Vordergrund, seine Bedeutung für die jüdische Historiographie und auch für die Holocaustforschung,[10] so befinden sich seine Übersetzer bisher am Rande der Aufmerksamkeit. In Analysen des kulturellen Transfers scheint gerade ihre signifikante Rolle seltsam unterbelichtet zu sein. Doch gerade ihre Tätigkeit ist es, die die (fremdsprachliche) Textrezeption ermöglicht, und ihre diskursive Verankerung, die dem übersetzten Text seine Gestalt und Form gibt. David Roskies polemisierte noch 2004 anlässlich der Einsetzung einer neuen Redaktion bei *Prooftexts*, einem der führenden amerikanischen Fachjournale für jüdische Literatur, über die vernachlässigte Wahrnehmung des (jüdischen) Übersetzers:

»There is nothing more tedious and thankless than the task of the Jewish translator. Since your average Jewish author was multilingual, possessing as many as three internal languages, the translator must be a polyglot, possessing at least one external language to boot. The author gets all the glory. The translator gets all the blame.«[11]

Das Werk von Simon Dubnow, verfasst vor allem auf Russisch, Jiddisch und Hebräisch, stellte nicht nur wegen seiner Mehrsprachigkeit und der damit einhergehenden unterschiedlichen sakralen bzw. profanen Zeitlichkeit eine Herausforderung für den betreffenden Übersetzer dar. Die Weitläufigkeit von

9   Simon Dubnow, Das alte und das neue Judentum, in: Der Jude (1925), Jahrgang 9, Nr. 3, S. 32-57, hier S. 32.
10 Avraham Greenbaum, Dubnov as Russian and General Jewish Historian, in: Kristi Groberg/Greenbaum (eds.), A Missionary for History. Essays in Honor of Simon Dubnov, Minneapolis: University of Minnesota, 1998, S. 1-4; Kristi Groberg, The Life and Influence of Dubnov (1860-1941). An Appreciation, in: Modern Judaism (1993), 13:1, S. 71-93; François Guesnet (Hg.): Zwischen Graetz und Dubnow. Jüdische Historiographie in Ostmitteleuropa im 19. und 20. Jahrhundert, Leipzig 2009; Anke Hilbrenner/Nicolas Berg, Der Tod Simon Dubnows in Riga 1941. Quellen, Zeugnisse, Erinnerungen, in: Jahrbuch des Simon-Dubnow-Instituts (2002), S. 457-472; Laura Jockusch, Introductory Remarks on Simon Dubnow's Let us Seek and Investigate, in: Jahrbuch des Simon-Dubnow-Instituts (2008), Bd. 7, S. 343-352; Viktor Kel'ner, Missioner istorii. Žizn' i trudy Semena Markoviča Dubnova, Sankt-Peterburg 2008; Benjamin Nathans, A ›Hebrew Drama‹. Lilienblum, Dubnow, and the Idea of ›Crisis‹ in East European Jewish History, in: Jahrbuch des Simon-Dubnow-Instituts (2006), S. 211-227.
11 David G. Roskies, The Task of the Jewish Translator. A Valedictory Address, in: Prooftexts (2004), 24:3, S. 263-272, hier S. 263.

Dubnows wissenschaftlichen Interessen, die Breite der behandelten Themen und nicht zuletzt die vielfach vorhandene politische Prägung seiner Schriften erforderten ein hohes Maß an Empathie und eine fundierte Kenntnis des Gegenstands. Um die Position der Übersetzer im Prozess der Vermittlung zu bestimmen, ist es daher erforderlich, ihren jeweiligen intellektuellen und gesellschaftlichen Hintergrund und die Kondition ihres Schaffens zu betrachten. Die Fragen danach, wer welchen Text warum und auf welche Weise, nicht zuletzt auch für wen übersetzt, erlauben über das Faktographische hinaus Rückschlüsse auf den Prozess der Textübertragung selbst sowohl in sprachlicher wie kultureller Hinsicht. Mehr noch spiegeln die Übersetzungen auf ihre spezifische Weise die historische Situiertheit von Denk- und Wahrnehmungsfiguren wider. Wenngleich die Quellenlage zu den Übersetzern sehr unterschiedlich und zuweilen problematisch ist, sollen im folgenden die verschiedenen Lebens- und Schaffenswege von Friedländer, Hurwicz und Steinberg aufgezeigt, ihre jeweiligen diskursiven Verankerungen skizziert werden. Als Zeugnisse ihrer Übersetzertätigkeit dienen vor allem Briefe, Vorbemerkungen zu ihren Übersetzungen, Rezensionen, Anmerkungen von Zeitgenossen, aber auch die anderen Bereiche ihres kulturellen Schaffens wie wissenschaftliche Studien oder Vorträge.

Das Beziehungsgeflecht zwischen Simon Dubnow und seinen Übersetzern zeigt sich dabei komplex: Arbeitsbeziehungen gehen in kollegiale Wertschätzung oder auch Freundschaft über, der Kontakt geht – wie im Fall Steinberg – auf Begegnungen in Russland oder – wie bei Hurwicz – gar auf Verwandtschaftsverhältnisse zurück oder findet – so die Beziehung zu Friedländer – nur virtuell durch Briefwechsel statt. Die betreffenden Übersetzungen und ihre Wirkungen können Dubnows Berliner Zeit vor- und nachgelagert sein. Sie reichen über den Chronotopos des Weimarer Berlin und sogar über den europäischen Raum hinaus. Die räumlichen, zeitlichen und semantischen Linien weisen trotz der politischen und migrationsbedingten Umbrüche auf gewisse kulturelle Kontinuitäten hin. Die Achsen des Vermittlungsprozesses erstrecken sich, mit anderen Worten, zwischen Ost und West, sakraler und profaner Zeitlichkeit, zwischen nationalem Gedanken und übernationaler Kondition, und nicht zuletzt auch zwischen jüdischen und nichtjüdischen Wissenstraditionen. Als verbindendes Element scheint dennoch Berlin auf mit seinen Verlagen und Redaktionen, seiner Universität und seinen Bibliotheken.

Israel Friedländer – Zwischen Ost und West

Trotz ihrer äußerst produktiven Zusammenarbeit lernten sich Israel Friedländer und Simon Dubnow nie persönlich kennen. Das Medium ihrer Begegnung ist der Briefwechsel. Fasziniert von den Ideen Dubnows, dessen Autonomiekonzept und soziologischem Geschichtsansatz, nahm Friedländer noch als Student in Berlin den ersten Kontakt zu dem Historiker und Publizisten auf.

Friedländer, der 1876 in Kowel (Gouvernement Wolhynien) geboren worden war, kam in den 1890er Jahren nach Berlin, um am Hildesheimer Rabbiner-seminar zu studieren. Später immatrikulierte er sich an der Friedrich-Wilhelms-Universität zu Berlin. Sein Studium der Orientalistik, insbesondere der semiti-schen Sprachen schloss Friedländer mit einer Promotion bei Theodor Nöldeke, dem führenden Orientalisten der Zeit, in Straßburg ab. Seine Arbeit zum Gebrauch des Arabischen bei Maimonides[12] eröffnete das bislang unerforschte Feld der jüdisch-arabischen Texte für das Studium der Orientalistik. Die acht Jahre später erscheinende revidierte englische Fassung rief bei der Fachkritik enthusiastische Reaktionen hervor.[13] Bereits in diesem frühen Stadium seines intellektuellen Schaffens zeigte sich nicht nur die immense Breite von Friedlän-ders wissenschaftlicher Befragung, sondern vielmehr noch sein Interesse an der Verschränkung von verschiedenen Wissensbereichen, zur Vermittlung zwischen und Synthese von scheinbaren Dichotomien – die Begegnung von Orient und Okzident, die Beziehung zwischen hebräischer und arabischer Kultur. In seiner Würdigung Friedländers als Denker und Wissenschaftler pointiert Alexander Marx daher:

»When Israel Friedlaender came to Berlin, in his eighteenth year, he intended to acquaint himself with the advances of Western education and culture, but he was so thoroughly imbued with Jewish learning through the education he had received at home and so familiar with Jewish literature as it had devel-oped in Russia and Poland that from the very beginning he could give as well as receive. He found that some of the Hebrew and Russian writers had much to offer even to the Western Jews, and his exceptional gift for languages and style made him especially fit to act as mediator.«[14]

Ausgestattet mit bemerkenswerten sprachlichen und kognitiven Fähigkeiten wurde Friedländer zu einer Vermittlungsinstanz, die die verschiedenen Juden-heiten miteinander kommunizieren ließ. Während seiner Studentenzeit in Ber-lin machte er das deutschsprachige Lesepublikum bereits sowohl mit frühen

---

12 Der Sprachgebrauch des Maimonides. Ein lexikalischer und grammatischer Beitrag zur Kenntnis des Mittelarabischen, Leipzig: Drugulin, 1901 (Inaugural-Dissertation, 67 S.).

13 Selections from the Arabic Writings of Maimonides. Edited with introduction and notes by Israel Friedlaender, Leiden: Brill (Semitic Study Series), 1909. Vgl. die Rezension von Isaac Husik: Husik, Friedlaender's »Arabic Writings of Maimonides«, in: The Jewish Quarterly Review, New Series, (1910), 1:2, S. 275-278.

14 Alexander Marx, Israel Friedlaender the Scholar, in: Ders., Essays in Jewish Biography, Philadelphia: The Jewish Publication Society of America, 1947, S. 280-289, hier S. 280.

Texten Dubnows als auch mit den Ideen des Hebräisch schreibenden Schriftstellers und Zionisten Achad Haam vertraut.[15]

Der Beginn der schon erwähnten epistolarischen Arbeitsbeziehung und späteren Freundschaft von Dubnow und Friedländer ist auf das Jahr 1898 zu datie-
ren. Dubnow beschreibt diesen ersten Kontakt in seiner Autobiographie:

> »Im März erhielt ich aus Berlin die dort eben erschienene deutsche Über-
> setzung meiner Studie *Was ist jüdische Geschichte*.[16] Fünf Jahre zuvor hatte
> ich diesen Aufsatz in den *Woschod*-Ausgaben beerdigt, und nun erschien er
> in einer Buchausgabe in wunderbarer Übersetzung des jungen Israel Friedlän-
> der, der gerade die Berliner Universität abgeschlossen hatte. Ich möchte hier
> die Persönlichkeit meines unbekannten Freundes hervorheben; er war der
> erste, der mich in der westeuropäischen Literaturwelt bekannt machte.«[17]

Friedländer begründete mit dieser Übersetzung die Wahrnehmung Dubnows
durch das deutsch-jüdische Publikum als innovativer jüdischer Historiker. Auf
diese Publikation folgte die rasch vergriffene Übersetzung eines weiteren Dubnowschen Schlüsseltextes – Friedländer übersetzt die ersten beiden »Briefe über
das alte und das neue Judentum« unter dem Titel *Die Grundlagen des Nationaljudentums*.[18] Dieser Text erschien bereits in dem 1902 von Martin Buber und
Bertold Feiwel gegründeten *Jüdischen Verlag*, der ab 1925 Dubnows *Weltgeschichte* herausbringen sollte.[19]

Wie bereits für die vorhergehende als auch die nachfolgenden Übersetzungen charakteristisch, stellt Friedländer den Texten ein mehrseitiges Vorwort
voran, in dem er mit wissenschaftlicher Akribie den Autor und seinen Text vor-
stellt, dabei durchaus kritisch und polemisch den Text kommentiert und
schließlich die eigene Übersetzungstätigkeit reflektiert. Die längste und durch-
drungenste selbstreflexive Analyse findet sich in der englischen Übersetzung
History of the Jews in Russia and Poland.[20]

---

15 Achad Haam und Dubnow, obschon in Fragen von Zionismus und kultureller Autono-
    mie oder der Sprachwahl unterschiedlicher Ansicht, waren befreundet und gehörten
    zum selben Kreis »progressiver« jüdischer Intellektueller in Odessa.
16 Gemeint ist: S. M. Dubnow, Die jüdische Geschichte. Ein geschichtsphilosophischer
    Versuch. Autorisierte Übersetzung aus dem Russischen von I.F., Berlin 1898.
17 Dubnow, Buch des Lebens, Bd. 1, S. 350 f.
18 S. M. Dubnow, Die Grundlagen des Nationaljudentums. Autorisierte Übersetzung aus
    dem Russischen von I. Friedlaender, Berlin [1905]. // Die insgesamt fünfzehn »Briefe«
    erschienen in *Woschod* zwischen 1897 und 1907.
19 Anatol Schenker, Der jüdische Verlag 1902-1938. Zwischen Aufbruch, Blüte und Ver-
    nichtung, Tübingen 2003, S. 81.
20 History of the Jews in Russia and Poland. From the Earliest Times until the Present Day.
    By S.M. Dubnow. Translated from the Russian by I. Friedlaender, 3 vols., Philadelphia
    1916-1920.

Mit der Übersiedlung von Friedländer nach New York, wo er am Jewish Theological Seminary 1903 eine Professur für Bibelwissenschaft erhielt, war die Beziehung zu Dubnow und der osteuropäischen Judenheit nicht abgerissen. Im Gegenteil. Friedländer überzeugte die *American Jewish Publication Society* von der Notwendigkeit einer englischsprachigen Geschichte der Juden in Russland und Polen. In einem Brief vom 6. Dezember 1910 konnte Friedländer Dubnow offiziell im Namen der Gesellschaft anbieten, ein entsprechendes Manuskript zur Übersetzung vorzubereiten.[21] Bis zur Veröffentlichung des ersten Bandes vergingen jedoch noch knapp sechs Jahre. In ihrer Korrespondenz, die zunächst auf Hebräisch und ab 1915 wegen des russischen Zensors auf Englisch (Friedländer) und Russisch (Dubnow) erfolgte, diskutierten sie sowohl formale Angelegenheiten wie z.b. zeitliche Verzögerungen in der Vorbereitung des Manuskripts und Honorarüberweisungen an Dubnow als auch inhaltliche Fragen wie Gliederung der Studie, Strategien der Übersetzung und Friedländers eigenes Buch zur Geschichte der osteuropäischen Juden.[22]

Für Friedländer war die Arbeit an dieser Übersetzung, wie Moshe Davis argumentiert, »more than a labor of love, it was an ideological commitment. Friedlaender's vision of American Judaism was involved in this translation. It was a way to blend ›past and present‹, East and West.«[23] Seine Übersetzung gründete in weiter und tiefer gehenden Interessen als einer bloßen sprachlichen Zugänglichkeit von Wissen: Mit dieser Arbeit formulierte er implizit sein wissenschaftliches und gesellschaftliches Credo, das die intellektuelle und kulturelle Formung der amerikanischen Judenheit ebenso einschloss wie die Zusammenführung von diversen Wissensbereichen und Wissenstraditionen. Die seither veröffentlichten Neuauflagen der Schrift sprechen von ihrer Wertschätzung und Wirkung.[24]

In dem bereits erwähnten Vorwort zu dieser Schrift umreißt Friedländer wesentliche Aspekte und Strategien der Übersetzung. Zum einen skizziert er die

21 Moshe Davis, Jewry. East and West. The Correspondence of Israel Friedlaender and Simon Dubnow, in: YIVO Annual of Jewish Social Science, vol. IX, New York 1954, S. 9-62, hier S. 19.
22 Israel Friedländer, The Jews of Russia and Poland. A Bird's eye View of their History and Culture, New York 1915. // Vgl. Avraam Greenbaum, Dubnov as Russian and General Jewish Historian, S. 2 f.
23 Davis, Jewry East and West, S. 9.
24 History of the Jews in Russia and Poland. From the earliest times until the present day, by S.M. Dubnow. Translated from the Russian by I. Friedlaender, 2 vols., Philadelphia 1946. // History of the Jews in Russia and Poland from the earliest times until the present day, by S. M. Dubnow. Translated from the Russian by I. Friedlaender, with a biographical essay, new introd., and Outline of the history of Russian and Soviet Jewry, 1912-1974, by Leon Shapiro, New York 1975. // History of the Jews in Russia and Poland, by S.M. Dubnow. Translated from the Russian by I. Friedlander, Bergenfield 2000.

interdependente Position der drei Hauptakteure – Autor, Übersetzer und Ziel-
publikum – im Übertragungsprozess.

>My work as translator has been considerably facilitated by the self-abnega-
tion of the author, who gave me permission to act as editor and to adapt the
original to the requirements of an English version. I have made frequent use
of the privilege accorded to me, and have endeavoured throughout to bridge
the wide gap which stretches between the Russian and American reading
public in matters of literary taste.<[25]

Der beschriebene »Brückenschlag« setzt natürlich voraus, dass Friedländer mit
den textuellen Konventionen und Codes und folglich den Lesegewohnheiten
der russisch-jüdischen und russischen Kultur in gleichem Maße vertraut war
wie mit denen der amerikanischen und amerikanisch-jüdischen.

Zum anderen analysiert Friedländer die Transformation des Textes selbst,
der mit der Übertragung eine andere Textgestalt erhielt etwa durch Restruktu-
rierungen, durch Erweiterungen und auch Kürzungen.

>In the course of this rearrangement, it became necessary to change the word-
ing of some of the headings so as to bring them into greater conformity with
English literary usage. It should be pointed out, however, that the changes
made are of a stylistic nature, or relate only to the skeleton of the book. With
the exception of a few passages, they leave the contents untouched, and the
responsibility for the latter rests entirely with the author.<[26]

Um dem amerikanischen Leser ein Verständnis der Zusammenhänge und Hin-
tergründe zu ermöglichen, erwies es sich als notwendig, den Text mit einem
zusätzlichen Anmerkungsapparat zu versehen.

>The text was already in type when it was borne in upon me that the subject
of the book, dealing as it does with the lands of Eastern Europe, was a *terra
incognita* to the average American reader, and that many things in it must
perforce be wholly or partly unintelligible to him if left without an explanation. There was nothing for me to do but to step into the breach and supply
the deficiency. I did so by adding a number of footnotes, which, in distinction from those of the author, are placed in brackets.<[27]

---

25 Translator's preface, in: History of the Jews in Russia and Poland, vol. 1, S. 3-7, hier S. 4.
    // Vgl. zu diesem Arrangement zwischen Übersetzer und Autor den Brief Friedländers
    an Dubnow vom 29. Oktober 1913 und Dubnows Antwort vom 13. (26.) Dezember 1913,
    in: Davis, Jewry East and West, S. 23-29.
26 Translator's preface, in: History of the Jews in Russia and Poland, vol. 1, S. 5.
27 a.a.O.

Wissenschaftliche Gründlichkeit und rhetorische Klarheit zeichnen Friedländers Arbeitsweise wie auch die Analyse des eigenen Vorgehens aus. Durch sein tiefes Verständnis von den Umständen kulturellen Schaffens eröffnete er mit seiner Arbeit mannigfaltige Kommunikationsräume, die über die Sprache als solche hinausreichen.

Seinem wissenschaftlichen, intellektuellen und gesellschaftlichen Leben wurde im Sommer 1920 ein jähes Ende gesetzt.[28] Während einer Reise im Auftrag des JDC (Joint Distribution Committee) zur Unterstützung der ukrainischen Juden wurde Friedländer in der Nähe von Kamenez-Podolsk ermordet. Die Betroffenheit der Zeitgenossen und Freunde spiegelt sich in Dubnows Tagebucheintrag vom 22. August 1920 wider:

»Eine schreckliche Nachricht erfuhr ich gestern: Mein Übersetzer Israel Friedländer aus New York, der zur amerikanischen Delegation gehörte und in die Ukraine gefahren war, um Hilfsgüter an die Pogromopfer zu verteilen, ist unterwegs ermordet worden, offenbar war es ein Raubmord. Der heilige Märtyrer! Ein Mensch des Geistes geriet in das Land der Bluthunde und kam um, als er den Raubopfern helfen wollte. Ich kann mich mit diesem Tod nicht abfinden.«[29]

Aaron Steinberg – Der Berliner Kreis

Wie Friedländer war auch Aaron Steinberg selbst ein bedeutender und origineller Denker, der sich zwischen verschiedenen kulturellen Milieus bewegte. In Dwinsk 1891 geboren,[30] erhielt er zunächst eine traditionelle jüdische Bildung, später besuchte er das Gymnasium in Pernow (heute Pärnu in Estland). In Heidelberg, wo er auch Ossip Mandelstam kennenlernte, studierte Steinberg Jura und Philosophie bei Emil Lask und Wilhelm Windelband. Sein Studium schloss er mit einer Promotion 1913 ab.[31]

Während des Ersten Weltkriegs in Deutschland als russischer Staatsbürger interniert, kehrte er 1919 nach Russland zurück. In Petrograd (St. Petersburg) war er Gründungsmitglied der *Wolfila* (Wolnaja filosofskaja assoziazija; Freie Philosophische Assoziation), die führende russische Schriftsteller und Philo-

---

28 Zu Friedländers Schaffen vgl. auch: Boaz Cohen, Israel Friedlaender. A Bibliography of his Writings. With an Appreciation, New York 1936.

29 Dubnow, Buch des Lebens, Bd. 2, S. 321.

30 Der deutsche Name von Dwinsk lautet Dünaburg. Zur Zeit der Geburt von Steinberg dem russischen Gouvernement Witebsk zugehörig, ist Dwinsk heute die zweitgrößte Stadt Lettlands und trägt den Namen Daugavpils.

31 Das Zweikammersystem und seine Gestaltung im Russischen Reich, vorgelegt von Aron Steinberg. St. Petersburg 1913 [Diss., Heidelberg, 1913; 113 S.].

sophen wie Alexander Blok, Andrej Bely oder Nikolai Berdjajew versammelte.[32] Im Rahmen der Abende dieser Gesellschaft stellte er unter anderem seine Überlegungen zum Werk von Dostojewski vor, die er 1923 elaboriert in Buchform in dem seinem Bruder gehörenden Berliner russischen Verlag *Skify* (Skythen) veröffentlichte.[33] Auf den Seiten des Pariser Emigrantenjournals *Wersty* (1928, Nr. 3) führte Steinberg mit dem Philosophen Lew Karsawin eine polemische Debatte über die Frage von Assimilation und Jüdischkeit.[34] Leonid Stolowitsch argumentiert sogar, dass Bachtin in seiner Studie zur Dialogizität bei Dostojewski auf Steinbergs Thesen rekurrierte.[35] Zur gleichen Zeit wirkte Steinberg als Dozent an der zur Jahreswende 1918/19 neu gegründeten Jüdischen Universität in Petrograd. Er unterrichtete hier jüdische Philosophie und lernte Simon Dubnow als Kollegen kennen, wenngleich ihre Freundschaft erst auf die gemeinsamen Berliner Jahre datiert.[36]

Steinberg war in der russischen und deutschen Kultur ebenso beheimatet wie in der jüdischen. Seine intellektuellen Fähigkeiten und seine Empathie prädestinierten ihn geradezu für die Rolle eines Intermediators. Dubnow erkannte dies hellsichtig nach ihren ersten Begegnungen in Berlin, wohin Steinberg wie Dubnow 1922 emigriert war. Dubnow schreibt in seiner Autobiographie:

»Als er mich nach seiner Ausreise aus Rußland in meiner Berliner Pension in der Grolmannstraße besuchte, wurde mir klar, daß genau dieser junge Mann berufen war, Mittler zwischen unserer ostjüdischen und der ansässigen westlichen Intelligenzija zu sein. Während der Arbeit konnte ich mich später von seinen großen literarischen Fähigkeiten und seinem feinen Stilgefühl überzeugen, das in den Übersetzungen wie in seinen eigenen Arbeiten zum Ausdruck kam.«[37]

32 Vgl. Leonid Stolovič, Aaron Štejnberg kak filosof, in: Russkoe evrejstvo v zarubež'e. T. 2 (7). Russkie evrei v Velikobritanii. Stat'i, publikacii, memuary i èsse, Ierusalim 2000, S. 422-442.

33 Aaron Zacharovič Štejnberg, Sistema svobody F.M. Dostoevskogo, Berlin 1923 [Paris 1980]. Die Neuauflage und die Übersetzungen verweisen auf die Eminenz und die entsprechende Rezeption der Studie. 1936 erschien eine deutsche Übersetzung in der Schweiz unter dem Titel *Die Idee der Freiheit. Ein Dostojewski-Buch* (Luzern 1936) und 1966 eine englische unter dem Titel *Dostoievsky* (London, 1966).

34 Vgl. Vladimir Khazan, Dovid Knut. Sud'ba i tvorčestvo, Lyon 2000, S. 75.

35 Vgl. Leonid Stolovič, M.M. Bachtin i A.Z. Štejnberg, in: Bachtin v kontekste russkoj kul'tury XX veka, Moskva 2000, S. 36-58.

36 Zur Jüdischen Universität s. Dubnow, Buch des Lebens, Bd. 2, 282 f. // Eine Photographie der Mitarbeiter ist zu finden in: Groberg/Greenbaum, A missionary for history, S. 83.

37 Dubnow, Buch des Lebens, Bd. 3, S. 90.

Zugleich ist Dubnow fasziniert von der Synthese in Steinbergs Denken, die tief empfundene Religiosität mit rationalem wissenschaftlichen Denken vereinte.

»Er war in drei Kulturkreisen aufgewachsen – dem jüdischen, russischen und deutschen [...]. Bereits damals, mehr aber noch während unserer späteren Begegnungen, faszinierte mich die Vielfalt seiner geistigen Welt: strenge jüdische Religiosität einschließlich der Einhaltung vieler Gebote, die Liebe zur russischen Literatur und Sympathie selbst für ihre damals modernen dekadenten und symbolistischen Strömungen [...] und schließlich eine nicht unbeträchtliche Portion deutscher Denkstrukturen, wenngleich ohne die philosophische ›Verschwommenheit‹ eines Koigen. Steinberg junior stellte eine Synthese aus Rationalem und Irrationalem dar.«[38]

Aus diesen Gründen schlug er dem Leiter des *Jüdischen Verlages* Siegmund Kasnelson Steinberg als Übersetzer seines opus magnum *Die Weltgeschichte* vor. Steinberg sollte im weiteren Verlauf nicht nur der Übersetzer der *Weltgeschichte* Dubnows aus dem Russischen werden – an deren deutschen Titelfindung er auch beteiligt war, sondern übertrug ebenfalls Dubnows anderes grundlegendes Werk *Die Geschichte des Chassidismus* aus dem Hebräischen.

In seiner Zeit in Berlin, Steinberg lebte hier von 1922 bis 1934, fand er rasch Anschluss zu dem Freundeskreis um Dubnow, zu dem auch der Philosoph David Koigen, der Historiker Elias Tscherikower, Jakob Lestschinsky und andere prominente jüdische Denker wie sein Bruder Isaak Nachman Steinberg zählten.[39] Letzterer, ein Sozialrevolutionär und Jurist, hatte von Dezember 1917 bis März 1918 als Justizminister der ersten sowjetischen Regierung unter Lenin angehört und war ebenfalls 1923 nach Berlin emigriert, wo er bis zu seiner Ausreise nach England 1933 lebte.

Wenngleich Aaron Steinberg selbst keine Zeugnisse über seine Tätigkeit als Dubnows Übersetzer in Form von Vorworten oder Korrespondenzen hinterlassen hat,[40] lassen sich an der zeitgenössischen Rezeption und der Einschätzung Dubnows einige Aussagen zu seiner Methode ableiten. Dubnow charakterisierte sie mit hoher Wertschätzung:

---

38 A.a.O.
39 Unter ihnen befanden sich dementsprechend einige der Gründungsmitglieder des YIVO und des Jüdischen Wissenschaftlichen Vereins in Berlin. Vgl. auch Dubnov-Erlich, Life and Work of Dubnov, S. 191 f.
40 Materialien und Dokumente aus Steinbergs Nachlaß befinden sich in Southampton/ UK (Southampton SC, Papers of A. Z. Steinberg, MS 262) und Jerusalem (The Central Archives for the History of the Jewish People (CAHJP), Nr. 159). Es steht zu hoffen, dass zukünftige Forschung diesen Aspekt und andere erhellen wird. // Zum Leben und zur Übersetzertätigkeit von Steinberg vgl. auch die Erinnerungen eines Kollegen beim Jüdischen Weltkongress: Gerhart M. Rieger, Niemals verzweifeln, Gerlingen 2001.

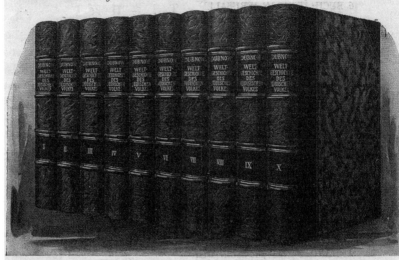

Simon Dubnow, *Weltgeschichte des jüdischen Volkes*. Prospekt des *Jüdischen Verlages*, Berlin. Privatbesitz Anatol Schenker, Basel.

»Steinberg gehörte nicht zu jenen Handwerkern unter den Übersetzern, die sich mühevoll von Zeile zu Zeile des Originals schleppen und die Worte von einer Sprache in die andere transformieren. Er erfaßte den Sinn eines jeden Satzes und übertrug ihn lebendig und zur Gänze in die andere Sprache, ohne den Stil des Autors zu verändern, gleichwohl dem Geist der deutschen Sprache treu bleibend, deren komplizierte Syntax sich stark von jener der russischen unterscheidet.«[41]

Die (scheinbare) Mühelosigkeit und Eleganz des Transfers, die freilich auf der Kenntnis des Gegenstands und einer exzellenten Sprachbeherrschung beruhten, verbanden sich mit Dubnows Hoffnung und Vorstellung, dass die deutsche Sprache als die klassische Sprache der Historiographie die Verbreitung der Schrift befördern würde.[42] Die enthusiastische wie kritische Rezeption durch die deutsch-jüdische Öffentlichkeit sollte diese Hoffnung rechtfertigen.[43] In der Jüdischen Rundschau schrieb etwa Ernst Simon:

»Der ›Jüdische Verlag‹, Berlin, hat zweifellos mit dieser mustergültigen Edition und Übersetzung ein Kulturwerk geschaffen und ein Wagnis unternommen, von dem man heute schon sagen kann, daß es geglückt ist. Der ›Dubnow‹ ist zu einem Hausbuch der deutschlesenden jüdischen Familie in wohl noch höherem Grade geworden, als es einst der ›Graetz‹ war.«[44]

Dubnow war mit der Übersetzung dieser Schrift endgültig im deutschen Sprachraum und in der Wahrnehmung der deutsch-jüdischen Intellektuellen angekommen. In seiner Besprechung der *Weltgeschichte* zeigt Hanns Reißner eine weitere Dimension der kulturellen Übertragung, aber auch der Interferenz auf. Er nimmt eine luzide, philologische Analyse vor, die auf beeindruckende Weise die Verschränkung von Sprache und historischer Kondition, von Begriffsgeschichte und Semantik der Sprachwahl im Text selbst ausführt.

---

41 Dubnow, Buch des Lebens, Bd. 3, S. 90.
42 Dubnows Tochter schreibt von einem »exceptional good fortune«, das ihr Vater in Steinberg als Übersetzer gefunden hatte. Vgl. Sophie Dubnov-Erlich, The Life and Work of S. M. Dubnov, S. 192.
43 In einer Reihe von deutsch-jüdischen Zeitschriften erschienen seit der Veröffentlichung des ersten Bandes 1925 Besprechungen der *Weltgeschichte*, die sich wie Ismar Elbogens Besprechungstext fundiert und durchaus auch kritisch mit ihr auseinandersetzten, z.B.: Anonym, in: Menorah (1925), Jg. 3, Nr. 12, S. 269; Hermann Glaser, in: Menorah (1926), Jg. 4, Nr. 8, S. 475-477; Ismar Elbogen, Zu S. Dubnows Geschichtswerk, in: Monatsschrift für Geschichte und Wissenschaft des Judentums (1926), Jg. 70, Nr. 3, S. 145-155; Wilhelm Stein, Dubnows ›Weltgeschichte‹, in: Jüdische Rundschau (1927), Nr. 25 (29. März), S. 179-180.
44 Jüdische Rundschau (1930), Nr. 36 (9. Mai), 247-248, hier S. 247.

»Wenn Dubnow die französischen Juden im 19. Jahrhundert die ›Irrenden dieser Zeit‹ nennt, so muß man, um Dubnows Absichten zu begreifen, geradezu ›newuche haseman haseh‹ lesen: gemeint sind die ›Irrenden‹, um derentwillen Maimonides seinen ›Führer‹ [gemeint ›Führer der Unschlüssigen‹; O.T.] geschrieben hat. Plötzlich ist der Kreis geschlossen. Die ›Assimilation‹ ist kein Problem des 19. Jahrhunderts mehr, sondern eine der Grunderfahrungen jüdischer Geschichte.«[45]

Neben der Übersetzung der *Weltgeschichte* aus dem Russischen fertigte Steinberg außerdem die deutsche Übersetzung von Dubnows einzigem auf Hebräisch verfassten Hauptwerk, der *Geschichte des Chassidismus*, an.[46] Achad Haam hatte Dubnow dazu bewegt, diese Studie in einer jüdischen Sprache, und zwar auf Hebräisch, zu schreiben und nicht auf Russisch, wie die Mehrzahl seiner anderen Schriften.

Die Position Steinbergs als Vermittler erfasste jedoch noch andere Bereiche als allein sprachliche Übersetzung und ermöglichte noch weitere Begegnungen. Dubnow etwa übersandte seine *Geschichte des Chassidismus* an Martin Buber, den Herausgeber der ersten Sammlung chassidischer Legenden im deutschen Sprachraum, und disputierte mit ihm über die Unterschiede ihrer jeweiligen Konzeptionen dieser geistig-religiösen Strömung.[47] Aaron Steinberg wirkte zudem aktiv an der wissenschaftlichen Dissemination und Popularisierung von Dubnows Gedankenwelt und Geschichtskonzept mit. Als anlässlich dessen 70. Geburtstages eine Festschrift von Ismar Elbogen und anderen vorbereitet wurde, steuerte Steinberg einen Aufsatz bei, in dem er das Wesen moderner jüdischer Geschichtsschreibung diskutierte und die theoretisch-methodischen Leitlinien von Dubnows *Weltgeschichte* analysierte.[48] Dieser Aufsatz wurde auch einer breiteren, nicht notwendigerweise akademischen Öffentlichkeit zugänglich gemacht, als er in der *Jüdischen Rundschau* 1930 als gekürzter Vorabdruck erschien.[49] Noch nach seiner Übersiedlung nach London 1934 blieb Steinberg dem Schaffen Dubnows neben seinem Engagement für den *World Jewish Congress* verpflichtet. Zum einhundertsten Geburtstag des Historikers gab Stein-

---

45 Hanns Reißner, Dubnows »Weltgeschichte des Jüdischen Volkes«, in: Zeitschrift für die Geschichte der Juden in Deutschland (1931), Jg. 3, Nr. 1, S. 1-18, hier S. 15.
46 Die 1931 im *Jüdischen Verlag* Berlin erschienene Studie wurde 1969 in Jerusalem vom Jewish Publishing House neu verlegt.
47 Vgl. Dubnow, Buch des Lebens, Bd. 3, S. 149. Buber selbst stand einer Auseinandersetzung mit Dubnow über den Chassidismus eher reserviert gegenüber.
48 Aaron Steinberg, Die weltanschaulichen Voraussetzungen der jüdischen Geschichtsschreibung, in: Festschrift zu Simon Dubnows siebzigstem Geburtstag, Hgg. von Ismar Elbogen, Josef Meisl, Mark Wischnitzer, Berlin 1930, S. 24-40.
49 Jüdische Rundschau (1930), Nr. 74/75 (19. September), S. 487.

berg in seiner Eigenschaft als Leiter der Kulturabteilung des jüdischen Welt-
kongresses den Sammelband *Simon Dubnow. The Man and his Work. A memorial
volume on the centenary of his birth (1860-1960)* heraus, der die verschiedensten
Facetten des Dubnowschen Œuvre beleuchtete.[50] Dubnow war unterdes ein
integraler Bestandteil der deutsch- und englischsprachigen Historiographie geworden.

Elias Hurwicz – Von Mstislawl nach Berlin

Von Elias Hurwicz, dem Schriftsteller und Publizisten, ist wohl von den drei
hier besprochenen Übersetzern am wenigsten bekannt. Dubnow selbst erwähnt
ihn in seinen Memoiren nur flüchtig und am Rande. Zugleich ist er aber auch
derjenige, der als einziger in Berlin blieb und hier das NS-Regime überlebte.

Hurwicz wurde 1884 in Rogatschow im Gouvernement Mogiljow geboren.
Sein Vater Saul Israel Gurwitsch, auch als Saul Israel Hurwitz bekannt, war ein
entfernter Verwandter Dubnows, den er von einer gemeinsamen Zeit in der
Jeschiwa von Dubnows Großvater Benzion in Mstislawl und später von Begegnungen in Petersburg kannte.[51] Saul Gurwitsch emigrierte 1905 nach Berlin, wo
er die Hebräische Bewegung mit begründete und die Zeitschrift *Ha'atid* heraus-
gab. Elias Hurwicz wiederum nahm 1905 ein Jura-Studium an der Berliner Universität auf, wo er im Kriminalistischen Seminar 1910 bei Franz von Liszt promovierte. In einem kurzen autobiografischen Text schreibt er:

>»Der Ruf der deutschen Wissenschaft überragte damals den der andern ge-
wählten Länder, zumal auf dem Gebiet der Jurisprudenz, das ich erwählt
hatte. Die Namen v. Jhering, Kohler, Gierke, Liszt, Anschütz genossen auch
in russischen Gelehrtenkreisen hohes Ansehen. So entschloß ich mich, an
die Friedrich-Wilhelm-Universität der deutschen Reichshauptstadt über-
zugehen.«[52]

Sein Interesse für politische Zusammenhänge, für das Interagieren verschiedener Nationen, für die Transformationen in Russland schließlich führte Hurwicz zu einer Reihe von Studien, die sich mit der zeitgenössischen Frage von
Völkerpsychologie und der russischen Revolution beschäftigten.[53] Hurwicz

---

50 David Patterson bespricht den Band anerkennend, in: The English Historical Review
(1965), 80:317, S. 878-879, hier S. 879.

51 Die unterschiedliche Schreibweise des Namens erklärt sich daher, dass der Vater die russische Variante und der Sohn die polnische nutzte.

52 Elias Hurwicz, Aus den Erinnerungen eines Abseitigen, in: Hochland (1952/53), Nr. 45,
S. 446-454, hier S. 446.

53 Zu erwähnen seien etwa *Die Seelen der Völker. Ihre Eigenarten und Bedeutung im Völkerleben*, Gotha 1920 und *Geschichte des russischen Bürgerkriegs*, Berlin/Leipzig 1927.

übersetzte und editierte etwa auch Texte des russischen Philosophen und politischen Denkers Pjotr Tschaadajew. Noch bis 1938 publizierte er unter Pseudonym (z.b. Ferdinand Muralt) in der katholischen Monatsschrift *Hochland*, die nach dem Krieg seine Erinnerungen veröffentlichen sollte.[54]

Wenngleich Hurwicz sich stark an diesem säkularen und nicht-jüdischen Referenzrahmen orientierte, trat er ebenfalls als jüdischer Kulturschaffender auf. Er übersetzte dergestalt Erzählungen des jiddischen Schriftstellers Scholem Asch für den Berliner *Ladyschnikow-Verlag*, aber ebenso die russischsprachigen Memoiren des ersten jüdischen Richters im russländischen Reich Jacob Teitel, der wie Dubnow aktiv an den gesellschaftlichen Aktivitäten der russländisch-jüdischen Migranten in Berlin teilnahm und seit 1921 Vorsitzender des *Verbandes russischer Juden in Deutschland* war. Zudem publizierte Hurwicz regelmäßig in deutsch-jüdischen Zeitschriften wie *Neue jüdische Monatshefte*, *Der Jude* und *Der Morgen*.

Von Dubnow übersetzte er drei Texte – den dritten Band *Der neuesten Geschichte des jüdischen Volkes* (1923), die ersten drei Briefe unter dem Titel *Das alte und das neue Judentum* (1925), schließlich übersetzte und edierte er eine gekürzte Fassung von Dubnows Autobiographie unter dem Titel *Mein Leben*.[55] Diese erschien noch 1937 in der Jüdischen Buchvereinigung Berlin mit einem Umfang von 256 Seiten.[56] In einem vierseitigen Vorwort skizziert Hurwicz die Motivation, dieses Buch herauszubringen und sein editorisches Vorgehen. Die Lebensgeschichte Dubnows zugänglich zu machen, verleihe nicht nur dessen Werk neue Aspekte, sondern sei zugleich ein Geschichtswerk in sich selbst, das über die individuelle Erfahrung hinausweise.

»Unzählige jüdische Menschen in Deutschland kennen wohl Simon Dubnow als Verfasser der großen ›Weltgeschichte des jüdischen Volkes‹, nicht aber als lebendige Persönlichkeit. Und doch liegt in der Individualität auch der Schlüssel zu dem wissenschaftlichen Werk.«[57]

54 Diese Zeitschrift wurde 1903 von Carl Muth gegründet als Forum für die katholische Intelligenz; sie öffnete sich nach dem Ersten Weltkrieg für politische Fragen. Hier publizierten inter alia Theodor Haecker, Eugen Rosenstock-Huessy, aber auch Carl Schmitt. Wegen ihrer regimekritischen Haltung wurde sie 1941 verboten und existierte nach dem Zweiten Weltkrieg zwischen 1946 und 1974. Vgl. Konrad Ackermann, Der Widerstand der Monatsschrift Hochland gegen den Nationalsozialismus, München 1965.
55 Dubnows vollständige Autobiographie wurde in Riga in zwei Bänden 1934 und 1935 im russischen Original veröffentlicht.
56 Die Jüdische Buchvereinigung Berlin existierte von 1934 bis 1938 unter der Leitung von Erich Lichtenstein. Vgl. Der Morgen (1934), Jg. 9, Nr. 8, S. 484.
57 Hurwicz, Einleitung, in: Dubnow, Mein Leben, S. 5-8, hier S. 5.

Der übersetzte Text umfasst nur Dubnows russische Jahre und endet mit seiner Flucht aus Petersburg. Seine Berliner Jahre finden keine Berücksichtigung. Zu seinem editorischen Vorgehen bemerkt Hurwicz durchaus selbstkritisch:

»Meine Aufgabe bestand in einem Doppelten: einerseits aus diesem umfangreichen Werk das Wesentlichste in persönlicher und geschichtlicher Hinsicht herauszuheben, andererseits alles, was weniger für den westeuropäischen Juden von Interesse sein mochte, wegzulassen. Allerdings mußten dabei auch manche Partien der Kürzung zum Opfer fallen, um die es mir selbst schade ist. Allein bei dem vorgeschriebenen Umfang der deutschen Ausgabe war dies nicht zu umgehen. Mein Bestreben ging darauf hin, trotz der erwähnten Kürzungen, ein möglichst zusammenhängendes Ganzes herauszuarbeiten.«[58]

Eine vollständige und annotierte deutsche Übersetzung von Dubnows Autobiographie *Buch des Lebens* sollte erst 63 Jahre nach Dubnows Ermordung im Rigaer Ghetto erscheinen. Hurwicz selbst überlebte den Holocaust und setzte Dubnow ein letztes Denkmal mit einem späten Nachruf, der am 6. März 1947 in *Der Weg* veröffentlicht wurde. Seine autobiografische Skizze schließt Hurwicz mit einer Reminiszenz an den Herausgeber von *Hochland*:

»>Das nationalsozialistische Regime steht fest. Nur ein verlorener Krieg kann ihm ein Ende setzen<, sagte mir Carl Muth bei einem Aufenthalt in Berlin während der ersten Jahre des Dritten Reiches. Es waren die letzten Worte, die ich von ihm gehört habe – prophetische Worte.«[59]

1945 wurde Hurwicz Mitglied der Jüdischen Gemeinde von Berlin, wo er bis zu seinem Tod im Jahre 1973 lebte. Seine Tochter Angelika Hurwicz, Schauspielerin an Brechts *Berliner Ensemble*, berührt in ihren Memoiren das Leben ihres Vaters und ihre eigene Jüdischkeit nur flüchtig.[60]

Resümee

An Berlin, neben Paris und Prag dem wichtigsten Zentrum der russisch-jüdischen Migration der 1920er Jahre, knüpfen sich verschiedengestaltig die Erzähllinien der Protagonisten dieses Aufsatzes. Nicht nur Dubnow war nach Berlin migriert, auch die drei hier besprochenen Übersetzer führte ihr Lebensweg nach, in jedem Fall aber über Berlin. Ihre Herkunft aus dem ehemaligen Russländischen Reich verweist auf ähnliche Erfahrungen in lebensweltlicher wie intellektueller Hinsicht, auf zumindest in bestimmten Bereichen geteilte Wis-

58 A.a.O., S. 7 f.
59 Hurwicz, Aus den Erinnerungen eines Abseitigen, S. 454.
60 Angelika Hurwicz, Die Nische des Insekts, Frankfurt/Main u.a. 1999.

sensbestände. Ihre migratorische Kondition förderte und katalysierte zugleich eine Verschränkung von Erfahrungen, von Wissen und von Wahrnehmungen, die sie geradezu prädestinierte, aktiv die Vermittlungsprozesse zu gestalten, für die das Weimarer Berlin zur Chiffre geworden ist.

Auf den vorangegangenen Seiten habe ich die Umstände und Kontexte der Übersetzungen von Israel Friedländer, Aaron Steinberg und Elias Hurwicz anhand von Selbstzeugnissen und Zeugnissen über sie und ihr Schaffen skizziert.[61] Deutlich wird, dass sie aus einer bestimmten diskursiven Disposition heraus übersetzten, die Ideen und Konzepte Dubnows noch auf andere Weise als der sprachlichen etwa in Form von Aufsätzen oder Vorträgen vermittelten und schließlich maßgeblich die Wahrnehmung Dubnows in der deutsch-jüdischen und amerikanisch-jüdischen – allgemeinen wie auch akademischen – Öffentlichkeit prägten. Die Veröffentlichung der Texte und das Agieren der Übersetzer wiederum führte unter Umständen zu weiter reichenden Wirkungsgeschichten, wofür die Entwicklungsprozesse der amerikanischen Judenheit im Falle Friedländers exemplarisch anzuführen wären. Ebenso ließen die in den Bibliotheken vorhandenen übersetzten Ausgaben von Dubnows *Weltgeschichte des jüdischen Volkes*, der *Geschichte des Chassidismus* und der Erinnerungen *Mein Leben* von Steinberg und Hurwicz den Historiker Simon Dubnow nach dem Holocaust und dem Zweitem Weltkrieg in Deutschland nicht völlig in Vergessenheit geraten. Die Zeitenwende 1989/90 beförderte dann die Reaktualisierung des Dubnowschen Werkes im wissenschaftlichem Diskurs wie auch seiner Bedeutung in gesellschaftsrelevanten Bereichen wie des Minderheitenstatus in multinationalen Staatsgebilden.

Wenngleich es sich hier um Einzelbeispiele handelt, lassen sich dennoch über den jeweils individuellen Fall hinaus allgemeinere Aussagen zur Position des Übersetzers im Vermittlungsprozess schlussfolgern. Der Versuch, den Übersetzer aus seiner bislang gewohnten Fußnotenexistenz zu befreien und ihn als bedeutenden Akteur im Prozess der kulturellen Produktion (die Erzeugung »neuer Originaltexte«) sichtbar zu machen, eröffnet nicht nur neue Blickwinkel auf historische Phänomene der Text- und Rezeptionsgeschichte. Vielmehr gewährt er auch Einblicke in die Prozesse von Kulturtransfer und Kommunikation selbst, die letzten Endes auch die Forschungsfelder der Migrationsgeschichte und Wissenschaftsgeschichte berühren.

---

61 Natürlich ist diese Auswahl insofern selektiv, als Dubnow in den 1920er Jahren und später in eine Reihe anderer Sprachen übersetzt wurde, z.B. edierte das YIVO eine jiddische Übersetzung der *Neuesten Geschichte des Jüdischen Volkes* von Nakhum Shtif. Zudem finden sich an der deutsch-russisch-jüdischen Schnittstelle des Weimarer Berlin noch weitere eminente Übersetzer wie Alexander Eliasberg.

Auswahlbibliographie zu den Übersetzern

Friedländer, Israel (1876-1920)

Übersetzt aus dem Hebräischen und Russischen

Übersetzungen

Achad-Haam: Am Scheideweg. Aus dem Hebr., Berlin: Jüdischer Verlag, 1904 [1913, 2. verb. Aufl.].

Dubnov, S.M.: Jewish History. An Essay in the Philosophy of History. From the Authorised German Translation, London: MacMillan & Co, Ltd., 1903.

Dubnov, S.M.: History of the Jews in Russia and Poland. From the Earliest Times until the Present Day. Trsl. from the Russian, 3 vols., Philadelphia: The Jewish Publication Society of America, 1916-1920.

Dubnow, S.M.: Die jüdische Geschichte. Ein geschichtsphilosophischer Versuch. Aus dem Russ., Berlin: S. Calvary & Co., 1898.

Wissenschaftliche und andere Schriften

Die Chadhirlegende und der Alexanderroman. Eine sagengeschichtliche und literarhistorische Untersuchung, Leipzig, Berlin: Teubner, 1913.

Die Bedeutung Palaestinas für das Judentum. Hg. vom Zionist. Verein »Theodor Herzl«, Zürich: 1917.

The Jews of Russia and Poland. A Bird's eye View of their History and Culture, New York: G.P. Putnam's Sons, 1915.

Hurwicz, Elias (1884-1973)

Übersetzt aus dem Russischen, Jiddischen, Französischen

Übersetzungen

Tschaadajew, Peter: Schriften und Briefe. Übers. aus dem Russ. und eingel. E.H., München: Drei Masken Verlag, 1921.

Tolstoj, Lev N.: Volkserzählungen und Legenden. Aus dem Russ., Berlin: Bruno Cassirer, 1925.

Asch, Schalom: Ein Glaubensmartyrium. Erzählung. Aus dem Jidd., Berlin: J. Ladyschnikow, 1926.

Teitel, Jacob: Aus meiner Lebensarbeit. Erinnerungen eines jüdischen Richters im alten Rußland. Mit einem Vorwort von Simon Dubnow und einer

Charakteristik von Maxim Gorki. Deutsch von Elias Hurwicz, Frankfurt/
Main: J. Kauffmann, 1929.
Katzenelson, Meier: Probleme der jüdischen Geschichte und Geschichtsphi-
losophie. Aus dem Russ., Berlin: Jüdischer Verlag, 1929.
Simon Dubnow: Das alte und das neue Judentum, in: Der Jude (1926), Son-
derheft, Nr. 3, S. 32-57.
Simon Dubnow: Mein Leben. Hg. von Dr. Elias Hurwicz. Aus dem Russ.
von Dr. Elias Hurwicz und Dr. Bernhard Hirschberg-Schrader, Berlin:
Jüdische Buchvereinigung, 1937.

Wissenschaftliche und andere Schriften

Russlands politische Seele. Russische Bekenntnisse (Hg. E.H.) Berlin: S. Fi-
scher, 1918.
Die Seelen der Völker. Ihre Eigenarten und Bedeutung im Völkerleben. Go-
tha: F.A. Perthes, 1920.
Zur Reform des politischen Denkens. München: Drei Masken Verlag, 1921.
Geschichte des russischen Bürgerkriegs. Berlin: E. Laub'sche Verlh./ Leipzig:
Otto Klemm, 1927.
Aus den Erinnerungen eines Abseitigen, in: Hochland (1952/53), Nr. 45,
S. 446-454.

Aaron Steinberg (1891-1975)

Übersetzt aus dem Russischen und Hebräischen

Übersetzungen

Simon Dubnow: Weltgeschichte des jüdischen Volkes. Von seinen Uranfän-
gen bis zur Gegenwart. 10 Bde. Berlin: Jüdischer Verlag, 1925-1929. [Aus
dem Russischen]
Simon Dubnow: Geschichte des Chassidismus. 2 Bde. Berlin: Jüdischer Verlag, 1931. [Aus dem Hebräischen]

Wissenschaftliche und andere Schriften

Načalo i konec istorii v učenii P.L. Lavrova, Petrograd: Kolos, 1922.
Pamjati Aleksandra Bloka, Petrograd: 1922 [Letchworth 1971].
Sistema svobody F.M. Dostoevskogo, Berlin: Skify, 1923 [Paris: YMCA
Press, 1980].

Simon Dubnow. The Man and his Works. A memorial volume on the occasion of the centenary of his Birth, 1860-1960. Edited by Aaron Steinberg, Paris: French Section of the World Jewish Congress, 1963.

History as experience. Aspects of historical Thought – Universal and Jewish. Selected essays and studies, New York: Ktav Publishing House, 1983.

Druz'ja moich rannich let (1911-1928), Paris: Sintaksis, 1991.

Literaturnyj archipelag, A.Z. Štejnberg. Vstup. st., podgot. teksta, sost. i kommentarii N. Portnovoj, Moskva: Novoe Literaturnoe Obozrenie, 2009.

Tamara Or

Berlin, Nachtasyl und Organisationszentrum –
Die hebräische Bewegung 1909-1933[1]

Die hebräische Bewegung feierte im vergangenen Jahr ein nahezu vergessenes Jubiläum. Vor einhundert Jahren, am 19. Dezember 1909, wurde in den Berliner Sophiensälen die erste »Konferenz für hebräische Sprache und Literatur« eröffnet. Dieses »Parlament der Hebräer«, wie es die 150 Teilnehmer nannten,[2] bildete den Ausgangspunkt einer Bewegung, die ihren Höhepunkt im Berlin der Weimarer Republik hatte, das nach dem Zustrom der osteuropäischen Jüdinnen und Juden während und nach dem Ersten Weltkrieg zu einem »wichtigen Zentrum für hebräische Schriftsteller«[3] wurde.

Die hebräische Bewegung der Weimarer Zeit wird bisher als eine hauptsächlich intellektuell-bürgerliche, von ihrer Umweltkultur zum größten Teil isolierte Erscheinung dargestellt, die vor allem in den westlichen Stadtbezirken (allen voran Friedenau) konzentriert war und sich ideologisch mehrheitlich durch eine Verneinung jüdischer Existenz in der Diaspora ausgezeichnet hätte. So behauptete Gershon Shaked in seinem grundlegenden Werk zur *Geschichte der modernen neuhebräischen Literatur*, dass die Vertreter des Hebräischen sich von den Anhängern der jiddischen Sprache dahingehend unterschieden, dass sie der Auffassung waren, dass »Juden nicht auf Dauer im Exil leben könnten«.[4] Itamar Even-Zohar und Eliezer Schweid beschrieben den »neuen Hebräer« als Antipode des »alten Diasporajuden«[5] und Zohar Shavit konstatierte sogar eine »Feindschaft« zwischen den jüdischen Berlinern und den Vertretern der hebräischen Bewegung.[6] Berlin war nach diesen Darstellungen für die Hebräer

---

1   Ich danke Michael Brenner und David N. Myers für ihre wertvollen Anregungen zu diesem Beitrag.
2   Jüdische Rundschau 51 (1909), S. 570.
3   Michael Brenner, Jüdische Kultur in der Weimarer Republik, München 2000, S. 216.
4   Gershon Shaked, Moderne hebräische Literatur, Frankfurt am Main 1996, S. 12.
5   Itamar Even-Zohar, »The Emergence of a Native Hebrew Culture in Palestine, 1882-1948«, in: Jehuda Reinharz/Anita Shapira (Hrsgg.), Essential Papers on Zionism, New York 1996, S. 227-244; Eliezer Schweid, »Rejection of the Diaspora in Zionist Thought«, in: Jehuda Reinharz/Anita Shapira (Hrsgg.), Essential Papers on Zionism, New York 1996, S. 134-135.
6   »The Jewish Berliners were hostile to Hebrew Culture in general and to its representatives in particular«. Zohar Shavit, »On the Hebrew Cultural Center in Berlin in the Twenties.

nur ein wirtschaftlich attraktives »Nachtasyl«[7] auf ihrem Weg nach *Eretz Israel*, eine Durchgangsstation, auf der es ihren Hauptakteuren nicht gelang, ein Publikum unter den deutschen Juden zu finden. In diesem Sinne gab auch Avner Holtzmann in seiner im Jahre 2009 in Jerusalem erschienenen Biographie des jüdischen Nationaldichters Chaim Nachman Bialik (1873-1934) dem Kapitel über die Jahre Bialiks in Berlin den Titel: »Die schweren und grausamen Jahre«.[8]

Die Erinnerungen und Erfahrungen hebräischer Schriftsteller, die für einige Jahre in Berlin lebten, unter diesen Micha Joseph Berdyczewski (1852-1921), David Frischmann (1859-1922), Saul Israel Hurwitz (1861-1922), Chaim Nachman Bialik und Samuel Agnon (1888-1970) prägen bis dato die Darstellung der gesamten hebräischen Bewegung in Berlin; sie sind jedoch nur aussagekräftig für einen Ausschnitt der Bewegung und keineswegs charakteristisch für die Bewegung in ihrer Gesamtheit. Dies ist schon allein der Tatsache geschuldet, dass sie auch nur für eine kurze Zeitspanne, nämlich für die ersten Jahre der Republik ihre Gültigkeit haben können, denn Berdyczewski, Hurwitz und Frischmann starben 1921 und 1922 innerhalb weniger Monate, Bialik und Agnon hatten Deutschland 1924 bereits verlassen.

Das Jahr 1924 markiert einen Wendepunkt in der Entwicklung der hebräischen Bewegung während der Weimarer Zeit, die sich folgendermaßen periodisieren lässt:

1. Berlin als Zentrum des literarischen und verlegerischen Schaffens (1918-1924)

Während dieser ersten Phase erlebte Berlin durch die Zuwanderung bedeutender hebräischer Schriftsteller aus Osteuropa, die zum Teil bereits vor und während, in ihrer Mehrheit jedoch nach dem Ende des Ersten Weltkriegs und der Oktoberrevolution in Russland nach Deutschland gekommen waren, eine literarische Hochphase. Bedingt durch die niedrigen Produktionskosten konnten zahlreiche Verlagshäuser gegründet werden, die hebräische Werke druckten.

Hebrew Culture in Europe –The last Attempt«, Gutenberg Jahrbuch 68 (1993), S. 371-380, hier S. 378.

7 Der Begriff »Nachtasyl« wurde im zionistischen Kontext durch den zionistischen Politiker und Schriftsteller Max Nordau geprägt. Als auf dem sechsten Zionistenkongress 1903 über den Vorschlag des britischen Kolonialsekretärs Chamberlain an Theodor Herzl abgestimmt wurde, dem jüdischen Volk ein Gebiet in Britisch-Ostafrika als Heimstätte zu übergeben, befürwortete Nordau diesen Vorschlag zwar, betonte jedoch auch, dass dieses Gebiet nur ein »Nachtasyl« auf dem Weg nach Palästina sein könne.

8 Avner Holtzmann, Chaim Nachman Bialik, Jerusalem 2009, S. 181-196. Die Formulierung geht auf einen Brief zurück, den Bialik kurz vor seiner Abreise aus Deutschland an Agnon schrieb.

Diese produzierten jedoch in erster Linie hebräische Literatur für ein nicht-deutsches Lesepublikum. Die deutsch-jüdische Gesellschaft erreichten sie nur marginal. Die einflussreichsten Vertreter der Bewegung sahen in Berlin ein produktives Nachtasyl auf ihrem Weg nach *Eretz Israel*. Der jüdischen Diaspora sprachen sie in der Regel nur eine vorübergehende Bedeutung zu.

2. Politisierung der hebräischen Bewegung (1924-1928)

Das Jahr 1924 bedeutete eine Wende für die hebräische Bewegung. Bialik und Agnon hatten Deutschland verlassen. Die Publikation hebräischer Schriften reduzierte sich drastisch, da die Verlagskosten und Druckpreise in Folge der relativen wirtschaftlichen Stabilisierung der jungen Republik stiegen. Die Vereinigten Staaten von Amerika hatten 1924 den »Immigration Act« verabschiedet, der die Einwanderungszahlen in die USA erheblich einschränkte. Das »Nachtasyl« Berlin wurde damit für diejenigen, die nicht mit der ebenfalls im Jahr 1924 einsetzenden vierten *Alijah* nach Palästina auswanderten, vorerst zum längerfristigen Aufenthaltsort. Die hebräische Bewegung begann sich in der Folge zunehmend zu politisieren. In ihren Bemühungen, vermehrt auch das deutsch-jüdische Publikum zu erreichen, begann die Bewegung, Gemeindearbeit zu leisten und die Jüdische Volkspartei zu unterstützen, die die Förderung der hebräischen Sprache zu einem zentralen Programmpunkt ihrer Partei gemacht hatte. 1926 feierte die Jüdische Volkspartei ihre ersten großen Erfolge bei jüdischen Gemeindewahlen.

3. Berlin als Organisationszentrum der hebräischen Diaspora (1929-1933)

Die Jahre der Politisierung erreichten ihren Höhepunkt in der dritten Phase der Bewegung durch die Errichtung des *Brit iwrit olamit*, des hebräischen Weltverbandes. Obwohl die Mehrheit der hebräisch sprechenden Jüdinnen und Juden in der Diaspora nicht in Deutschland weilte, forderten die in Deutschland lebenden Vertreter des Hebräischen Weltverbands, allen voran ihr spiritus rector, Simon Rawidowicz (1896-1957), Berlin als politisches und organisatorisches Zentrum der hebräischen Diasporakultur zu benennen, das gleichberechtigt neben *Eretz Israel* stehen sollte. Die hebräische Bewegung war in ihrem Selbstverständnis in Berlin angekommen. Durch die nationalsozialistische Machtübernahme wurde dieser Teil der Bewegung, nachdem er gerade in Berlin angekommen war, wieder obdachlos und eine Idee geriet in Vergessenheit, die für den postzionistischen Diskurs bis heute nicht an Bedeutung verloren hat.

Während die literarische Hochphase und die blühende Verlagstätigkeit der Weimarer Jahre für das hebräische, wie auch für das jiddischsprachige Berlin,[9] sowohl im Überblick als auch in einzelnen Studien zu den hebräischen Schriftstellern untersucht wurden, fehlt bisher eine breiter angelegte Aufarbeitung des hebräischen Lebens, die über den kleinen Kreis der bekannteren Schriftsteller hinausgeht. Dieser Beitrag beschäftigt sich mit diesem »anderen«, hebräischen Berlin. Zugrunde liegen ihm die folgenden vier Thesen:

1. Die hebräische Bewegung ist ein Sammelbecken für unterschiedliche soziale Schichten und umfasst verschiedene politische Richtungen. Der Vorwurf der angeblichen Bürgerlichkeit der hebräischen Bewegung geht vor allem auf die Lagerkämpfe zwischen Verfechtern der jiddischen und hebräischen Sprache in Russland und Palästina zurück. Diese gipfelten in der Propaganda der jüdischen Sektion der kommunistischen Partei, die die hebräische Sprache und ihre Vertreter als »Konterrevolutionäre« verfolgte.[10] Die hebräische Bewegung in Deutschland bestand dagegen in ihrer Mehrheit nicht aus »bürgerlichen« Nationaljuden. Die meisten Nationalsprachen (wie z.B. auch das Litauische oder Italienische) orientieren sich an den Bildungssprachen der bürgerlichen Eliten. Der Anspruch an eine Sprache, die *National*sprache eines Volkes zu sein, legitimiert sich jedoch langfristig nur durch das Erreichen von Mehrheiten. Während die hebräische Bewegung in Osteuropa zunächst tatsächlich vornehmlich von einem Teil der jüdischen Intellektuellen propagiert wurde, entwickelte sie sich in Deutschland zunehmend zu einer Bewegung, die die unterschiedlichsten Gruppen umfasste.
2. Die hebräische Bewegung verfolgte bewusst die Annäherung an die deutsch-jüdische Umwelt.[11]
3. Das hebräische Berlin konzentrierte sich in den Jahren der Weimarer Republik zunehmend im Stadtbezirk Mitte und nicht, wie bisher angenommen, vorrangig auf den Westteil der Stadt.
4. Berlin wurde nicht nur in den Anfangsjahren der Republik zum hebräisch-literarischen Zentrum, das mit dem Tod von Berdyczewski, Hurwitz und Frischmann und der Ausreise von Agnon und Bialik sein Ende fand. Die hebräische Bewegung hatte Ende der zwanziger Jahre in Berlin auch eine politische und kulturelle Blüte. Erst in dieser Phase wurde Berlin tatsächlich,

9 Maria Kühn-Ludwig, Jiddische Bücher aus Berlin (1918-1936). Titel, Personen, Verlage, Köln 2006; Dies., »Verlage jiddischer Bücher nach dem Ersten Weltkrieg in Berlin«, Archiv für die Geschichte des Buchwesens 63 (2008), S. 93-107.
10 Gabriele Freitag, Nächstes Jahr in Moskau! Die Zuwanderung von Juden in die sowjetische Metropole 1917-1932, Göttingen 2004, S. 178-180, S. 200-202.
11 Darauf hat bereits Michael Brenner hingewiesen, vgl. Brenner, Jüdische Kultur in der Weimarer Republik, S. 218.

wenn auch nur für kurze Zeit, zum intellektuellen Zentrum einer hebräischen Diasporakultur, die sich durch ein neues Diasporakonzept (in den
Worten Rawidowicz' durch einen »neuen Babylonischen Talmud«) auszeich-
nete. Dieses »neue« Nationsverständnis erklärt sich gerade aus dem frucht-
baren Zusammentreffen der ost- und westeuropäischen Ideenwelt durch die
Migration osteuropäischer Jüdinnen und Juden nach Berlin.

Die osteuropäischen Vertreter einer nationalen Renaissance des jüdischen Volkes
transportierten jedoch zunächst ein Nationsverständnis nach Berlin, das dem
Konzept der deutschen Zionistinnen und Zionisten diametral entgegen stand
und die anfangs schwierige und langsame Annäherung beider Gruppen erklärt:
Für die osteuropäischen Nationalbewegungen insgesamt stellte die Schaffung *einer* Nationalsprache ein grundlegendes Charakteristikum jeder Nation
dar.[12] Philologie und Linguistik gewannen daher für die nationale Selbstbe-
schreibung besonders in Osteuropa an Bedeutung.[13] Das Konzept der Verbindung von Sprache und Nation wurde durch die Postulierung der hebräischen
Sprache als *der* Nationalsprache des jüdischen Volkes von einem Teil der osteuropäischen jüdischen Migrantinnen und Migranten übernommen und nach
Berlin transportiert. Der spätere Präsident der Zionistischen Weltorganisation
und hebräische Schriftsteller Nachum Sokolow (1859-1936) gab diesem Verständnis mit den folgenden Worten Ausdruck:

»Die Sprache ist eine Hochburg des Volkstums. Nur jenes Volk, welches den
Wert seiner Sprache zu schätzen weiß, kann wahrhaft national fühlen und
handeln. Wer für die Sprache kämpft, kämpft damit auch für die Nation.«[14]

Da nach Auffassung dieser mehrheitlich in Osteuropa vertretenen Richtung
Nation und Sprache untrennbar miteinander verbunden waren, erhofften sich
die aus Osteuropa nach Berlin ausgewanderten Vertreterinnen und Vertreter

12 Bis weit ins 19. Jahrhundert konnte man von einer Identität von Nation und Sprache
    nicht sprechen. Die meisten Nationalbewegungen arbeiteten jedoch auf die Identifika-
    tion ihrer Völker mit einer einzigen Sprache nach dem Prinzip cuius regio eius lingua
    hin. Besonders die osteuropäischen Nationalbewegungen hielten an der Sprache als Un-
    terscheidungskriterium fest. Vgl. Siegfried Weichlein, Nationalbewegungen und Natio-
    nalismus in Europa, Darmstadt 2006, S. 9 ff.
13 Vgl. Weichlein, Nationalbewegungen und Nationalismus in Europa, S. 13. Der osteuro-
    päisch-jüdische Diasporanationalismus, wie er u.a. von Simon Dubnow transportiert
    wurde, sah nicht die Staatsbildung wie Herzl, sondern die nationale Eigenständigkeit,
    die sich in den Nationalsprachen ausdrückte, innerhalb eines anderen Staates als Ziel
    nationalen Strebens an. Zu Dubnows Diasporakonzept, vgl. Anke Hilbrenner, »Bürger-
    rechte, Multikulturalität und Differenz. Simon Dubnows Aktualität, Osteuropa 8-10
    (2008), S. 165-183.
14 Jüdische Rundschau 35 (1911), S. 412.

der hebräischen Sprache insbesondere von den deutschen Zionistinnen und Zionisten wohlwollende Aufnahme und Unterstützung, da diese ja ebenfalls den Kampf für die Idee einer jüdischen Nation auf ihre Fahnen geschrieben hatten. Sie wurden jedoch schnell enttäuscht. Der deutsche Zionismus war geprägt von den Ideen der *west*europäischen Nationalbewegungen und verfolgte primär das Ziel der Staatsbildung und nicht die innere Konsolidierung der jüdischen Nation. In Bezug auf die Sprache der jüdisch-nationalen Bewegung hatte der Begründer des politischen Zionismus, Theodor Herzl (1860-1904), in seinem *Judenstaat* das Folgende festgehalten:

>»Vielleicht denkt jemand, es werde eine Schwierigkeit sein, dass wir keine gemeinsame Sprache mehr haben. Wir können doch nicht Hebräisch miteinander reden. Wer von uns weiß genug Hebräisch, um in dieser Sprache ein Bahnbillet zu verlangen? Das gibt es nicht. Dennoch ist die Sache sehr einfach. Jeder behält seine Sprache, welche die liebe Heimat seiner Gedanken ist.«[15]

Weiterhin war der deutsche Zionismus der ersten Generation geprägt von einem elitären Selbstverständnis, das Deutschtum und Judentum als zwei gleichwertige und unverzichtbare Bestandteile der »modernen« jüdisch-nationalen Identität begriff. Als der politische Zionismus auf die Weltbühne trat, war es daher in den Augen seiner deutschsprachigen Vertreterinnen und Vertreter selbstverständlich, dass die deutsche Sprache das Kommunikationswerkzeug der neuen jüdisch-nationalen »Freiheitsbewegung« sein würde.[16] Obwohl auf den zionistischen Kongressen die hebräische Sprache zur »offiziellen Kongresssprache« erklärt wurde,[17] blieb Deutsch bis 1939 die tatsächliche Verhandlungssprache der Kongresse. Die *Jüdische Rundschau* kommentierte Herzls Form des Zionismus mit den kritischen Worten:

>»Der Zionismus ist im Westen in Wirklichkeit von der Assimilation nicht zu trennen […]. Es muss davon ausgegangen werden, dass jede Berührung zweier

---

15 Ernst Piper (Hrsg.), Theodor Herzl, Der Judenstaat. Versuch einer modernen Lösung der Judenfrage, Berlin 2004, S. 79 f.

16 Herzls Konzept einer jüdischen Nation war – nicht nur in Bezug auf die Sprache – zutiefst seinem ideologischen Umfeld und der nationalen Ideenwelt der entstehenden und entstandenen Nationalstaaten Westeuropas entlehnt. Der deutsche Zionismus Herzlscher Prägung übernahm nicht nur die deutsche Sprache und das staatsbildende Element aus der deutsch-nationalen Umweltkultur, sondern ebenso das Gender-Konzept, die nachträgliche Nationalisierung der jüdischen Geschichte, die »Erfindung« von antiken jüdischen Nationalhelden und den Glauben an die deutsche kulturelle Überlegenheit, vgl. Tamara Or, Vorkämpferinnen und Mütter des Zionismus. Die deutsch-zionistischen Frauenorganisationen, Frankfurt am Main 2009.

17 Jüdische Rundschau 36 (1911), S. 428.

Völker naturgemäß eine geistige Beeinflussung mit sich bringt [...]. [D]er
deutsche Jude, der um 1900 Zionist wurde [...] sein Assimilationswille mochte
aufhören, seine Assimilation blieb erhalten. Herzls Judenstaat war die Form
des Zionismus, die der Mentalität der deutschen Juden allein entsprach.«[18]

Die Wiederbelebung des Hebräischen als Umgangssprache gestaltete sich daher
unter den jüdisch-national denkenden deutschen Jüdinnen und Juden zunächst
äußerst schwierig. So gab es zwar bereits vor dem Krieg Hebräischkurse, einen
durch zionistische Frauen initiierten hebräischen Kindergarten und in den
national-jüdischen Turnvereinen wurde sogar das hebräische Turnkommando
eingeführt, die Resonanz war jedoch stockend, was an den niedrigen Mitglie-
derzahlen in den Hebräischkursen ebenso deutlich wurde, wie an dem man-
gelnden Glauben der meisten deutschen Zionistinnen und Zionisten daran,
Hebräisch könnte als Kultursprache jemals das Niveau der Kultursprache
schlechthin, nämlich ihrer deutschen Muttersprache, erreichen. Auch planten
die allerwenigsten von ihnen vor dem Ersten Weltkrieg eine Auswanderung
nach Palästina, so dass das Hebräische weder als nationale noch als persönliche
Notwendigkeit angesehen wurde. Auf den hebräisch geführten Kulturdebatten
der zionistischen Kongresse glänzten die deutschen Vertreter meist durch Ab-
wesenheit. Erbost veröffentlichte der 1933 in Tel Aviv ermordete zionistische
Politiker Victor Chaim Arlosoroff (1899-1933) die folgenden Zeilen in der zionistischen Presse:

>Zwanzig Jahre alt ist der Zionismus des Westens, zwanzig Jahre alt ist die
Lüge des Hebräischen. Während dieser Zeit ist unzählige Male vom Sinai
aller Tribünen herab unter Donnern und Blitzen der Propaganda und des
Beifalls das hohe Gebot des Hebräischen offenbart worden. Und das Volk,
das am Fuße des Berges stand, sah die Blitze und hörte die Donner – und
ging nach Hause, jeglicher nach seinem Zelt, und schlief weiter hinter seinem warmen Ofen. Wie das alte Geschlecht in den Siddur[19] verbannte man
bei uns das Hebräische [...] ins >Programm<. [...] Wieviel Lüge ist in eurem
Hebräisch als >Nationalsprache<.«[20]

Tatsächlich wurde Hebräisch von den meisten deutschen Zionistinnen und
Zionisten nur als Notwendigkeit für die osteuropäischen Jüdinnen und Juden
angesehen, die bald nach Palästina auswandern sollten.[21] So ist es kein Wunder,
dass die ersten ernsthaften Initiativen zur Wiederbelebung der hebräischen

---

18 Jüdische Rundschau 14 (1923), Titelblatt.
19 Der Siddur ist die hebräische Bezeichnung für das jüdische Gebetbuch.
20 Jüdische Rundschau 39 (1918), S. 304.
21 Jüdische Rundschau 3 (1919), S. 27.

Sprache in Deutschland nicht von den deutschen Zionistinnen und Zionisten ausgingen, sondern ihren Impuls von den osteuropäischen Migrantinnen und Migranten erhielten, die während und nach dem Krieg nach Berlin gekommen waren.

Den ersten entscheidenden Schritt auf dem Weg der »Hebraisierung« des jüdischen Lebens in Deutschland bildete die Eröffnung der Hebräischen Sprachschule im Januar 1919 in Berlin.[22] Die Sprachschule begann ihren Lehrbetrieb mit 180 Schülern und erhöhte die Anzahl der Lernenden noch im gleichen Jahr auf 350 Schüler. Durchschnittlich nahmen über den gesamten Weimarer Zeitraum hinweg 200 Schüler pro Semester an den Hebräischkursen teil. Ein Blick auf ihren unterschiedlichen Bildungshintergrund verdeutlicht, dass es sich bei den Lernenden keineswegs um eine homogene soziale Gruppe handelte.[23] Während die Schüler meist deutsche Juden waren, kam die Mehrheit der Lehrer aus Osteuropa. Die Sprachkurse für Anfänger und Fortgeschrittene fanden in den ersten Jahren in den Bezirken Mitte (2 Kurse), Reinickendorf und Wilmersdorf statt,[24] ab 1925 an der Hochschule für die Wissenschaft des Judentums in der Artilleriestr. 14, im Haus der jüdischen Gemeinde, Oranienburgerstr. 29, und in der Knabenmittelschule der Jüdischen Gemeinde, Große Hamburgerstr. 27, alle im Bezirk Mitte gelegen.[25] Außerhalb der Hebräischen Sprachschule waren insbesondere die Hebräischkurse der *Misrachi*-Jugend in der Dragonerstr. 45[26] und die Hebräischkurse des ostjüdischen Jugendvereins *Iwriah* erfolgreich, deren Vereinshaus erst in der Münzstr. 8[27] und anschließend

22 Jüdische Rundschau 26 (1920), S. 194. Zur Vermittlung der hebräischen Sprache in Deutschland vgl. weiterhin Rachel Perets, in: Brenner, Jüdische Sprachen, 76-84.

23 Bis 1927 wurden in 35 größeren deutschen Städten in 117 Kursen insgesamt 1.300 Schüler unterrichtet, dabei waren 60 % der Schüler unter und 40 % über zwanzig Jahre alt (6-10 Jahre 10 %, 10-13 Jahre 10 %, 13-16 Jahre 17 %, 16-20 Jahre 24 %, über 20 Jahre 39 %). Die soziale Struktur der Schüler stellte sich folgendermaßen dar: Volksschüler: 17,2 %, Mittel-, Fachschüler und Gymnasiasten 22,5 %, Studenten 13,6 %, Kaufmännische Angestellte 22 %, Selbstständige Kaufleute 1,4 %, Akademische Berufe 3,6 %, sonstige Berufe 5,5 %, ohne Beruf 7,2 %, in Hachschara 6,7 %.

24 Jüdische Rundschau 1 (1919), S. 10. Die Sprachkurse fanden in den Räumen des Jüdischen Frauenbundes für Turnen und Sport (Ifftus), Lessingstr. 13 (Bezirk Reinickendorf), statt, in den Räumen des Zionistischen Jugendvereins, Heiligengeiststr. 52 (Bezirk Mitte), in den Räumen des Herzlklubs in der Großen Präsidentenstr. 3 (Bezirk Mitte) sowie in der Privatwohnung des Leiters Moses Smoira in der Württembergischen Str. 25/26 (Bezirk Wilmersdorf), der drei- bis viermal pro Woche Klassen für Anfänger und Fortgeschrittene unterrichtete. Wenige Monate danach bot die hebräische Sprachschule einen weiteren Kurs im Westen Berlins an, der im Sitzungssaal des Zionistischen Zentralbüros in der Sächsischen Straße 8 abgehalten wurde, Jüdische Rundschau 4 (1919), S. 38.

25 Jüdische Rundschau 42/43 (1925), S. 380.

26 Jüdische Rundschau 3 (1919), S. 31.

27 Jüdische Rundschau 33 (1919), S. 256.

in der Oranienburgerstr. 23[28] lag, ebenfalls ausschließlich im Bezirk Mitte gelegene Veranstaltungsorte.

Korrespondierend mit der Vorstellung von Palästina als dem »Land der Zukunft« wurde das Erlernen der hebräischen Sprache von den deutschen Zionistinnen und Zionisten insbesondere als Aufgabe der Jugend wahrgenommen.[29] Um den Kindern und Jugendlichen eine möglichst frühe hebräische Erziehung zu ermöglichen, wurden hebräische Kindergärten und hebräische Spielnachmittage[30] sowie zwei jüdische Schulen mit regelmäßigem Hebräischunterricht eingerichtet. 1925 erhielten 250 Kinder an den zwei jüdischen Schulen und 100 Kinder in vier hebräischen Kindergärten Unterricht.[31]

Das größte Problem der Einrichtungen war immer wieder der Mangel an Lehrbüchern, Kindergärtnerinnen und vor allem an Lehrerinnen und Lehrern. Um dem Mangel an guten Lehrkräften entgegenzuwirken, wurde Anfang November 1919 ein Sprachseminar eingerichtet, das insbesondere Sprachlehrer für die Diaspora ausbilden sollte. Im gleichen Monat wurde nach der Gründungsversammlung am 2. November 1919 im Jüdischen Volksheim (Dragonerstr. 22) der »Verband der hebräischen Lehrer und Lehrerinnen« ins Leben gerufen.[32]

Das hebräische Leben beschränkte sich jedoch nicht nur auf das Erlernen der hebräischen Sprache, sondern hatte insbesondere die Schaffung eines hebräischen Kulturlebens in Berlin zum Ziel. So gründete die mehrheitlich aus osteuropäischen Studenten bestehende Vereinigung *Iwriah* einen hebräischen Chor und eine hebräische Orchestervereinigung, die Mitte der zwanziger Jahre der Berliner *Zionistischen Vereinigung* unterstellt wurden.[33] Der sozialistisch-zionistische *HaPoel HaZair* rief in Berlin eine hebräische Bühne ins Leben, die 1920 mit dem Stück *Newelah* Premiere feierte. Diese erste hebräische Theater-

---

28 Jüdische Rundschau 73 (1919), S. 575.

29 Die Vertreterinnen und Vertreter des deutschen Zionismus stellten mehr als in anderen Ländern die nationale Erziehung der Kinder und Jugendlichen in den Mittelpunkt, vgl. Robert Weltsch, Jüdische Rundschau 44 (1919), S. 355.

30 Ende 1919 bestanden mindestens vier hebräische Kinderspielnachmittage. Die Gruppe West und Charlottenburg traf sich in der Sybelstr. 5, die Gruppe Süd in der Prinzenstr. 42, die Gruppe Nord-Ost beim »Ifftus« in der Lessingstr. 13 und die Gruppe Centrum in der Dragonerstr. 22 (Volksheim). Weitere Kinderspielnachmittage wurden in der Klopstockstr. und in der Religionsschule Rykestr. 53 eingerichtet, Jüdische Rundschau 81/82 (1920), S. 618, Jüdische Rundschau 84 (1919), S. 659, Jüdische Rundschau 89 (1919), S. 699.

31 Jüdische Rundschau 42/43 (1925), S. 380.

32 Zur Lehrervereinigung vgl. Jüdische Rundschau 75 (1919), S. 589, Jüdische Rundschau 81 (1919), Titelblatt, Jüdische Rundschau 90 (1919), S. 707, Jüdische Rundschau 92 (1919), S. 727.

33 Jüdische Rundschau 15 (1919), S. 14. Der hebräische Chor wird kurz darauf der Berliner Zionistischen Vereinigung verwaltungstechnisch unterstellt, vgl. Jüdische Rundschau 69 (1920), S. 529.

aufführung in Berlin scheint zwar – wenn man den Zeitungsberichten Glauben schenkt – auf schauspielerischem Niveau nicht sonderlich ausgereift gewesen zu sein, dennoch hielt die zionistische Presse anerkennend fest: »Der Premiere des hebräischen Theaters und nicht einer Premiere von *Newelah* galt der einmütige Applaus des Abends«.[34]

Neben dem hebräischen Chor, der hebräischen Orchestervereinigung und der hebräischen Bühne fand das hebräische Leben vor allem seinen Ausdruck im *Bet waad iwri*, dem Hebräischen Klub. Dieser veranstaltete regelmäßig Diskussionen und Vorträge, die dem ausdrücklichen Ziel dienten, die »deutschen Juden« für die hebräische Bewegung zu gewinnen.[35] Die Vorträge und Diskussionen des Klubs fanden ebenfalls mehrheitlich in Berlin Mitte statt, nämlich im Kaffeehaus *Dobrin* an der Spandauer Brücke 7[36] und im Restaurant *Zum Heidelberger* in der Friedrichstr. 143/149.[37]

Trotz der Bemühungen, die sich in zahlreichen zionistischen Vereinigungen, allen voran dem *Misrachi*, osteuropäischen Jugendbünden wie der *Iwriah* und dem *HaPoel HaZair* zeigten und die ihren Ausdruck auch in der Errichtung einer hebräischen Lesehalle (Dragonerstr. 22) durch die Berliner *Zionistische Vereinigung* fanden, stellte der Zionist Hans Oppenheim 1920 fest:

»Wenngleich auch die Zahl der Hebräischlernenden unter uns deutschen Juden zugenommen hat [...], so sieht man doch, wenn man die Ostjuden abzieht, es sind nur ein paar Hundert.«[38]

Tatsächlich hatten sich die Vertreter des Hebräischen eine größere Resonanz gerade der national denkenden deutschen Jüdinnen und Juden versprochen. Ihre Enttäuschung über den Umfang der Hebräisch Lernenden darf jedoch nicht mit einem tatsächlichen Scheitern gleichgesetzt werden, die Zahl der Hebräisch Lernenden und Verstehenden in Berlin wuchs langsam, aber stetig. Parallel dazu blühte die hebräische Verlagstätigkeit in Berlin. Neben dem deutschen Zweig des *Omanut* Verlages in Bad Homburg nahmen in Berlin die Verlage *Stybel, Dwir, Eschkol* (Jakob Klatzkin), *Tarbut* (Jecheskel Kaufman), *Jalkut, Ajanot* (Simon Rawidowicz) und andere ihre Publikationstätigkeit auf.

---

34 Jüdische Rundschau 11 (1920), 73. Im »HaPoel HaZair« fanden darüber hinaus alle zwei Wochen Konversationsabende und hebräische Vorträge statt, vgl. Jüdische Rundschau 32 (1920), S. 246, Jüdische Rundschau 33/34 (1921), S. 235.

35 Jüdische Rundschau 20 (1919), S. 153.

36 Jüdische Rundschau 5 (1919), S. 45, Jüdische Rundschau (1919), S. 53, Jüdische Rundschau 9 (1919), S. 73, Jüdische Rundschau 14 (1919), S. 109.

37 Jüdische Rundschau 29 (1919), S. 228, Jüdische Rundschau 49 (1919), S. 393, Jüdische Rundschau 53 (1919), S. 417, Jüdische Rundschau 74 (1919), S. 584, Jüdische Rundschau 18 (1920), S. 125.

38 Jüdische Rundschau 21 (1920), S. 148.

Im *Schocken Verlag* wurden die Werke Agnons ins Deutsche übersetzt, um sie dem deutsch-jüdischen Publikum näher zu bringen. Von Januar 1923 bis Mai 1924 erschien weiterhin die hebräische Ausgabe des zionistischen Zentralorgans *HaOlam* in Berlin. Der *Jüdische Verlag* besaß eine hebräische Abteilung, die von Jakob Klatzkin (1882-1948) geleitet wurde.[39] Dennoch beklagte der 1921 nach Berlin gekommene hebräische Dichter Bialik die langsamen Fortschritte der Bewegung,[40] stellte kurz vor seiner Übersiedlung nach Palästina jedoch fest, in Berlin »treue Mitarbeiter« gefunden zu haben. Trotzdem, so Bialik, könne Berlin nie der Ort für die Wiederbelebung der hebräischen Sprache werden, denn »Berlin ist ja nur ein Exil im Exil«.[41]

Die Überzeugung Bialiks, dass die hebräische Kultur in der *Galut* (Exil) keine Zukunft haben könne, da das jüdische Volk in der *Galut* selbst keine Zukunft habe, zeigt sich bei vielen frühen Vertretern der hebräischen Bewegung. Auf dem 12. Zionistenkongress 1923 hatte der Delegierte Weisl aus Jerusalem bereits festgehalten:

»Solange Palästina nicht aufgebaut ist, gibt es für uns nur eine Antwort: Palästina aufbauen und das Galut zusammenbrechen lassen.«[42]

Tatsächlich sprach auch Jakob Klatzkin vom »Tod des Galutjudentums«,[43] Hurwitz betonte, das »Galutjudentum ist dem Untergang geweiht«, da ihm das schöpferische Element fehle und David Frischmann erklärte sich sogar offiziell zum »Gegner des Hebräischsprechens in der Diaspora«[44] überhaupt.

Die *Galut* bedeutete all das, was diese hebräischen Schriftsteller hinter sich lassen wollten. Paradoxerweise stand der Begriff *Galut* oft für völlig gegensätzliche Phänomene: So war das »Galutjudentum« ebenso schuld an der Theologisierung des Judentums (Berdyczewski), die das jüdische Leben angeblich zu sehr auf religiöse Gesetze reduzierte, wie es schuld war an der Säkularisierung und der Entfremdung der Juden von ihrer religiösen Tradition (*Misrachi*). Die bürgerlichen Vertreter des Zionismus erklärten die *Galut* zum Ursprung des Sozialismus, wie die Sozialisten die *Galut* als Ursache der Unterdrückung der Arbeiterklasse ansahen. Der Gebrauch des Terminus *Galut* besagte daher weni-

---

39 Verschiedene Verlage borgten sich die Bezeichnung Berlin-Jerusalem als Erscheinungsort (unter anderem Bialik). Dies stieß auf den großen Unmut insbesondere der Schriftsteller in Palästina, die sich den Aufdruck »Jerusalem« für Bücher verbaten, die weder in Jerusalem produziert noch geschrieben worden waren. Bialik antwortete diesen sarkastisch, indem er Kolumnen mit den Worten »zum Ärger der Palästinenser« überschrieb.
40 Jüdische Rundschau 108/ 109 (1923), S. 632.
41 Jüdische Rundschau 22 (1924), S. 136.
42 Jüdische Rundschau 9 (1923), S. 42.
43 Jüdische Rundschau 30 (1919), S. 232. Jüdische Rundschau 91 (1925), S. 763.
44 Jüdische Rundschau 18 (1914), S. 188.

ger etwas über historische Tatbestände, als viel mehr über die ideologische Einstellung des jeweiligen Autors. Für diejenigen hebräischen Schriftsteller, die die jüdische Diasporaexistenz verneinten, konnte folglich eine hebräische Bewegung in der Diaspora per definitionem nur eine Durchgangsstation sein, wenn nicht gar ein von vornherein zum Scheitern verurteiltes Projekt.

Aber es gab bereits Anfang der zwanziger Jahre auch andere Stimmen. So erklärte der zionistische Delegierte Mosche Schwabe auf dem 20. Delegiertentag der Zionistischen Vereinigung für Deutschland 1920:

>»Wer baut Eretz Israel auf? Das Galut! Und ein jüdisches Eretz Israel kann nur von einem Galut aufgebaut werden, das jüdisch und hebräisch ist.«[45]

Und in der *Jüdischen Rundschau* hieß es ein Jahr später:

>»Wenn alle immer nur vom Untergang der Galut sprechen, können wir nie etwas im Galut erreichen. Ohne Galut ist der Zionismus nicht möglich.«[46]

Parallel zur Verneinung der *Galut* bildete sich zunehmend auch ein Diasporanationalismus heraus, der der Existenz in der *Galut* durchaus positive Eigenschaften zusprach. Nach dieser Auffassung war *Eretz Israel* zwar die Heimat der jüdischen Nationsangehörigen, die *Galut* hatte jedoch die Aufgabe, »Hebräer« erst einmal zu schaffen. In diesem Zusammenhang forderten insbesondere die Befürworter eines positiven Diasporakonzepts die Einrichtung hebräischer Schulen und Kindergärten in der Diaspora. Erst einmal müsse die Diaspora vor dem »Untergang gerettet« und die »nationale Galuth« durch die Wiederbelebung der hebräischen Sprache in Westeuropa erhalten werden. Der Nationaljude, habe daher, egal wo er lebt, Hebräisch zu sprechen.

Während sich die hebräische Literatur nach dem Tod und der Abwanderung der hebräischen Schriftsteller aus Berlin und den steigenden Produktionskosten hebräischer Verlage Mitte der zwanziger Jahre tatsächlich in einer Phase der Stagnation befand, politisierten sich die in Berlin verbliebenen Hebräer zunehmend. Gerhard Holdheim brachte diese Wandlung 1925 in der *Jüdischen Rundschau* mit den folgenden Worten auf den Punkt: »Die Stunde des Zionismus wird jetzt beherrscht von der Tat und nicht von der Literatur.«[47]

Bereits seit 1919 hatten die hebräischen Zirkel mit der Berliner *Zionistischen Vereinigung* zusammengearbeitet, seit 1922 wurden auf den Delegiertentagen der *Zionistischen Vereinigung für Deutschland* »Hebräertage« mit dem Ziel abgehalten, die Hebraisierung der deutschen Jüdinnen und Juden weiter zu fördern.

45 Jüdische Rundschau 46 (1920), S. 369.
46 Jüdische Rundschau 96 (1921), S. 685.
47 Jüdische Rundschau 7 (1925), S. 61.

Mitte der zwanziger Jahre sollte jedoch auch der engere zionistische Rahmen durchbrochen und die Jüdische Gemeinde in ihrer Gesamtheit erobert werden. Der Gang in die Gemeinde war ein Konzept, das sich bereits in Osteuropa bewährt hatte: In diesem Sinne verkündete die *Jüdische Rundschau*:

> »Jede wahrhafte Galutarbeit beginnt in den Gemeinden [...]. Die Zionisten haben an allen Gemeindewahlen im Osten teilgenommen [...] auch die nationale Autonomie in Litauen fußt auf dem Prinzip der autonomen jüdischen Gemeinden, es ist an der Zeit auch in Berlin die Gemeinde zu erobern«.[48]

1926 konnte die Jüdische Volkspartei (JVP) bei den Gemeindewahlen, unterstützt von den hebräischen und religiösen Zirkeln Berlins, die Liberalen ablösen.[49] Die JVP propagierte die Förderung des lebendigen Hebräisch in Kindergärten, Schulen, Gemeinde und Wissenschaft. Sie vertrat bereits einen nationalen Standpunkt, der keineswegs die Auswanderung nach Palästina postulierte.

Bereits ein Jahr vor dem Wahlsieg der Jüdischen Volkspartei war der *Hebräische Klub* unter der Teilnahme von mehreren hundert Besuchern in der Rosenstr. 2-4 (Mitte) neu eröffnet worden.[50] Stolz hielt die zionistische Presse fest, dass der kleine Saal die anströmenden Menschen »kaum fassen«[51] konnte. Seit dem Wahljahr 1926 veröffentlichte er seine neugeschaffenen Vereinsnachrichten in der Jüdischen Rundschau, dem Organ des *deutschen* Zionismus, und veranstaltete zahlreiche Informationsabende zu den Gemeindewahlen. Neben der politischen Arbeit wurde das kulturelle Programm, das sich in der Errichtung eines »dramatischen Studios«, Theateraufführungen und Musik ausdrückte, ebenso weitergeführt,[52] wie der hebräische Sprach- und Konversationsunterricht.[53]

Die Auffassung von der Wiederbelebung der hebräischen Sprache als selbstverständlicher Aufgabe jeder nationalen Vereinigung setzte sich gerade gegen Ende der zwanziger Jahre zunehmend durch und führte 1929 zum Zusammen-

48 Jüdische Rundschau 83 (1919), Titelblatt.
49 Jüdische Rundschau 33 (1920), S. 255. Zur JVP vgl. Michael Brenner, »The Jüdische Volkspartei. National Jewish Communal Politics during the Weimar Republic«, LBIYB 35 (1990), S. 219-243.
50 Jüdische Rundschau 97/98 (1925), S. 814.
51 Jüdische Rundschau 97/98 (1925), S. 814.
52 Bemerkenswert ist weiterhin der große Erfolg, den das Moskauer HaBima-Theater bei seinen jährlichen Tourneen mit hebräischen Aufführungen in Berlin feierte. Die Rundschau berichtete: Das HaBima-Theater habe »nirgends in den Ländern der Diaspora so ein Publikum wie in Berlin, wo sich die Gesellschaft zur Erhaltung und zum Ausbau der HaBima gründet«, Jüdische Rundschau 12 (1929), Titelblatt.
53 Jüdische Rundschau 4 (1928), S. 28.

schluss aller hebräischen Vereinigungen und Abteilungen im *Bet am iwri*,[54] das im Berliner Westen erst in der Grolmannstr. 36[55] und anschließend am Kurfürstendamm 61, ein Zentrum für die hebräischen Vereinigungen Berlins und auch für die Hebräischabteilungen der politisch unterschiedlichsten Jugendbünde schuf.[56] Unter den Mitgliedern waren »osteuropäische Emigranten, palästinensische Studenten, deutsche Zionisten und Nichtzionisten«.[57] Das *Bet am iwri* war an allen Wochentagen von elf Uhr morgens bis 24 Uhr geöffnet. Weiterhin gab es einen täglichen koscheren Mittagstisch. Das *Bet am iwri* errichtete drei Hebräisch-Lerngruppen, die insbesondere das Erlernen der hebräischen Konversation zum Ziel hatten. Weiterhin gab es eine Gruppe für Schüler zwischen zwölf und fünfzehn Jahren und eine Lehrergruppe. Neben dem Sprachunterricht sollten die Mitglieder in neuhebräischer Literatur, Palästinakunde sowie biblischer, mittelalterlicher und neuerer jüdischer Geschichte geschult werden.

Auf der Gründungsversammlung des *Bet am iwri* sprach Jakob Klatzkin. In seiner Ansprache wünschte er dem Klub, er möge »sich bald überflüssig machen, da die betreffenden Klubs sich doch lieber in Palästina ansiedeln« sollten. Klatzkins Rede stieß auf heftigen Widerstand,[58] der sich auch in der Folge in mehreren Diskussionsabenden über die Frage der Rolle der jüdischen Diaspora artikulierte.[59] Die Vertreter der hebräischen Bewegung betrachteten Berlin nicht mehr als Durchgangsstation, sondern schrieben Berlin eine zentrale Rolle für den nationalen Aufbau zu. Berlin sei das neue hebräische Zentrum des gesam-

---

54 Jüdische Rundschau 68 (1926), S. 473. Zuvor hatten sich schon der *Bet waad iwri* und die »Iwriah«, die auch in der Rosenstr. tagte, zur *Histadrut* zusammengeschlossen, vgl. Jüdische Rundschau 33 (1928), S. 241.

55 Auf Anregung und unter Mitarbeit des jüdischen Schulvereins wurde eine sieben Zimmer Wohnung in der Grolmannstr. 36 eingerichtet. Die Jüdische Rundschau berichtete über die geplante Nutzung der Wohnung: »2 Zimmer für den Unterricht im hebräischen Schrifttum von der Bibel bis zur Gegenwart. 1 Saal für hebräischen Gesang, dramatische Aufführungen, Diskussions- und Sprechzirkel, 1 Lesesaal mit sämtlichen hebräischen Zeitungen und einer reichhaltigen hebräischen Bibliothek, 1 Klubzimmer für geselliges Zusammensein«, Jüdische Rundschau 13 (1929), S. 82. Mitglieder des vorbereitenden Ausschuss des *Bet am iwri* waren: Leo Baeck, A. Gonzer, Braina Grüngard, Kurt Hammerstein, Sally Hirsch, Jakob Klatzkin, Nachum Lewin, Josef Lin, Max Meyer, Arthur Nathan, Meyer Pines, Hilda Rosner, M. Soloweitschik, Samuel Weinberg.

56 Unter diesen insbesondere die *Zofim*, der *Jung-Jüdische Wanderbund*, das *Kartell Jüdischer Verbindungen* und die *Zeirei Ha-Misrachi*. Zur Hebraisierung der Jugendbünde, vgl. auch Jüdische Rundschau 68 (1926), S. 473.

57 Jüdische Rundschau 12 (1929), Titelblatt.

58 Jüdische Rundschau 19 (1929), S. 121.

59 Zu den verschiedenen Konzepten der Galut vgl. Simon Rawidowicz, »On the Concept of Galut«, in: Simon Rawidowicz, State of Israel, Diaspora, and Jewish Continuity. Essays on the Ever-Dying People, Brandeis 1998, 96-118.

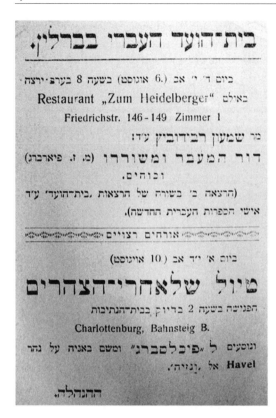

Einladung des Hebräischen
Klubs in Berlin zu einem
Vortrag von Simon
Rawidowicz im Restaurant
»Zum Heidelberger« und
zu einem Ausflug.
Privatarchiv Benjamin
Ravid, Newton, USA

ten Diasporajudentums. Nur hier könne »das hebräische Kulturgut weiten
Kreisen des deutschen Judentums nähergebracht« werden.[60] Auch aus Palästina
erhielt dieser Flügel im *Bet am iwri* verbale Unterstützung. Der dort lebende
hebräische Schriftsteller Elieser Steinman lobte den »geistigen Aufstieg des hebräischen Lebens in der Galut« in Form von hebräischen Kindergärten, Schulen,
Literatur, Theater und Kulturleben.[61] Und auch der Althistoriker Eugen Täub-
ler forderte in diesem Sinn:

> »Wir müssen die Verneinung der Galut umwandeln. Galut und Palästina
> sind nicht mehr Gegensätze, sondern haben sich in der Synthese eines neu-
> gestalteten Judentums verbunden.«[62]

60 Jüdische Rundschau 91 (1928), S. 640.
61 Jüdische Rundschau 90 (1931), S. 533.
62 Jüdische Rundschau 98 (1931), Titelblatt.

Quittung über den Mitgliedsbeitrag des *Brit iwrit olamit*.
Privatarchiv Benjamin Ravid, Newton, USA

Die *Galut* war für diese Anhänger der hebräischen Bewegung nicht einfach ein Ort außerhalb *Eretz Israels*, sondern ein geistiger Zustand, der auch in der Diaspora selbst überwunden werden konnte. In diesem Selbstverständnis berief 1931 das *Bet am iwri* die Vertreter der hebräischen Bewegung zu einer Konferenz in die Räume des *Bet am* nach Berlin ein. Die Einladung wurde nicht nur vom Berliner *Bet am*, sondern auch von den polnischen und litauischen *Tarbut*-Vertretern sowie vom Leiter der *Zionistischen Vereinigung für Deutschland*, Kurt Blumenfeld, unterschrieben. Auf dieser Konferenz wurde der *Brit iwrit olamit* geschaffen, der *Hebräische Weltverband* mit seinem Sitz im neuen Organisationszentrum der hebräischen Diaspora, Berlin.[63] Der *Hebräische Weltverband* sollte in allen Diasporaländern und *Eretz Israel* seine Zweigstellen haben. Weiterhin wurde die Einrichtung eines Kulturfonds beschlossen, der die Anliegen des Bundes finanziell unterstützen sollte. Jedes Mitglied hatte als Mitgliedsbeitrag den sogenannten *Selah* zu zahlen, der in Deutschland einer Reichsmark entsprach. Die Konferenz beschloss ferner die Herausgabe einer hebräischen Monatsschrift in Berlin und die Entsendung einer Delegation zum zionistischen Kongress, die den *Hebräischen Weltbund* gegenüber der *Zionistischen Weltorganisation* vertreten sollte.

Neben den Fragen der Finanzierung und der Organisation stand eine ideologische Debatte im Zentrum der Konferenz, die zu heftigen Auseinandersetzzung

63 Jüdische Rundschau 49/50 (1931), S. 305.

zungen führte: die Frage nach der Verneinung oder Bejahung jüdischer Diasporaexistenz. Gegen den Widerstand der Vertreter aus *Eretz Israel*, Polen und
Litauen forderte insbesondere die Berliner Gruppe ein neues Verständnis der
jüdischen Diaspora. Ihr *spiritus rector* war Simon Rawidowicz, der die Konferenz maßgeblich mit initiiert hatte. Rawidowicz war 1919 von Grajewo über
Bialystok nach Berlin gekommen und hatte an der Friedrich-Wilhelms-Universität zu Berlin 1926 über die Philosophie Ludwig Feuerbachs promoviert. Seine
Studien hatte er sich unter anderem durch seine Tätigkeit als Hebräischlehrer
an der Hebräischen Sprachschule finanziert. Hier lernte er auch seine spätere
Frau, die promovierte Biologin Esther Eugenie Klee, kennen, die älteste von
drei Kindern des Berliner Rechtsanwalts und Vorsitzenden der *Zionistischen
Vereinigung für Deutschland*, Alfred Klee. Im Winter 1921/1922 hatte Rawidowicz das hebräische Verlagshaus *Ajanot* gegründet, in dem er die Werke hebräischer Autoren ebenso redigierte und verlegte, wie er seine eigenen Arbeiten
publizierte. Weiterhin hielt er zahlreiche Vorträge, unter anderem an der Jüdischen Volkshochschule. Nach langen Bemühungen wurde er 1930 preußischer
Staatsbürger, ab 1932 leitete er die Bibliothek der Jüdischen Gemeinde.[64] Ein
Jahr nach seiner Ankunft in Berlin hatte Rawidowicz noch seiner späteren Ehefrau Esther geschrieben, wie schwer ihm das Leben in Berlin fiel, einer Stadt,
die ihm zu Beginn nahezu »ekelhaft« erschien.[65] Innerhalb eines Jahrzehntes
war Rawidowicz in eben diesem Berlin unter großen persönlichen Entbehrungen zu einer der tragenden intellektuellen Säulen der hebräischen Diasporakultur geworden. Die Konferenz eröffnete er mit den folgenden Worten:[66]

»Sehr geehrte Versammlung!
[…] Über den Wert der hebräischen Sprache in der Golah gibt es keine wi-
derstreitende Meinung […]. Wir haben uns hier nicht versammelt, um nur

64 Zu Rawidowicz vgl. insbesondere Benjamin Ravid, »Simon Rawidowicz and the ›Brit
    Iwrit Olamit‹: A Study in the Relationship between Hebrew Culture in the Diaspora and
    Zionist Ideology« (Hebr.), Studies in Language and Literature. Berlin Congress. Pro-
    ceedings of the 16th Hebrew Scientific European Congress, Jerusalem 2004, 119-154;
    Benjamin Ravid, »The Berlin Period of Simon Rawidowicz: The Context of his Feuer-
    bach Scholarship«, 135-157, in: Ursula Reitemeyer, Takayuki Shibata, Francesco Toma-
    soni (Hrsg.), Feuerbach und der Judaismus, Münster/New York/München/Berlin 2009,
    S. 135-157; David N. Myers, Between Jew and Arab. The Lost Voice of Simon Rawido-
    wicz, Brandeis 2008, insbesondere S. 21-87.
65 Brief Simon Rawidowicz an Esther Klee, Berlin, 1.12.1920. Der Brief befindet sich im
    Privatarchiv von Rawidowicz' Sohn Benjamin Ravid. Ihm und seiner Frau Jane danke
    ich von ganzem Herzen für die freundliche Aufnahme in ihrem Haus und den Zugang
    zum Nachlass seines Vaters.
66 Das Protokoll der Versammlung erschien in hebräischer Sprache 1932 in Berlin und
    befindet sich im Privatarchiv von Benjamin Ravid.

die hebräische Kultur zu retten! [...] Nicht die Frage der Sprache, sondern die Frage Israels ist es, die vor uns steht [...]. Unser kulturelles hebräisches Wirken in der Golah nach dem Krieg war auf der einen Seite bedingt durch die staatlichen Bedingungen, die in Europa nach dem Krieg entstanden waren und auf der anderen Seite war sie wie der Docht einer Kerze von der zionistischen Bewegung umhüllt. Wie [unser Wirken] auch aus dem Zionismus erwächst, so unterstützt [die bisherige hebräische Bewegung] Achad Haams[67] Lehre eines geistigen Zentrums, von deren Wassern wir alle getrunken haben. Und hier ist der wunde Punkt unseres Wirkens in der Diaspora [...]. Im Zentrum der Lehre Achad Haams steht die Idee der Nachahmung. [...] Die Nachahmung ist für Achad Haam ein seelisches, gesellschaftliches und metaphysisches Gesetz [...]. Es liegt nicht in meiner Absicht zu sagen, dass die Nachahmungsidee ungültig ist, [...] aber, ich bestreite ihr Primat. [...] Nachdem wir erkannt haben, dass das Judentum der Diaspora nur durch die Kraft des (kreativen) Schaffens bestehen kann, [...] ist es an uns, uns von der zweiten Annahme des geistigen Zionismus zu befreien: dass das Land Israel allein die Judenfrage lösen wird. Sowie das Judentum der Golah sie nicht allein lösen kann, so kann es Eretz Israel nicht. [...] Die erneuerte hebräische Kultur wird nicht allein in Eretz Israel geschaffen. [...] So wie das Judentum der Golah nicht ohne Eretz Israel bestehen kann, so kann das Judentum und die hebräische Kultur Eretz Israels nicht ohne eine schaffende hebräische Golah bestehen. [...] Es ist die Stunde gekommen der Schmähung des hebräischen Schriftstellers in der Golah ein Ende zu setzen. [...] Die Schmähung des hebräischen Schriftstellers ist eine Schmähung der ganzen Nation. [...] Wir stehen in einer Stadt, in der die ersten Knospen unserer neuen Literatur aufblühten, aus der aber auch die Lehre der Assimilation hervorging [...] wer hätte gedacht, dass nach Moses Mendelsohn, [...] nach Heinrich Heine [...] und Abraham Geiger und allen die nach ihnen kamen, im Jahre 1931 sich Menschen aus der Mitte Israels – und nicht alle von ihnen Söhne des Ostens – am Kurfürstendamm versammeln, um die Kultur Israels zu erneuern [...]«.

Rawidowicz hatte in seiner Ansprache die Gleichberechtigung und Partnerschaft von jüdischer Diaspora und *Eretz Israel* gefordert. Die Diaspora müsse ein kreatives Zentrum des jüdisch-nationalen Lebens sein. Sie war nach Rawidowiczs Worten weder ein Segen, wie es die deutsche Reformbewegung sah, noch ein Fluch, wie es manche Zionisten darstellten, sondern eine historische Tatsache. Diaspora und Israel seien nicht zwei, sondern eins. Rawidowiczs

---

67 Achad Haam (Ascher Ginsberg, 1856-1927) war einer der Begründer des Kulturzionismus.

Sicht, von seinen Gegnern als unjüdisch und antizionistisch gebrandmarkt, war zutiefst der jüdischen Tradition verpflichtet: Bereits in der jüdischen Traditionsliteratur, dem Babylonischen Talmud und den *Midraschim*, findet sich eine positive Interpretation jüdischer Diasporaexistenz.[68] Auch einer der Begründer der Wissenschaft des Judentums, Nachman Krochmal (1785-1840), dessen Hauptwerk *Moreh newuchei ha-seman* Rawidowicz – mit einer sehr langen Einleitung versehen – 1924 herausbrachte, schrieb der Diaspora eine positive Bedeutung zu. Krochmal hatte sich in seinen Ausführungen auf das Exil in Ägypten bezogen. Wenn Krochmal die Zerstörung des ersten Tempels auch als Strafe Gottes interpretierte, so sah er doch im ägyptischen Exil eine notwendige Erfahrung des jüdischen Volkes. Das Exil war für Krochmal die Grundvoraussetzung für die besondere Beziehung zwischen Gott und Israel. Diese würde sich durch den schmalen Weg auszeichnen, den Israel zu gehen habe: dem intensiven Kontakt zu allen Nationen der Welt unter gleichzeitiger Beibehaltung seiner eigenen kulturellen und religiösen Identität.

Rawidowicz hatte Krochmals Diasporakonzept – bewusst oder unbewusst – in den säkularen Rahmen der hebräischen und zionistischen Bewegung übertragen. Seine Idee von einer lebendigen hebräischen Diasporakultur, die gleichberechtigt neben einem jüdischen Staat stehen sollte, fand – bis dahin als eine Art Ketzerlehre verbannt – keinen Eingang in die Geschichtsbücher.[69] Das Jahr 1932 war das letzte blühende Jahr der hebräischen Diasporakultur in Berlin.[70] Gerade als Berlin nicht mehr Nachtasyl und Heim auf Zeit für die hebräische Bewegung war, sondern ein intellektuelles hebräisches Zentrum, wurde die hebräische Diasporakultur erneut obdachlos. Der erste Hebräische Weltkongress wurde 1933 in Palästina abgehalten[71] und kehrte nicht mehr an den Ort seiner geistigen Geburt zurück. Berdyczewskis »Einsamkeit«, Bialiks »grausame Jahre« und Agnons »Strafe Gottes für das Exil«, wie die auch von der jüdischen Sektion der kommunistischen Partei vertretene Auffassung der Bürgerlichkeit der hebräischen Bewegung, prägen das Bild der hebräischen Bewegung der Weimarer Jahre ebenso wie die Vorstellung, dass gerade die Vertreter der hebräischen Bewegung in Berlin die Idee der Verneinung jüdischer Diasporaexistenz forciert hätten.

So geriet jedoch nicht nur das andere hebräische Berlin in Vergessenheit, sondern auch eine Idee, die von ihrer Aktualität bis auf den heutigen Tag nichts

---

68 Vgl. u.a. Babylonischer Talmud (bPes 87b) und Midrasch Schir HaSchirim 1:4.
69 Insbesondere den neusten Publikationen von Benjamin Ravid, David N. Myers und Eugene Sheppard ist es zu verdanken, dass Rawidowiczs Wirken einem größeren Publikum erneut bekannt werden konnte.
70 Jüdische Rundschau 70 (1932), S. 339.
71 Jüdische Rundschau 1 (1933), Titelblatt.

eingebüßt hat. Noch im Jahre 2007 sandte die israelische Regierung zwei Vertreter der Organisation *Natiw*[72] nach Berlin, um die aus der ehemaligen Sowjetunion nach Deutschland eingewanderten Juden zur Ausreise nach *Eretz Israel* zu überreden und so der »gefährlichen Assimilation« in Deutschland vorzubeugen.[73] Der israelische Philosophieprofessor Elieser Schweid rief im gleichen Jahr dazu auf, die Verneinung der Diaspora wieder vermehrt in den Mittelpunkt der nationalen Erziehung in Israel zu stellen. Auch für die heutige Diskussion um das Verhältnis zwischen Israel und der Diaspora bleibt es – einhundert Jahre nach dem ersten hebräischen Kongress in Berlin – zu wünschen, dass die Stimmen aller Vertreter der hebräischen Bewegung in Berlin und vor allem die ihres großen Denkers Simon Rawidowicz Gehör finden mögen.

---

72 Die Organisation »Nativ« wurde bereits in den 50er Jahren gegründet, um die Auswanderung sowjetischer Juden nach Israel zu fördern.
73 Kate Conolly, The Guardian, 28. November 2007.

Oleg Budnitskii

Von Berlin aus gesehen –
die Russische Revolution, die Juden und die Sowjetmacht[1]

Jede Emigration, die politische Motive hat, ist bestrebt, die Gründe herauszu-finden, warum sie nicht an die Macht kam, sondern ins Exil gehen musste. Das trifft auch auf die emigrierte russische intellektuelle Elite zu, die Hunderte, wenn nicht Tausende Bücher und Artikel herausbrachte, in denen es um die Erklärung ging, warum es dazu kam, wozu es kam. Und in denen nach guter russischer Tradition erörtert wurde, wer schuld ist und was zu tun ist. Die Lage der Unterlegenen ist nie angenehm. Die Lage des jüdischen Teils innerhalb der »ersten Welle« der russischen Emigration war besonders schwierig, da die meis-ten russischen Emigranten der Meinung waren, gerade die Juden hätten in ers-ter Linie von der Revolution profitiert. Die Ironie der Geschichte will es, dass die Revolution den russischen Juden tatsächlich bis dahin ungeahnte Möglich-keiten eröffnete. Andererseits brachte sie aber auch ungeahntes Leid. Hundert-tausende von Juden wurden Opfer von Pogromen, starben, wurden zu Krüp-peln, wurden ausgeplündert.

Allein in der Ukraine kam es in den Jahren 1918 bis 1920 in etwa 1300 Sied-lungen zu mehr als 1500 Pogromen. Nach verschiedenen Schätzungen starben zwischen 50.000 und 200.000 Juden. An die 200.000 wurden verwundet und versehrt. Tausende Frauen wurden vergewaltigt. Um die 50.000 Frauen wurden Witwen, 300.000 Kinder zu Waisen.[2]

Zwischen 1918 und 1922 kam es in den Sowjetrepubliken zur Ausreise (oder Flucht) von etwa 200.000 Juden.[3] Man muss die Juden also nach der christlich orthodoxen Gruppe als zahlenmäßig zweitstärkste religiös-ethnische Gruppe der russischen Emigration betrachten. Das fiel besonders in Deutschland ins Ge-wicht, wo die Juden Mitte der zwanziger Jahre ein Viertel aller Emigranten aus

---

1 Der Text wurde mit Hilfe des »Russian Humanities Fund« erstellt (Projekt-Nr.: 08-01-94001a/D).

2 Siehe hierzu: Oleg V. Budnickij, Rossijskie evrei meždu krasnymi i belymi (1917-1920), Moskau 2005, S. 7 (Anm. 2), 275-279. siehe auch: Lidija B. Miljakova (Hg.), Kniga po-gromov: Pogromy na Ukraine, v Belorussii i evrejskoj časti Rossii v period Graždanskoj vojny 1918-1922, Sbornik dokumentov, Moskau 2007.

3 Sovetskij Sojuz. Ėtničeskaja demografija sovetskogo evrejstva. In: Kratkaja evrejskaja ėnciklopedija, Bd. 8 (elektronische Version) – http://www.eleven.co.il/article/15423.

dem ehemaligen Russischen Reich ausmachten. Nach einer Volkszählung lebten
1925 in Deutschland 253.069 ehemalige Bürger des Russischen Reiches (in den
Grenzen von 1914). Nur 80.000 von ihnen waren ethnische Russen. 63.500 der
»russischen Emigranten« waren Juden, 59.000 »russische Deutsche«. 1923, in der
Zeit der größten Dichte russischer Emigranten, hielten sich in Deutschland ca.
600.000 russische Flüchtlinge auf, davon in Berlin nach verschiedenen Angaben
zwischen 100.000 und 360.000.[4] Diese Angaben müssen allerdings als Schät-
zung betrachtet werden. Geht man davon aus, dass sich die nationale Struktur
der russländischen Emigration in Berlin genauso zusammensetzte wie in Deutschland insgesamt, so muss man unter den Bewohnern des »russischen Berlins« zur
Zeit seiner Blüte mit 25.000 bis 90.000 »russischen Juden« rechnen.

Doch wie viele Russen und russische Juden es auch genau gewesen sein mögen, eins ist sicher: In den zwanziger Jahren war Berlin das Zentrum des intellektuellen Lebens der russischen Emigration in Deutschland. Hier konzentrier-
ten sich die Verlage, erschienen die wichtigsten Zeitungen und Zeitschriften
der jüdischen Diaspora, wurden Vorträge gehalten und fanden hitzige Diskussionen statt. Die Intellektuellen des russisch-jüdischen Berlins nahmen äußerst
lebhaften Anteil sowohl an den Debatten, die auf den Seiten der Emigrantenpresse ausgetragen wurden, als auch an den »Salondebatten« in den Berliner
Klubs und Cafés.

Der vorliegende Artikel untersucht die Ansichten von Alexis A. Goldenweiser (1890-1979) über die Russische Revolution, die Beteiligung der Juden an ihr
und die Lage der Juden unter der Sowjetmacht. Goldenweiser war eine wichtige
Figur im russisch-jüdischen Berlin. Da ich die Berliner Zeit seines Emigranten-
lebens andernorts bereits detailliert dargestellt habe, verweise ich den interes-
sierten Leser auf diese Veröffentlichungen[5] und beschränke mich hier auf die
entscheidenden Momente seiner Biographie.

Goldenweiser ist ein Sohn des bekannten Kiewer Rechtsanwalts Alexander
S. Goldenweiser. Er erhielt eine ausgezeichnete Ausbildung. Er absolvierte das
Erste Kiewer Gymnasium und studierte dann Rechtswissenschaft an den Universitäten in Kiew, Heidelberg und Berlin. Als er wie sein Vater Rechtsanwalt
geworden war, nahm er lebhaften Anteil an der »jüdischen Politik« in Kiew.
1917 war er Sekretär des Rates der vereinigten jüdischen Organisationen der

4 Hans-Erich Volkmann, Die russische Emigration in Deutschland, 1919-1929, Würzburg
   1966, S. 5 f. Robert C. Williams, Culture in Exile; Russian Emigrés in Germany, 1881-
   1941, Ithaca, London 1972, S. 111-113.
5 Oleg V. Budnickij, Materialy po istorii rossijskogo evrejstva v émigrantskich archivach.
   In: Istorija i kul'tura rossijskogo i vostočnoevropejskogo evrejstva: Novye istočniki, novye
   podchody, Moskau 2004, S. 215-221. Ders., Iz istorii »russko-evrejskogo Berlina»: A. A.
   Gol'denvejzer. In: Archiv evrejskoj istorii, Bd. 2, Moskau 2005, S. 213-242.

Stadt Kiew; er war einer der Organisatoren des jüdischen demokratischen Verbandes *Einigung* in Kiew und Delegierter der Allrussischen jüdischen Konferenz im Juli 1917 in Petrograd. Im April 1918 war er kurz Mitglied der Mala Rada, des Exekutivkomitees der Zentralna Rada, des Parlaments der Ukrainischen Volksrepublik. Während des Bürgerkriegs hielt er sich in Kiew auf. 1921 emigrierte (oder richtiger: flüchtete) er über Polen nach Deutschland und ließ sich in Berlin nieder.

Wie in seiner Heimatstadt Kiew beteiligte sich Goldenweiser lebhaft am gesellschaftlichen und politischen Leben sowohl des jüdischen wie des russischen Teils der Emigration, wobei der Übergang zwischen den beiden Gruppen häufig fließend war. Goldenweiser war ein wichtiger Funktionär des *Verbandes russischer Juden in Deutschland*,[6] Organisator und Leiter der Abteilung für kostenlose Rechtshilfe und die rechte Hand von Jacob Teitel, dem Vorsitzenden des Verbandes. Er war Mitglied des Vorstandes des *Verbandes der russischen Rechtsanwaltschaft in Deutschland* und Vertreter des Vorsitzenden des Vorstandes der Berliner Abteilung des *Komitees für Kongresse der russischen Juristen im Ausland* sowie Vorsitzender der *Russischen republikanisch-demokratischen Vereinigung in Deutschland*.

Goldenweiser machte sich mit der Zeit einen Namen als praktizierender Jurist, wobei ihm die Kenntnis des Deutschen gute Hilfe leistete. Nach der Machtergreifung der Nationalsozialisten konnte er sich relativ lange nicht entschließen auszureisen und praktizierte als Jurist bis 1937. Schließlich emigrierte er doch, wobei er sich im Unterschied zu den meisten seiner Landsleute, die nach Frankreich ausreisten, für die USA entschied. Wichtige Gründe dafür waren, dass zwei seiner älteren Brüder schon seit Beginn des Jahrhunderts in Amerika lebten und dort sehr erfolgreich waren. Sein Bruder Alexander war ein renommierter Anthropologe, der an einer Reihe amerikanischer Universitäten lehrte. Der andere Bruder Emmanuel war ein Finanzexperte und arbeitete in einem Forschungsinstitut des Föderalen Reservesystems bei der Zentralbank der USA.

Die amerikanische Zeit (1937-1979) im Leben Goldenweisers verdient es, gesondert erforscht zu werden, denn er war eine der äußerst einflussreichen Gestalten des russisch-jüdischen New Yorks. Im Rahmen des vorliegenden Artikels wollen wir uns mit dem Hinweis begnügen, dass er wie in Berlin auch dort regen Anteil am gesellschaftlichen und kulturellen Leben nahm. Er schrieb viel. Der Goldenveizer-Fonds, der im Bachmetev-Archiv aufbewahrt wird, umfasst 114 Schachteln mit Dokumenten.

---

6 Die Materialien des Verbandes, die 1933 an das Russische historische Auslandsarchiv in Prag übergeben wurden, befinden sich heute im Staatlichen Archiv der Russländischen Föderation (im folgenden kurz GARF, F. 5474).

Wie viele andere Emigrantenschriftsteller versuchte auch Goldenweiser das Phänomen der Russischen Revolution zu durchdringen und deren Platz in der Weltgeschichte zu bestimmen. Sein Gedankengang war nicht besonders originell. Wie einige andere Historiker und Schriftsteller der zwanziger Jahre wählte er als Bezugspunkt und Vergleichsmaterial die Epoche der Französischen Revolution. 1922 brachte Goldenweiser in Berlin ein kleines Buch auf Russisch im Taschenbuchformat heraus, der Titel lautete: *Die Jakobiner und die Bolschewisten (Psychologische Parallelen)*.

Die Grundlage des Buches ist eine Interpretation der Ereignisse der Russischen Revolution nach der Methode von Hippolyte Taine, die dieser auf das Studium der Französischen Revolution des 18. Jahrhunderts anwandte. Erinnern wir daran, dass Taine von den russischen Demokraten als Reaktionär angesehen wurde. Noch nach der Revolution von 1905, als Goldenweiser *Les origines de la France contemporaine* las, ging er völlig konform mit den Kritikern Taines, darunter auch Alphonse Aulard. Als er Taine nach der Revolution von 1917 und dem anschließenden Bürgerkrieg wieder zur Hand nahm, war er »überwältigt von der Menge der Analogien und Parallelen zwischen dem von ihm dargestellten Bild und all dem, was wir in den letzten Jahren in Russland mit eigenen Augen sehen mussten«.[7]

Ohne die beiden Revolutionen in ihrer Gesamtheit vergleichen zu wollen, stützt sich Goldenweiser auf Taines Buch und seine eigenen Beobachtungen der Zeit der russischen Katastrophe und greift nur die psychologischen Parallelen heraus. »Der im Geiste Jean-Jacques Rousseaus erzogene Jakobiner ist ein leiblicher Bruder, ja fast ein Doppelgänger des im Geiste von Karl Marx erzogenen russischen Bolschewisten«, schreibt Goldenweiser scharfsinnig, wenn auch etwas zu eindimensional. Bezugnehmend auf einen der Briefe von Joseph de Mestre aus dem Jahre 1821, in dem dieser schreibt, an der Spitze einer Revolution der Zukunft, für die es in Russland »immer genug Elemente gäbe, werde ein neuer ›*Pugatschow von der Universität*‹ stehen«, folgerte Goldenweiser: »›Ein *Pugatschow von der Universität*‹ – gibt es eine bessere Beschreibung dieses bedrohlichen und zugleich absurden, trotz der Tragik fast komischen Phänomens des russischen Lebens namens Lenin?«[8]

In dem Buch werden verschiedene »Analogien und Parallelen« zwischen den beiden Revolutionen gezeigt. Wie Goldenweiser sagt, »bestätigen sie besser als alle Forschungen in den Archiven Taines Methode und Folgerungen«, andererseits »werfen sie vielleicht aber auch ein paar Schlaglichter, die helfen können,

---

7 Aleksej A. Gol'denvejzer, Jakobincy i bol'ševiki, (Psichologičeskie paralleli), Berlin 1922, S. 5 f.
8 Ebd., S. 8, 55.

den wahren Sinn dessen, was um uns herum geschah und geschieht, zu verstehen«.[9] Am wichtigsten für uns ist Goldenweisers durchaus professionelles
Urteil über die Methode des Studiums der Ereignisse der Revolution:

> »Man braucht sich nur die Geschichte der Russischen Revolution im Lichte
> der Schriften Bucharins oder Steklows oder gar der Protokolle des Exekutiv-
> komitees und des Sowjetkongresses vorzustellen, um die Größe des Verdiens-
> tes von Taine zu ermessen, der bei seiner Untersuchung der Französischen
> Revolution mit solchen Methoden gebrochen hat. Wie Taine sagt, hatten
> sich diese Methoden bei den Historikern der zwanziger und dreißiger Jahre
> des 19. Jahrhunderts ›mit dem Tod der Augenzeugen und Zeitgenossen‹ ein-
> gebürgert. – Unsere Pflicht als Zeitgenossen besteht darin, dafür Sorge zu
> tragen, dass weder jetzt noch nach uns, weder im Westen noch in Russland
> auch nur ein einziger Tropfen doktrinärer Verlogenheit in die Untersuchung
> der Geschichte der Russischen Revolution einfließt.«[10]

Goldenweiser war einer von jenen Zeitgenossen, die sich darum bemühten, die
zukünftigen Historiker der Revolution mit Informationen zu versorgen, die
weder in den Protokollen noch in den Arbeiten der offiziellen Historiker und
Führer der Revolution einen Niederschlag gefunden hatten. So fixierte er seine
noch frischen Erinnerungen an das Leben im Kiew der Jahre 1917 bis 1920, die
in dem von Iossif W. Gessen herausgegebenen *Archiv der Russischen Revolution*
erschienen (der Text stammt vom April 1922). Seine Erinnerungen zeichnen
sich sowohl durch einen hohen Informationswert als auch erkennbare Zurück-
haltung aus. Sie sind sicher eine der wichtigsten Quellen zur Geschichte des
Bürgerkrieges in der Ukraine, genauer in Kiew, und sicher auch einer der inte-
ressantesten Texte, die Goldenweiser geschrieben hat.[11]

Unter den Papieren Goldenweisers, die im Staatlichen Archiv der Russländischen Föderation (GARF) in Moskau aufbewahrt werden, finden sich zwei
anscheinend nicht publizierte Texte zum Thema Russische Revolution, Beteiligung der Juden an ihr und Einfluss auf das Schicksal der russischen Judenheit.
Der eine ist in deutscher Sprache verfasst und trägt den Titel: »Das heutige
Russland. Politische Kämpfe in Russland (1917-1922)«,[12] der andere ist russisch
und heißt: »Die russische Judenheit und die Sowjetmacht«.[13]

---

9   Ebd., S. 6 f.
10 Ebd., S. 20 f.
11 Aleksej A. Gol'denvejzer, Iz Kievskich vospominanij. In: Archiv russkoj revljucii, T. VI,
    Berlin 1922 (Reprint: Moskau 1991, T. 5-6), S. 161-303.
12 GARF, F. R – 5981, Op. 1, D. 180, L. 193-213. Übersetzung aus dem Deutschen für das
    russische Manuskript Alexandra Polyan.
13 Ebd., L. 88-130.

Der russische Text ist nicht datiert, aber es kann als gesichert gelten, dass der deutsche »Das heutige Russland« aus dem Jahre 1923 stammt und der russische »Die russische Judenheit« im selben Jahr oder schon Ende 1922 entstand. Dem Veranstaltungskalender der größten Berliner russischen Tageszeitung *Rul* (Das Ruder) ist zu entnehmen, dass Goldenweiser im Rahmen einer neu eröffneten Vortragsreihe der Friedrich-Wilhelms-Universität zum Thema »Das heutige Rußland« im Gymnasium Dorotheenstraße 12 am 17. April 1923 über die politischen Kämpfe 1917-1922 sprach.[14] Die Angaben der Veranstaltungsankündigung stimmen nicht ganz mit denen des Archivdokuments überein. Titel und Zeitpunkt sind identisch, aber als Vortragsort wird dort die Humboldt-Hochschule, eine Volkshochschule in der Königin-Augusta-Strasse 15 (heutzutage Reichpietsch Ufer) in Berlin-Tiergarten angegeben, wo Goldenweiser häufiger Vorträge hielt. Im zweiten Text geht es unter anderem um die Neue Ökonomische Politik (NEP), die Goldenweiser im Einklang mit vielen anderen Emigranten für den Thermidor der Revolution hielt, d.h. für den Anfang vom Ende. Vielleicht ist Goldenweisers Artikel über die Juden und die Sowjetmacht eine »Antwort« auf die Debatte über Russland und die Juden Anfang des Jahres 1923 in Berlin, die maßgeblich von Iossif M. Bickermann, Grigori A. Landau, Daniil S. Pasmanik und anderen betrieben wurde und deren Hauptbeiträge ein Jahr später in einem Sammelband erschienen, Sie wurden seinerzeit als Sensation empfunden, denn sie riefen die russische Judenheit auf, angesichts ihrer aktiven Beteiligung an der Russischen Revolution Reue zu zeigen. Es ist aber auch möglich, dass es keine direkte Verbindung zu der Debatte gibt, denn Goldenweiser erwähnt sie nicht ein einziges Mal, und die Übereinstimmung der Problematik hat möglicherweise einen simpleren Grund: Das Verhältnis zur Russischen Revolution und zur Sowjetmacht war eine zentrale Frage, die für den politisch aktiven Teil der russischen Emigration und damit auch die Juden unter ihnen auf der Tagesordnung stand.

Goldenweisers Texte sind eher wegen ihres typischen Charakters als wegen ihrer Originalität von Interesse. Es findet sich in ihnen in konzentrierter Form die Doktrin, der der liberaldemokratische Teil der russischen Emigration anhing. Und zwar sowohl im Hinblick auf die Russische Revolution als auch im Hinblick auf deren Konsequenzen für die Juden. Zu den offensichtlichen Vorzügen der Texte gehören die Leichtigkeit, Genauigkeit und stellenweise die Bildlichkeit der Darlegung sowie die sporadischen Einsprengsel persönlicher Eindrücke. Der Autor war schließlich Augenzeuge, ja manchmal auch Beteiligter an den Ereignissen, über die er schreibt.

14 Karl Schlögel [u.a.], Chronik russischen Lebens in Deutschland 1918-1941, Berlin 1999, S. 176.

In dem »deutschen« Vortrag betont Goldenweiser die Leichtigkeit des Stur-
zes der Autokratie. Doch auf die Euphorie der ersten Tage sei die Angst gefolgt:
Die erste Wolke am Horizont sei die Uneinigkeit der freiheitlichen Bewegung
gewesen. Gleich nachdem der Damm gebrochen war, strebten die verschiedenen Strömungen auseinander. (194) Nach Goldenweisers Klassifizierung waren
dies die bürgerlich-demokratische, die gemäßigt sozialistische und die maxima-
listische Strömung. Zu den Maximalisten zählt er natürlich auch die Bolschewiki.[15] Aber der Hauptgrund, der »das Verhängnis der russischen Demokratie« zur
Folge hatte, bestand darin, dass »sämtliche Richtungen und Parteien die richtige Psychologie der russischen Volksmassen verkannt haben«, jede auf ihre
Weise. (195) Die Vertreter aller Strömungen der Freiheitsbewegung idealisierten
das russische Volk. Nun, als das Volk von allen Bindungen frei war, da habe es
sich in seiner wahren Gestalt gezeigt. (195) Und diese wahre Gestalt war nicht
besonders sympathisch. Es war das Ziel der bürgerlich-demokratischen Partei
(das heißt der Partei der Konstitutionellen Demokraten, denn eine andere
nichtsozialistische Partei gab es in der russischen politischen Arena nach dem
März 1917 nicht mehr), Russland zu einem parlamentarischen Volksstaat zu
machen. Sie wollte es auf denselben Weg führen wie Europa und Amerika nach
dem Muster Englands. Das russische Volk sollte in die Schule der geregelten
demokratischen Staatskunst gehen. (195-196) Das Volk dagegen wollte etwas
ganz anderes: keine Steuern zahlen, das Land der Gutsbesitzer unter sich auftei-
len und die sofortige Beendigung des Krieges. Die Losung von der Treue gegenüber den Bündnispartnern, die Versuche, den Krieg trotz allem weiterzuführen,
betrachtet Goldenweiser zu Recht als Hauptfehler des »bürgerlich-demokratischen« Blocks der Provisorischen Regierung. Die gemäßigten Sozialisten, die in
der zweiten Zusammensetzung der Provisorischen Regierung an die Stelle der
Liberalen traten, unterschieden sich in ihrer Realpolitik kaum.

> »Die gemäßigte-sozialistische Richtung [...] wollte in Russland die Taktik
> und das Programm der westeuropäischen Sozialdemokratie zum Muster neh-
> men; dies war gerade so unmöglich als einem Analphabeten das Erfurter
> Programm beizubringen.« (197)

Besonders unpassend war dabei der Unwille der Sozialisten, die Macht (und
Verantwortung!) ganz zu übernehmen. Die theoretisch richtige Begründung
dafür lautete: Russland durchlaufe die Phase einer bürgerlich-demokratischen
und nicht die einer sozialistischen Revolution. Dieses Sitzen zwischen zwei
Stühlen, genauer: auf zwei Stühlen gleichzeitig, dem Stuhl der Regierung und

---

15 Zitate hier und im folgenden aus Alexis A. Goldenweisers Manuskript zum Vortrag
    »Das heutige Russland« (GARF, F. R-5981, Op. 1, D. 180, L. 193-213).

dem der Opposition, führte zur Desorientierung der Massen. Die deutsche Sozialdemokratie, »Vorbild und Meister« der russischen Sozialisten, habe in ihrer Schicksalsstunde mehr staatsmännischen Sinn und Patriotismus gezeigt, als sie 1918 die ganze Macht übernahm. Sie habe das deutsche Volk nach Weimar geführt, in die verfassungsmäßige Versammlung. Aber ihre russischen Jünger seien wie gelähmt gewesen. (198) Der Vergleich Goldenweisers mit dem deutschen »großen Bruder« für die unbeholfenen russischen Sozialisten fiel vernichtend aus. Aber wie bei den Liberalen war es die Haltung zum Krieg, die letztlich den Ausschlag für den schwindenden Einfluss der Sozialisten gab. Sie redeten vom Recht der Völker auf Selbstbestimmung, von der Verteidigung der Demokratie, vom Frieden sprachen sie dagegen nicht. Nur die Bolschewiki unternahmen es, dem Volk alles sofort und auf einmal zu versprechen. Deshalb kamen sie auch an die Macht.

> »Sie forderten keine Entsagung, im Gegenteil, ihr Wahlruf, ihre Losung war eine Ansporung zum Draufgehen, zum Nehmen und zum Geniessen. Und darin hat die Partei die Psychologie der Massen in dem historischen Augenblick richtig einzuschätzen gewusst. Weil sie es verstand, zu den Massen heranzutreten, nicht als Erzieher, sondern als Schmeichler, hoben die Massen diese Partei auf das Schild.« (201)

Nach der Machtergreifung hielten sich die Bolschewiki vor allem durch Terror an der Macht. Von Meinungsfreiheit konnte keine Rede mehr sein. Goldenweiser schließt sich Walter Rathenau an, der schon 1920 richtig bemerkt hatte, in Russland herrsche »ein aristokratisches Regime – nur dass die Macht nicht einem Stand, sondern einem politischen Klub gehört.« (202) Wenn Rathenau auf die Ähnlichkeit der Partei der Bolschewiki mit einem jakobinischen Klub verweist, bezieht auch er sich mit dieser Analogie unverkennbar auf die Französische Revolution. Das Programm der Bolschewiki war einfach nicht lebensfähig, hebt Goldenweiser hervor. Die Übergabe der Fabriken an die Arbeiter führte zum Rückgang der Produktion. Die Bauern wollten keine Verstaatlichung, sie wollten für die von ihnen hergestellten Produkte reales Geld oder Waren und nicht die von der Druckerpresse ausgeworfenen wertlosen Scheine. Der Versuch, einen direkten Warentausch einzurichten, scheiterte. Der Versuch, alles zu kontrollieren, zu inventarisieren und dann wieder zu verteilen führte dazu, wozu er notwendig führen musste: zum totalen Mangel.

Goldenweiser erzählt eine ihm selbst damals zu Ohren gekommene Anekdote aus jener Zeit:

> »In Moskau war an einem Wintertag viel Schnee gefallen. Man hat eine Verordnung ausgegeben, der Schnee solle in so und soviel Stunden weggeschau-

felt werden. Man hat mit schweren Strafen gedroht. Es half nichts, der Schnee blieb liegen. Da schlug einer der großen Herren während einer Sitzung im Volkskommissariat vor, den Schnee zu registrieren. ›Wir haben den Zucker registriert‹, sagte er, ›und der Zucker verschwand, wir haben das Mehl registriert, und das Mehl verschwand… Wollen wir doch den Schnee registrieren!‹ Nun, zur Registrierung des Schnees ist es freilich nicht gekommen, aber wahrlich, es hat nicht viel gefehlt.« (205)

Im Ergebnis wurde der Kleinhandel, den die Bolschewiki hatten verbieten wollen, zur einzigen Möglichkeit, überhaupt an Waren oder Lebensmittel zu kommen. Ein geflügeltes Wort während der Zeit der allgemeinen Verstaatlichung und der Versuche, alles und jedes zu registrieren, lautete: »Nationalisierung des Handels bedeutet: die ganze Nation handelt.« (206)

Goldenweiser gab anerkennend zu, dass die kommunistische Regierung es verstanden habe, große Gegner zu bekämpfen. Aber gegen die Kleinhändler habe der kommunistische Apparat nichts ausrichten können. Der Kleinhändler in Russland habe den Kommunismus besiegt. Denn hinter diesem habe das Leben, hinter jenem – »das tote Schema einer abgeschmackten Doktrin« gestanden. (206-207) Goldenweiser sah den Herbst 1921 mit dem Übergang zur Neuen Ökonomischen Politik als einen Wendepunkt in der Geschichte der Russischen Revolution an. Der Hauptgrund für die Kehrtwende war seiner Meinung nach der Hunger. Dieser war wiederum durch die Agrarpolitik der Bolschewiki ausgelöst worden, durch die Beschlagnahmung aller sogenannten »Lebensmittelüberschüsse«.

Aber in diesem Punkt überschätzt Goldenweiser die Bolschewiki. Der tödliche Hunger war nicht der Grund, genauer: nicht der einzige Grund. Den Tod von Millionen Bauern, diesen »Kleinbürgern«, die sich nicht am Aufbau der neuen Welt beteiligen wollten, nahmen die Bolschewiki durchaus billigend in Kauf. Was ihnen Angst machte, waren Bauernaufstände und besonders der Aufstand der Matrosen der Baltischen Flotte in Kronstadt. Die Revolten waren eine echte Bedrohung für die Sowjetmacht. Die Wendung zur Neuen Ökonomischen Politik wurde schon im März 1921 verkündet, auf dem 10. Parteitag der Kommunistischen Partei, sozusagen unter dem Donner der Kanonen von Kronstadt. Was Goldenweiser dagegen richtig erkannt hat, ist, wer die Initiative zu dieser, den Dogmen der Bolschewiki radikal widersprechenden, Neuen Ökonomischen Politik ergriff. In seinem Vortrag liefert er eine kurze, genaue Charakteristik des Führers der Bolschewiki:

»Lenin ist neben Kerenski die eigentümlichste Gestalt der Russischen Revolution. Von den fanatischen Anhängern der Marxschen Doktrin war er immer der fanatischste, von den Maximalisten der Extremste, von den Unversöhnlichen der Widerspenstigste. Und dennoch vereinigt sich in ihm, wie es jetzt klar ist, mit diesem wilden Fanatismus ein kerniger praktischer Griff und ein beneidenswerter gesunder Menschenverstand. Er ist ein Diener, aber kein Sklave seiner Theorie. Und wenn der gerade Weg zum Ziel versagte, da fand er genug Verstand, um einen Umweg auszusuchen, und besaß genug Autorität, um seinen Willen durchzusetzen.« (207-208)

Lenin hatte vordergründig erreicht, was er wollte. Aber seine ursprünglichen Ziele hatten sich als unrealisierbar erwiesen. Anstatt zu einem Kommunistischen Paradies sei Russland zur primitivsten und brutalsten Form des Kapitalismus zurückgekehrt. Das staatsmännische Ergebnis von Lenins Tätigkeit sei nicht höher einzuschätzen als jenes des berüchtigten Bauernkriegsführers des 18. Jahrhunderts Jemeljan Pugatchow. Nur dass Lenin kein einfacher Pugatchow, sondern, und hier nimmt Goldenweiser wieder die ihm lieb gewordene Formulierung von Joseph de Mestre auf, sozusagen ein Pugatchow mit Universitätsbildung sei. (209)

In dem Artikel »Die russische Judenheit und die Sowjetmacht«, offenbar ein paar Monate vor dem Vortrag »Das heutige Russland« entstanden, malt sich Goldenweiser im Geiste den Untergang der Bolschewiki aus:

»Obwohl die Bolschewisten noch an der Macht sind, ist die Seele des Kommunismus längst aus ihnen entfleucht. Ohne einen Austausch der führenden Personen hat die Russische Revolution den 9. Thermidor bereits überschritten und steckt jetzt in der Phase des Direktoriums. Unter dem Deckmantel der Neuen Ökonomischen Politik ist die sozialistische Reglementierung der Wirtschaft auf der ganzen Linie abgeschafft worden und das vor vier Jahren zu Grabe getragene kapitalistische System wieder in seine Rechte eingetreten. Die Zügel in der Hand der Machthaber haben sich gelockert und lockern sich mit jedem Tag mehr. Die bankrotte sozialistische Wirtschaft ruft ihre Erzfeinde zu Hilfe: die Eigentümer und die Kapitalisten.« (129)[16]

In dem Vortrag »Das heutige Russland« betrachtet Goldenweiser die Dinge nüchterner und beeilt sich nicht, die Bolschewiki zu Grabe zu tragen, sondern betont, dass das heutige Regime keinesfalls eine Gegenrevolution oder gar eine Restauration sei. Zwei Merkmale der Revolution blieben unerschüttert – erstens die politische Macht in den Händen der kommunistischen Partei und diese politische Macht habe sich wenig geändert; zweitens werde die Neuverteilung der Güter durch die soziale Revolution beibehalten, niemand erhalte das ihm geraubte Hab und Gut zurück. Jeder behalte, was er genommen hat. Diese neue

---

16 Aleksej A. Gol'denvejzer, Russkoe evrejstvo i sovetskaja vlast' (GARF, F. R-5891, Op. 1, D. 180, L. 88-130).

Verteilung, die vielfach auf Gewalttätigkeit und auf unrechtmäßige Handlungen zurückzuführen sei, werde jetzt sogar legalisiert. Dies sei der Sinn des neuen kodifizierten russischen Rechtes. Brutal gesagt, proklamiere die Neue Ökonomische Politik »das heilige Eigentumsrecht des Diebes«. (210)[17]

Interessant ist, dass Goldenweiser einerseits zu Recht hervorhebt, »es wäre unvorsichtig und verfrüht, schon jetzt die endgültige Bilanz der russischen Revolution zu ziehen« (210) und betont, die Bolschewiki dächten nicht daran, die Macht aus der Hand zu geben, andererseits aber gleichzeitig von einem »heiligen« Eigentumsrecht spricht, als sei dieses durch die in Sowjetrussland verabschiedeten Gesetze verankert. Vielleicht liegt das in der juristischen Denkweise Goldenweisers begründet; obwohl er eigentlich lange genug unter den Bolschewiki gelebt hat, gibt er vor nicht zu verstehen, dass ihnen das Eigentum am allerwenigsten »heilig« ist. Ebenso wie die anderen Emigranten, die nach wie vor auf eine Änderung oder Evolution der Bolschewiki und damit auf eine »Normalisierung« des Regimes hofften, musste er ein paar Jahre später erleben, wie die Kommunisten die Neue Ökonomische Politik wieder aufgaben und einen in seinen Ausmaßen in Russland noch nie erlebten Angriff auf die Bauern, die »Kleineigentümer«, starteten. Ein nicht weniger trauriges Los ereilte die »NEP-Leute«, diejenigen, die an die Möglichkeit eines privaten Unternehmertums unter den Bolschewiki geglaubt hatten. Doch all dies lag damals noch in der Zukunft.

Noch analysiert Goldenweiser die Revolution im Rahmen des französischen Modells: Die Revolution »ist ein Unrecht, das Recht bilden muss; sie ist ein Gewaltakt, der zu einem friedlichen Aufstieg führen muss, sie ist ein Aufruhr, der Ordnung schaffen muss«. (213) Das war es, was Ende des 18., Anfang des 19. Jahrhunderts in Frankreich geschehen war. Das in den Revolutionsjahren umverteilte Eigentum wurde schließlich juristisch den neuen Eigentümern zugesprochen, denn diese waren an Ordnung interessiert. Und selbst nach dem Sturz Napoleons, dieser Ausgeburt und des Totengräbers der Revolution, konnten sich die an die Macht zurückgekehrten Bourbonen nicht dazu durchringen, den Bauern das Land wieder abzunehmen.

Goldenweiser betont die Zwangsläufigkeit der Katastrophe, die sich in Russland zutrug:

> »Die Russische Revolution war eben kein Unglücksfall, überhaupt kein Zufall, sondern ein Verhängnis. Darum lohnt es sich nicht, darüber bloß zu lamentieren, und es ist geradezu lächerlich, zu hoffen, dass man die Revolution rückgängig machen könnte, dass man dieses Blatt der Geschichte einfach streichen kann und dass man wieder an dem Punkt anfangen könnte,

---

17 Zitate hier und im folgenden wieder aus Alexis A. Goldenweisers Vortragsmanuskript »Das heutige Russland« (s. Anm. 14).

wo man 1917 stehen geblieben ist. Es war ein Verhängnis. Die Monarchie ist gefallen, weil sie fallen musste. Wir haben gesehen, wie sie fiel. Die treibenden Kräfte der Revolution mussten sich eben so gestalten, wie sie sich in Wirklichkeit gestaltet haben, denn sie sind die naturwüchsigen Erzeugnisse der russischen Geschichte. Es ist kein böser Wille, der an diesem Unglück schuldig ist. Es sind die immanenten Eigenschaften des Volkes und die psychischen Eigenschaften der führenden Klassen, die die Schuld tragen.« (211)

Was die Frage der Schuld betrifft, die Frage, wer für die Revolution verantwortlich zu machen sei, so fand Goldenweiser die Verurteilung der liberalen Intelligenz, die so viel Kraft auf den Kampf gegen die Autokratie verwandt hatte, zu streng. Gleichzeitig musste er sich einen Irrtum eingestehen. Er sei mit der Vorstellung groß geworden, dass die Revolution etwas Kurzes, Leichtes und Natürliches sei, wie etwa eine Krise in der Krankheit, ein Fieber, das zur unverzüglichen Genesung führe. Aber es habe sich herausgestellt, dass die Revolution keineswegs etwas Leichtfügiges sei. (212-213) Aber wer war dann der Schuldige? Goldenweisers Antwort könnte man in der Formel zusammenfassen: Schuld ist die Geschichte. Er schreibt:

»Eine Revolution fordert von einem Volke den höchsten Grad der politischen, sozialen und moralischen Schulung, wie kein anderer Moment der Geschichte. Kein Wunder, dass das russische Volk nach tausend Jahren Despotismus, der Erniedrigung und der Verknechtung die nötige Schulung nicht besaß und diese Prüfung nicht überstand. Es wäre nicht billig, ihm dies übel zu nehmen und es dafür zu beschimpfen, wie so manche dies jetzt tun. Man pflegt oft den Spruch zu wiederholen: Jedes Volk hat diejenige Regierung, die es verdient. Man könnte auch hinzufügen: Es hat diejenige Revolution, der es gewachsen ist.« (213)

Goldenweiser weigerte sich, in der Russischen Revolution den Beweis für eine Degeneration der Demokratie zu sehen, denn die Demokratie herrschte in Russland nur einige Monate, und was seitdem herrsche, sei das Gegenteil der Demokratie. (212) Eine andere Meinung hatte er zum Schicksal des Sozialismus: »Das russische Experiment« bedeute den Anfang des »Untergangs der sozialistischen Sonne in der ganzen Welt«. Dies sei seine tiefe subjektive Überzeugung«. (ebd.) Goldenweiser konnte es nicht abwarten, eine Grabrede auf den Sozialismus zu halten.

Welchen Platz haben in seinem Schema der Russischen Revolution nun die Juden, über deren fatale Rolle für das Schicksal Russlands in der Emigrantenpresse rechter Orientierung sich nur derjenige nicht ausließ, dem dies zu mühsam war? Die Frage des Verhältnisses der russischen Juden zum Bolschewismus und ihrer Lage unter der Sowjetmacht sei zweifelsohne die brennendste Frage der jüdischen Gegenwart, schrieb Goldenweiser. Die Frage sei gerade deshalb so brennend, weil sie für die überwiegende Mehrheit der Nichtjuden gar keine Frage ist. (88)[18] Die überwiegende Mehrheit betrachtete die Sowjetmacht als jüdische Macht. Goldenweiser protestiert scharf gegen diese weit verbreitete Meinung:

>»Die Sowjetmacht soll die Macht der russischen Juden sein?! Dabei haben die Bolschewisten vor aller Augen sämtliche nationalen Einrichtungen des jüdischen Lebens zerstört, all das, was unter dem Druck des Zarismus hatte bewahrt werden können und was in der kurzen Periode der Provisorischen Regierung so üppig aufgeblüht war. Sie zerschlugen die Gemeinden, die sich nach allgemeinen Wahlen 1917 neu konstituiert hatten; sie lösten das Netz der jüdischen Wohltätigkeitsorganisationen auf, verfolgen die Rabbiner und plündern die Synagogen, während jüdische Sozialisten, die zu den Bolschewisten übergelaufen sind, ihren Einfluss einsetzen, um die Frage der Sprache und Schulen gewaltsam zu lösen: die hebräische Sprache wurde verboten, sämtliche konfessionellen Schulen geschlossen. – Und das soll eine Macht jüdischer Nationalität getan haben?« (91-93)

Goldenweiser bezieht sich hier auf das Dekret über die Liquidierung der autonomen jüdischen Gemeinden vom Juni 1919. Demnach wurde sämtlicher Besitz der Jüdischen Gemeinden den örtlichen Jüdischen Kommissariaten übergeben.[19] Wenige Tage nach der Veröffentlichung des Dekrets hatte das Volkskommissariat für Aufklärung auf Antrag jüdischer Kommunisten in einer Ergänzung »Über die Schulen der nationalen Minderheiten« beschlossen, dass Jiddisch und nicht Hebräisch als Muttersprache der werktätigen jüdischen Massen Sowjetrusslands zu gelten habe.[20]

Einerseits wies Goldenweiser die Auffassung, dass die Sowjetmacht jüdisch sei, von sich, andererseits ging er aber auch auf die unbestreitbare Tatsache ein, dass unter den bolschewistischen Führern im Mittelfeld des Partei- und Räte-

18 Zitate hier und im folgenden aus dem Manuskript: Aleksej A. Gol'denvejzer, Russkoe evrejstvo i sovetskaja vlast' (siehe Anm. 15).
19 Izvestija, vom 19. 6. 1919. Das Dekret über die Liquidierung der autonomen jüdischen Gemeinden wurde von Samuil Ch. Agurski, dem stellvertretenden Vorsitzenden der Jüdischen Sektion (Jewsekzija) und Mitglied des Komitees für die Juden (Jewkom), vorbereitet und am 11. April 1919 von Stalin, dem Volkskommissar für Nationalitätenfragen, bestätigt, bestätigt und erst im Juni desselben Jahres veröffentlicht und verbreitet.
20 Das Dekret trägt die Unterschrift von Michail N. Pokrowski, dem stellvertretenden Vorsitzenden des Volkskommissariats für Aufklärung und Leiter der sowjetischen Geschichtswissenschaft sowie von Pawel N. Makinzjan, dem Leiter der Abteilung für Aufklärung der nationalen Minderheiten.

apparats sowie im Wirtschaftsbereich und in der Roten Armee viele Juden waren. Im ersten Teil des Artikels »Die russische Judenheit und die Sowjetmacht« versucht er, die Juden, die mit den Bolschewiki zusammenarbeiten, zu klassifizieren und die Motive der »jüdischen Agenten der Sowjetmacht« zu erklären. Die aktiven Anhänger des kommunistischen Regimes teilt er in drei Gruppen ein: Alte überzeugte Kommunisten, »Wendehälse«, also solche, die sich aus eigennützigen Gründen den Kommunisten angedient haben, und »Proselyten«, Menschen, die mehr oder weniger überzeugt zur Sowjetmacht übergetreten sind. Die erste Gruppe setze sich größtenteils aus alten Revolutionären und Emigranten zusammen, aus ehrlichen Fanatikern, »geblendet vom Glauben an den Mythos der Revolution und die Berufung der Partei, Russland und die ganze Menschheit zu beglücken«. (103) Es stehe jedem frei, sie zu hassen oder gegen sie zu kämpfen, aber verachten müsse man sie nicht unbedingt. Dieser Unterton schwingt in Goldenweisers Bewertung der ersten Gruppe mit.

Ein ganz anderer Ton kommt auf, wenn Goldenweiser auf die »Wendehälse« zu sprechen kommt, diejenigen, die sich bestimmter Vorteile wegen als Bolschewiki ausgeben. Aus seiner Sicht finden sich unter den kommunistischen »Wendehälsen« dieselben Leute, die sich vor der Revolution taufen ließen, um das Recht auf einen Wohnsitz außerhalb der Siedlungsgrenzen oder andere Rechte zu erlangen. Goldenweiser zählt solche Opportunisten zur »Halbintelligenz«:

»Zu diesen ›Wendehälsen‹ gehören größtenteils Menschen, die keine richtige Bildung genossen, aber ein bestimmtes oberflächliches Wissen aufgeschnappt haben, das ihnen die Möglichkeit gibt, sich in der grauen Masse der Soldaten oder städtischen Kleinbürger hervorzutun. Die in den Städten konzentrierte Judenheit bestand in Russland immer in der Hauptsache aus der großen Gruppe der Halbintelligenz, zu der Ladenverkäufer, untere Kanzleiangestellte, bewusste Arbeiter und schließlich alle möglichen Halbgebildeten gehörten. Das Sowjetregime ist ein regelrechtes Paradies für diese Halbintelligenz, die den umfangreichen Bedarf an Personal bei den unzähligen sowjetischen Institutionen deckt. Dieses Regime verlangt ja von seinen Adepten gerade soviel Intelligenz, wie es braucht, um begeistert Propagandasprüche nachzuplappern. Der echten Intelligenz gegenüber, die ihren eigenen Kopf hat und sich weigert, die Rolle kommunistischer Papageien zu spielen, nimmt dieses Regime zwangsläufig eine vorsichtige, feindliche Haltung ein.« (109-111)

Zur dritten Kategorie, zu den frischen Konvertiten unter den Kommunisten und zu den Leuten, die ihren Frieden mit der Sowjetmacht geschlossen haben, rechnet Goldenweiser Menschen mit »schwacher geistiger und sittlicher Resistenz«, die notorisch unfähig sind, sich lange in Opposition zur herrschenden Klasse zu halten. »Sie geben schließlich entweder nach und fügen sich den von der herrschenden Klasse aufgestellten Losungen oder einigen sich mit ihr auf der Grundlage eines mehr oder weniger künstlichen Kompromisses.« (112)

Goldenweiser behauptet »kategorisch«, es gebe in dieser Gruppe sehr wenige Juden und erst recht keinen Juden von Rang. Kein Antisemit könne jüdische Namen nennen, vergleichbar mit dem von Maxim Gorki, dem hochtalentierten russischen Schriftsteller der jungen Generation, von General Brussilow, einem der populärsten Oberbefehlshaber des Ersten Weltkrieges, von Professor Gredeskul, dem Stellvertretenden Vorsitzenden der Ersten Staatsduma, oder von Graf Alexej Tolstoi, dem berühmten Romanschriftsteller, und vielen anderen, schrieb er nicht ohne Schadenfreude. Sie alle seien, ohne echte Kommunisten geworden zu sein, früher oder später in die Knie gegangen und arbeiteten nun für die Sowjetmacht. (114-115) Er fasst zusammen:

> »Nachdem ich so viele unangenehme Wahrheiten über die russischen Juden in meinem Artikel habe sagen müssen, halte ich diese charakteristische und bezeichnende Tatsache mit Genugtuung fest. Unter den bedeutenden Bolschewisten sind viele Juden, unter den nichtsnutzigen Wendehälsen sind viele Juden, aber kein einziger bedeutender russischer Jude hat sich von seiner Herkunft losgesagt und ist ins Lager der Kommunisten übergelaufen.« (115-116).

Goldenweiser meint die alte jüdische Elite der vorrevolutionären Zeit. Tatsächlich war ein bedeutender Teil dieser Elite emigriert, und wer es nicht geschafft hatte auszureisen, fristete eine traurige Existenz in Sowjetrussland. Jüdische Persönlichkeiten des öffentlichen Lebens, Unternehmer und Kulturschaffende wie Max M. Winawer, Genrich B. Sliosberg, Oskar O. Grusenberg, Alexander G. Ginzburg, Simon M. Dubnow, Jacob Teitel und viele andere zogen die Emigration vor. Die Lage der jüdischen Massen dagegen, insbesondere derer, die Opfer von Pogromen geworden und ihrer traditionellen Einkunftsquellen beraubt worden waren, war wirklich tragisch. Andererseits eröffnete die Sowjetmacht, die soviel für die »Entjudung« der Juden, für die Auflösung der Strukturen ihrer Religion und Gemeinden tat, ihnen zuvor ungeahnte Bildungs-, Berufs- und Karrieremöglichkeiten im Staatsdienst. Und so sehr die Emigranten die »Wendehälse« verurteilten, für viele Juden, die in Russland geblieben waren, wurde die Sowjetmacht zu einem Zuhause, und die traditionelle Kultur und Religion, die überkommenen Tätigkeitsbereiche, wurden für sie zu »Relikten der Vergangenheit«.

»Bedeutende Juden«, das waren z. B. Trotzki und Sinowjew, und nicht die schnell in der Heimat vergessenen »jüdischen Fürsprecher« der längst vergessenen Staatsduma oder Anwälte, die in Zeiten der Zarenjustiz die Interessen ihrer Glaubensbrüder verteidigten. Der Junge im ehemaligen jüdischen Siedlungsgebiet würde auf die traditionelle Frage seines Großvaters, »Berka, was willst du einmal werden?«, antworten, er heiße gar nicht Berka, sondern Lentrosin (eine Zusam-

menziehung der Namen Lenin, Trotzki und Sinowjew, einer der exotischen Namen, die während der Revolution aufkamen), und werden wolle er: Tschekist.[21]
Antworten dieser Art erhielten vermutlich Tausende jüdischer Großväter.

Goldenweiser weist zu Recht darauf hin, dass der Bürgerkrieg auf die Juden
möglicherweise schwerwiegendere Auswirkungen gehabt hat als auf die anderen
Völker des einstigen Russischen Reiches. Das südwestliche und das westliche
Grenzgebiet, wo die jüdischen Massen geballt lebten, war einer der Haupt-
schauplätze des Bürgerkrieges. Kiew ging dreizehn Mal von einer Macht zur
anderen über! Für die Juden waren Machtwechsel besonders gefährlich, weil sie
häufig mit Pogromen einhergingen. Der Antisemitismus wurde zum Surrogat
für die Ideologie der Weißen; die Truppen von Simon Petljura, dem Führer der
ukrainischen Nationalisten, waren von ihm durchdrungen, von den Banden
der verschiedenen Atamane gar nicht zu reden. Dazu Goldenweiser in seinem
Manuskript über die Juden und die Sowjetmacht:

>»Wenn die Bevölkerung, die unter dem Joch der Bolschewisten unendlich
gelitten hatte, ihre Befreier freudig und festlich empfing, versteckten sich die
Juden entsetzt und ängstlich in den Kellern. Sie hatten Angst vor einem Pogrom. Und wie oft stellten sich diese Ängste leider als begründet heraus! ...
Wenn die Judenheit wie die anderen Völker Russlands einen Teil der Schuld
an diesem vor der Heimat und der Menschheit begangenen Verbrechen
trägt, das die bolschewistische Revolution genannt wird, so ist die Abrech-
nung und Vergeltung, die sie erfuhr, doch unverhältnismäßig viel grausamer
und zerstörerischer ausgefallen als ihre Schuld.« (122-123)

Schon allein die Tatsache, dass Goldenweiser dem Bolschewismus die Verantwortung für die ausgelöschten Leben und das zerstörte Eigentum der Juden zuschreibt,
ist interessant. Aber damit nicht genug: Seiner Meinung nach hatte der Bolschewismus »den ganzen Vorrat an latentem Antisemitismus, der in den Seelen der
russischen Menschen schlummerte, bestärkt und auf die Spitze getrieben«. Die
Massen hassten die Juden, die sie für die Schuldigen an ihrem Unglück hielten.
Keiner bedaure sie, denn alle von der Judenheit erlittenen Unglücksfälle gelten als
verdiente, notwendige und beinahe noch zu milde Strafen für die von ihnen begangenen Vergehen. Und was das Schrecklichste sei: Nicht nur die unkultivierte
Masse denke und fühle so, sondern auch ein beträchtlicher Teil der Führung und
insbesondere der Intelligenz sei »von diesem Gift infiziert«. (123-124)

In diesem Punkt übertreibt Goldenweiser. Zwar beteiligten sich auch die
bolschewistischen Truppen manchmal an Pogromen, aber dies entsprach kei-

---

21 Vladimir G. Tan-Bogoraz (Hrsg.), Evrejskoe mestečko v revoljucii. Očerki, Moskau,
    Leningrad 1926, S. 25.

neswegs der Politik der Sowjetmacht. Die Verantwortlichen für die Pogrome wurden in der Regel streng bestraft. Die meisten ermordeten Juden gehen auf das Konto der Gegner der Bolschewiki, wie Goldenweiser ein paar Zeilen davor selbst geschrieben hatte. Natürlich bedeuteten die Einschränkungen oder direkten Verbote des Handels und einiger anderer Arten wirtschaftlicher Betätigung sowie die von den Bolschewiki durchgeführten Konfiszierungen und Requirierungen für die Juden enorme Verluste. Aber man kann dies wohl kaum auf eine Ebene mit den Plünderungen, Brandstiftungen, der völligen Zerschlagung und Vernichtung des Eigentums der Juden stellen, die von den Gegnern der Bolschewiki praktiziert wurden. Und geradezu anekdotisch muss die Beschuldigung der Bolschewiki anmuten, ihre Tätigkeit habe den »latenten Antisemitismus« in den Seelen der russischen Menschen geweckt. Für den Antisemitismus in ihren Seelen tragen die russischen Menschen selbst die Verantwortung, und wenn sie keine anderen Erklärungen für das Leid finden konnten, das die Russische Revolution über Russland gebracht hat, als jüdische Umtriebe, so war das nicht die Schuld der Bolschewiki.

Die »innere Degeneration« des kommunistischen Regimes wirkte sich günstig auf die Lage der russischen Juden aus. Die Zulassung des Privathandels und anderer Arten von Unternehmertum öffnete der russischen Judenheit, so Goldenweiser, »ein weites Feld für die wirtschaftliche Wiedergeburt des zerstörten und gequälten Landes«. Aber ein »wirtschaftliches Erwachen« konnte nicht dauerhaft sein ohne ein politisches Erwachen, »ohne das allen wirtschaftlichen Möglichkeiten die rechtliche und moralische Basis fehlt«. (129-130)

Goldenweiser fürchtete, die »antisozialistische Reaktion«, mit der das bolschewistische Experiment schließlich enden werde, »nehme womöglich einen eindeutig antisemitischen Charakter an«. Aber er hoffte doch auf »einen geistigen Lichtstreif, der es den zu einem neuen Leben wiedergeborenen Völkern erlauben werde, sich nicht dem Rausch gegenseitiger Feindschaft zu überlassen, sondern die Samen des Hasses zu unterdrücken und zu brüderlicher Solidarität zu finden«. (130)

Wie die Hoffnungen auf die brüderliche Solidarität der Völker, so stellten sich auch die Hoffnungen auf eine schnelle Degeneration des Bolschewismus als unerfüllbar heraus. Die beiden Manuskripte von Alexis Goldenweiser sind ein historisches Denkmal dieser unerfüllten Hoffnungen und guten Wünsche. In diesen Texten bringt die liberal-demokratische, in beträchtlichem Ausmaß säkulare Judenheit ihre Position gegenüber der Sowjetmacht klar zum Ausdruck. Dieser Position blieb der Autor bis an das Ende seines langen Lebens unversöhnlich treu.

Aus dem Russischen von Birgit Veit

Markus Wolf

Russische Juden gegen den »jüdischen Bolschewismus« –
Der *Vaterländische Verband* im Russischen Berlin

Russland und die Juden

Rossija i jewrei [Russland und die Juden] lautet der Titel eines Buches, das 1924 auf Russisch und ein Jahr später auf Deutsch in Berlin erschienen ist.[1] Es ist ein Sammelband, aus dem Alexander Solschenizyn in seinem letzten, zwölfhundert Seiten umfassenden Werk *Dwesti let wmestje* [Zweihundert Jahre zusammen] über die Juden in Russland an vielen Stellen ausgiebig zitiert und voll des Lobes ist über die Haltung seiner Autoren.[2] Seit seiner Veröffentlichung ist dieser russische Sammelband ein einziges Mal in einer deutschen Zeitung besprochen worden. Das *Weltwirtschaftliche Archiv* hat ihn Mitte der zwanziger Jahre mit vier Sätzen zusammengefasst:

»Das Werk will die Stellung des russischen Judentums zur Revolution vom Standpunkt der jüdischen Emigranten aus beleuchten. Es ist der Ausdruck des politischen Willens desjenigen antibolschewistischen Teiles der russischen Judenschaft, für den die politischen Umwälzungen eine ›Diaspora in der Diaspora‹ gebracht haben. Die Feststellung eines unversöhnlichen Gegensatzes zwischen jüdischem und bolschewistischem Wesen wird der Behauptung einer Identität beider Wesenheiten entgegengesetzt. Nach der in der Schrift vertretenen Meinung ist die Rettung des Judentums mit der Rettung Russlands gleichbedeutend.«[3]

Die zumeist in Berlin ansässigen Herausgeber und Autoren wollten jedoch ihren Sammelband nicht nur als politische Meinungsäußerung verstanden wis-

---

1 Rossija i evrei. Sbornik pervyj. Iosif M. Bikerman / Grigorij A. Landau / Isaak O. Levin / D. O. Linskij / Venjamin S. Mandel' / Daniil S. Pasmanik. (=Otečestvennoe ob"edinenie russkich evreev zagranicej, Berlin: Osnova, 1924. (ND Paris: YMCA-Press 1978 und Moskva: Az 2007) Die Umwälzung in Russland und das Schicksal der russischen Juden. Ein Sammelwerk, Aus dem Russischen übertragen, Dr. J.M. Bickermann, dr. G.A. Landau, Dr. J.O. Lewin, Dr. D.O. Linski, Dr. B.S. Mandel und Dr. D.S. Pasmanik, Berlin: Osuowa, 1925.
2 Aleksandr Sol'ženicyn: Dvesti let vmeste. Čast' I und II, Moskva 2001-2002.
3 O.A.: Rezension von »Die Umwälzung in Russland und das Schicksal der russischen Juden«, in: Weltwirtschaftliches Archiv [Tübingen] 22 (1925), S. 215.

sen. Hatten Sie doch mit ihrem Buch die »Juden der ganzen Welt« aufgerufen, den Bolschewismus mit allen Mitteln zu bekämpfen.[4] Zu diesem Zweck gründeten sie in Berlin den *Vaterländischen Verband russischer Juden im Auslande.* Mit ihrer Publikation und der Verbandsgründung setzten sie der seit Anfang der 1920er Jahre in Deutschland, Europa und auch in den USA verbreiteten Identifikation des Bolschewismus mit den Juden in Russland und sogar mit einer jüdischen Weltherrschaft, einen starken Kontrapunkt entgegen. Denn ihr antibolschewistischer Widerstand kam von einer Seite, die es in einem Weltbild von einer jüdischen Weltherrschaft nicht geben konnte: von patriotischen Juden aus Russland mit Wohnsitz in Berlin, die ihre Heimat verloren hatten und bereit waren, nicht nur die Juden unter den Bolschewisten zu bekämpfen, sondern auch unter den Juden Mitkämpfer zu werben. Wer waren diese russisch-jüdischen Emigranten, und was hatte sie bewogen, sich als antibolschewistische Juden in den unsicheren Gefilden der Emigration an die Öffentlichkeit zu wagen?

Die Berliner Debatte über die Juden und die russische Revolution

Der Veröffentlichung des Sammelbandes 1924 waren in der ersten Hälfte des Jahres 1923 zahlreiche öffentliche Veranstaltungen (Vorträge und dazugehörige Debatten) in Berlin vorausgegangen. Diese standen unter dem Thema »Russland und das russische Judentum«. Was hatte es mit dieser Debatte über Russland und das russische Judentum auf sich?

Wenige Monate nach der Räumung der Krim durch die Weiße Armee unter General Wrangel in der zweiten Novemberhälfte 1920 wurden in der Berliner Emigration erste Stimmen laut, Monarchisten sollten die ständige Hetze gegen die Juden beenden und sich mit ihnen nunmehr gegen die Bolschewisten zusammentun. Die bislang früheste diesbezügliche Quelle ist eine geheime Notiz aus dem Preußischen Innenministerium im Rahmen der so genannten »Russischen Emigrantennachrichten«, welche auf Auskünfte von Beteiligten zurückgehen. Berichtet wurde am 22. Januar 1921 von einem erst kurz zuvor stattgefundenen Treffen des »zaristischen Clubs« – gemeint ist die *Russisch-Gesellschaftliche Versammlung* (ROS). In der Note betonte der frühere Leiter der russischen Landstände (Semstwa) im Moskauer Gouvernement, Fjodor von Schlippe, eine Wiedererrichtung der russischen Monarchie habe nur dann eine Aussicht auf Erfolg, wenn man die »selbstmörderische Politik der Judenhetze« aufgebe.[5] Diese interne Feststellung des erfahrenen Monarchisten gibt eine ge-

4 O.A.: K evrejam vsech stran!, in: Rossija i evrei, S. 7-8; (An die Juden aller Länder), in: Die Umwälzung in Russland und das Schicksal der russischen Juden, S. 5-6.
5 GStA PK, Zentrales Staatsarchiv Merseburg, Rep. 77, Tit. 1811, Nr. 47, Bl. 189.

nerelle Stimmung des Frühjahres 1921 wieder. Die monarchistische Bewegung war nach der Niederlage Wrangels bemüht, sich neu zu formieren. Wenige Wochen nach den Äußerungen von Schlippes fand in Berlin eine Gründungsversammlung für eine russische monarchistische Partei statt. Sie warb um alle republikanischen – militärischen und nichtmilitärischen – antibolschewistischen Kräfte. Und das konnte sie nicht zuletzt aufgrund einer neu verabschiedeten Rechtsordnung für eine künftige Monarchie in Russland, bei der die »Gleichheit aller Bürger vor dem Gesetz unabhängig von ihrer nationalen oder religiösen Zugehörigkeit« die Kernforderung darstellte.[6]

Im Frühjahr 1921 hielt einer der Herausgeber des Sammelbandes *Russland und die Juden* und künftiges Mitglied des *Vaterländischen Verbandes russischer Juden im Auslande*, Benjamin Mandel (1863-1931), einen Vortrag zu einem politischen jüdischen Thema in Berlin. Solschenizyn hatte bemerkt, dass es schwierig ist, aufschlussreiche Informationen zu Mandel zu finden.[7] Aus den Memoiren Simon Dubnows erfahren wir, dass der Petersburger Anwalt zu dessen frühesten Mitarbeitern und Mitbegründern der *Folkspartej* (gegr. 1906) gehörte.[8] In Petersburg war Mandel 1912-1922 Dubnows Vermieter gewesen. Doch in der Berliner Zeit sei der einstige Mitstreiter in Dubnows autonomistischer Bewegung unter die Monarchisten geraten. Aber wie sah dieser Prozess der Annäherung an die Zaristen wirklich aus? Im Jahr 1920 setzen die Aktivitäten Mandels im Russischen Berlin ein, und die meisten sind in der größten russischen Emigrantenzeitung Berlins, *Rul* (Das Ruder), nachzulesen. Im Juli dieses Jahres stand sein Name auf der Liste der Mitbegründer und Vorstandsmitglieder der ersten russischen Rechtsanwaltskammer, dem *Verband der russischen vereidigten Rechtsanwaltschaft in Deutschland*.[9] Im gleichen Jahr 1920 sprach er in deren

6 Diese Gründungsversammlung der »Russischen Monarchistischen Partei« fand am 26. Februar 1921 im Weinhaus »Rheingold« in der Bellevuestrasse 19/20, Potsdamer Straße 3 statt. Die neue Organisation, die als monarchistische Organisation und Partei ein Widerspruch in sich ist, soll alle Strömungen des Monarchismus von rechts bis links vereinigen. Über 200 Monarchisten waren anwesend. Vgl. »Rossijskoe monarchičeskoe ob"edinenie«, in: Rul', Nr. 87, 1. März 1921, S. 3.

7 Aleksandr Sol'ženicyn: Dve sti let vmeste. Čast' II, Moskva 2002, 190; dt.: Alexander Solschenizyn: »Zweihundert Jahre zusammen«. Die Juden in der Sowjetunion, München 2002, S. 200.

8 Simon M. Dubnov: Kniga žizni. Vospominanija i razmyšlenija. Materialy dlja istorii moego vremeni, Sankt-Peterburg 1998, 284, 324, 337, 540, 623; dt.: Simon Dubnow: Buch des Lebens. Erinnerungen und Gedanken. Materialien zur Geschichte meiner Zeit, 3 Bde. Herausgegeben von Verena Dohrn. Aus dem Russischen von Vera Bischitzky (Bd. 1 & 3) und Barbara Conrad (Bd. 2), Göttingen 2004/5, Bd. 3: 1922-1933, S. 149, 236, 242, 300.

9 Russkaja advokatura v Germanii, Berlin 1930, S. 4, 27. Die Russische Rechtsanwaltskammer in Deutschland (Sojuz russkoj prisjažnoj advokatury v Germanii (SRPA), Berlin 1920-33) wurde auf Initiative von Boris L. Geršun (1870-1954), Iosif V. Gessen (1866-1943)

Rahmen über die »Rechte der russischen Bürger im Ausland« (Wielandstraße 38);[10] darüber hinaus war er auch im *Verband der russischen Kaufleute, Industriellen und Financiers* (Sojus russkich torgowo-promyschlennych i finanssowych dejateljei, SRTPFD) als Redner hervorgetreten. Beruflich betrieb er in Berlin ein Versicherungsbüro. Im Rahmen des noch jungen *Verbandes russischer Juden* (Sojus russkich jewreew, 1920-1935) hatte er sich an der Seite seines Vorsitzenden, Jacob Teitel (1850-1939), dafür eingesetzt, auch »antibolschewistische Teilnehmer an Judenpogromen« zur Verantwortung zu ziehen.[11]

Maßgebend für die Debatte des Jahres 1923 »Russland und die russischen Juden« war hingegen sein Vortrag im Rahmen des *Verbandes russischer Juden*, gehalten am 21. April 1921 im Logenhaus in der Schöneberger Kleiststraße 10.[12] Denn seine Ausführungen waren die ersten aus dem Kreis des *Vaterländischen Verbandes*, welche dem Themenkomplex »Russland und die Juden« im Allgemeinen und den Juden im politischen Parteienspektrum in der westeuropäischen Geschichte im Besonderen gewidmet war.[13] Die Tageszeitung *Rul* fasst Mandels Ausführungen zwei Tage später für ihre Leser zusammen:

»Neben einigen kürzeren, aber scharfen Charakterisierungen jüdischer Würdenträger unter den Juden aus allen Zeiten und Völkern, hat der Vortragende darauf hingewiesen, dass jüdische politische Aktivisten sowohl in Parteien des äußersten rechten (konservativen) Randes wie auch in den revolutionären Parteien vertreten sind. Die anarchistisch-revolutionäre Propagierung eines Marx, welcher zu einem gewaltsamen Umsturz des Gesellschaftssystems aufgerufen hat, der gemäßigte Sozialpatriotismus eines Lassalle und der engere Konservatismus eines der Väter der Preußischen Verfassung, Professor [Friedrich Julius, M.W.] Stahl, und schließlich, der liberale Konstitutionalismus eines Lord Beaconsfield bestätigen den Vortragenden in seinem Gedanken, dass unter den herausragenden Vorreitern der jüdischen Aktivisten Vertreter aller politischen Strömungen zu finden sind, von der äußersten Rechten, bis zur äußersten Linken.«[14]

---

und Isaak M. Rabinovič (18??-1929) im Juni 1920 in Berlin gegründet. Die Hauptaufgaben dieser Vereinigung bestanden in der Unterstützung der russischen Rechtsanwälte in Deutschland. Auch konnte sie lange Zeit in Berlin eine kostenfreie Rechtsberatung für nicht nur in Rechtsfragen stark bedürftige russische Emigranten unterhalten. Im Jahre 1922 wurde auch ein »Kongress russischer Juristen im Ausland« (S"ezd russkich juristov za granicej)« veranstaltet, an dem Benjamin Mandel federführend teilnahm.

10 Russkaja advokatura v Germanii, Berlin 1930, S. 21.
11 Rul', Nr. 172, 14. Juni 1921, S. 4.
12 O. A.: V Berline: »Evrei i političeskija partija« (Doklad V. S. Mandelja), in: Rul', Nr. 131, 23. April 1921, S. 4.
13 Rul', Nr. 130, 22. April 1921, S. 5.
14 O.A.: V Berline: »Evrei i političeskija partija«, in: Rul', Nr. 131, 23. April 1921, S. 4.

Der zweite Teil des Vortrages war der Geschichte des Judentums in Russland gewidmet. Der Polnische Aufstand von 1863 und die Rolle des Judentums bei seiner Niederschlagung, die Ära der Großen Reformen Alexanders II. sowie die Ereignisse der letzten Jahre hätten die völlige Loyalität des russischen Judentums dem russischen Volk gegenüber klar gezeigt, wie auch dessen eifriges Bestreben, sich ihm eng anzunähern. Erst die repressiven Maßnahmen der zaristischen Regierung – angefangen mit der Errichtung eines Ansiedlungsrayons für Juden bis hin zu Einschränkungen des Zugangs der jüdischen Jugend zu den höheren Bildungseinrichtungen – hätten einen Teil der jüdischen Jugend aufgestachelt und in die Reihen der revolutionären Bewegung getrieben. Juden seien in der revolutionären Bewegung in Russland deshalb stark vertreten, weil unter dem alten Regime Gewalt angewendet worden sei, so Mandel. Trotzdem könne man im Gegenteil – und das belegen eine Reihe historischer Fakten – viel eher von einer konservativen Haltung des Judentums ausgehen als von seiner Bereitschaft zur Revolution.[15]

Benjamin Mandels Rede war ein kaum beachteter Meilenstein im Russischen Berlin: denn nach der offiziellen Neuformierung und Parteigründung im monarchistischen Lager in Folge der Niederlage Wrangels waren erstmals auch Mitglieder dieser Bewegung bei der Veranstaltung Mandels zu einem zeitgenössischen jüdischen Thema erschienen. Einer der monarchistischen Repräsentanten wies während der anschließenden Debatte selbstkritisch darauf hin, dass die Hauptgründe für die Entwicklung des Antisemitismus in der Weißen Bewegung die »Einschüchterung« des jüdischen Volkes gewesen sei – gepaart mit der Bereitschaft, seinen Feind dort zu sehen, wo er nicht sei. Dies habe die Juden von den Russen isoliert und behindere beide Völker an einem Zusammengehen. Im Russischen Berlin sind vergleichbare Veranstaltungen zu einem politischen jüdischen Thema mit jüdischem Redner und monarchistischen Zuhörern, die noch dazu die Thesen des Redners aufgreifen und kommentieren, nicht bekannt. Und die früheren zaristischen Offiziere und Würdenträger waren nicht irgendwo erschienen, sondern sie kamen ins jüdische Logenhaus von *B'nai B'rith,* in die Schöneberger Kleiststrasse 10.

Mandels Initiative, die sich neu formierenden Monarchisten und antibolschewistischen Juden zusammen zu führen, wurde Wochen später von der anderen Seite, den Anhängern der Erneuerung einer Monarchie erwidert. Denn nun war es der einflussreiche Monarchist und Parteigänger der neu begründeten Monarchistischen Vereinigung Russlands, Jewgeni A. Jefimowski, der in

15 Ebd.

den Lyzeumsclub am Lützowplatz 8 geladen hatte und über die »gegenwärtige
monarchistische Bewegung und die jüdische Frage in Russland« vortrug.[16]

Diese Versuche des Jahres 1921, jüdische und monarchistische Themen über
ihre Repräsentanten im Russischen Berlin zusammenzuführen, und eine ge-
meinsame Sammlungsbewegung zu begründen, haben sich in den späteren
Jahren nicht wiederholt. Die beiden Ereignisse von 1921 belegen vielmehr Versuche eines sich neu formierenden Monarchismus, eine politische Vereinigung
mit den russischen Juden in der Emigration auszuloten und ihre Wirkung in
der Öffentlichkeit zu testen.

Im Berliner Lokalteil russischer Emigrantenzeitungen waren politisch moti-
vierte Termine zu jüdischen Themen im Russischen Berlin in dieser frühen
Phase (1919-1921/22) verhältnismäßig selten. Die meisten der Veranstaltungen
und Vorträge bis Mitte des Jahres 1922 hatten einen überwiegend kulturellen
oder karitativen Hintergrund. Vorgetragen wurde zur Geschichte des Judentums oder zu künstlerischen Themen. Man lud zur Musik jüdischer Künstler
ein, aber Debatten zur Tagespolitik des Judentums und zu aktuellen Pogromen
in Russland fanden kaum statt. Nach dem Abschluss des Vertrages von Rapallo
im April 1922 aber nahmen öffentliche Veranstaltungen zu politischen Themen im russisch-jüdischen Berlin sprunghaft zu. Allerdings waren die Jahre
1922-1923 auch die Zeit, in der die meisten Flüchtlinge aus Sowjetrussland
nach Berlin kamen und sich das kulturelle Angebot auch dadurch stark vergrö-
ßerte.

Doch wie stand es um die Mitglieder des *Vaterländischen Verbandes*, den es
zu jenem Zeitpunkt noch nicht gab? Ein Blick auf ihre Beiträge zu Veranstaltungen in der zweiten Hälfte des Jahres 1922 zeigt, dass jüdische Themen nicht
nur nicht im Vordergrund standen, sondern nicht einmal am Rande vorkamen.
Wie Mandel hatte auch der Publizist Grigori Landau (1877-1941), Sohn des
namhaften jüdischen Verlegers Adolf Landau, Herausgeber der größten russisch-jüdischen Zeitschrift *Woschod* (Der Aufstieg), seinen Werdegang mit einer
juristischen Ausbildung in der zaristischen Hauptstadt begonnen, doch schon
bald war er mit diversen Beiträgen im *Woschod*, in *Nasch djen* (Unser Tag), *West-
nik Jewropy* (Der Bote Europas) und den *Sewernyje sapiski* (Nördliche Schriften)
hervorgetreten. Vor der Revolution zählte er neben Joseph Bickermann (1867-
1942) zu den Begründern der *Jüdischen Demokratischen Gruppe* (1904-1919),
einer überparteilichen Organisation, die sich in der Nachfolge des *Verteidi-
gungsbüros* (Bjuro sashtschity) aus dem Geist jüdischer Selbstwehr heraus für

16 Die Veranstaltung wurde auf der Berlin-Seite von Rul' für den Abend des Erscheinungs-
    tages angekündigt: Evgenij A. Efimovskij: »Sovremennoe monarchičeskoe dviženie i
    evrejskij vopros v Rossii«, in: Rul', Nr. 236, 2. August 1921, S. 5.

Joseph Bickermann (Mitte der 1930er
Jahre). Privatbesitz Prof. Michael Bikerman

eine jüdische Gleichberechtigung einsetzte und eine juristische Beratung für
verfolgte Juden anboten.[17] Doch im Gegensatz zu Mandel, der als Gefolgs-
mann des Politikers Dubnow für eine jüdische geistliche und kulturelle Autonomie in der Diaspora eingetreten war, hatte sich Landau einer nichtjüdischen
Partei, den *Konstitutionellen Demokraten* (Kadetten), angeschlossen und wurde
als Mitglied der russischen Liberalen aktiv.

In der zweiten Hälfte des Jahres 1922 hielt sich auch Landau in seinen Vorträgen, was die jüdischen Themen betraf, zurück. Im Dezember 1922 sprach er
beispielsweise über die »Krise im Sozialismus«, ohne die Juden zu erwähnen.
Ebenso zurückhaltend war auch Joseph Bickermann (1867-1942), das unzwei-
felhaft bekannteste und wohl auch umstrittenste Mitglied des späteren *Vaterländischen Verbandes russischer Juden im Auslande*. Wie Landau war Bickermann
in Petersburg Mitbegründer der *Jüdischen Demokratischen Gruppe* gewesen.
Doch lehnte er im Gegensatz zu Landau ein parteipolitisches Engagement für
sich ab. Als parteiloser Journalist hatte er sich im Jahre 1902, also vor den das
russische Judentum aufwühlenden Pogromen in Kischinjow im April 1903,
bereits mit einem antizionistischen Beitrag einen Namen in der russischen

---

17 Red.: Evrejskaja demokratičeskaja gruppa, in: Kratkaja evrejskaja ėnciklopedija (KEĖ),
    Ergänzungsband 3, S. 155-156.

Öffentlichkeit gemacht, der auch unter den führenden Zionisten wie Ber Bo-
rochow und Wladimir Jabotinsky hohe Wellen geschlagen hatte.[18] Darin hatte
er das Ziel einer jüdischen Staatsgründung als ein naives Unternehmen bezeichnet, die meisten jüdischen Auswanderer aus Russland würden Richtung Westen
ziehen, die Zionisten aber zeigten nach Osten. Darüber hinaus sei eine Staatsgründung ein langfristiger Prozess, die politische Lage verlange aber nach kurz-
fristigen Lösungen. Aus der Befürchtung heraus, seine Söhne könnten als junge
Rekruten in den Wirren der Revolution ihr Leben verlieren, entschloss er sich
im Frühjahr 1922, mit seiner Familie Russland zu verlassen. Im April 1922 waren
die Bickermanns nach einer zweimonatigen Reise von Petrograd mit dem Zug
über Polen in Berlin eingetroffen.[19] Schon im Juni 1922 hielt Bickermann
einen ersten Vortrag im Rahmen der *Union russischer Journalisten und Literaten*
(Sojus russkich schurnalistow i literatorow, SRŽL) im *Café Léon* (Nollendorfplatz 1) in Schöneberg. Bickermann ging es darin um das Bild Sowjetrusslands
im Ausland.[20] Dabei erwähnte er jüdische Themen oder die Verwicklung der
Juden in die bolschewistische Bewegung mit keinem Wort. Es ist von daher
naheliegend zu fragen, was dazu geführt hat, dass die jüdischen Themen noch
nicht im Laufe der zweiten Hälfte des Jahres 1922, wohl aber zu Beginn des
Jahres 1923 sehr intensiv und mit vereinten Kräften in der Berliner Öffentlichkeit diskutiert wurden.

Besonders dieser erste Vortrag Bickermanns erfuhr eine bis dato nicht erreichte Aufmerksamkeit in der Öffentlichkeit des Russischen Berlin. Seine Veranstaltung war überfüllt, und die an der Debatte Beteiligten baten um einen
neuen Termin, an dem weiterdiskutiert werden konnte.[21] Redner und Thema
hatten einen neuralgischen Punkt getroffen und von daher die Neugierde bei
vielen geweckt. Wie kein anderer benannte Bickermann die bolschewistischen
Verbrechen und schloss die jüdischstämmigen Vertreter ausdrücklich mit ein.
Die Berichterstattung über seinen Vortrag ging jedenfalls weit über den Berliner Lokalteil hinaus. Andere russische Emigrantenzeitungen druckten die Rede
nach, zum Beispiel *Segodnja* (Heute) in Riga.[22] Doch auffällig ist, dass Bickermann bei diesem ersten Auftritt im Russischen Berlin das jüdische Thema gar
nicht berührte.

---

18 I. Bikerman: O sionizme i po povodu sionizma, in: Russkoe bogatstvo 7 (1902), S. 27-
    69.
19 O.A.: Pologne: M. J. M. Bikerman, in: La Tribune Juive, 30. März 1922, Nr. 117, S. 8.
20 S. I. Levin: »Sovetskaja Rossija i zarubežnoe predstavlenie o nej« (Doklad I. M. Biker-
    mana), in: Rul', Nr. 482, 20. Juni 1922, S. 4.
21 Ebd.
22 Ebd., S. 3.

Im Monat August wurde die Debatte, die sich an Bickermanns Vortrag entzündet hatte, auf weiteren Diskussionsabenden fortgesetzt, über die ebenfalls in der Emigrantenpresse ausgiebig berichtet wurde. Im September 1922 sprach er »Über die Gründe des Misserfolgs der Weißen Bewegung« und gab sich damit als unerschrockener Redner auch gegenüber der monarchistischen Seite zu erkennen.[23] So explizit hatte das Scheitern der Monarchisten vor ihm niemand im Russischen Berlin öffentlich zur Sprache gebracht.

Erst mit der Jahreswende 1922/23, setzte dann die Debatte ein, die zum Sammelband *Rossija i jewrei* (1924) geführt hat und der die Veranstaltungsreihe »Russland und die russischen Juden« vorausging. Bickermann leitete diese mit seinem Vortrag zum gleichnamigen Thema »Russland und das russische Judentum« im Guttmann-Saal in der Bülowstrasse 104 ein.[24]

Drei Wochen später, am 9. Februar, gab es einen Anschlusstermin, zu dem auch Vertreter des Zionismus, Joseph Schechtman und Julius Brutzkus, erschienen waren und das Wort ergriffen.[25] Der Berichterstatter in *Rul* hielt fest, dass die Frage der wechselseitigen Beziehungen zwischen Russland und dem russischen Judentum sowie die Richtung, die das russische Judentum in der russischen Frage einschlagen soll, öffentlich zur Debatte gestellt würden. Bickermann suchte nach Lösungen für die Juden in einem demokratischen Russland, während der Generalsekretär der zionistischen Organisationen in der Ukraine, Joseph Schechtman, angesichts der Pogrome der Weißen nur in einem »jüdischen Rechtsstaat« einen Ausweg für die Juden sah.[26]

Am 2. März folgte Grigori Landau ebenfalls in der Bülowstrasse 104 (aber im Schubert-Saal) mit einem Vortrag zum selben Thema. Eine Woche später wurde auch über diesen Beitrag debattiert.[27] Wieder ging es um die Frage der Mitverantwortung der Juden für die russische Revolution und um den Antisemitismus in der Weißen Bewegung. Landau beschrieb den Teufelskreis, in dem sich die russischen Juden befanden: Unabhängig davon, wie sie sich zur Frage der Juden in der russischen Revolution äußerten, in jedem Fall würden sie den Antisemitismus schüren. Nur wenn die Juden zu ihrer Mitverantwortung für die Revolution stünden, könnte der Teufelskreis durchbrochen werden. In dieser Debatte

---

23 Ankündigung des Bickermann-Vortrages für Sonntag den 17. September in den Räumlichkeiten der russischen Studentenunion in der Barbarossastraße 8, in: Rul', Nr. 545, 14. September 1922, S. 5.

24 Boris Orlov: Rossija i russkie evrei. (Doklad I. M. Bikermana), in: Rul', Nr. 650, 19. Januar 1923, S. 5.

25 Boris Orlov: Rossija i russkoe evrejstvo. (Prenija po dokladu I. M. Bikermana), in: Rul', Nr. 669, 10. Februar 1923, S. 5.

26 Ebd.

27 O.A.: Rossija i russkoe evrejstvo (Prenija po dokladu G. A. Landau), in: Rul', Nr. 694, 11. März 1923, S. 5.

äußerte Mandel die Überlegung, er könne sich eine russische Monarchie vorstellen, die Juden vor Progrom-Anstiftern schützen wollte und dazu auch imstande sei.[28]

Im März folgte Benjamin Mandel mit seinem Vortrag über die »Erhaltenden und zerstörerischen Elemente im Judentum«.[29] Er stellte die Frage, ob die Teilhabe der Juden an der Radikalisierung der russischen Revolution es rechtfertige, generell von zerstörerischen Tendenzen im Judentum zu sprechen, und knüpfte damit an Argumente seines ersten Vortrags von 1921 an, indem er zu zeigen versuchte, dass die Juden nicht prinzipiell links stünden, sondern viel eher in der Mitte und genauso im rechten Lager vertreten seien.

Die Organisation der Russisch-Ukrainischen Zionisten reagierte mit einem eigenen Zyklus. Ihre Vortragsreihe setzte mit Mateusz Hindes' Vortrag über »Das Judentum und das moderne Russland« ein, an dem einige der späteren Mitglieder des *Vaterländischen Verbandes* ebenfalls als Diskutanten teilnahmen.[30] Mitte April wurde aus allen bisherigen Vorträgen zum Thema »Russland und das russische Judentum« Bilanz gezogen, und zwar in Form einer Debatte über alle Vorträge.[31] Der Vorsitzende O. Buschanski, der selber zu den Gründungsmitgliedern des *Vaterländischen Verbandes* zählt, sich aber nicht mit einem Vortrag an der Debatte beteiligt hatte, wies bei dieser Gelegenheit darauf hin, dass die Gruppe sich zur Aufgabe gemacht habe, eine »jüdische Öffentlichkeit« zu schaffen, um das »wechselseitige Verhältnis Russlands und des russischen Judentums« zu beleuchten.[32]

Betrachtet man die Aktivitäten im russisch-jüdischen Berlin dieser Wochen im Frühjahr 1923, so fällt auf, dass nicht nur der Kreis um den späteren *Vaterländischen Verband*, sondern auch zionistische Organisationen um die Meinungsführerschaft im russisch-jüdischen Berlin in einer Weise kämpften, wie es vorher nicht der Fall gewesen war.

Der Sammelband *Rossija i jewrei* umfasst zwar die Manuskripte der ausgearbeiteten Reden von Mandel, Bickermann und Landau, nicht aber die Debatten und die Kritik der Anderen, darunter nicht zuletzt der zionistischen Seite. Das gilt auch für die deutsche Ausgabe, die ein Jahr später erschien.

---

28 Ebd.
29 O.A.: Evrejstvo i revoljucija, in: Dni, Nr. 121, 23. März 1923, S. 3.
30 O.A.: Evrejstvo o sovremennaja Rossija. (Doklad M. F. Gindesa), in: Rul', Nr. 711, 1. April 1923, S. 5; Hindes war bis Dezember 1923 auch Chefredakteur der Jüdischen Telegraphenagentur (JTA) in Berlin gewesen. Vgl. Verena Dohrn: Diplomacy in the Diaspora: The Jewish Telegraphic Agency; in Berlin (1922-1933), in: Leo Baeck Institute, Yearbook 54: 219-241.
31 O.A.: Rossija i russkoe evrejstvo (Itogi), in: Rul', Nr. 728, 22. April 1923, S. 5.
32 Ebd.

Bis zum Erscheinen der deutschen Ausgabe des Sammelbandes *Russland und die Juden* fanden die Vorträge und Debatten im Guttmann- oder Schubert-Saal in der Bülowstraße 104 am Nollendorfplatz statt. Im Jahr 1925 trug Bickermann erstmals in der Jüdischen Gemeinde in der Fasanenstraße 79-80 zum Thema »Das betrogene Europa« vor. Das jüdische Thema stand für ihn an diesem Vortragsort offenbar nicht so stark im Vordergrund, dass er es auch entsprechend betitelt hätte. In der neuen Umgebung nahm Bickermann offenbar einen Perspektivenwechsel vor: Während er seit 1923 vor einer breiten jüdischen und nichtjüdischen Öffentlichkeit über die jüdische Mitverantwortung für die russische Revolution sprach, betonte er in der Jüdischen Gemeinde die verheerende Rolle des Bolschewismus insgesamt, ohne die Rolle der Juden besonders hervorzuheben.

Der Vaterländische Verband russischer Juden im Auslande –
im Kampf gegen Bolschewismus und Antisemitismus

Es ist nicht einfach, dem Vaterländischen Verband der russischen Juden im Ausland gerecht zu werden. Die Liste der Gründungsmitglieder des Verbandes ist nicht identisch mit den Herausgebern und Autoren des Sammelbandes *Rossija i jewrei*, und auch diese wiederum decken sich nicht mit den Vortragenden und Diskutanten in der Debatte über die Juden und die russische Revolution im Russischen Berlin.[33] Es ist nicht bekannt, wann der Verband gegründet worden ist, ein Eintrag im Vereinsregister ist bisher nicht auffindbar.

Fest steht nur, dass am 22. September 1923 der *Vaterländische Verband* erstmals als Organisation in Erscheinung getreten ist. *Rul* schrieb über ihn und nannte folgende elf Personen als Gründungsmitglieder: Joseph Bickermann, O. Buschanski, W. Kagan, Grigori Landau, Isaak Lewin, Benjamin Mandel (alle Berlin), D. Mandel, Daniil Pasmanik (beide Paris), I. Dubossarski (Konstantinopel), D. O. Linski (Pseudonym für Naum Dolinski (Bulgarien)), und A. Kopelman (Philadelphia/USA).[34] Einige sind mit Beiträgen zur Debatte über die Juden und die russische Revolution überhaupt nicht in Erscheinung getreten wie Buschanski, Kagan, Dubossarski und Kopelman. Zusammen mit der Namensliste der Gründungsmitglieder druckte *Rul* den Aufruf »An die Juden aller Länder!« ab. Die Adresse an das Kollektiv der Juden erinnert an Karl Marx' Losung im *Kommunistischen Manifest* (1848): »Proletarier aller Länder, vereinigt Euch!« und suggeriert die Gründung einer alternativen, nichtbolschewistisch-jüdischen Internationalen. Der Aufruf bildete unverändert auch das

---

33 Autoren und Herausgeber, siehe Anm. 3.
34 [Anonym] Russkaja ėmigracija. Otečestvennoe ob"edinenie russkich evreev zagranicej, in: Rul', Nr. 856, 22. September 1923, S. 4.

erste Kapitel des Sammelbandes *Rossija i jewrei*. Der antibolschewistische Impetus beschrieb das politische Selbstverständnis der Mitglieder des *Vaterländischen Verbandes* nicht vollständig, es ging ihnen auch um die Bekämpfung des Antisemitismus, und zwar eines Antisemitismus neuen Typs. Dieser wäre nach ihrer Meinung vor allem im Westen anzutreffen, und diesen westlichen Antisemitismus sahen sie durch den Bolschewismus mit verursacht.

In Ihrem Aufruf »An die Juden aller Länder!« schrieben sie, dass die Teilnahme der jüdischen Bolschewisten an der Unterdrückung und Zerstörung Russlands den Juden nicht nur als »Schuld« angelastet, sondern als »Äußerung unserer Gewalt, als ›jüdische Übermacht‹« vorgehalten werde. In seinem Beitrag zum Sammelband wies Benjamin Mandel auf »die hervorstechende Rolle, die eine Anzahl von Juden in der revolutionären Bewegung in Mittel- und Osteuropa in den Jahren 1917 und 1918 gespielt hat«, hin. Insbesondere aber die »beträchtliche Teilnahme der Juden an der bolschewistischen Regierung Russlands« habe »das auch vorher schon vielfach behandelte Thema der außergewöhnlichen Umsturzgesinnung der Juden von neuem auf die Tagesordnung« gebracht. Nicht nur einzelne Juden, nicht nur einzelne Gruppen des Judentums, sondern das ganze jüdische Volk werde einer umstürzlerischen Gesinnung gegenüber der Staatskultur beschuldigt, die man als »christlich« zu bezeichnen pflegt. Mandel spricht hier konkret die verderbliche Rolle der *Protokolle der Weisen von Zion* an, welche nach den revolutionären Wirren in Russland bewirkt hätten, dass nicht nur Antisemiten, sondern auch breite Leserkreise an eine jüdische Weltherrschaft glaubten, wie sie sich in den *Protokollen* in einer fingierten wörtlichen Rede der »Zionsweisen« ausgedacht finde.

Mandel hatte schon früher als die anderen Mitglieder des *Vaterländischen Verbandes* einen Vortrag über die »Juden und die politischen Parteien« in Berlin gehalten und damals die Juden in der gesamten Diaspora im Blick gehabt. Sogar Joseph Bickermann, der wohl stärker als seine Kollegen den Antibolschewismus auf seine Fahnen geschrieben hatte, leitete seinen langen Sammelbandbeitrag über »Russland und das russische Judentum« mit Überlegungen zum modernen westlichen Antisemitismus ein:

> »Vor einiger Zeit las ich in deutschen Zeitungen, dass eine Anzahl japanischer Gelehrter nach Deutschland gekommen ist, um die antisemitische Literatur zu studieren: also interessiert man sich selbst auf den weit entfernten Inseln, wo es fast gar keine Juden gibt, für uns! Ohne jegliche Übertreibung, ohne sich im mindesten einzubilden, als beschäftige sich die ganze Welt nur mit uns Juden, muss man dennoch feststellen, dass die Wellen der Judophobie gegenwärtig Länder und Völker überfluten, von der Ebbe dieser Flut aber noch nichts zu merken ist. Es handelt sich dabei eben um Judo-

Dr. D. Pasmanik.
Eine Zeichnung von Nathan
Altman. Louis Lozowick:
The Art of Nathan Altman, in:
The Menorah Journal, XII/1,
Februar 1926, S. 72

Phobie: um Angst vor den Juden als Zerstörern. Der sinnfällige Beweis aber, der der Welt diese Angst einjagt und sie gegen uns erbittert macht, ist das elende Los Russlands.«[35]

Doch auch für Landau, Lewin und Pasmanik waren die *Protokolle der Weisen von Zion* und ihre Verbreitung in den USA und in Europa das Alarmsignal schlechthin. Von daher spricht manches dafür, dass die Herausgeber und die Übersetzer dem antisemitischen Gedanken einer »jüdischen Übermacht« auch mit der Veränderung des Titels in der deutschen Übersetzung 1925 einen Riegel vorschieben wollten. Anders als die russische Ausgabe titelt die deutsche Version *Die Umwälzung in Russland und das Schicksal der russischen Juden.* Die Juden sollten im deutschen Titel eindeutig als Opfer und nicht als Mitregenten eines neuen Russlands assoziiert werden.

Da in diesem Band nahezu von allen Autoren gegen die Wirkung der sogenannten »Protokolle im Westen und in Amerika« (wie es bei Isaak Lewin heißt) gekämpft wurde, da Bickermann kaum in Berlin angekommen über »Sowjetrussland und die westliche Sicht« vortrug, kann die Haltung der Mitglieder des *Vaterländischen Verbandes* auch mit der starken Verbreitung der *Protokolle* in

35 Rossija i evrei…, Berlin 1924, S. 11/12; Die Umwälzung in Russland…, Berlin 1925, S. 10.

Deutschland und ihrer Wirkung in der russisch-jüdischen Gemeinde Berlins erklärt werden.[36]

In seinem wohl stärksten Aufsatz über »Russland und das russische Judentum« setzte sich Joseph Bickermann kritisch mit den gängigen Meinungen zur Rolle der Juden in der russischen Revolution auseinander. Der typische Russe beklage »die Juden hätten Russland zugrunde gerichtet«, und die typisch jüdische Antwort darauf sei »Natürlich! Wir sind stets an allem schuld; wo immer ein Unglück passiert, man sucht nach dem Juden als dem Schuldigen und findet ihn auch.« Neun Zehntel dessen, was in der jüdischen Presse über Russland und die Juden geschrieben werde, so Bickermann, sei »nichts als eine Variation dieser stereotypen Phrase«.[37]

Doch könne man aus diesem generellen Schuldvorwurf nicht den bequemen Umkehrschluss ziehen, dass die Juden stets und in allem Recht haben. Durch die ständigen Anklagen erscheinen uns Juden, so Bickermann, die anderen, »die ganze Welt als die Schuldigen, nur die Juden nicht«. Obwohl in der Interpretation verschieden, seien aber beide Positionen – die typisch russische wie die typisch jüdische – eng miteinander verwandt. Denn beiderlei Denken entspringe dem Gefühl der Unverantwortlichkeit. Unverantwortlichkeit sei für die Rolle der Juden in der russischen Revolution aber nicht nur fehl am Platz, sondern »selbstzerstörerisch«.[38] Die Verbreitung der *Protokolle der Weisen von Zion* in Deutschland wird gemeinhin mit einem an die Macht gekommenen Nationalsozialismus in Verbindung gebracht. Aber die Akteure des *Vaterländischen Verbandes* haben die Folgen *der Protokolle* im Westen schon vor 1933 antizipiert, ihren Impetus auf das Bild des Bolschewismus mitgedacht und seine Gefahren für die Juden in erstaunlicher Klarheit vorweggenommen.

So lassen sich scheinbar nebensächliche Passagen auch in Reaktion auf die Wirkung der *Protokolle* verstehen, wie bei Joseph Bickermann in seiner ausgearbeiteten Rede im Sammelband: Da aber »in der Welt seit den Bolschewisten eine Welle der Angst vor uns Juden als Zerstörern« empfunden werde, müsse sich die jüdische Seite artikulieren und politisch Position beziehen. Bickermann

36 Ludwig Holländer, Jüdische Weltherrschaft, in: Georg Herlitz, Bruno Kirschner (Hrsg.), Jüdisches Lexikon. Ein enzyklopädisches Handbuch des jüdischen Wissens in vier Bänden, Berlin 1927-30, 4/1 (1930), Sp. 542-545; Norman Cohn: »Die Protokolle der Weisen von Zion«. Der Mythos von der jüdischen Weltverschwörung, Baden-Baden und Zürich ²1998, S. 153-173, eine wichtige Ergänzung der zweiten Auflage bei Norman Cohn ist die umfassende, aktualisierte und sorgfältig kommentierte Bibliographie von Michael Hagemeister: Neue Forschungen und Veröffentlichungen zu den »Protokollen der Weisen von Zion«, ebd., S. 282-283.
37 Rossija i evrei…, Berlin 1924, S. 11/12; Die Umwälzung in Russland…, Berlin 1925, S. 10.
38 Ebd.

plädiert für die Abgrenzung zu den Bolschewisten und den aktiven Kampf auch der Juden gegen sie: »Kampf mit allen Mitteln gegen die bolschewistische Herrschaft, gegen die Bolschewisten – im Verein mit Allen, die zu kämpfen bereit und fähig sind, das ist der einzige politische Glaubensartikel, der für die Mitglieder der Vereinigung bindend ist.« Bickermann warnt eindringlich, wenn das Regime in Moskau falle, werden antibolschewistische Pogrome auch gegen die antibolschewistischen Juden gerichtet sein. Von daher sind Antisemitismus- und Bolschewismusbekämpfung bei Bickermann zwei Seiten ein und derselben Medaille.

Ohne die *Protokolle* zu erwähnen, möchte er systematisch aufzeigen, was für ihn selber evident ist – nicht aber für ein nichtaufgeklärtes Publikum im Westen oder in Russland: Er möchte kritisch klären, ob Juden für den Zusammenbruch des Russischen Reiches und für das Elend verantwortlich zu machen seien oder nicht! Und für ihn gibt es Gründe dafür, dass das russische Volk dieser Annahme erliegen könnte. Der einfache Russe habe niemals zuvor einen Juden in führender Position erlebt. Weder als Gouverneur, noch als Polizist, nicht einmal als Postbeamten. Heute aber sei der Jude an allen Ecken und Stufen der Macht anzutreffen.[39] Die allzu »auffällige Teilnahme der Juden an dem irrsinnigen Treiben der Sowjetleute« ziehe die Aufmerksamkeit der Russen und der ganzen Welt auf uns Juden, so Bickermann. Dabei widerspreche dieses Denken dem Gang der Ereignisse:

»[D]enn nicht die Bolschewisten haben Russland zerstört, sondern sie selber seien ja nur eine Folge des Zusammenbruchs des Landes. […] alle die Lenins, Trotzkis, Sinowjews und Bucharins hätten ihr Leben irgendwo in Zürich oder Bern in einer Dachkammer beschlossen, wenn sehr ehrenwerte Männer und sehr einflussreiche Gruppen in Russland nicht alles getan hätten, was in ihren Kräften stand, um die Ankunft dieser Unreinen – unrein an Körper und am Geist – möglich und sogar unvermeidlich zu machen.«

Salomon Posener vermerkte Ende der zwanziger Jahre in der *Encyclopaedia Judaica* zu Bickermanns Auftritten in Berlin, er rufe »die russischen Juden zur Unterstützung einer monarchistischen Restauration in Russland« auf.[40] Vom heutigen Standpunkt aus betrachtet, ist dieses Bild unvollständig. Bickermann hatte vieles sehr zugespitzt und verkürzt ausformuliert, es war nicht selten provokant, was bei ihm zu hören war. Auf der anderen Seite zeigen seine Argu-

---

39 Rossija i evrei…, Berlin 1924, S. 22/23; Die Umwälzung in Russland…, Berlin 1925, 21/22.
40 Salomon Posener: Bickermann, Josef, in: Encyclopaedia Judaica 4 (1929), Sp. 609.

mente einen freien Geist und einen politischen Mut in Zeiten höchster, existentieller Bedrohung in der Emigration.

In seiner dreibändigen Ausgabe zur russischen Revolution hob der Historiker, Sowjetologe und Reagan-Berater, Richard Pipes, Bickermans weitsichtige These hervor, die Idee vom Klassenkampf könnte einmal im Sinne eines Rassenkonfliktes umgedeutet werden.[41] Er nahm damit Bezug auf Bickermanns kritische Interpretation des Antisemitismus in der Weißen Bewegung.[42]

Im zweiten Aufsatz des ersten und einzigen Sammelbandes des Vaterländischen Verbandes verhehlt Grigori Landau nicht die Entrüstung, die die Herausgeber bei ihren Vorträgen im Jahr 1923 erweckt hatten: »Selbst wenn man, ausdrücklich oder stillschweigend, die Richtigkeit unserer faktischen Hinweise zugab, so verwunderte und empörte man sich doch darüber, dass wir uns entschlossen hatten, die Bühne der Öffentlichkeit zu betreten.«

Für Landau hatte es auch zu keiner Zeit einen solchen Antisemitismus gegeben wie zu Anfang der 1920er Jahre. Der »aktive Hass« gegen die Juden habe wohl »noch niemals in der Tat einen derartigen Grad von Spannung erreicht wie heutzutage«.[43] Und auch Landau verschweigt seine Verwunderung über die Breitenwirkung der Protokolle nicht. Das törichtste Märchen sei die »Erfindung der Weisen von Zion«, welche schon jenseits des Ozeans ihre Runde mache.

Eine ebenso schwer wiegende Wahrheit für Landau war, dass das Unglück Russlands auch das Unglück der russischen Juden gewesen ist. Noch bevor die Resultate der ersten Revolution von 1905 eine feste Gestalt angenommen hatten und ein neues Geschlecht herangewachsen war, sei ein großer, die »Kraft des Landes übersteigender Krieg« ausgebrochen. Und so sei der organische »Revolutionismus« zu Beginn des 20. Jahrhunderts zu einem mechanischen »permanenten Revolutionismus der Kriegszeit« verkommen. Landau strebte nach einer Überwindung des Sozialismus. Sein Ziel war ein sich in freier Initiative vollziehender »Aufbau der Bürgerlichkeit und Wirtschaftlichkeit«. Der »Revolutionismus« ohne staatliche Ordnung müsse einem festgefügten Staatsaufbau weichen.

In dem Band des *Vaterländischen Verbandes* beschließt Pasmaniks Beitrag die Aufsatzreihe. Unter den Mitgliedern des *Verbandes* war Daniil Pasmanik der prominenteste »Nichtberliner«, da er weder an den Debatten teilnahm, noch in

---

41 Richard Pipes: Die Russische Revolution. Bd. 3: Russland unter dem neuen Regime. Aus dem Amerikanischen von Udo Reinert, Berlin 1994, Bd. 3, 428/429.

42 Rossija i evrej…, Berlin 1924, S. 59 f.; Die Umwälzung in Russland…, Berlin 1925, S. 60.

43 Rossija i evrej…, Berlin 1924, S. 101; Die Umwälzung in Russland…, Berlin 1925, S. 105.

Berlin wohnhaft war. Überdies gehörte er zu den seltenen Vertretern der vom Zionismus abgefallenen russischen Juden. Wie wir aus verschiedenen Quellen wissen, hatte Pasmanik bereits auf der Krim zwischenzeitlich einer lokalen Regierung angehört. Die Emigration trieb ihn zuerst nach Paris, wo er Anfang der 1920er Jahre eine bekannte, der russischen Monarchie nahe stehende Zeitung redigierte.[44]

Pasmanik fordert die Juden eindringlich auf, sich über die Frage klar zu werden, ob eine Restauration Russlands unvermeidlich mit Judenpogromen einhergehen müsse. In welcher Regierungsform dies geschehe – einer monarchistischen oder einer republikanischen –, sei ihm egal. Sein Patriotismus entfernte ihn vom Zionismus, aber es ist verfehlt, ihm eine monarchistische Position zu unterstellen, die ihm und anderen Mitgliedern des *Vaterländischen Verbandes* hartnäckig, aber in entstellender Weise und die Lebensleistung außer Acht lassenden Form nachgesagt wird. Anlässlich seines Todes 1930 fand sogar der Zionistenführer Wladimir Jabotinsky anerkennende Worte für Pasmanik und lobte in einem Nachruf in seiner in Berlin und Paris erschienenen Zeitschrift *Rassvet* dessen scharfsinnigen Verstand und dessen große Verdienste um den Zionismus und den Aufbau des Staates Israel.[45]

Der Zionist, aktiver Teilnehmer an der Berliner Debatte im Jahre 1923 und Jabotinsky-Biograph, Joseph Schechtman, würdigte Pasmaniks Werdegang in der Jerusalemer *Encyclopaedia Judaica* in Jabotinskys Sinne wohlwollend, obwohl er sich als Mitglied im *Vaterländischen Verband* vom Zionismus entfernt hat.[46]

Der Vaterländische Verband – Skepsis und Kritik der Anderen

Grigori Landau beschrieb offen die Heftigkeit der Entrüstung, welche über die russisch-jüdischen Wortführer und ihre Initiative in der ersten Hälfte des Jahres 1923 hereinbrach. Jedoch machte sich Argwohn nicht nur im damaligen Auditorium breit. Einflussreiche Zeitgenossen brachten ihre Argumente für die Kritik an der Initiative des *Vaterländischen Verbandes* zu Papier. Auf Seiten der weißen, monarchistischen Bewegung vertraute der slawophile Vordenker und Philosoph, Iwan Ilin, im Oktober 1923 seinem Notizbuch die Überlegung an,

---

44 Obščee delo: ežednevnik pod redakcii Vladimira Burceva i Daniila Pasmanika, Pariž 1918-1922, 1928-1933.
45 Nekrolog zum Tode Pasmaniks von Wladimir Ze'ev Jabotinsky, in: Rassvet 28, 13. Juli 1930.
46 Joseph B. Schechtman: Pasmanik, in: Encyclopaedia Judaica 13 (1970-71), Sp. 160-161.

Juden könnten bei der Bekämpfung der Bolschewiken hilfreich mitwirken,[47] und der russisch-jüdische Historiker Simon Dubnow beschrieb seine Position zum *Vaterländischen Verband* in seinen Erinnerungen.[48] Er machte Bickermann die Annäherung an die Führer der rechten Kräfte persönlich zum Vorwurf. Mit den Pogromstiftern könne es von der jüdischen Seite keine Zusammenarbeit geben, und dies sei der Grund dafür, dass sein *Vaterländischer Verband russischer Juden im Auslande* keine Zukunft gehabt habe. Der Versuch, Juden mit rechten Pogromanstiftern zusammenzubringen, sei prinzipiell abzulehnen und zum Scheitern verurteilt. Verwunderlich ist in diesem Zusammenhang die Wortwahl Dubnows: Der Historiker bezeichnete die Mitglieder des *Vaterländischen Verbandes* im Jargon Lenins und Trotzkis als »jüdische Reaktionäre«, obgleich er selbst ein Revolutionsflüchtling war.

Das Bemühen des *Vaterländischen Verbandes* wird gemeinhin unterbewertet, wenn nicht gar verkannt. Man wird der Organisation nicht gerecht, wenn man sie nur als promonarchistische, jüdische Organisation im Russischen Berlin betrachtet. Das Argument, man habe sich nur des Geldes wegen mit den Monarchisten eingelassen, focht Persönlichkeiten, die sich wie Landau und Pasmanik ihr ganzes Leben für die Gleichberechtigung der Juden in Russland eingesetzt hatten, nicht an. Ihre Bemühungen sind vielmehr als Versuch zu verstehen, aus der Emigration heraus den Anfängen des Antisemitismus zu wehren, welcher einmal geeignet sein könnte, einen Bolschewismus zu Fall zu bringen. Auch bei den anderen Mitgliedern des *Vaterländischen Verbandes* wird häufig die Tatsache übersehen, dass nahezu alle bereits zu zarischer Zeit für die Gleichberechtigung der Juden in Russland eingetreten waren. Bickermann und Landau hatten sich gegen die Monarchie gestellt, lange bevor andere ihnen unterstellt haben, diese aus kurzsichtigen Gründen anzustreben. Ihr Engagement begann bereits in ihrer frühen Petersburger Zeit.[49]

Leider war es den Akteuren nicht vergönnt, öffentliche Dankbarkeit, Anerkennung oder auch nur Respekt zu finden. Wenn der russische Literaturnobelpreisträger, Alexander Solschenizyn, wenige Jahre vor seinem Tod in seinem Alterswerk den Autoren von *Rossija i jewrei* (1924) späte Anerkennung zollt, wird das für manche eine Anerkennung von der falschen Seite sein. Doch ist nicht zu bestreiten, dass seine Auseinandersetzung mit dem Sammelband des

47 Ivan I. Il'in: Zapiska o političeskom položenii. Oktjabr' 1923. (Zitiert nach http://rovs. atropos.spb.ru/index.php, Februar 2010).

48 Simon Dubnow: Buch des Lebens, Bd. 3, S. 76 f. Im Abschnitt »Herausgeberfieber und Nöte der Inflation« der deutschen Ausgabe.

49 Il'ja Čerikover: Evrejskaja demokratičeskaja gruppa, in: Evrejskaja ėnciklopedija, S.-Peterburg 1908-1913, Bd. 7, Sp. 437. Red.: Evrejskaja demokratičeskaja gruppa, in: Kratkaja evrejskaja ėnciklopedija (KEĖ), Ergänzungsband 3, S. 155-156.

Vaterländischen Verbandes diesem eine neue Aufmerksamkeit zuteil werden ließ.

Einer künftigen, internationalen Auseinandersetzung mit dem *Vaterländischen Verband* ist im Ganzen mehr kritisches Bewusstsein zu wünschen, um ihn nicht länger nur als Facette im Russischen Berlin sondern auch als Teil einer russischen und jüdischen Geschichte in der europäischen Diaspora neu zu entdecken.

Netzwerke

Alexander Ivanov

Nähmaschinen und Brillantringe –
Die Tätigkeit der Berliner ORT 1920-1943

> ORT succeeded in integration itself into Western
> Europe and, later, become as it were, a »native«
> component of Jewish communal life.
>
> *Leon Shapiro, The History of ORT*[1]

Im Januar 1930 erschien in den Berliner Zeitungen eine Ankündigung, die die Leser darüber informierte, dass die »Gesellschaft zur Förderung des Handwerks und der Landwirtschaft unter den Juden« (abgekürzt: ORT) auch in diesem Jahr wieder ihren traditionellen Ball veranstalten wolle, dies sei zweifelsohne ein wichtiges »Ereignis für die Kreise Berlins, die sich für die Tätigkeit der Gesellschaft interessieren«.[2]

Um mehr Publikum anzuziehen, gab es außer Tänzen zu einem Balalaikaorchester und einem Konzertprogramm, an dem bekannte Künstler mitwirkten, auch eine Lotterie, bei der auf den ersten Blick schlecht zueinander passende Gegenstände verlost wurden: eine Nähmaschine und Brillantringe. Symbolisch aber repräsentierten diese Gegenstände anschaulich die wichtigsten Aspekte der Tätigkeit der ORT, die sich auch in ihrer »Ortismus« genannten Politik und Ideologie niederschlugen. Dazu gehörte die Umwandlung karitativer Spenden (Brillanten) in Gerätschaften des Handwerks (Nähmaschinen). Mithilfe solcher Arbeitsinstrumente sollte die jüdische Gemeinschaft Osteuropas von Grund auf umgestaltet werden. Die teils mit Spott, teils mit Verachtung im Jiddischen so genannten *luftmenshn* sollten in selbstbewusste, eigenständige Handwerkermeister verwandelt werden, deren produktive Arbeit in jeder wirtschaftlichen Lage und in jedem Staat gefragt ist.

1 Leon Shapiro, The History of ORT. A Jewish Movement for Social Change, New York 1980, S. 92.
2 Zitiert nach dem Text der russischsprachigen Zeitung *Rul'* vom 13. Januar 1930. Ähnliche Ankündigungen erschienen in folgenden Berliner Zeitungen des Jahres 1930: *Jüdische Rundschau* vom 10. Januar, *Jüdische Welt* vom 16. Januar, *Jüdische Liberale Zeitung* vom 15. Januar.

Nach Bruno Latour lassen sich Nähmaschinen und Brillantringe durchaus als *Aktanten*[3] des großen transkontinentalen sozialen Netzwerkes verstehen, welches um das Jahr 1930 von den Leitern der ORT geschaffen worden war. Es umfasste finanzielle Fonds, einkaufende Handelskorporationen und freiwillige Gesellschaften, die in Westeuropa, den USA, Südafrika und Australien mit zahlreichen in den Ländern Osteuropas organisierten Handwerks- und Landwirtschaftschulen, jüdischen Ackerbaukolonien und Industrieunternehmen zusammenarbeiteten. Als Ergebnis der Wechselwirkung all dieser Institutionen im Rahmen des sozialen Netzwerkes von ORT verwandelten sich die karitativen Spenden, die man in der ganzen Welt gesammelt hatte, direkt in die für die Arbeit der jüdischen Handwerkskooperativen und landwirtschaftlichen Genossenschaften so notwendigen Maschinen, Instrumente, in Rohstoff, landwirtschaftliches Inventar und Saatgut. Die *luftmenshn* von gestern bekamen nun eine technische und landwirtschaftliche Ausbildung, die höchsten Anforderungen entsprach.

Wie der von 1926 bis 1931 in der ORT arbeitende bekannte Historiker und Publizist Grigori Aronson Mitte der zwanziger Jahre schrieb, »war der ganze Erdball, soweit er uns zugänglich war, anscheinend schon von ORT erobert«.[4] Man hat errechnet, dass trotz der dramatischen Ereignisse – Weltkriege, Holocaust und Weltwirtschaftskrisen – im 20. Jahrhundert mehr als drei Millionen Menschen in mehr als hundert Ländern in den Genuss der von den ORT-Mitarbeitern entworfenen und realisierten Programme beruflicher Bildung und sozialer Rehabilitation kamen.[5] ORT arbeitet auch heute noch, auch in Deutschland, allerdings in bescheidenerem Maße, wie es der Ideologie und den Gegebenheiten unserer Zeit entspricht.[6]

---

3   Der französische Philosoph und Soziologe Bruno Latour versteht unter einem *Aktanten* jedes Ding, dessen Wirkung Bedeutung für ein Netzwerk hat. Dies gilt auch für ein soziales Netzwerk, worunter eine komplexe Verflechtung von Menschen und Dingen (Nicht-Menschen nach Latour) zu verstehen ist. In solchen Netzwerken finden sowohl eine Koordination von Menschen mithilfe von Dingen als auch eine Koordination von Dingen mithilfe von Menschen statt. (Bruno Latour, Science in Action: How to follow Scientists and Engineers through Society, Cambridge/Mass. 1987, S. 84. Ders., Pandora's Hope: Essays on the reality of science studies, Cambridge/Mass.1999, S. 197).

4   Grigorij Aronson, Zapiski sekretarja ORTa (Publikacija, vstupitel'naja stat'ja i kommentarii A. I. Ivanova), Archiv evrejskoj istorii, Bd. 3, pod red. O. V. Budnickogo, Moskau 2006, S. 104.

5   http://www.ort.org/asp/default.asp.

6   Über die heutige Arbeit des World ORT, s. z.B.: Facing the Future. ORT: 1880-2000, London 2000.

Vorgeschichte. »Von der Wohltätigkeit zur Unterstützung der produktiven Arbeit!«
(1880-1919)

ORT, genauer: das provisorische Gründungskomitee für diese Gesellschaft, konstituierte sich im April 1880 in St. Petersburg. Viele bekannte Persönlichkeiten des öffentlichen Lebens und Vertreter der jüdischen Finanzelite beteiligten sich aktiv an der Gründung des Komitees: Samuil S. Poljakow, der Baron Goraz O. Ginzburg, der Rabbiner Abram I. Drabkin, Leon M. Rosental, Jakow M. Galperin, Meer P. Fridljand und Abram I. Sak. Der wichtigste Architekt dieser neuen philanthropischen Institution war Nikolaj I. Bakst, Physiologieprofessor der Petersburger Universität und eine jüdische Persönlichkeit des öffentlichen Lebens.[7] Schon der Name der zukünftigen Gesellschaft zeigt, dass die Konzeption von Bakst sich auf bereits in Deutschland vorhandene analoge Institutionen stützte, so z.B. die schon 1813 gegründete *Gesellschaft zur Verbreitung der Handwerke und des Ackerbaus unter den Juden im Preußischen Staate*, mit deren Tätigkeit er schon während seines Studiums an der Universität Heidelberg bekannt wurde.[8] Bakst war der Meinung, eine berufliche Ausbildung, die Aneignung neuer, in der Gesellschaft gefragter Berufe, könne für die russische Judenheit die Grundlage für eine zukünftige Blüte werden. Er verstand die philanthropische Aktivität als Mittel für eine kontinuierliche Reform der jüdischen Gemeinschaft in Russland und wollte die unterschiedlichen berufsbildenden Programme von ORT als politisches Instrument einsetzen, um eine neue, ökonomisch und sozial »progressive« Generation russischer Juden heranzuziehen. So leistete das Provisorische Komitee z.B. Zahlungen an jüdische Handwerker, die bereit waren, aus den in einer chronischen Krise befindlichen Stetln des Siedlungsgebietes in die Großstädte umzuziehen, in denen es weitaus leichter war, Arbeit zu finden. Die Gesetze des Russischen Reiches forderten von einem Handwerker, der außerhalb der Städte des Siedlungsgebietes arbeitete, die Vorlage eines ganz bestimmten Dokumentes als Nachweis seiner Qualifikation. Die von der ORT organisierten technischen Berufkurse halfen, die entsprechenden Testate und Zertifikate zu erhalten.[9]

---

7 Biographische Angaben zu Nikolaj I. Bakst von 1886, siehe Rukopisnyj otdel Instituta russkoj literatury (Puškinskij dom) Rossijskoj akademii nauk, f. 377, op. 1, d. 279, l.1.
8 Materialien über die »Gesellschaft zur Verbreitung der Handwerke und des Ackerbaus unter den Juden im Preußischen Staate«, einschließlich der Satzung von 1894 und der Tätigkeitsberichte der Gesellschaft von 1894 bis 1908, siehe: Archiv des Centrum Judaicum (CJA), Berlin, 1, 75 C, Ge 5, Nr. 1, #12461. Korrespondenz und Sitzungsprotokolle, siehe: ebd., 1, 75 C, Ve 9, Nr. 1-2, #13171-13172.
9 Zur Bildung des Provisorischen Komitees und zur Tätigkeit der ORT in den 1880er bis 1910er Jahren, siehe: Gregory Aronson, Genesis of ORT, 80 Years of ORT. Historical Materials, Documents and Reports, Genf 1960, S. 13-34. Leon Shapiro, The History of ORT (s. Anm.1), S. 39-70. Alexander Ivanov, »Our duty is to save them, and we have

Nach dem Tod von Bakst im Jahre 1904 änderte sich die Strategie der ORT; es kam nur noch zur Verteilung von Geldspenden an Privatpersonen. Diese Situation wurde bei weitem nicht von allen begrüßt. So schreibt z.b. Julius D. Brutzkus, eine bekannte Persönlichkeit des öffentlichen Lebens und ein aktives Gründungsmitglied der ORT, in seinen Erinnerungen: »Anfang der achtziger Jahre gab die ORT Anlass zu großen Hoffnungen, später erstarrte sie«, man müsse ihr »dringend neues Leben einhauchen«.[10]

Unter dem Druck der Öffentlichkeit wurde das Provisorische Komitee im September 1906 umgestaltet, und es entstand eine Gesellschaft mit fester Satzung und regelmäßigen Mitgliederversammlungen, die eine ständige Erneuerung der Leitungsorgane sicherstellen sollten.[11] Unter den neuen Mitgliedern der ORT hatte sich eine Opposition gebildet, die sich um den jungen Rechtsanwalt Leonti M. Bramson scharte und sich konsequent gegen die »archaischen Arbeitsmethoden« der alten Führung wandte, die sich im Wesentlichen auf Geldzuwendungen an Einzelpersonen beschränkte. Die jungen Reformer, meistens Mitglieder linker politischer Parteien, bestanden auf radikalen Maßnahmen »zur wirtschaftlichen Hilfe für die Volksmassen unter der Losung ›Von der Wohltätigkeit zur Unterstützung der produktiven Arbeit der Juden‹«.[12] Als notwendige Maßnahmen sah die Opposition eine Erhöhung der Qualität der Arbeit an (und zwar sowohl bei den jüdischen Handwerkern wie auch bei den Ackerbauern), eine Verbesserung des technischen Niveaus und der Produktivität sowie die Propagierung neuer Berufe unter den Juden. Es wurde angeregt, jüdischen Handwerkern günstige Kredite zur Verfügung zu stellen und eine breite Entwicklung kooperativer Gesellschaften, Genossenschaften und anderer Formen der Kollektivwirtschaft zu fördern. Die im April 1909 einberufene Vollversammlung der ORT unterstützte mehrheitlich den Vorschlag der

both the will to do this and the means ...«. In: The work of the ORT in the USSR from 1921 to 1938: events, people, documents, The Hope and the Illusion: The search for a Russian Jewish Homeland. A remarkable period in the history of ORT, London: World ORT Publishing, pp. 131-135. Gennady Estraikh, Changing ideologies of artisanal »productivisation«: ORT in late imperial Russia. In: East European Jewish Affairs, Vol. 39, Nr. 1, April 2009, S. 3-18.

10 Julij Bruckus, Leon Bramson – organizator russkogo evrejstva. In: Evrejskij mir, 1944, Reprint Moskau – Jerusalem 2001, S. 29.

11 In der Satzung der ORT hieß es: »Das zwölfköpfige Leitungskomitee wird von der Vollversammlung für 3 Jahre gewählt [...] Vollversammlungen sind zweimal jährlich, im März und im Dezember, einzuberufen. Außerordentliche Vollversammlungen können ad hoc einberufen werden.« In: Ustav Obščestva remeslennogo i zemledel'českogo truda sredi evreev v Rossii, St. Petersburg (ORT) 1906, S. 4, 6.

12 Jacob Frumkin, Stages of ORT Activities, Material and Memories. Chapters for the History of ORT, Vol. 1, Genf (ORT Union) 1955, S. 65.

oppositionellen Gruppe, in Zukunft alle Formen der Geldzuwendungen an Einzelpersonen zu unterlassen.

Die Änderung der Strategie und Praktiken der philanthropischen Tätigkeit wirkte sich im nächsten Jahrzehnt in einem ungemeinen Anstieg der Aktivität der ORT aus. Die Zuschüsse zur Erfüllung der satzungsgemäßen Tätigkeit der Gesellschaft verdoppelten sich fast: statt 44.574 Rubeln im Jahre 1909 75.778 Rubel im Jahre 1914; die Zahl der Mitglieder wuchs fast auf das Siebenfache: von 285 im Jahre 1906 auf 1.951 im Jahre 1913; es entstand ein Netz von Handwerksschulen und Abendkursen, das 1913 zwanzig Städte umspannte.[13]

Durch die Oktoberrevolution im Jahre 1917 verlor die ORT ihre Bankeinlagen sowie fast alle Privatspenden und war dem finanziellen Zusammenbruch nahe. Daraufhin wurde vom Zentralkomitee der ORT eine Auslandsdelegation gebildet, die das Budget der Organisation durch die Einwerbung von Mitteln in westeuropäischen Ländern und in den USA aufstocken sollte. Zu dieser Delegation gehörten: Leonti Bramson, früher Direktor der ORT, und David W. Lwowitsch, ein Aktivist der territorialistischen Bewegung. Letzterer war erst vor zwei Jahren nach Russland zurückgekehrt und hatte einen längeren Aufenthalt in den USA hinter sich, der ihm genügte, um an nützliche Bekanntschaften mit einflussreichen Funktionären jüdischer Wohltätigkeitsorganisationen anzuknüpfen.[14] Diesen Männern ist es nach Julius Brutzkus zu verdanken, dass die russische ORT »eine berühmte Institution der russischen und später der weltweiten Judenheit« wurde.[15] 1919 verließ die Delegation Russland. Schon im folgenden Jahr hatte sie Vertretungen in Paris, London, Manchester, Reval, Helsinki, Wyborg, Danzig, Leipzig und Berlin eingerichtet.[16] Mit dem Gründungsjahr des Berliner Büros der ORT-Auslandsdelegation im Jahre 1920 beginnt die sogenannte »Berliner Zeit« der Gesellschaft, die über zwanzig Jahre dauern sollte.

Die Berliner ORT und die deutsche Judenheit: Kommunikation, Wechselwirkung, Integration (1920–1933)

Wie die Tätigkeit der ORT in Deutschland insgesamt so wird auch ihre Tätigkeit in Berlin von der zeitgenössischen Geschichtsschreibung ziemlich stiefmüt-

13 Siehe den Rechenschaftsbericht der russischen ORT für das Jahr 1913: Otčet o dejatel'nosti Obščestva remeslennogo i zemledel'českogo truda evreev v Rossii za 1913 g., St. Petersburg (ORT) 1914, S. 9-12.

14 Manuskript: Biographical Sketch of Dr. David Lvovich, Vice-Chairman, World ORT Union (from the American ORT Federation), o.J., World ORT Archive (WORTA), London D 07 fl 45, L 2.

15 Julij Bruckus, Leon Bramson (s. Anm. 10), S. 29.

16 Leon Bramson, The ORT Delegation Abroad. In: Material and memories, Chapters for the history of ORT, Bd. 1, Genf (ORT Union) 1955, S. 23.

terlich behandelt. So bewertet Robert Weltsch, der den Prozess der Herausbil-
dung der Vorstellung »eines positiven Judentums« bei den deutschen Juden in
den 1930er Jahren untersucht, die Arbeit der ORT als »laudable but practical.«[17]
Aber wie die Ideologie des »ORTismus«, die, kurz gesagt, für Diaspora-
nationalismus und Territorialismus optierte,[18] so hatte gerade diese »praktische«
Arbeit Auswirkungen auf das Verhältnis der emanzipierten Juden Deutschlands
zum Judentum. Kurt Blumenfeld, der Wortführer des deutschen Zionismus,
engagierte sich auch bei der ORT und bemerkte einmal, diese Organisation
habe mit Sicherheit einen »Judazing influence on Germany's liberal Jews« gehabt.[19] Ausgehend von Dokumenten in den Archiven Berlins, Londons, Mos-
kaus und Jerusalems möchte ich diesen Einfluss näher beschreiben und klären,
über welche Kommunikationskanäle des sozialen Netzwerks von ORT er zu-
stande kam.

Am 9. Januar 1921 fand in der Bleibtreustraße 34 in Berlin-Charlottenburg
die Gründungsversammlung der deutschen ORT-Filiale statt, bei der die Satzung dieser Organisation beschlossen und ein Leitungsgremium gewählt wurde.[20] Vorsitzender wurde Jacob Frumkin, ein Veteran der russischen ORT;
Generalsekretär und späterer Geschäftsführer wurde der junge Rechtsanwalt
Aron Syngalowski.[21] Auf gerichtliche Anweisung wurde im März desselben Jah-

---

17 Robert Weltsch, Introduction. In: Year Book of Leo Baeck Institute, Bd. I, London
    1956, p. XXVII. Hervorzuheben unter den Arbeiten, die auf die Tätigkeit der Berliner
    ORT in den 1920er und 1930er Jahren mehr oder weniger ausführlich eingehen, ist:
    Giora Lotan, The Zentralwohlfahrtsstelle. In: Year Book of Leo Baeck Institute, Bd. IV,
    London 1959, S. 185-207. Jack Rader, By the Skill of their hands. The Story of ORT,
    Genf (World ORT Union Centre International) 1970, S. 48-63. Leon Shapiro: The His-
    tory of ORT (s. Anm. 1), S. 171-180. Monika Lowenberg, The Life and Schooling of
    Jewish Children in Germany, 1933 –1939, Yearbook of the Research Center for German
    and Austrian Exile Studies, Bd. 2, German-speaking Exiles in Great Britain, ed. by
    Anthony Grenville, Amsterdam – Atlanta (Editions Rodopi B.V.) 2000, S. 77-90. Sarah
    Kavanaugh, ORT, the Second World War and the Rehabilitation of Holocaust Survi-
    vors, London – Portland 2008, S. 1-22.
18 Siehe auch: Aleksandr Ivanov, Vizualiziruja ideologiju: kollekcija fotografij 1920-ch –
    30-ch godov iz Archiva Vsemirnogo ORTa. In: Materialy šestnadcatoj Ežegodnoj
    Meždunarodnoj Meždisciplinarnoj konferencii po iudaike, Č. 3, Akademičeskaja serija:
    Vypusk 27, Moskau 2009, S. 333.
19 Zitiert nach: Aron Syngalowski, Sixty-Five Years of ORT (1880-1945), 80 Years of ORT,
    S. 47.
20 Protokoll der Mitgliederversammlung des Vereins ORT Gesellschaft zur Förderung des
    Handwerks und der Landwirtschaft unter den Juden des früheren russischen Reiches,
    Abteilung Deutschland, 9. Januar 1921, WORTA, RG/2/7/236/2/3.
21 Siehe Nora N. Scharf (Ed.), Collected Materials on the History of ORT: »Between
    two Wars (1919-1939)«, Part 2 A, Genf (Historical Archive of World ORT Union)o.J.,
    S. 64-65.

res die Satzung der deutschen ORT-Filiale registriert und unter der Nr. 3202 in das Vereinsregister eingetragen.[22]

Der volle Name der neuen Institution lautet »ORT‹ Gesellschaft zur Förderung des Handwerks und der Landwirtschaft unter den Juden des früheren russischen Reiches, Abteilung Deutschland«. Beim Eintrag der Satzung in das Vereinsregister wurden die Worte »des früheren russischen Reiches« weggelassen. Der ursprüngliche Name zeigt jedoch, dass die deutsche Filiale sich ursprünglich als Organisation aus Russland emigrierter Juden verstand.

Nach dem Tätigkeitsbericht der Jahre 1921-1922 bestand das Hauptziel der deutschen ORT-Filiale darin, Mittel einzutreiben, um der jüdischen Bevölkerung der Länder Osteuropas und besonders Sowjetrusslands zu helfen. Letzteres befand sich durch den Ersten Weltkrieg und den Bürgerkrieg am Rand einer humanitären Katastrophe.[23] Als vorrangige Aufgaben sind genannt: Popularisierung und Propagierung der Arbeit der ORT in deutsch-jüdischen Kreisen; Beschaffung von Geldzuteilungen deutsch-jüdischer Wohltätigkeitsorganisationen, z.B. vom *Hilfsverein der deutschen Juden*, der 100.000 RM zur Unterstützung der Opfer von Pogromen in den alten landwirtschaftlichen jüdischen Kolonien der Ukraine zur Verfügung stellte;[24] Erwerb von Maschinen, Werkzeug und Rohstoff für die jüdischen Handwerker und Ackerbauern Litauens, Lettlands, Polens und Sowjetrusslands; Einrichtung eines Netzes jüdischer Handwerkerschulen und berufsbildender Kurse in den Ländern Europas.[25]

Aron Syngalowski hatte die Schwierigkeiten, bei der deutschen Judenheit Sympathien für die Tätigkeit der ORT zu gewinnen, vorausgesehen. In seinen Aufsätzen hatte er die deutschen Juden als durch die kapitalistische Wirtschaft ihrer jüdischen Identität entfremdete liberale Elite überwiegend kosmopolitischer Ausrichtung beschrieben; die Probleme jüdischer Arbeit waren ihr fremd.[26] Trotzdem unternahm die ORT 1923 zusammen mit dem *Arbeiterfürsorgeamt der jüdischen Organisationen Deutschlands* praktische Schritte zur Verbreitung des Handwerks unter den deutschen Juden. Die russische Emigrantenzeitung *Dni* meldete:

22 Satzungen der ORT Gesellschaft zur Förderung des Handwerks und der Landwirtschaft unter den Juden, Abteilung Deutschland, E.V., 1921. WORTA, RG/2/7/236/2/43-44.

23 Otčet o dejatel'nosti obščestva ORT, Otdelenie v Germanii, za 1921 22 gg. Staatliches Archiv der Russischen Föderation (GARF), Moskau, f. 5774, op. 1, d. 24, l. 1-7.

24 Ebd., l. 4.

25 Ebd., l. 6.

26 Aron Syngalowski, Sixty-Five Years of ORT (s. Anm. 19), S. 38. S. auch: Ders., Reconstruction of Eastern European Jewry, London (Reprint from the »Jewish Chronicle Supplements«) 1928, S. 2 f.

BERLINER GEDENKTAFEL

ORT

In diesem Hause befand sich seit 1921 das
erste Büro des 1880 in St. Petersburg gegründeten
ORT (Organisation-Rehabilitation-Training)
zur Förderung von
Handwerk und Landwirtschaft unter den Juden
1937 eröffnete ORT seine eigene Fachschule
in Berlin, die zu einem Teil noch 1939 nach
England gerettet werden konnte

Berlin, Bleibtreustr. 34/35. Gedenktafel, die auf die dort ansässige Geschäftsstelle der ORT von 1921 bis 1926 hinweist. Foto: Alexander Ivanov

»Die deutsche ORT-Filiale hat zusammen mit dem jüdischen Arbeiterfürsorgeamt der jüdischen Organisationen in Berlin eine letzterem gehörende Nähwerkstatt eingerichtet, in der den Arbeitenden Fortbildungsmöglichkeiten in der Weißnäherei geboten werden. Außerdem werden technische Kurse für Arbeiter und Handwerker durchgeführt, in denen diese die elementaren technischen Grundlagen erlernen. Unter anderem werden Mathematik, Holz- und Metalltechnologie und technisches Zeichnen unterrichtet.«[27]

Anfangs gehörte der überwiegende Teil der Hörer zu den neuen jüdischen Emigranten aus den osteuropäischen Ländern, in denen es durch die Wirtschaftskrise und das Wachsen antisemitischer Stimmungen immer schwieriger wurde, Arbeit zu finden.

Das strategisch wichtigste Ereignis für die ORT in Berlin war wohl die von der deutschen Abteilung vorbereitete Erste Internationale ORT-Konferenz, die vom 31. Juli bis zum 1. August 1921 im Meistersaal in der Köthener Straße tagte. Auf dieser Konferenz wurde ein weltweiter Dachverband gegründet, der die in den früheren Gebieten des Russischen Reiches liegenden, nach der Revolution aber nicht mehr zum sowjetischen Staat gehörenden, regionalen ORT-Komi-

27 Dni, Nr. 101, 28.2.1923, S. 5.

tees in Polen, Litauen, Lettland und Bessarabien zusammenfasste. Auch die neu gegründeten Komitees und Abteilungen in Großbritannien, Deutschland, Frankreich und den USA traten dem Dachverband bei.

Obwohl die Allrussische ORT einen Vertreter zu der Konferenz geschickt hatte, schloss sich die inzwischen völlig sowjetisierte Organisation dem weltweiten Verband aus politischen Gründen nicht an. Trotzdem beteiligte sich die Berliner ORT aktiv an der Unterstützung des riesigen Projektes jüdischer landwirtschaftlicher Siedlungen, das die Sowjetmacht in den 1920 und 1930er Jahren auf dem Territorium der UdSSR verfolgte.[28]

Seit der Gründung im Jahre 1921 war Berlin Geschäftssitz des ORT-Verbandes, die Adresse war zunächst Bleibtreustr. 34/35, später Schöneberg, Bülowstr. 90. Im Zusammenhang mit der Machtergreifung der Nationalsozialisten wurde der Geschäftssitz im Herbst 1933 nach Paris verlegt. Dieselbe Berliner Adresse hatte die deutsche Abteilung der ORT von 1920 bis 1936, die später, von 1937 bis 1942, in der Siemensstr. 15 ihren Sitz hatte. Jacob Frumkin, der Vorsitzende der deutschen ORT-Abteilung, schreibt über die Vorbereitung des Kongresses:

»First of all, we needed assistance of the German Foreign Office for permission to have the various delegates enter Germany. A recently created post in the German Foreign Office, Advisor on Jewish affairs, was occupied by Professor Sobernheim, a scholar and Semitologist, member of an important family of bankers and industrialists. I approached Professor Sobernheim for visas for the forthcoming ORT Congress, but was very coldly received. He did not like the idea that the majority of delegates would be Eastern European Jews.«[29]

Später, als Moritz Sobernheim die Notwendigkeit erkannt hatte, die Lebensbedingungen der osteuropäischen Juden zu verbessern, um sie von dem Wunsch der Einwanderung nach Deutschland abzubringen, wurde er ein aktiver Anhänger der ORT und betonte: »State institutions should concern to this society with sympathy and promote its work effectively.«[30]

Ein anderer aktiver Verteidiger der ORT war der Rabbiner Leo Baeck, eine herausragende Persönlichkeit des öffentlichen Lebens, Vorsitzender der Jüdi-

---

28 Über die Tätigkeit der ORT in Sowjetrussland, siehe Alexander Ivanov, From Charity to Productive Labor: The World ORT Union and Jewish agricultural colonization in the Soviet Union, 1923-38. In: East European Jewish Affairs, Vol. 37, Issue 1, April 2007, S. 1-28.

29 Jacob Frumkin, Stages of ORT Activities (s. Anm. 12), S. 66.

30 Zitiert nach: Francis R. Nicosia, Jewish Affairs and German Foreign Policy during the Weimar Republic. Moritz Sobernheim and the *Referat für jüdische Angelegenheiten*. In: Year Book of Leo Baeck Institute, Vol. XXXIII, London, Jerusalem, New York 1988, S. 261 f.

schen Gemeinde Deutschlands und wie Paul Nathan und Paul Felix Warburg Repräsentant des *Jewish Reconstruction Fund Ltd.* in Berlin, den der ORT-Verband im Jahre 1924 gegründet hatte.[31] Im September 1930 schrieb Leo Baeck an Wilhelm Graetz, einen der Leiter der deutschen ORT-Abteilung: »Dem Wunsche, den Sie aussprechen, will ich alsbald von seiten des Rabbinerverbandes nachkommen; ich will die Kollegen bitten, in einer ihrer Festtagspredigten auf die große Bedeutung der Arbeit der ORT hinzuweisen.«[32]

Betrachtet man das russisch-jüdische Berlin der zweiten Hälfte der zwanziger und der dreißiger Jahre wie von Karl Schlögel vorgeschlagen als »merkmaltragenden Topos« und »spezifischen Kulturraum«, in dem ein »kultureller Transfer«[33] zwischen der russisch-jüdischen Emigration und der deutsch-jüdischen Umgebung stattfand, so kann man sagen: Die deutsche ORT-Abteilung war ein wichtiger Pol des so betrachteten Raums und einer der »Treibriemen« dieses Transfers.

Vielleicht glückte es der aus Emigranten bestehenden ORT, die Sympathien der deutschen Juden zu gewinnen, weil sie die unterschiedlichsten Organisationen ansprach, um ihre institutionellen Ziele zu erreichen: gemeinnützige Vereine, literarische Klubs und Cafés, so z. B. den Berliner *Scholem-Alejchem-Klub*, wo aktiv für die Vorstellungen der ORT geworben wurde;[34] Finanz- und Kreditgesellschaften, wie den erwähnten *Jewish Reconstruction Fund*; Handels- und Einkaufskorporationen, wie die *ORT Tool Supply Corporation Ltd.* und das *Berliner Einkaufsbüro der ORT*. All diese Organisationen bildeten ein breites soziales Netzwerk, das sich zunehmend in das System der sozialen jüdischen Institutionen in Deutschland einfügte. Besonderer Wert wurde auf den Kontakt zwischen den politischen Drahtziehern der Weimarer Republik und führenden sozialpolitischen bzw. religiösen jüdischen Organisationen gelegt. Die Vermittlerrolle übernahmen dabei Vertreter einflussreicher Berliner Kreise wie Moritz Sobernheim, Leo Baeck und der Justizrat Julius Brodnitz, der auch dem *Centralverein deutscher Staatsbürger jüdischen Glaubens* vorstand, der angesehensten

31 The Jewish Reconstruction Fund Limited (Incorporated by the ORT in 1924), London (Woburn Printing Co.) o.J., S. 2. Materialien zur Gründung des Jewish Reconstruction Fund Ltd. 1924, s. auch: Nora N. Scharf (Ed.) (s. Anm. 21), Part 1, S. 66-68.

32 Brief von Leo Baeck an Wilhelm Graetz vom 31. September 1930. Archiv des Leo Baeck Instituts, Jüdisches Museum Berlin (LBI JMB), Sammlung Wilhelm Graetz, AR 4121, F 6, V. ORT Deutschland, L 12.

33 Karl Šlegel', Russkij Berlin: popytka podchoda, Russkij Berlin 1920-1945. Sbornik trudov meždunarodnoj naučnoj konferencii, Moskau 2006, S. 11, 15.

34 Zu Vorträgen der Leiter der ORT im Scholem-Alejchem-Klub, siehe die Anzeigen in der russischen Zeitung Rul in den Jahren 1925: vom 24.1. (Nr. 1259), 16.6. (Nr. 1377), 8.11. (Nr. 1502), 1927: 17.6. (Nr. 1899), 13.11. (Nr. 2117), 27.11. (Nr. 2128), 1928: 5.2. (Nr. 2187), 5.3. (Nr. 2211), 4.11. (Nr. 2416).

und mitgliederstärksten jüdischen Organisation in Deutschland.[35] Diese Strategie fand in den dreißiger Jahren ihre Fortsetzung in der Einrichtung von Parlament-Komitees der ORT in England, Frankreich und den USA sowie in der
Gründung verschiedener Assoziationen, wie z.b. dem *Joint British Committee
ORT-OSE*.

Die vielfältige informative und kulturelle Tätigkeit der deutschen ORT-Abteilung umfasste die Organisation von Ausstellungen »jüdischen Kunsthand-
werks«, Konzerten, Benefiz-Bällen, Kundgebungen, Vorträgen und Streitgesprä-
chen. Die während dieser Veranstaltungen gesammelten Gelder verwandelten
sich sofort in Näh- und Drehmaschinen, die für die Handwerkerkurse und
Lehrwerkstätten der ORT benötigt wurden. An den Agitations- und Werbever-
anstaltungen der ORT nahmen namhafte Vertreter der intellektuellen Elite
Deutschlands teil, so z.b. Albert Einstein, Alfred Döblin, Lion Feuchtwanger,
Kurt Blumenfeld, Berl Locker, Salomon Adler-Rudel,[36] aber auch Emigranten
aus Russland wie Simon Dubnow, der Schriftsteller David Bergelson und Jacob
Teitel, der Vorsitzende des *Verbandes russischer Juden in Deutschland*. Viele von
ihnen arbeiteten in einer ORT-Einrichtung mit.[37]

Die Tätigkeit der deutschen ORT-Abteilung fand lebhaften Widerhall in der
Presse. So erschienen in den Berliner Emigrantenzeitungen *Dni* und *Rul*, deren
Redakteur Grigori Landau bei der deutschen ORT-Abteilung mitarbeitete, regelmäßig Artikel, die darüber berichteten.[38] Dasselbe gilt für nahezu alle deutsch-
jüdischen Periodika, inklusive der *Jüdischen Rundschau*, der *Jüdischen Welt* und
der *Central Verein Zeitung*. Von 1928 bis 1931 wurden von der ORT in Berlin
zwei jiddische Publikationen herausgegeben: die Wochenzeitung *ORT-yidies*
und die einmal im Monat herauskommende *Virtshaft un leben* unter der Redaktion von Aron Syngalowski, Awrom Rosin (Ben-Adir) und Grigori Aronson.[39]
Von 1932 an brachte die deutsche ORT-Abteilung die deutschsprachige *ORT-
Korrespondenz* heraus.

35 Zur Mitarbeit des Justizrats Julius Brodnitz bei der deutschen ORT-Abteilung, siehe
     Grigorij Aronson (s. Anm. 4), S. 110 f.
36 Siehe die von der deutschen ORT-Abteilung herausgegebenen Werbebroschüren: Deut-
     sche Stimmen zur »ORT«-Bewegung, Das Ausland über den »ORT«, »ORT« – Arbeit
     für deutsche Juden, in denen der Aufruf bekannter Persönlichkeiten der deutsch-jüdi-
     schen Elite abgedruckt war, die Arbeit der Organisation zu unterstützen. LBI JMB,
     Sammlung Wilhelm Graetz, AR 4121, F 10, L 1 -12.
37 Grigorij Aronson (s. Anm. 4), S. 110 f.
38 Ebd., S. 103.
39 Zu den jiddischen ORT-Publikationen in Deutschland, siehe Herbert A. Strauss, The
     Jewish Press in Germany, 1918-1939 (1943). In: Arie Bar (Hg.), The Jewish Press that Was,
     Jerusalem 1980, S. 324.

1926 übernahm Wilhelm Graetz, der vorher eine Zeitlang Schatzmeister der Jüdischen Gemeinde von Berlin gewesen war, die Leitung der deutschen ORT-Abteilung. Außerdem arbeiteten im Exekutivkomitee der deutschen ORT-Abteilung neben den Emigranten David Lwowitsch, Solomon Frankfurt und David Klementinowski so bekannte Männer wie Wilhelm Kleemann und Michael Traub mit.[40] Unter der Leitung von Graetz weitete die deutsche ORT-Abteilung ihre Arbeit in Deutschland erheblich aus. Während es 1924 nur drei lokale ORT-Komitees gab, arbeiteten Anfang 1928 schon dreiundzwanzig u.a. in Hannover, Köln, Essen, Düsseldorf, Königsberg und Frankfurt/Main. Das Budget der deutschen ORT-Abteilung verdreifachte sich: von 24.689 RM im Jahre 1925 auf 77.557 RM im Jahre 1928; auch die Zahl der Mitglieder stieg erheblich: von 61 im Jahre 1921 auf 800 im Jahre 1928.[41]

Die Berliner ORT. »Selbsthilfe durch Arbeit!« (1933-1943)

Nach der Machtergreifung der Nationalsozialisten von 1933 stand die deutsche ORT-Abteilung vor neuen Problemen, die dringend gelöst werden mussten. Unter den Bedingungen der Wirtschaftskrise, von der die europäischen Länder der Vorkriegszeit erfasst waren, musste sie die Emigration der Juden aus Deutschland unterstützen.[42] Wie Dudley Marley, der Vorsitzende des britischen Parlament-Komitees der ORT, in seinem Artikel von 1934 schreibt:

»The ORT-trained worker is always welcome and, by this example and value, lessens the resistance to other emigrants. ORT has its agents in many countries. It studies the needs of immigration, and special classes are organized to train people in whatever may be the needs of particular countries.«[43]

Der Führung der jüdischen Gemeinden Deutschlands war klar, dass sie sich um die junge Generation der Juden kümmern und ihnen eine professionelle Ausbildung verschaffen musste, um ihnen die Emigration zu erleichtern. Da es in Deutschland nur sehr begrenzt Ausbildungsmöglichkeiten dieser Art gab, orga-

---

40 Protokoll der gemeinsamen Sitzung des Hauptvorstandes und der Ausschüsse der Gesellschaft »ORT«, Abt. Deutschland, vom 18. September 1930, ½9 Uhr abends. LBI JMB, Sammlung Wilhelm Graetz, AR 4121, F 6, V. ORT Deutschland, L 19-32.

41 Bericht über die Tätigkeit der »ORT«-Gesellschaft Abt. Deutschland während des Jahres 1927. LBI JMB, Sammlung Wilhelm Graetz, AR 4121, F 6, V. ORT Deutschland, L 2, 5-6.

42 Zur Beteiligung des ORT-Verbandes und der deutschen ORT-Abteilung an der Emigration der Juden aus Deutschland und den besetzten Ländern, siehe: Facing East: The World ORT Union and the Jewish Refugee Problem in Europe, 1933-1938. In: East European Jewish Affairs, Vol. 39, Issue 3, December 2009, S. 369-388.

43 Lord Dudley Marley, »How the ORT works: A Factory of Useful Citizenship. In: Materials of the British press, 1930s, WORTA, DO5aOO4.

Werkstatt für Schmiedehandwerk und Mechanik an der Technischen Schule der ORT, Berlin 1939. Worta, London

nisierte die Berliner ORT zusammen mit der Reichsvertretung der Juden ein Ausbildungsprogramm für die jüdische Jugend in den Handwerksschulen und auf den Versuchsbauernhöfen des ORT-Verbandes, die in Litauen, Lettland und Polen arbeiteten. Von 1933 bis 1937 eigneten sich ca. 300 junge Rechtsanwälte, Geschäftsleute und Studenten, die im Zusammenhang mit der antijüdischen Gesetzgebung des Dritten Reiches von den Universitäten ausgeschlossen worden waren, den Beruf eines Schlossers, Elektrikers, Schmieds oder Landwirts an. Man ging davon aus, diese jungen Leute könnten nach ihrem Abschluss der Ausbildung nach Südafrika oder Südamerika auswandern.[44] Wilhelm Kleemann nannte diese Episode in der Geschichte der ORT »a beautiful example of fraternal Jewish solidarity!«[45]

Im November 1935 nahm die deutsche ORT-Abteilung die Einrichtung einer Technischen Schule in einem alten Fertigungswerk in der Siemensstraße im Bezirk Moabit in Angriff. Nach langen Verhandlungen mit der Gestapo wurde die Erlaubnis zur Öffnung der Schule erteilt, und zwar unter der Bedingung, dass diese ihre Schützlinge für die Emigration vorbereite. Im April 1937 nahm die unter Mitwirkung und unter dem Schutz der britischen ORT-Abteilung hervorragend ausgestattete Berufsschule namens *Private Jüdische Lehranstalt für handwerkliche und gewerbliche Ausbildung auswanderungswilliger Juden des ORT in Berlin* unter der Devise »Selbsthilfe durch Arbeit!« den Betrieb auf.[46] Fast 220 Studenten wurden gleichzeitig zum Tischler, Schlosser und Elektroschweißer ausgebildet.[47]

Am Vorabend des Krieges erreichte das *Joint British Committee ORT-OSE* mit der Unterstützung des Parlament-Komitees der ORT von den deutschen Behörden die Erlaubnis, die technische Schule zusammen mit ihren Studenten und Lehrern nach England zu evakuieren. Im August 1939 verließen hundert Studenten und sieben Studentinnen zusammen mit ihren Familien Berlin und fuhren in die englische Stadt Leeds, wo die neue technische Berufsschule der

44 ORT-Union, 1935-1936. Report of the Executive of the central Board of the Union submitted to its Plenary Session, Paris, 7-9 September, 1936, compiled by I. Koralnik, General Secretary, preprint, Paris (ORT Union publishing) 1936, S. 6.
45 Address of Dr. Wilhelm Kleemann, New York: Luncheon Banker's Club, December 1913, 1934, S. 7.
46 Wilhelm Graetz, ORT's Work in Germany. In: Material and Memoirs. Chapter for the History of ART, Vol. 1, Genf (World ORT Publishing) 1955, S. 41.
47 Private jüdische Lehranstalt für handwerkliche und gewerbliche Ausbildung auswanderungswilliger Juden der »ORT« Berlin, Berlin (Sonderdruck der Zeitschrift »Der jüdische Handwerker«) 1937, S. 7-9.

ORT entstand.[48] Die Berliner Schule setzte ihre Arbeit während des Krieges fort und wurde wie die deutsche ORT-Abteilung im Jahre 1943 geschlossen.

Der Fall ORT kann als Beispiel der erfolgreichen Integration einer Migrantenvereinigung in das System jüdischer Hilfsorganisationen gelten. Als die Gründer und Leiter der Berliner ORT gezwungen worden waren, das Land zu verlassen, arbeitete die Gesellschaft im Ausland aktiv weiter und organisierte die Emigration der Juden aus dem Dritten Reich. Nicht unwichtig ist es auch, dass die ORT ihre Konzeption eines »positiven Judentums« einbrachte, wie sie sich in der Ideologie des »ORTismus« niederschlug. Die ORT setzte alle Mittel ein, die Werte der Institution in persönliche Werte zu verwandeln, indem sie sie auf die Mikroebenen der jüdischen Gemeinschaft in Deutschland übertrug. Die Ideologie des »ORTismus«, mit den Worten des Chefideologen Aron Syngalowski: »work and freedom are the two oldest principles of historic Judaism!«,[49] ist vielleicht der wichtigste Beitrag der ORT zum »Kulturtransfer« zwischen der osteuropäischen und der deutschen Judenheit.

Aus dem Russischen von Birgit Veit

---

48 Zur Evakuierung der technischen ORT-Schule nach England, siehe: Monika Lowenberg, The Life and Schooling of Jewish Children in Germany, 1933-1939, S. 8. Zur Organisation der Technischen ORT-Schule in Leeds, siehe: From Despair to Hope. A Constructive Form of Help. The ORT Technical Engineering School, Roseville Avenue, Roseville Road, Leeds, London 1940, S. 1 f. Joint British Committee ORT – OSE. Report for 1940, London 1941, S. 1-5.

49 Aron Syngalowski, In the Service of Jewish Labour. In: Material and Memories. Chapters for the history of ORT, Vol. 1, Genf (World ORT Publishing) 1955, S. 9.

Alexandra Polyan

Productive Help in Russian-Jewish Berlin –
The Union of the Russian Jews in Germany[1]

The dramatic events of European history that took place in the beginning of the 20th century had adversely affected the Jewry of the Eastern Europe and caused demographic catastrophe among its Jewish population. As a response given to this challenge, a vast number of Jewish charity organizations were created.

In the 1920/30s, there were several significant organizations of this kind. During the First World War, several bodies were established by German Zionists: a group that was most tolerant to the East-European Jews among all groups of interwar German Jewry (as opposed to German Jews of liberal / democratic orientation). The prime purpose of these bodies was to provide support to the victims of pogroms in the war zones. These bodies included the *German Committee for the Liberation of the Russian Jews* (Deutsches Komitee zur Befreiung der russischen Juden) and the *Committee for the East* (Komitee für den Osten). At the end of the War, the *Agency for Professional Help for Jewish Soldiers* (Berufsfürsorgestelle für jüdische Soldaten, later – Jewish Labor Exchange, Jüdisches Arbeitsamt) was created, inspired by Julius Berger, and the non-Zionist Workers' *Welfare Agency* (Arbeiterfürsorgeamt) was founded. The latter two were the first agencies to provide contact help as opposed to earlier organizations that were primarily engaged in collecting donations and sending them out to the East. These were all large umbrella organizations that united numerous smaller charity foundations.[2]

After the War, a number of charity organizations were created by Jewish immigrants. They included German offices of organizations which first appeared in Eastern Europe (e.g. ORT, OSE, and Emigdirect) as well as bodies founded already in Germany, e.g. *Union of Eastern Jews in Germany, Union of Jewish Students*, and *Union of Russian Jews in Germany*.

The latter's activity is the topic of my paper. The *Union of Russian Jews* is particularly interesting as an example of a body created by Russian Jews following the pattern of several well-known Russian immigrant organizations as well

1 Support for the writing of this article has been provided by the Russian Humanities Fund (project 08-01-94001a/D).
2 Steven M. Lowenstein, Paul Mendes-Flohr, Peter Pulzer, Monika Richarz, Deutsch-jüdische Geschichte in der Neuzeit, B. 3, München 1997, pp. 363-364; Shalom Adler-Rudel, Ostjuden in Deutschland 1880-1940, Tübingen, 1959, pp. 36, 39, 44, 79.

as charity foundations of European Jews. In addition to collecting donations and organizing logistics, the *Union* also faced, in a way more acute than its forerunners, the problem of national and cultural identity. The ways of solving this problem can be traced through the strategies of selecting the *Union's* beneficiaries and through the *Union's* fundraising strategies.

The *Union of Russian Jews* was founded in Berlin as a non-political charity foundation by I. M. Soloveychik in 1920. From 1921 it was led by Jakob L. Teitel, a prominent Russian attorney and a well-known activist of Russian charitable institutions. The membership did not exceed several hundred, but the *Union* soon became a significant benefactor. In 1924, the *Union's* deputation was invited to the »Reichskonferenz der Ostjuden in Deutschland«[3] – the State Conference of East-European Jews in Germany. Three years later, the *Union* became a member of the Consultative Committee for Refugees under the League of Nations.[4] The organization accumulated the most prominent representatives of Russian-Jewish Berlin, e.g. Alexis A. Goldenweiser, Benjamin S. Mandel, Boris I. Elkin, Isaak M. Rabinovich, Boris D. Brutzkus, etc.

The *Union* was governed by an executive body which consisted of 24 to 27 members elected at annual meetings. The executive body's sessions took place twice a month. Most of the daily work was conducted by a panel consisting of four members: a chairman and three assistants, elected among the executive body's members. The *Union* also included six committees. A charity committee provided support for those who had applied for it. A financial committee solicited financial contributions. A loan committee lent certain amounts of money to those applicants who were attempting to start a new business or to travel to a new place of employment either inside or outside of Germany. An educational committee arranged public lectures and classes, and founded a library. A synagogue committee organized public prayer-services. Finally, a ladies' club gathered and distributed food, clothes and heating fuel, and sponsored public soup-kitchens. They also held annual balls and charity parties. The *Union* also ran a reception desk, an auditing committee, a medical service, and a legal aid bureau that helped applicants to receive residence and work permits, extend visas or passports etc. After the year 1922, when the Soviet government declared that Soviet citizenship would be forfeited by former Russian residents living abroad, who did not renew their passports, lots of former Russian citizens became stateless.[5] Not only did the *Union's* activists try to help those who appealed for their

---

3   Gosudarstvenniy Archiv Rossiyskoy Federatsii (in the following GARF), f. R-5774, op. 1, d. 1, ll. 5-6, 10.
4   GARF, f. P-5774, op. 1, d. 129, l. 50; d. 134, l. 46.
5   The discussion on their status and their place in German society from the viewpoint of German authorities can be found in the Political Archive of the Ministry of Foreign Af-

support and defense, but they also endeavored to draw public attention to the problem of the stateless people, their living conditions and their rights.[6] The headquarters of the *Union* were situated in Berlin. There were also local branches in several cities.

The mechanisms of charity aid used by the *Union of Russian Jews* followed the pattern established by *Zemgor* (Ob'yedinenniy komitet Zemskogo soyuza i soyuza gorodov; United Committee of the Union of Zemstvo and the Union of Towns): a vast organization that provided help to Russian émigrés and had branches across Europe and Asia. *Zemgor* was a non-political organization. Its main field of activity was charity aid (distributing financial allowances, running soup-kitchens, legal and medical help etc), but it was also active in the sphere of education (there were several colleges and several thousand schools founded by *Zemgor*) and social propaganda.

Both *Zemgor* and ORT adhered to the principle of productive help.[7] Professional courses, workshops, language classes and a network of lending institutions were organized in order to stimulate refugees' »productivization«. It has to be mentioned that the percent of returned loans was rather low and few of the workshops became profitable and were able to sustain themselves. *The Union of Russian Jews* also founded professional courses (sewing, driving, cosmetics, etc.), German and English language classes and several workshops. As a rule, the workshops had a hard time selling their produce. When the sewing workshop was unable to find customers, an appeal was made to the members of the *Union* to purchase its goods.[8]

Many charitable organizations considered professional education for children to be an efficient way of so-called »productivization«. ORT established a network of trade schools, the *Joint Distribution Committee*, the *Hilfsverein der Deutschen Juden*, *Alliance Israelite Universelle* and some other major Jewish organizations as well as *Zemgor* founded systems of regular schools. The *Union of Russian Jews in Germany* was also encouraged by other Jewish bodies to create a Russian-Jewish school in Berlin, for its correspondents found the German educational system inappropriate for the children of Russian Jews, but the Union did not have enough resources to launch this project. A more urgent need, in the judgment of the *Union's* leaders, was to create a summer sanatorium camp as the *Joint Distriution Committee*, ORT and OSE had; however, due to a lack

fairs of Germany: PA AA. R 78705. Nachlaß M. Sobernheim. Jüdische Angelegenheiten. Ausweisung von Ostjuden. 1919-1923.

6   C. e.g.: Rul', 24.06.1926, Rul', 07.05.1927, Dni, 04.07.1926.
7   So did the Arbeiterfürsorgeamt: cf. Trude Maurer, Ostjuden in Deutschland, Hamburg, 1986, p. 544.
8   GARF, f. R-5774, op. 1, d. 134, l. 115.

Jacob Teitel's memoirs. Cover of the German edition, 1929

of money, the *Union* confined itself to sending children to sanatorium camps that already existed. However, one child welfare institution was established by the *Union* – it was a kindergarten called »Kinder-Freunde« – »Children's Friends« governed by Teitel in person.[9] There were also some sorts of financial support distributed to children who had to pay for their education or exams or who needed grants to continue with their studies.

Another way of »productivization« consisted of transmigration to the countries with a lack of labor force. Concerning the emigration policy, the Union followed the pattern of Russian émigré organizations that helped Russian immigrants to get a job at a factory or a mine rather than that of Jewish organizations, for the latter focused more on agricultural emigration. Migrations of the *Union's* clients went in two directions. Most applicants departed for Western Europe (first of all for France) and for Northern and Southern America. There were also applicants who wanted to travel to the East and to return to their home. They required grants for tickets, or asked the *Union* to help them to gain a passport or a visa or to supply them with a financial loan in order to cover their traveling expenses. The rate of emigration was extremely high in 1923 due to the financial crisis. Then it sank. Those who had not left Germany needed financial as well as legal aid.

Initially, the *Union* positioned itself as a Russian organization. In this respect it was not unique, for ethnic Jews constituted a majority in the large number of Russian public organizations in interwar Berlin. The latter included the *Union of Russian Sworn Attorneys*, the *Union of Russian Physicians*, the *Society for Help to Russian Citizens in Germany*, etc. There was a story about Benjamin S. Mandel, sworn attorney, the president of the Community for aid for Russian citizens in Germany. In 1924, at the *Welthilfskonferenz* held in Berlin, he greeted the Jewish Organizations »on behalf of the Russian People«.

More needs to be said about the Russian identity of the *Union's* members. Not all of those who applied for help were Jews. Moreover, some Jewish applicants found it appropriate to present themselves as »Russian in spirit«, »Russian sufferer«, »Russian heart« and to address »Russian cordial greetings« to the *Union*[10]. The organizations chosen by the leaders of the *Union* to be its partners were mostly Russian émigré organizations. In December 1921, the *Union of Russian Jews* joined the *Council of Russian Public Organizations and Institutions in Germany* (Ausschuß russischer öffentlicher Organisationen und Institutionen in Deutschland). The *Union of Russian Jews* as well as most other Russian bodies, where Jews, as already mentioned, actually constituted a majority was rep-

9   Its papers can be also found in GARF: f. R-5774, op 1, d. 54.
10 GARF, f. R-5774, op. 1, d. 58, ll. 21, 37-38, 44-45.

resented at this *Council* by Vladimir D. Nabokov,[11] the writer's father. When another Jewish organization – the *Union of Eastern Jews* – offered Teitel to unite the two groups, Teitel and the Executive of the *Union* strongly objected,[12] for they wanted their organization to be associated with Russian rather than Jewish groups.

One more detail. Most of the *Union's* partners were conceived as reincarnations of some past institutions. *Zemgor* was organized as a successor to the former *Zemgor* which was founded in Russia in 1915 and primarily admitted former Zemstvo members to its ranks.[13] Bodies like the *Union of Russian Sworn Attorneys* admitted only those who could prove their belonging to one of pre-revolutionary guilds of Sworn Attorneys.[14] Although such allusions to the past were not present in the charter and stated goals of the *Union of Russian Jews*, in the *Union's* press-essays this topic can sometimes be found.

It has to be said that the *Union* made a PR-strategy out of describing its clients. In one appeal it was mentioned that the *Union's* beneficiaries »used to live a prosperous life, and now prefer to starve to death rather than apply for help to urban or Jewish charitable organizations«. Teitel emphasized that once these people used to support the poor themselves, and the fact they have become the poor especially depresses them:

> »In order to help them, the Executive body needs to resort to cunning, e.g. to invite their children for a cup of coffee and to give them at parting a bar of chocolate or a praline box where certain sums of money are hidden«.[15]

The *Union's* leaders tended to present their clients as intellectuals. Arnold Zweig, the famous German writer of Jewish origin, was invited to speak at the *Union's* meeting called »Press Tea-party« in 1929. In his speech, he called the *Union's* clients »15000 intellectuals, writers, professors, doctors, lawyers, scholars of all kinds, merchants, engineers etc« (it is noteworthy that »merchants« are placed at the end of the list of »intellectual« occupations).[16] Thus, a generalized image of a client of the *Union* was formed: it would be a Russian-speaking émigré, who had once lived in a large Russian city, who used to be a well-to-do lawyer,

---

11 Hans-Erich Volkmann, Die russische Emigration in Deutschland. 1919-1929, Würzburg, 1966, p. 15.
12 GARF, f. R-5774, op. 1, d. 1, ll. 15-16.
13 Irina Sabennikova, Zemsko-gorodskoy komitet pomoschi russkim bezhentsam za granitsey (Zemgor): sostav, struktura i geograficheskiye tsentry, in: Zarubezhnaya Rossiya. 1917-1939 gg. Sbornik statey, Sankt-Peterburg, 2000.
14 GARF, f. R-5890, op. 1, d. 39, l. 198.
15 GARF, f. R-5774, op. 1, d. 129, ll. 48-49.
16 Arnold Zweig, Das Los der Geflüchteten. Rede auf dem Presse-Tee des Verbandes Russischer Juden in Deutschland, Berlin, 1930, p. 6.

doctor or scholar and belonged to the Russian culture. This image, however, can be applied to a small group of these emigrants only: to the wealthy and socially active ones, first of all, to the *Union's* activists themselves. Most clients, however, as follows from their applications addressed to the *Union's* charity committee, had once been rather poor in Russia, they came from small cities in Russia, Ukraine, Belorussia or Lithuania, and spoke either Yiddish or Russian. They constituted a labor immigration to Germany, so the widespread stigma of an »Ostjude«[17] in interwar Germany can be applied to them.

Some of the *Union's* activities were still addressed to its proclaimed beneficiaries: secret allowances to the intellectuals (in order not to confuse them), a lecture center where lectures were given in Russian and discussions about Russian revolutions and Russia's fate were held.[18] But first of all, the *Union's* activities were aimed at maintaining the labor immigration.

The crucial point in the *Union's* development was the financial crisis that took place in 1923, and the devastation of Russian financial resources in Germany caused by it. The patronage of the Union shifted from Russian émigré bodies to the worldwide Jewish organizations, e.g. *Joint Distribution Committee*, JAFI, ICA, *Jewish Telegraph Agency, Alliance Israélite Universelle*, as well as Jewish communities.[19] Since 1927, Jacob Teitel traveled in person all over Germany in order to gather money. He emphasized that it was the first time that the *Union* had solicited money from German Jews. Then, since 1928, the geography of his itineraries expanded: for this purpose he visited also France, Netherlands, Belgium, Great Britain and Czech Republic, Switzerland, Denmark and Sweden. Several Jewish communities across Germany organized auctions for the *Union's* benefit.[20] In a document published in 1929, Jacob Teitel mentioned:

> »The Union of Russian Jews in Germany, which is about to celebrate its 10th birthday, has so far avoided appealing to the German-Jewish community for donations. But now, when the refugees' need is getting more and more acute with every passing day, it has become too hard for the Union to cope with the situation. Intellectuals among the refugees are most affected by this need. Under the pressure of the moment, the Union has decided to appeal to its brothers in faith and to ask for their support«.[21]

---

17 C. e.g.: Steven E. Aschheim, Brothers and Strangers. The East European Jew in German and German Jewish Consciousness, 1800-1923, Madison, Wisconsin, 1982, pp. 215-248, Trude Maurer, Op. cit., pp. 12-16, 104-128.

18 C. the educational committee's materials: GARF, f. R-5774, op. 1, d. 60.

19 Cf. e.g. GARF, f. R-5774, op. 1, d. 134, ll.15, 19, 33, 45-63, 122-123.

20 Trude Maurer, Op. cit., p. 713.

21 Arnold Zweig, Op. cit., p. 3.

In 1929, when the *Union* had already become a much more »Jewish« organization than it once had been, an idea to turn to European Jewish Communities
for help seemed to the *Union's* leaders to require an explanation and apology.
The *Union's* activity became a frequent topic of discussion in the German Jewish Press,[22] and the *Union* issued a number of public appeals in Yiddish. Most
journalists who attended the *Union's* »Press Tea-parties« represented German,
European and American Jewish periodicals.

The transition from Russian to Jewish identity also affected the location of
the *Union's* headquarters in Berlin. It is impossible to determine the topography
of the Union's activities in Berlin, for the period of the *Union's* existence was too
short to create an established urban topography of an émigré community, but
several places related to the *Union's* affairs – situated in several areas of the city
– may be highlighted. The first office of the Union was situated at Kleiststrasse
11. In 1923, due to the financial crisis, this office became too expensive to maintain and so the *Union* moved to the place generously offered (to it) by the Jewish
Religious Community of Berlin – Lützowstraße 16, which was also situated in
the southern part of downtown Berlin-Schöneberg. The *Union* rented a hall for
public events like lectures and religious services at Kleiststraße 10 (the so-called
Bnai Brith Logenhaus, close to the *Union's* first office). Lectures were also held
in Gutman hall (Bülowstraße 104) in Schöneberg and in the Jewish Community
(Fasanenstraße 79-80) in Charlottenburg. The *Union* maintained two charitable
organizations: the Asylum for homeless refugees at Wiesenstraße 55 (in Berlin-
Wedding) and a kindergarten in Scheunenviertel. The sewing workshop opened
by the *Union* was situated in Wilmersdorf (Schaperstraße 34).

In 1935, the *Union of Russian Jews* was closed down by the Gestapo on the
grounds of being both a Russian and a Jewish organization, as follows from the
correspondence on this matter which I found in the Political Archive of the
German Ministry of Foreign Affairs.[23]

During the fifteen years of its existence, the *Union* helped numerous Russian
Jews to survive through the hardships of immigration, to emigrate to the West,
or to establish themselves in Germany. Of the *Union's* leaders Jacob Teitel
moved to Southern France where he died in 1939. Others, e.g. Alexis Goldenweiser, Boris Elkin and Boris Brutzkus escaped to the USA and continued their
careers there.

22 For a survey of press materials about the Union's activity, c.: Trude Maurer, Op.cit.,
    pp. 712-716.
23 PA AA. R 84333 Abteilung IV: Rußland. Juden. 1933-36, L 364535-364537.

Gerben Zaagsma

Transnational networks of Jewish migrant radicals –
The case of Berlin

Introduction

This article constitutes a first attempt to analyse the transnational networks of Jewish migrant radicals in Western Europe.[1] The existence of such networks and the concomitant movement and transfer of people and ideas is obvious given the international character of the socialist and post-1917 communist movements and not particular to Jewish leftists. Yet as attention to the transnational aspects of labour history and that of the socialist/communist movement is a relatively recent phenomenon, at least among historians, so too the networks and transnational spaces in which various Jewish migrant radicals operated is a topic that still awaits and deserves more historical research.[2] Perhaps this is not surprising in the case of Jewish leftists, in particular communists, as analyses of such networks can easily feed into anxieties about unwillingly abetting anti-Semitic conspiracy theories.[3]

The transnational networks that were created by Jewish migrant radicals in Europe were an integral part of the dynamics of interwar Jewish (leftist) politics. As Jewish migrants spread over Europe and beyond, so too their activities stretched over multiple borders characterised by a continuous transfer of peo-

1 I use the word »radicals« as a catch all phrase for those of Jewish descent who were active in the socialist and communist movements of the time and not to denote the existence of something called »Jewish radicalism«. See for a good discussion of this issue: Jaff Schatz, The Generation. The Rise and Fall of the Jewish Communists of Poland (Berkeley, 1991), pp. 13-19.
2 It is rather striking that attention to the transnational aspects of (labour) politics among political scientists has only in the past 15 years been matched by interest among historians. Already in 1971 the journal International Organization published a special seminal issue on »Transnational Relations and World Politics« (including an article on the transnational aspects of post-WWII labour unions).
3 For excellent introductions see: Gerrits, André W.M., »»Jewish Communism‹ in East Central Europe: Myth versus Reality« in: André Gerrits, Adler, Nancy ed., Vampires unstaked. National images, stereotypes and myths in East Central Europe, Amsterdam 1995), pp. 159-179; Waddington, Lorna L., Hitler's Crusade – Bolshevism and the Myth of the International Jewish Conspiracy, London 2007.

ple, ideas, organisational structures and political practices. In the process, Jewish (migrant) radicals became on the one hand embedded in particular national contexts while simultaneously operating in and creating their particular transnational spaces and networks. The question is how and to what extent operating in such spaces influenced political practices in the local/national context, and vice versa, and what particular characteristics they had when seen in the broader context of the organisational networks created by the Socialist and Communist Internationals. To summarise: Jewish political history escapes the framework of the nation-state and a full understanding necessitates a look across borders. In this article I consider one specific case: the place of Berlin in the transnational spaces and networks in which East European Jewish radicals in Western Europe operated.

Berlin as a center for Jewish (trans-)migration and organisation

World War I did not only engender a profound change of national borders in Europe and a significant movement of migrants and refugees from Eastern Europe westward. In the wake of the October revolution in 1917 a profound transformation of the political Left also took place, engendering a rapid spread of Bolshevik ideas and organisational principles on the continent as the burgeoning communist movement attempted to organize itself in Europe. As both the United States and Britain placed limits on immigration shortly after WWI, many transmigrants would stay in Berlin which had previously been a city of transit.[4] Similarly France, and to a lesser extent Belgium, attracted large numbers of especially Polish migrants, Jewish or non-Jewish, who filled labour shortages caused by the war. Many Russians also fled post-revolution persecution and the subsequent civil war to settle in Western Europe.[5]

Within this context many East European Jewish migrants made the German capital their home. In the process, Berlin became not only important as a Yiddish publishing centre and a place that connected Yiddish writers of diverse

---

4 See in particular: Jochen Oltmer, »»Verbotswidrige Einwanderung nach Deutschland«: Osteuropäische Juden im Kaiserreich und in der Weimarer Republik‹, Aschkenas 17 (2007), pp. 97-121; Tobias Brinkmann, ›From Hinterberlin to Berlin – Jewish Migrants From Eastern Europe in Berlin Before and After 1918‹, Journal of Modern Jewish Studies 7 (2008), pp. 339-355.

5 Jochen Oltmer, Migration und Politik in der Weimarer Republik (Göttingen 2005), in particular, pp. 238-251; Anne-Christin Saß, ›Die Weimarer Republik und ihre osteuropäisch-jüdischen Zuwanderer. Der Fall Moritz Zielinski‹, Bulletin des Deutschen Historischen Instituts Moskau 2 (2008), pp. 44-54; Tobias Brinkmann, ›From Hinterberlin to Berlin‹.

backgrounds in several literary circles.[6] Until 1933 it also played an important role in interwar modern Jewish politics and organisational life.[7] Indeed, as Berlin became a place of stay for many new Jewish migrants, so too it would play an important role in the political transformations of the Left at the time as well as the changing Jewish political landscape in Europe. All Jewish leftist political organisations or ideological currents were linked to Berlin in one way or another. As the Russian Social-Democratic Labour Party (RSDLP) went underground in the Soviet Union, it established a Foreign Delegation in Berlin to which the Bund belonged.[8] The Bund's archive was housed in Berlin from 1919 until 1933.[9] The Bundist Yiddish-American daily *Forverts* also had an office in Berlin.[10] Meanwhile a part of the left-wing of the World Union of Poale Zion, which had split at its 5th Congress in Vienna in July 1920 over the issue of joining the Communist International (Comintern) or not, established a Committee of the Left Poale Zion in Berlin.[11]

6   There is a significant amount of literature focusing on Berlin as a Yiddish publishing and cultural centre and gathering place for all sorts of Jewish literati and intellectuals. See for instance: Leo Fuks and Renate Fuks, ›Yiddish Publishing Activities in the Weimar Republic, 1920-1933‹, Leo Baeck Institute Yearbook 33 (1988), pp. 417-434; Glenn S. Levine, ›Yiddish Publishing in Berlin and the Crisis in Eastern European Jewish Culture 1919-1924‹, Leo Baeck Institute Yearbook 42 (1997), pp. 85-108; Delphine Bechtel, ›Cultural Transfers between »Ostjuden« and »Westjuden« German-Jewish Intellectuals and Yiddish Culture 1897-1930‹, Leo Baeck Institute Yearbook 42 (1997), pp. 67-83; Susanne Marten-Finnis and Heather Valencia, Sprachinseln: jiddische Publizistik in London, Wilna und Berlin 1880-1930 (Köln, 1999); Marion Neiss, Presse im Transit: jiddische Zeitungen und Zeitschriften in Berlin von 1919 bis 1925 (Berlin 2002); Gennady Estraikh, ›Vilna on the Spree: Yiddish in Weimar Berlin‹, Aschkenas 16/1 (2007), pp. 103-127.

7   As Verena Dohrn puts it, »Berlin was not only a centre of Russian-Jewish, Yiddish and Hebrew publishing houses, but also a magnet for Jewish organisations«. See for an overview: Verena Dohrn, ›Diplomacy in the Diaspora: The Jewish Telegraphic Agency in Berlin (1922-1933)‹, Leo Baeck Institute Yearbook (2009/7/28), pp. 12-13.

8   Claude Weill, ›Le Bund Russe À Paris‹, Archives Juives 34/2 (2001), pp. 30-42, 33-34; Gertrud Pickhan, Gegen den Strom. Der Allgemeine Jüdische Arbeiterbund Bund in Polen 1918-1939 (Stuttgart: Deutsche Verlags-Anstalt, 2001), p. 383. For the RSDLP after 1921 in general see: André Liebich, From the other shore: Russian social democracy after 1921 (Cambridge 1997).

9   Henry J. Tobias, ›The Archives of the Jewish Bund: New Materials on the Revolutionary Movement‹, American Slavic and East European Review 17 (Feb., 1958), pp. 81-85, 83. On this topic see also: Marek Web, ›Between New York and Moscow: the Fate of the Bund Archives‹ in: Jack Jacobs ed., Jewish politics in eastern Europe. The Bund at 100 (New York 2001), pp. 243-255.

10 Estraikh, ›Vilna on the Spree: Yiddish in Weimar Berlin‹, p. 118.

11 Baruch Gurevitz and Dominique Négrel, ›Un cas de communisme national en Union Soviétique Le Poale Zion: 1918-1928‹, Cahiers du Monde russe et soviétique 15 (1974) 333-361, 347; Israel Kolatt, ›Po'alei Zion‹ in: Michael Berenbaum and Fred Skolnik eds., Encyclopaedia Judaica (Detroit 2007), p. 248.

Berlin was equally important for Jews in the communist movement: the Comintern established its West European Secretariat (WES) in the German capital in 1919, followed by the West European Bureau (WEB) in 1927 which remained active in the German capital until 1933. The function of the WES was to create an infrastructure for maintaining links between Russia and the various parties in Western Europe, organising the flow of couriers and money between Moscow and Berlin, and from Berlin to Western Europe. Later in the 1920s the WEB was established as a way for Moscow to better control the various national parties.[12] Berlin thus became the international conduit for the communist movement, a situation of which the German government was keenly aware. Thus, the German ministry of the interior warned in 1923 that because of »der Zustrom internationaler Kommunisten … Berlin scheint allmählich eine Sammelstelle der europäischen Kommunisten geworden zu sein«.[13] Part of the work of the WES and WEB in Berlin was to direct the activities and propaganda of Jewish communists among the many Yiddish-speaking migrants in Europe.

As the above indicates, all three strands in modern Jewish politics between 1918 and 1933 had, in one way or another, an organisational interest and *locus* in Berlin. At the same time they were connected to various other places through formal and informal organisational and personal networks. If one were to visualise the networks of Bund, Poale Zion and Jewish communists in Europe one could superimpose three layers on a map which are separated, yet simultaneously interconnected, given the competition and confrontation between these Jewish political voices in each particular place where they were present. Thus, Jewish migrant radicals did not only operate in a particular social space as constituted by the Jewish migrant populations of which they formed a part. They simultaneously created specific transnational networks and spaces of political activity, communication and shared practices accross borders.[14]

---

12 Richard Gyptner, ›Das Westeuropäische Büro der Kommunistischen Internationale (1928-1933). Erinnerungen an Georgi Dimitroff‹, Beiträge zur Geschichte der deutschen Arbeiterbewegung 5 (1963), pp. 481-489; Gerrit Voerman, ›Bolsjewieken, Tribunisten En Het Amsterdams Bureau Van De Komintern (1919-1920)‹, DNPP Jaarboek (1996), pp. 129-155; Gerrit Voerman, De meridiaan van Moskou. De CPN en de Communistische Internationale, 1919-1930 (Amsterdam 2001) chapter 3 and, pp. 379-380. Gyptner was secretary of the WEB.

13 Letter from the Reichsminister des Innern an das Auswärtige Amt, 19 February 1923, SAPMO-BArch, R43-I/2669.

14 See for a recent discussion of transnational spaces in history: Michael G. Müller and Cornelius Torp, ›Conceptualising transnational spaces in history‹, European Review of History: Revue europeenne d'histoire 16 (2009), pp. 609-617, 613-614. In this introduction to special issue on transnational space Müller and Torp aim here to »conceptualise space as a functional category« and endorse an approach which takes into account »the specific historical contexts of movements, interactions and connections that, in each

Importantly though the Bund and Poale Zion operated within a Jewish context: both were international organisations with local groups or branches in various places outside Eastern Europe, their memberships consisting of East European Jews. Both organisations were not static and monolithic entities but in a constant state of flux, particularly in the early 1920s when the question of whether or not to join the newly found Third International proved divisive and led to several splits. Jewish communists of East European origin, by contrast, operated within several national parties with different national memberships that were overseen by the Comintern. Within several communist parties they were organised in Jewish sections. This was the case in the Soviet Union and Poland as well as in several countries with significant Jewish migrant populations such as France, Belgium, Britain, the United States, Canada and briefly Germany as we shall see.[15] Jewish migrant communists, particularly when they were organised in such specific Jewish groups or official sections, occupied, as it were, a space »in between«. Politically dependent upon, and owing allegiance to specific national parties, they were simultaneously linked to the communist parties of their former Eastern European home countries, if only by former membership, and contacts with Jewish »comrades« elsewhere. They also assumed the role of negotiating Jewish migrant interests in a non-Jewish international political movement.

Jewish migrants and politics in Berlin

Relatively little is known about leftist political activities among Jewish migrants in Berlin, while much of the literature focuses on social and cultural organisations.[16] It is clear that Bund and Poale Zion were the dominant forces on the left

instance, formed distinct geographical frameworks – whether sub-national, transnational or macro-regional – through migration and communication, the flow of capital, commodities or ideas, and political interaction. This said, the spaces ›created‹ through these processes not only were each of a different scope, but were also of a diverse character.«

15 The Jewish Bureau of the Communist Party of Great Britain was only formed in 1935 and for different reasons than the other sections. For a case study of the Jewish section of the *Parti Communiste Français* which discusses the formation of Jewish sections in its broader socio-political context, see: Gerben Zaagsma, ›The Local and the International – Jewish Communists in Paris Between the Wars‹, Simon Dubnow Institute Yearbook 8 (2009), pp. 345-365.

16 Trude Maurer, for instance, focuses in her overview of organisations mostly on those that were formed outside Berlin, while Salomon Adler-Rudel is mostly concerned with the Arbeitsfürsorgeamt. Ludger Heid's focus is more on the Ruhrgebiet than Berlin. See: Trude Maurer, Ostjuden in Deutschland, 1918-1933 (Hamburg 1986) 678 f; Salomon Adler-Rudel, Ostjuden in Deutschland, 1880-1940; zugleich eine Geschichte der Orga-

side of the spectrum. According to one of the classic chroniclers of Jewish migrant life in Berlin, Salomon Adler-Rudel, the Poale Zion was the most popular party among Jewish workers though that perspective seems to have been coloured by his own role in the Poale Zion.[17] By contrast Ludger Heid has claimed that the Bund in Berlin was more popular than the Poale Zion (in contrast to what he contends is the general picture for Germany) but in the absence of reliable figures the answer remains open.[18] An indication of the relative popularity of Bund and Poale Zion are the publishing efforts undertaken by both parties in Berlin (while of course also importing and distributing socialist materials from Poland and Russia).[19] The Poale Zion published two journals in the early 1920s, *Jüdische Arbeiterstimme* (in German) and *Unzere bavegung* (in Yiddish) and also had its own *Heim* in the Linienstrasse 159.[20] The *Organisationskomitee des Linken Poale Zion* also had its own periodical, *Der Kamf / Die Stimme*.[21] Similarly the Bund regularly published a journal called *Der Morgenshtern*.[22]

The story of the Bund in Berlin is complicated because of its post-World War I fragmentation which resulted from the reformation of Poland as a nation-state and the creation of an independent Polish Bund during and after the war. While the Polish Bund became the central Bundist organisation, the Russian Bund split over the question of joining the Russian Communist Party. Those Bundists that did not join became quickly marginalised and mostly left Russia. Until at least the mid-1920s a foreign delegation of the Russian Bund

---

nisationen, die sie betreuten (Tübingen 1959); Ludger Heid, ›East European Jewish Workers in the Ruhr, 1915-1922‹, Leo Baeck Institute Yearbook 30 (1985), pp. 141-168.

17 Adler-Rudel, Ostjuden in Deutschland, p. 97.

18 Ludger Heid, »›Dem Ostjuden ist Deutschland das Land Goethes und Schillers‹. Kultur und Politik von ostjüdischen Arbeitern in der Weimarer Republik«, Archiv für Sozialgeschichte 37 (1997), pp. 179-206, 12, 20.

19 Salomon Adler-Rudel, ›East-European Jewish Workers in Germany‹, Leo Baeck Institute Yearbook 2 (1957), pp. 136-165, 159.

20 Adler-Rudel, Ostjuden in Deutschland, pp. 95-96. Not to be confused with the Jüdische Volksheim in der Dragonerstrasse that was founded in 1916 and did not have political purposes but was a social-educational institution. See: Heid, »›Dem Ostjuden ist Deutschland das Land Goethes und Schillers‹«, p. 191; Dieter Oelschlägel, ›Die Jüdische Settlementbewegung und das Jüdische Volksheim in Berlin‹, Rundbrief 41/2 (2005), pp. 18-29.

21 Adler-Rudel, Ostjuden in Deutschland, p. 97; Marion Neiss, Presse im Transit: jiddische Zeitungen und Zeitschriften in Berlin von 1919 bis 1925 (Berlin 2002), pp. 111 f, 119 f. Neiss discusses Der Kamf and Die Stimme separately but considers them to be one publishing effort by the LPZ, see pp. 119-120.

22 Jack Jacobs, ›Written Out of History. Bundists in Vienna and the Varieties of Jewish Experience in the Austrian First Republic‹ in: Michael Brenner and Derek Penslar eds., In search of Jewish community: Jewish identities in Germany and Austria, 1918-1933 (Bloomington 1998), pp. 115-133, 132 n. 58; Adler-Rudel, Ostjuden in Deutschland, p. 97.

existed in Berlin which was part of the RSDLP's foreign delegation in the German capital. It had rather problematic relations with the Polish Bund. It is unclear which group dominated the Bundist group that was formed in Berlin in 1919.[23] The Bund in Berlin dominated the cultural *Perets Farayn* until the early 1920s.[24] Both the Bund and Poale Zion took part in the *Arbeiterfürsorgeamt der jüdischen Organisationen Deutschlands* that was created in 1920.[25]

If the picture for Bund and (Linke) Poale Zion is rather fragmentary, even less is known about Jewish migrant communists operating in the KPD. The Jewish membership of the KPD appears to have been small, the only existing estimate putting the number of Jewish members in 1927 at 1000 on a total KPD membership of 143.000. How many of these members were German-born Jews or migrants cannot be ascertained.[26] As is well-known, a number of German-Jewish intellectuals in the early 1920s, mostly coming from the *Spartakusbund*, occupied leading positions in the party and had played prominent, and visible, roles in the November revolution and Spartakus uprising, something the KPD itself was quite aware of.[27] Yet while that presence is relatively well documented, very little has been written about the participation of Jewish *migrants* in the party during the Weimar years, or about migrants in the KPD in general for that matter, save for some of the professional revolutionaries who occupied leadership positions in the party or were Comintern functionaries.[28] Thus, we know about middle class intellectuals such as the Russian-born Max Levien who was involved in the Bavarian *Räterepublik* and managed to leave Germany

---

23 Claude Weill, ›Russian Bundists Abroad and in Exile, 1898-1925‹ in: Jack Jacobs ed., Jewish politics in eastern Europe. The Bund at 100 (New York 2001), pp. 46-58, 52. See also: Neiss, Presse im Transit, p. 52. In fact a considerable part of the Mensheviks in Berlin were of Russian-Jewish origins. Generally speaking the Mensheviks were a relatively isolated group with little contact with other Russian migrants See: André Liebich, ›Eine Emigration in der Emigration: Die Menschewiki in Deutschland 1921-1933‹ in: Karl Schlögel ed., Russische Emigration in Deutschland 1918 bis 1941: Leben im europäischen Bürgerkrieg (Berlin 1995, pp. 229-243.

24 Jacobs, ›Written Out of History. Bundists in Vienna‹, 132 n. 58; Heid, »»Dem Ostjuden ist Deutschland das Land Goethes und Schillers««, p. 190.

25 Adler-Rudel, ›East-European Jewish Workers in Germany‹, pp. 136, 151-152.

26 Hans Helmuth Knütter, Die Juden und die deutsche Linke in der Weimarer Republik 1918-1933 (Düsseldorf 1971), p. 203.

27 See: Enzo Traverso, The Marxists and the Jewish question: the history of a debate, 1843-1943 (Atlantic Highlands, NJ 1994), pp. 32-39. Werner T. Angress, ›Juden im politischen Leben der Revolutionszeit‹ in: Werner Eugen Mosse and Arnold Paucker eds., Deutsches Judentum in Krieg und Revolution 1916-1923; ein Sammelband (Tübingen 1971), pp. 137-315, 161, 287-295.

28 See in this context also: Hermann Weber, ›Zu den Beziehungen zwischen der KPD und der Kommunistischen Internationale‹, Vierteljahrshefte für Zeitgeschichte 16/2 (1968), pp. 177-208.

afterwards; Leo Jogiches who had come from Poland before World War I and played an important role in the formation of the KPD as did Karl Radek who was born in Lwow. Other notable individuals include Alexander Emel, a Bielorussian Jew who was KPD propaganda chief in the mid-1920s and Russian-born Jakob Mirow-Abramow, the representative of the Comintern's Department for International Liaison (OMS) in Berlin.[29] Yet their biographies tell us little about the KPD and its relations to ordinary Jewish migrants.

Archival materials show that in the early 1920s the KPD had a number of *Sprach-* or *Ausländergruppe* as they were variously called, among them a Hungarian, Polish, Ukrainian, Russian, Chinese and African and also Jewish section, at least for a short while.[30] These sections were not only supervised by the KPD itself: during joint meetings of the sections a representative of the Executive Committee of the Comintern (ECCI) was also present in addition to members of the KPD *Zentrale*, which indicates that the ECCI did not see the party's work among migrants as an exclusive concern of the KPD itself.[31] Unfortunately though, no documents are left pertaining to the Jewish section, save for some references in general reports of the foreigner sections which only indicate its existence. This is not surprising however as it existed only for a very short time. The KPD was in fact prevented from organising Jewish migrants in a special group by the ECCI. In a letter from August 1920, Ernst Meyer, a KPD politburo member and in Moscow as part of the German delegation to the 2nd Comintern congress, wrote that the »Executive wendet sich scharf gegen jüdische Sonderbündelei« and that »Gur. hat Auftrag zur Zerstörung der eingeleiteten Arbeit erhalten«.[32] There was some irony in this as »Gur.« was short for A. Guralsky (real name Abraham Heifetz, 1890-ca. 1960) and a former Bundist. After having left the Bund in early 1919 he worked for the Comintern as an emissary to both the KPD and PCF until 1926.[33]

29 See for more biographical details the relevant entries in: Branko M. Laziâc and Milorad M. Drachkovitch, Biographical dictionary of the Comintern (Stanford, CA, 1986). For Emel see: Johannes Rogalla von Bieberstein, Jüdischer Bolschewismus. Mythos und Realität (Dresden 2002) 163; Weber, ›Zu den Beziehungen‹, p. 197.
30 See various files in: SAPMO-BArch, RY1/I 2/3/232-235. The Ukrainian group was soon merged with the Russian one.
31 ›Rundschreiben an die russische, ungarische, polnische, ukrainische Sektion‹, 7 Oktober 1920, SAPMO-BArch, RY1/I 2/3/232.
32 Letter from Ernst Meyer to EZ KPD, 24 August 1920, SAPMO-BArch, RY 1/I 2/3/207.
33 See: Laziâc and Drachkovitch, Biographical dictionary of the Comintern, pp. 159-160; Michael Buckmiller and Klaus Meschkat eds., Biographisches Handbuch zur Geschichte der Kommunistischen Internationale: ein deutsch-russisches Forschungsprojekt (Berlin 2007), p. 233. Gitelman pays some attention to his transition to the Bolsheviks and early ›Jewish‹ party work in the Ukraine. See: Zvi Y. Gitelman, Jewish Nationality and *Soviet Politics. The Jewish Sections of the CPSU, 1917-1930* (Princeton 1972).

Meyer's remark prompts the question of why this line was only stipulated for the KPD whereas in the French, Belgian and American cases Jewish language groups from the early 1920s onwards became an important part of party efforts to organise Jewish migrants. One could speculate that the number of Jewish migrants in the immediate post-war years that was attracted to communism was simply too low to justify the creation of a Jewish group (for this reason the request by Bulgarian migrants in Germany to create a special section was not granted[34]). Yet this seems unlikely and, moreover, the Jewish migrant population in Germany was certainly large enough to justify the creation of a Jewish section in order to organise a more effective propaganda. The real reason seems to have been different: the ECCI (through the WES and direct information from KPD leaders, several of whom were after all of Jewish origin) was well aware that the organisational benefits of a Jewish section would not outweigh the undoubtedly negative publicity effect this would have for the KPD as creating a Jewish group would resonate too much with existing stereotypes about revolutionary *Ostjuden* in the anti-Semitic climate of the early Weimar years.[35]

The immediate post-war years saw a significant growth of anti-Semitism in the new Weimar republic where Jews were blamed by many for a variety of evils starting with the German Revolution of 1918-1919 and the transition from empire to republic itself.[36] The annual overviews that were printed in the *American Jewish Yearbook* in this period abound with reports on anti-Semitic incidents and propaganda in Germany. Familiar with and susceptible to stereotypes of »Jewish Bolshevism«, many German authorities were particularly sensitive to what they saw as revolutionary activities by *Ostjuden*, irrespective of whether such activity was real or imagined. A report about Jewish migrants in the *Ruhrgebiet*, for example, discussed their alleged engagement in »political, Communist oriented, activities« while the president of the Rhein province was particularly fearful of the Poale Zion.[37] At the same time such ideas were not only

34 ›Protokoll, aufgenommen über die Sitzung der Sektionen der K.P.D. am 28. Oktober 1920‹ and ›Bericht über die Sitzung der nationalen Sektionen der VKPD am mittwoch, den 2. Februar, 1921‹, SAPMO-BArch, RY1/I 2/3/232.
35 Similar considerations would lead the PCF in March 1937 to dissolve its language sections when it faced an increase in xenophobia and anti-Semitism.
36 See for an overview of reactions of German-Jewish organisations such as the Central-verein deutscher Staatsbürger jüdischen Glaubens: Werner T. Angress, ›Juden im politischen Leben der Revolutionszeit‹ in: Werner Eugen Mosse and Arnold Paucker eds., Deutsches Judentum in Krieg und Revolution 1916-1923; ein Sammelband (Tübingen 1971), pp. 137-315, for the CV a.o., pp. 145-146.
37 See: Ludger Heid, ›East European Jewish Workers in the Ruhr, 1915-1922‹, Leo Baeck Institute Yearbook 30 (1985), pp. 141-168, 153; Martin Welling, »»Wie ein böser Spuk.« Düsseldorfer Juden in Krieg und Revolution 1914-1920‹, Aschkenas 13 (2003), pp. 167-

shared by many local anti-Semitic groups but also by most anti-Bolshevik Russian migrants in Germany and Berlin.[38]

Within this climate the Berlin police raided the Grenadierstrasse in the Scheunenviertel in February 1920 levelling accusations of crime and revolutionary activity. Police president Eugen Ernst, a member of the Sozialdemokratische Partei Deutschlands (SPD), wrote about this part of the Scheunenviertel:

> Es wimmelt hier von grossen Mengen Elementen unlauterster Art, die nicht nur in kriminalistischer, sondern auch politischer Beziehung überaus gefährlich sind, weil sie aus ihrer polnisch-russischen Heimat bolschewistischen Ideen hier einführen und weiterverbreiten.[39]

Given such existing prejudice and events it is hardly surprising that the ECCI decided that the KPD should keep the profile of Jews in the party low. And of course the KPD itself was not free from anti-Semitism and an ambiguous attitude towards Jews in the party.[40]

But it was not only the ECCI and the KPD that feared a backlash. In the same year in which the abovementioned police raid took place the chairman of the Berlin *Bürgerrat* wrote to the *Centralverein deutscher Staatsbürger jüdischen Glaubens* (CV), soliciting its opinion about the presence of so many Jews in the leadership of the KPD. In its response the CV declared that the question was as unworthy as expecting the catholic *Volksverein* or the evangelical Bund to denounce Bolshevism. It pointed out that »Jewish Germans« did not tolerate Bolshevist elements and emphasised the rather conservative structure of German

---

188, 186. At the same time that fear often did not hold upon closer observation, see: Heid, ›East European Jewish Workers‹, p. 158.

38 For a local case study see: Jon Gunnar Molstre Simonsen, ›Perfect Targets–Antisemitism and Eastern Jews in Leipzig, 1919-1923‹, Leo Baeck Institute Yearbook 51/1 (2006), pp. 79-101. The attitude of Russian migrants has been described by Matthias Vetter in the following words: »Nicht jeder überzeugte antibolschewistische Emigrant ... war automatisch Antisemit – doch die Ablehnung der »jüdischen Bolschewiki« gehörte zur ideologischen Grundausstattung der rechten Emigranten«. See: Matthias Vetter, ›Die Russische Emigration und ihre »Judenfrage«‹ in: Karl Schlögel (ed.), Russische Emigration in Deutschland 1918 bis 1941: Leben im europäischen Bürgerkrieg (Berlin 1995), pp. 109-124, 110.

39 Ernst in the Berliner Tageblatt, 19 February 1920, as cited in: Neiss, Presse im Transit, 65-67. The remarks are also reported in the American Jewish Yearbook 21 (1920-1921), pp. 218-219. See for a sharp critique of the events: ›Jagd auf Juden‹, Jüdische Rundschau 15 (24 February 1920), p. 1.

40 See note 28. For an exploration of the KPD's attitude towards anti-Semitism see: Mario Kessler, ›Die KPD und der Antisemitismus in der Weimarer Republik‹ in: Reiner Zilkenat and Horst Helas (eds.), Antisemitismus und Demokratiefeindschaft in Deutschland im 20. Jahrhundert: Festschrift zum 60. Geburtstag von Dr. Horst Helas (Berlin 2007), pp. 48-59; Knütter, Die Juden und die deutsche Linke, pp. 174-205.

life before branding those Russian and German Jews in the KPD »grösstenteils
überspannte Literaten«.[41] The obvious fear of the CV, not without foundation,[42]
that the activities of Jews in the communist movement in Germany might result
in a backlash against the Jewish community as a whole, resulted in the publication of a booklet called *Die Nutznießer des Bolschewismus* in 1921.[43] In a letter
to the authorities announcing its publication the CV explained that:

> Vor allen Dingen werden sie auf die Gefahren hinweisen, die dem deutschen
> Vaterland durch eine Ausbreitung des Bolschewismus entstehen würden,
> und die bei einem wenn auch geringen Teil unserer Volksgenossen beste-
> hende Ansicht berichtigen, die Juden Russlands und ein Teil derselben in
> Deutschland ständen in irgend einem innigen Zusammenhang mit den Bol-
> schewisten.[44]

The booklet, containing a step by step explanation of why the association between (Russian) Jews and Bolshevism was mistaken, was written by the journalist Benjamin Segel under the pseudonym Dmitri Bulaschow and four editions
were published between 1921-1924 (the last two under the title *Bolschewismus
und Judentum*). Unfortunately it is not clear how it was received in non-Jewish
circles.

Jews in the KPD

One of the few sources to shed light on the actual activities of Jewish migrant
communists in the KPD among Jewish migrants in Berlin is a letter that was
sent in 1924 on behalf of a group of Jewish communists in the KPD to the
party's Politburo.[45] The group first of all observed that many of the organisations that catered for Jewish migrants in Berlin (such as the Poale Zion, Linke
Poale Zion, Bund, ORT and OSE and various student associations) were actively campaigning against the *Yevsektsiia* and the Soviet Union and urged the
party to react, noting that this had been done so far only »von einzelnen Genossen jedoch ohne Verbindung mit der Partei«. Anti-Soviet agitation among Jewish migrants in Berlin in the early 1920s was indeed a problem for Jewish com-

41 ›Die Stellung des Centralvereins zu den Kommunisten. Mit einem Schreiben von Dr.
    Holländer an den Konsul S. Marx, Berlin‹, Im deutschen Reich, Januar 1920, pp. 45-46.
42 See Simonsen, ›Perfect Targets‹, for a highly illuminating case study.
43 Dmitri Bulaschow, ›Die Nutznießer des Bolschewismus‹, (1921).
44 Letter of the Centralverein to [unadressed], 15 April 1921, Stiftung Archiv der Parteien
    und Massenorganisationen der DDR im Bundesarchiv (hereafter SAPMO-BArch),
    Reichskanzlei, R 43-I/2668.
45 Letter on behalf of a Gruppe Juden-Kommunisten, Mitglieder der KPD to Zentrale der
    KPD, Polbüro, 22 December 1924, SAPMO-BArch, RY1/I 2/3/170.

munists. In January 1922, for instance, a meeting of the Socialist-Revolutionary Party (PSR) took place in Berlin in which the question of unification with the Bolshevists was discussed.[46] A large percentage of the audience consisted of Jews and the speakers (Vladimir Lebedev, Viktor Chernov and Marc Slonim, who was Jewish[47]) were fierce in their criticism of the Soviet regime. Similarly in the Berlin Yiddish press of that time, for example *Dos Fraye Vort*, sharp criticism of Bolshevism and the *Yevsektsiia* could be found.[48] In 1923 anti-communist Jewish migrants in Berlin also published the book *Rossija i Evrei*, warning that the activities of Jewish communists in the Soviet Union would result in a backlash against Jews in general.[49] And in 1924 Jewish migrants even organised a »trial« against the *Yevsektsiia*.[50]

Several other interesting points were also raised in the letter. In order to support Soviet efforts for Jewish colonisation in the Crimea and Ukraine, the writers suggested the creation of a local branch of the *Gezerd* (the Association for the Settlement of Jews on the Land in the USSR which promoted Jewish agricultural colonisation in the Soviet Union). They also claimed to have prevented the local KPD *Orgleitung* in Berlin-Brandenburg from allowing some members of the Linke Poale Zion to work for the party in the local elections (which suggests, perhaps unsurprisingly, that the intricacies of Jewish communist self-organisation were far from clear to the average German comrade).[51] Of particular interest are furthermore remarks about the work of Jewish *Genossen* in Jewish student associations, the ORT and various cultural associations. We know indeed that the KPD in the later Weimar years actively tried to recruit members in Jewish organisations, such as the *Arbeiterkulturverein*.[52] The *Verein* organised, for example, a meeting in 1928 in support of Birobidzhan in which several prominent Soviet-Yiddish writers participated.[53] The Russian-born communist

---

46 Grenznachricht Nr. 171/22, 16 January 1922, SAPMO-BArch, RY1/I 2/705/14.
47 Slonim was a literary critic who became professor of literature in the United States.
48 Neiss describes the journal as »eine Tribune für antikommunistische Meinungsaüsserungen«. See: Neiss, Presse im Transit, pp. 181-203, 183.
49 Bieberstein, Jüdischer Bolschewismus, pp. 13, 140-141. See the article of Markus Wolf »Russische Juden gegen den jüdischen Bolschewismus: Das Beispiel des *Vaterländischen Verbandes* im Russischen Berlin« in this volume.
50 Vetter, ›Die Russische Emigration‹, p. 118.
51 Of course the LPZ did call upon its members who could vote, to vote KPD. See a letter to the party's Central Committee of 10 September 1930 in: SAPMO-BArch, RY 1/I 2/3/177.
52 Knütter, Die Juden und die deutsche Linke, pp. 199-200.
53 Estraikh, ›Vilna on the Spree: Yiddish in Weimar Berlin‹, p. 124. This meeting also brings up the question of the political activities of the many emigré Jewish intellectuals who lived and worked in Berlin and their relation with Jewish workers. It seems clear those activities were marginal; the most notable intellectual pro-communist publishing

Moshe Livshits, who had been active in Austria since 1914 and would become a writer for the Vienna-based journal *Yidish* while also an activist in the *Jiddische Kulturkreis* there, also spent some time in Berlin in the mid-1920s, no doubt being active in Yiddish cultural circles.[54]

The letter also indicates that the Polish and various Baltic communist parties, which were illegal, were in contact with former Jewish members in Berlin who were expected to assist in editing communist publications that could not be printed in Poland and the Baltic states themselves. At the same time these Jewish communists were seen as instrumental in distributing Soviet periodicals among Jewish migrants in Germany. Of particular interest is also the remark that a Russian comrade, »Sekretär des Gewerkschaftsrates«, had been in Berlin for several weeks during which period he had also discussed with a number of Jewish communists what could be done to support the *Yevsektsiia*. A special conference organised for that purpose thereupon had decided to call upon the KPD leadership to create a bureau dealing with Jewish affairs. The aforementioned comrade is likely to have been none other than Alexander Lozovsky, the secretary-general of the Trade Union International (Profintern), who had been a Jewish trade union leader in pre-war Paris and presided over the Profintern when it decided to organise migrant workers in special groups within the trade unions.[55] All this indicates that Comintern functionaries were involved, apparently without knowledge of the KPD leadership, in the question of how to better organise Jewish migrants in Germany (the fact that the organisation had earlier dismissed the creation of a Jewish section of course did not render this a non-issue).

The latter also points us to the international dimensions of Jewish communist activity in Berlin. As we have seen, Berlin was an important conduit for the Comintern and the WES played an important role in helping to build up the various communist parties in Western Europe.[56] That role extended to the or-

effort in Berlin in the 1920s was In Shpan, edited by David Bergelson and Daniel Charney. But such literary journals were not widely read by Jewish workers and the Russian-Jewish cultural scene was largely detached from Berlin's population of Jewish workers. It was only through the activities of the *Arbeiterkulturverein* mentioned earlier that the two milieus actually seem to have met. See also: Gennady Estraikh, In harness. Yiddish writers' romance with communism (Syracuse 2005), pp. 69-70.

54   Soxberger, Thomas, ›Sigmund Löw (Ziskind Lyev), a ›Revolutionary Proletarian‹ Writer‹, East European Jewish Affairs 34/2 (2004), pp. 151-170, 160.

55   On Lozovsky in Paris see: Nancy L. Green, The Pletzl of Paris: Jewish Immigrant Workers in the Belle Epoque (New York 1986) 153; Stéphane Courtois, Denis Peschanski and Adam Rayski, Le sang de l'étranger. Les immigrés de la M.O.I. dans la Résistance (Paris 1989), pp. 15-16.

56   The WES was officially dissolved in 1920 but continued its activities in the following years: see various documents from the Comintern Archive in: Russian State Archive of Socio-Political History (RGASPI), Fond 499, opis 1, deloe 3 and 5a.

ganisation of Jewish migrants in various parties: intelligence reports from both France and Britain announced the creation of a Jewish bureau attached to the Comintern with a seat in Berlin. The British Home Office's Directorate of Intelligence reported in May 1921 that a decision had been made to create a »Jewish central office attached to the Communist International«.[57] Similarly a French police report from January 1922 discussed the creation of a new bureau for propaganda among Jewish workers that was created by the »section juive« of the 3rd International in Berlin.[58] The reasons for the formation of the new bureau were supposedly twofold: 1) the growing interest of the Jewish proletariat in Central and Western Europe for the communist movement; and 2) the recent growth in the number of foreign Jewish workers in Germany.

It is unknown though if the bureau ever became reality and there is little information about further Comintern activities that were developed among the »Jewish proletariat« in Europe immediately following the announcement of the bureau's creation.[59] As we have seen, there is some evidence two years later of activities undertaken in Germany to organise propaganda among Jewish workers, but how systematic that effort was is not clear. Clearly no Yiddish communist periodical was ever published to support communist propaganda efforts and as we have seen the KPD's Jewish section was dissolved almost as soon as it was created. By contrast in the early 1920s the Communist Party of the United States of America (CPUSA) had a Jewish Bureau in whose activities the Comintern was involved.[60] The CPUSA also had a European representative in Berlin. In France the PCF established a Jewish section in 1927, after it had begun to organise migrants in language groups since 1924.[61] In the following years the WEB in Berlin (the successor of the WES) was also involved in the build up of a Yiddish communist press in France by sending a representative to assist in the creation of a new Yiddish journal.[62] These examples illustrate the transnational

57 A Monthly Review of Revolutionary Movements in British Dominions Overseas and Foreign Countries, No. 31, May 1921, 64, Records of the Cabinet Office (CAB) 24/125, National Archives Kew. See also: Report on Revolutionary Organisations in the United Kingdom 136, 22 December 1921, 6-7, CAB/24/131.

58 Report dating 6 January 1922, Centre Historique des Archives Nationales (hereafter CHAN), F7-13943. This is one of several French police reports that discuss the activities of groups of Russian-Jewish communists in Paris in 1921 and early 1922.

59 According to Moshe Mishkinsky it remained an idea that never materialised. See: Binyamin Eliav, Moshe Mishkinsky and Jacob M. Landau, ›Communism‹ in: Michael Berenbaum and Fred Skolnik (eds.), Encyclopaedia Judaica (Detroit 2007), pp. 91-101, 97.

60 ›Letter to the Bureau of the Jewish Federation, CPA from Abram Jakira, Secretary of the CPA, November 13, 1922‹, RGASPI, 515-1-115. Online at: http://www.marxists.org/

61 See note 14.

62 See this report issued by the Main d'Œuvre Étrangère (MOE), the organisation created by the PCF to organise migrants in the party and conduct propaganda among the vari-

aspects of the Comintern's work among Jewish migrants in Western Europe and beyond, while also showing that the actual ways in which those migrants were organised within the various national parties varied according to local circumstances.

Concluding remarks

A contemporary observer once remarked that Berlin was a »city where Yiddish culture and politics were produced for export«.[63] To a certain extent that was true but it obscures the fact that the German capital had a significant Jewish migrant population that avidly consumed both Yiddish culture and politics. Yiddish politics is relatively underresearched in comparison to Berlin's Yiddish cultural history, not least because of the scattering of important sources such as periodicals in various places. But a paucity of sources should not be confused with insignificance. Berlin was not only one of Europe's centers of »Yiddish politics« but occupied a central role in the political networks of Jewish migrant radicals until the Nazi rise to power in 1933. For the Bund and Poale Zion the city was one of several organisational centers yet important because of its proximity to Poland and Russia which enabled it to fulfil a bridge function.

The city was less relevant when considering local Jewish communist activity. After all, the KPD only attracted limited numbers of Jewish migrants and did not formalise its propaganda among them through either a Jewish group or locally produced Yiddish journal. The latter might have been due to external factors but the result was that communism never became the political force among Jewish migrants in Berlin that it became elsewhere, particularly when compared to New York and, especially in the 1930s, Paris. Yet at the same time Berlin fulfilled an important international function for Jewish communists as a center of Comintern activity connecting »East« and »West«. Jewish »comrades« in Berlin helped in the communist propaganda effort in Poland and the Baltic states while simultaneously distributing Soviet publications in Berlin. At the same time the WES and WEB fullfilled an important role in organising and channelling propaganda among Jewish migrants in Western Europe.

The precise characteristics of the transnational spaces and networks created by Jewish migrant radicals in Europe, and their role in the development of Jew-

ous migrant populations in France: ›Resolution concernant l'administration et la rédaction du journal »VERITE««, 5 October 1930, Archives Départementales de la Saint-St. Denis, Fonds des archives microfilées du PCF 1921-1939, 3 Mi 6/60 – 405.

63   Remark by an organiser from the Kultur Lige, an organisation originating in Kiev which had a short-lived existence in Berlin, as quoted in: Estraikh, ›Vilna on the Spree: Yiddish in Weimar Berlin‹, p. 124.

ish political practices, remain yet to be determined, but their importance is obvious in the context of Jewish mass migration. As a bridge between East and West and as a city of transit, Berlin perfectly captures these transnational dimensions and thus underlines the city's significance for the development of modern Jewish politics.

Anat Feinberg

»Wir laden Sie höflich ein« –
The Grüngard Salon and Jewish-Zionist Sociability in Berlin in the 1920s[1]

New Year's Eve 1923 was a bitter cold evening. Ayala Grüngard, eight years old, was bubbling with excitement in the cab driving her parents and her brother, two years younger than herself, through Berlin. The streets were lit with hundreds of decorative lamps and the ride seemed to go on forever. At long last the cab stopped. Freiherr-vom-Stein-Straße 12a, very close to Rathaus Schöneberg. The girl glued her little nose onto the clouded window. She saw a huge villa and two poplars rising in front of it. »Ze ha-bayit«, said her father in Hebrew, that's the house. Years later she would recall these words. He did not say, »higa'anu habayta«, we have arrived home. For Faiwel Grüngard (1876-1951), home was elsewhere. Thousands of miles away from the German metropolis. In *Eretz Israel*.

A spacious entrance hall led to a huge room flooded with light, as if it were a sunny midday. Everything was in perfect order, waiting to be animated by the new tenants: heavy carpets, long silky curtains, styled furniture, specially commissioned, original paintings on the walls, not to speak of bed-linen, kitchen utensils and flowers in bigger and smaller vases. The young architect hired by Mr. Grüngard had taken care of the minutest detail. Treading in amazement as her parents were introduced to their property[2] by the architect, the girl felt as if she were in a dreamland. There were eighteen rooms in the villa, Mama had two for herself, with a safe placed behind one of the closets, Papa had three, including an office with wood-panelled walls and a gorgeous mahogany desk. Juditz, her brother, was assigned two rooms with a private toilet and separate bathroom, not to speak of a spacious *Wintergarten*, and, ah, so many rooms and alcoves, gangways and niches! Hers was a vast room painted light green with a

1 Apart from published evidence and historical studies, this article is based on letters, documents and photos in the Grüngard archive, on various interviews with Ayala (Inga) Feinberg, born Grüngard (1915-2003), recorded on tapes and videos from 1990 until 1998, as well as on information supplied by the three living Grüngard grandchildren, Emanuel Gruengard and Nadav Gruengard in Tel Aviv, and Anat Feinberg in Stuttgart. The article is dedicated to the memory of the fourth Grüngard grandson, my brother Dan (Dani) Rosenzweig (1939-1965).

2 Faiwel Grüngard became owner of the property on Freiherr-vom-Stein-Straße 13 (=12A) on 26 January 1923. Amtsgericht Schöneberg, Grundbuch, Vol. 120, Blatt 3863.

Villa of the Grüngard family. Private ownership

secret cabinet and a key which the architect handed over ceremoniously to the young lady. »There you can store all your treasures and secrets«, he said.

For days she felt like a princess in a fairy tale. Everything was perfect, smelled new and sweet, and harboured secrets. The naked trees in the snow-covered garden promised to bear pears and apples when the time came, the shrubs to abound with blackcurrants, and bushes of red and white roses would bloom in early summer. Lona, the *Schäferhund*, was lying sluggishly on the stairs and Suppek, the caretaker and portier, was ready to get the private car started if asked to. At times he sat up all night with the dog at his side lest thiefs and hooligans break into the villa. Frau Ladebeck was in charge of the cooking, assisted whenever necessary by the maid, the *Dienstmädchen*, while Fraulein Wandschneider, the *Gouvernante* (governess) already in her sixties, was responsible for the two children, Jehuda-Jizchak, known by his nickname Juditz, and Ayala.

It was in this exquisite villa that Mrs. Grüngard, my grandmother, could make one of her dreams come true: At thirty-three years old, she gracefully presided over a salon, a space for socializing. While social gatherings in 19th century Germany were a measure of how far Jewish emancipation had come,[3] the Grün-

---

3   For the earlier Salon culture see Deborah Hertz, Jewish High Society in Old Regime Berlin, New Haven, Conn. 1998. For the development and the later phase see Petra

gard soirées show how the customs and social rituals of German Jews were adopted by East European Jews during the 1920s. The famous earlier salons of Rahel Varnhagen and Henriette Herz assembled mostly non-Jews, thereby reaching literary, artistic and philosophical elites. The Wilhelmine salons, such as those of Aniela Fürstenberg and Lily Deutsch, were elitist meeting places for German ›high society‹.[4] The Grüngard salon however was a gathering place for mainly Jewish intellectuals with Zionist backgrounds aimed both at promoting the Zionist cause through conversation, lectures and readings, and at delighting and entertaining. It did not seek to obtain legitimization, nor access to German society and its financial or political elites, but catered instead to a sub-minority group within the Jewish minority in Germany. The Grüngard salon brought together members of the Hebrew speaking Jewish society of Berlin. In fact, this cultured Zionist place, or *makom*, offered a counter-culture, very different from the public sphere of the German-Jewish community, which to a large extent favored assimilation rather than supporting and propagating the Zionist cause. I hope to show how the public and private spheres overlapped in the Grüngard salon, which has fallen into complete oblivion and is not even mentioned in the few studies on Hebrew culture in Weimar Berlin.[5]

But the story begins of course elsewhere, in the east, in the small Russian town of Verzhbolovo (Wirballen in German, Virbalis in Lithuanian). Located only 4.5 kilometers from the East Prussian-Russian border, it was the border railway station through which not only the Czar's family travelled, but officials and merchants, cattle and squawking geese as well. Immediately on the other side of the border lay the German town of Eydtkuhnen. If a Jew felt like having a glass of beer or playing cards, he would go to Eydtkuhnen; if however he

Wilhelmy-Dollinger, Die Berliner Salons: mit historisch-literarischen Spaziergängen, Berlin 2000.

4 Short descriptions of these salons can be found in Wilhelmy-Dollinger, cf. fn. 3; Also: Werner E. Mosse, The German economic elite 1820-1935. A Socio-Cultural Profile, Oxford 1989; Barbara Hahn, Die Jüdin Pallas Athene: auch eine Theorie der Moderne, Berlin 2002.

5 For Hebrew culture in Berlin during the War and in the Weimar Republic see: Abraham Levinson, The Hebrew Movement in the Diaspora, Warsaw: The Executive of the Brith Ivrith Olamith 1935; Michael Brenner, The Renaissance of Jewish Culture in Germany, New Haven, Conn. 1996; David Patterson, Moving Centres in Modern Hebrew Literature, in: Glenda Abramson and Tudor Parfitt, Eds., The Great Transition. The Recovery of the lost Centres of Modern Hebrew Literature, Totowa, N.J. 1985, pp. 1-10; Zohar Shavit, The Rise of the Literary Centre in Palestine, in: Ebd., pp. 126-129; Dan Miron, On the Perplexity in Hebrew Literature at the Beginning of the Twentieth Century, in: Me'asef 2 (1961), pp. 434-464. Also: Anat Feinberg, Schweizer Freiheitskämpfer als hebräische Helden: Schillers Wilhelm Tell in der Übersetzung von Chajjim Nachman Bialik, in: Rück-Blick auf Deutschland. Ansichten hebräischer Autoren, Munich 2009, pp. 50-91, esp. pp. 69-79.

wished to hear a portion of Mishna or a page of Gemara, if he longed to converse in Hebrew or get involved in a discussion about Zionism, he would go to Verzhbolovo.[6] In its heyday, in the 1880s, nearly half of the population was Jewish (1,253 Jews). Besides social institutions like *gemilut chassadim* and *somech nofelim* caring for needy Jews, there was *hachnassat orchim* which assisted poor travellers on their way to or from Russia. But far more exciting was the vivacious Hebrew and Zionist life. Reb Avraham (Avremale) Eliyahu Sandler ran a modern cheder, *cheder metukan*, in which the children learned Hebrew along with bible commentaries, Russian and arithmetics. Money was collected for *Eretz Israel*, *shekels* and shares of *ozar hityashvut ha-yehudim* were sold for that purpose, and a Zionist youth orchestra played on various occasions.[7]

Both Braina and her future husband Faiwel were born there. Faiwel (Shraga), born in 1876, was one of seven children of Yehuda and Chaya-Ida Grüngard. Braina (1890-1971), 13 years his junior, was one of eleven children born to Hinde and Izchak (Itzale) Sudarsky.[8] In fact, Braina grew up in the company of her husband-to-be, since Faiwel came and went freely in the Sudarskys' house. He

6 I owe much of the information about Wirballen (Verzhbolovo), Jewish-Hebrew life there and the families Grüngard and Sudarsky, to Dr. Mendel Sudarsky. See: *Lite* (Yiddish), vol. I, edited by Dr. Mendel Sudarsky and Uriah Katzenelenbogen, New York 1951, esp. pp. 1627-1643. Both families are mentioned also in Yahadut Lita, Tel Aviv 1960, vol. 2 and 3. See also Pinkas Ha-Kehilot: Lita, ed. by Dov Levin and Joseph Rozin, Jerusalem 1996. I would like to thank our family member Bernard Cedar (Sudarsky) of Cherry Hill, New Jersey, for assisting my research work. For Eydtkuhnen as a pivotal point between Eastern and Western Europe, see Karl Schlögel, Berlin Ostbahnhof Europas. Russen und Deutsche in ihrem Jahrhundert, Berlin 1998, pp. 39-57.

7 A picture of that orchestra appears in Mendel Sudarsky's article, as in fn. 6. Faiwel Grüngard played the flute. Two boys of the Sudarsky family – Yaakov and Zelig – were members of the orchestra in which there were almost no female participants! Ibid, p. 1635-1636.

8 Itzchak Sudarsky was one of seven sons born to Moshe Sudarksy, known as Reb Moishel Vishtinizer. A disciple of Rabbi Chaim Philipover, he was a well known *Melamed*, loved and admired by his pupils. »He combined Jewish Tora and Jewish philosophy and never felt there was a contradiction between these two«. He left manuscripts about the Rambam, Rabbi Moshe Luzzato, Rabbi Nachman Krochmal and others. See: Mordechai Katz, Tippen fun emaliken dor in lite, in: Lite, as in Fn. 6, pp. 1381-1834, here p. 1832. Moshe Sudarsky was co-founder in 1875 in Vilkovishk (Vilkaviskis) of the »Chevrat Se'ar Chazir« (Society of Pig Hair), which took care of Jewish workers in the various pig-brush factories. See the document in the Pinkas of the society, reprinted in the article on Vilkovisk by Joseph Rozin.
http://www.shtetlinks.jewishgen.org/vilkovishk/vilkovishk1.html (23.12.2008)
Eliyahu Zeev Halevy Levin-Epstein writes in great detail about Reb Moshe who was »the best Melamed in Vilkovishk«, in: Zichronot, Tel Aviv 1932, pp. 20-22. Obviously, it was a great honour to be allowed to learn with Reb Moshe, and the children spent fourteen hours a day learning and praying. Levin-Epstein recalls that Reb Moshe's wife (whose

used to flee his dreary, poverty-stricken family home and spend hours with Braina's brothers Zelig[9] and Mendel[10] who spoke perfect Hebrew and dreamed of a new beginning in *Eretz Israel*. Admittedly, there was also good food at the Sudarskys, for Izale Sudarsky was well-to-do. His was a true success story: the erstwhile simple worker became the owner of a factory producing brushes made of pig bristles.

There were two highlights in the happy, almost carefree childhood of Braina who – like most Jewish children in her hometown – learned Hebrew at Avremale Sandler's *cheder*, and, in addition, was given piano lessons. Both memorable events took place in the summer of 1903. On July 17, 1903, 12-year-old Braina stayed up all night. She was feverish with excitement, waiting for the train from Vilna in nearby Eydtkuhnen. The train was delayed and finally arrived at dawn, with the twittering of the first blackbirds. Braina ran up and down the platform while the others, her brothers and Faiwel included, were waiting impatiently for their idol. Some passengers descended the train, suitcases and trunks were unloaded, and then, at long last, a curtain was pulled aside, the window was lowered, and his face appeared. The dark beard and unfathomable, tired eyes would accompany her for years. It was Herzl's last ex-

name he does not mention, unfortunately) used to provide the hungry pupils with »dark chalot«, filled with herring and onion which she used to bake specially for us.«

9 Zelig Sudarksy (1881?-1943), born in Wishtinez, left for the USA around 1910 and joined his younger brother Eliezer (Leizer, 1886-1927) who had established a brush factory in Chicago. Later he went with his wife Sara Arsh (1892-1983) on a business trip to Russia, but the two were not allowed to return home. In 1920 he moved to Berlin, Giesebrechtstrasse 15, Charlottenburg, not far from his sister Braina Grüngard. His profession was given in the Berliner Adressbuch 1928, p. 3496, as sales representative (Vertreter). He lived in Berlin for nine years with his family which by then included the children Jerry (Jerachmiel), Chaviva and Miriam. In 1929 the family emigrated to the USA and settled in Brooklyn. See: Interview with Jerry and Milly Sudarsky by Gilbert Gia, Historic Bakersfield and Kern County, 21 May 2008. See also the obituary published in the Los Angeles Times, 6 March 2009.

10 Mendel Sudarsky (1885-1951) was born in Wishtinez and graduated from the Russian High School in Suwalk. Planning to emigrate to Eretz Israel and help cure those who suffered from trachoma, he studied medicine, at the universities of Leipzig, Freiburg i. Br. and Berlin (1907-1912), specializing in ophthalmology. He completed his medical studies at the Friedrich-Wilhelms-Universität in Berlin with a Ph.D. dissertation entitled: Ein Fall von progressiver perniziöser Anämie mit schwerer Rückenmarkserkrankung (Oct. 1912). During World War I he served as a doctor in the Russian army (like his brother, Dr. Nissan Sudarsky). In 1921 he went back to Lithuania, opened a clinic in Kovno as an eye doctor and radiologist, and became involved in social and cultural Jewish activities. He helped to found »ORT« and was its chairman, and played a decisive role in the establishment of »HIAS« »OSE« and »Bikur Cholim«. In 1937, he immigrated to USA. Mendel Sudarsky was editor (with Uriah Katzenelenbogen) of the first volume of Lite (in Yiddish), see fn. 6. Material about Mendel Sudarsky is available at YIVO, New York, RG 405, and as part of the Bund archives, RG 1400, Box 1118.

tended diplomatic journey, travelling back to Vienna from his meeting with the Russian minister Plehwe.[11]

A month later Faiwel was greeted as a hero, with admiration and cheers, on his return to Verzhbolovo from the 6th Zionist Congress. He had been sent as an official delegate to the congress in Basel and was one of the naysayers who rejected outright the idea of settling the Jews in Uganda, even temporarily – as a »*Nachtasyl*«, in the words of Max Nordau. In the official congress protocols he appears as »Kaufmann Sch. F. Grüngard«,[12] but those close to him knew that he had absolutely no ambitions as a businessman. The young man with the soft eyes was more of a day-dreamer who, when time allowed, wrote poetry in Hebrew.

Truly, it was not a matter of course that Braina was allowed to join Herzl's admirers at the railway station. »You better stay home and go to bed«, Zelig ordered. But although she was still considered a child, she was determined to go. And she got what she wanted, as she would throughout her life. Two years later she, almost unnoticed, followed her brother Zelig and his close friend Faiwel as they wandered through the nearby autumn wood, immersed in their conversation. Golden leaves rained down and her body was filled with longing for something which she could not name. She trod resentfully on the crunchy leaves, but the two paid no attention to her. Then, seized by sudden anger at being ignored, she rushed behind and blew off Faiwel's hat. The two men halted. Faiwel turned his head. »Your sister«, he mumbled to Zelig, »she has become a beautiful woman...« When he asked for her hand, a few years on, she consented whole-heartedly, yet made a condition. She would marry him only if he would take her to *Eretz Israel* for their honeymoon. He couldn't say no. After all, he was partly responsible for imbuing her with Zionist passion.

It was summer of 1911. The first Hebrew town of Tel Aviv, now two years old, consisted of some 75 houses and the newly built Herzliya Gymnasium. In May, Jewish pioneers of Merchavia, the first settlement in the Jezreel valley, were attacked by hundreds of Arabs. The newly-wed couple sailed across the sea, toured the land by cart and on foot, with a Baedecker in hand, and occasionally with a guide from one of the regional tribes. The couple had their picture taken as would-be Bedouin by one of the few local photographers and the photo was sent as a postcard with greetings in Yiddish to the family back home: »Ihr sollt eych nur nit darshreken fir dem ›beduiner‹ (Just don't get frightend by the ›Bed-

11 For Herzl's short visit there see: Theodor Herzl, Briefe und Tagebücher. Zionistisches Tagebuch 1899-1904, Berlin 1985, p. 608. Also: Hazefira, 2 September 1904, Nr. 193, p. 2.

12 Stenographische Protokolle der Verhandlungen des VI. Zionisten Kongress, 1903, p. 225.

ouins‹ – A.F.). They loved the sites they saw and the people they met, and spent Braina's entire dowry on that adventurous trip. In fact, this too was a recurrent pattern underlying Braina's life. She was extravagant and generous, and she never bothered about knowing whether there was enough money to cover her expenditures.

In 1912, still in Verzhbolovo, Braina gave birth to a son. She did not question her husband's decision to speak only Hebrew to the boy. Juditz was to follow the example of Itamar Ben Avi, whose father Eliezer Ben Yehuda, the great Hebrew linguist, insisted on bringing up his son as the first Hebrew child. Still, there was one major difference: Itamar grew up in *Eretz Israel*, while Juditz was brought up in an environment in which Russian and Yiddish were the spoken languages. The shock was to be expected. Not yet three years old, the boy fell severely ill. The renowned Dr. Fleckenheim in Königsberg examined the patient and asked the child how he was feeling, but could not understand a single word the boy was saying. »The child will be fine in a few days«, the doctor promised, »but what you two are doing is unforgivable. The boy is growing up with a dead language. And you are guilty of an unforgivable sin.«

The outbreak of the war in 1914 caught them by surprise as they were vacationing in a lavish resort near the Baltic Sea. Unable to return to Russia, they went on to Leipzig where Faiwel had a business colleague who promptly helped him out with money. The German city was not unknown territory to the couple. Indeed, Faiwel – like Braina's father – had active business ties with German colleagues, especially in Leipzig, Danzig and Dresden. This time, however, he was treated as an alien, and had to report daily to the local police station. Help came – as would be the case in following years too – from family members. Or, should one call it a network? For the Sudarskys and the Grüngards stuck together, a network of people who by that time were scattered on both sides of the Atlantic, in Europe as well as in the USA, always ready to help out and assist each other if necessary, astute, energetic, and keen on pursuing business ventures with members of the family network. This time it was Braina's brother, Mendel, an ophthalmologist who completed his doctorate in Berlin in 1912, who came to the rescue. He himself had managed to find asylum in Sweden and likewise obtained immigration permits for his sister and her family.

Faiwel, his highly pregnant wife and their son Juditz settled in Stockholm in January 1915, only a few weeks before Ayala, known also as Inga, was born. The family was to remain in the Swedish capital for the following eight years. The Grüngards soon became naturalized, obtaining Swedish passports which proved most beneficial in later years. While the children who were sent to local schools spoke fluent Swedish, the parents continued to converse in Yiddish or Russian. A tradesman despite himself, Faiwel now manufactured textiles, running his office on Stockholm's main street, the Kungsgatan. Close to his heart however were other matters: Jewish and Zionist concerns. No sooner did he settle in Stockholm than he became a member of the Swedish committee which acted on behalf of the *Scandinavian Zionist Union*.[13] The committee's aim was three-fold: to broaden and deepen the knowledge of Zionism among Scandinavian Jewry; to inform them about the international activities of political Zionism; and to organize a conference of Scandinavian Zionists. Yet, not only Zionist concerns were dear to Faiwel. An emigré and newcomer, he felt estranged from the rather assimilated local Jewish community. Only a year after his emigration, he became President of the *Jewish Organization for the Assistance of Jews Afflicted by the War* (Judiska Föreningen för hjälp åt genom kriget nödlidande judar). In a letter dated January 16 1916, he informs the Zionist Central Office in Berlin of the newly founded organization and the decision to help Jews in the »occu-pied countries«.[14]

The organization saw itself partly as an alternative to the *Ehrenpreis Relief Committee*, though Marcus (Mordechai) Ehrenpreis, the Chief Rabbi of Sweden,[15] was – ironically as it seems – Faiwel Grüngard's closest friend through-out the years in Stockholm.[16] Though Faiwel harboured no religious feelings whatsoever and shunned synagogue rituals, the two shared a love and knowl-edge of Hebrew language and literature. Long before the official proposal was filed by Dr. Ehrenpreis in 1934, the two friends thought of suggesting Chayyim Nachman Bialik as candidate for the Nobel Prize for Literature. Dr. Ehrenpreis, who had been Herzl's aide at the First Zionist Congress, gradually abandoned his interest in Zionism, becoming an advocate of 'spiritual nationalism'. The Grüngards, however, remained passionately interested in Zionist activities, and

13   See: Morton Herman Narrowe, Zionism in Sweden. Its Beginning until the end of World War I, Ph.D. Dissertation submitted at the Jewish Theological Seminary of Ame-rica, 1990, p. 172. See also p. 173 fn. 51.

14   Letter from Faiwel Grüngard in Stockholm, 10 January 1916, Jewish Agency Archives, Jerusalem, Sig. L6/33/II. The letter of reply, sent from Berlin, 16 January 1916, is in the same file.

15   Dr. Marcus (Mordechai) Ehrenpreis (1869-1951), born in Lemberg, was Chief Rabbi of Sofia, Bulgaria, before being appointed Chief Rabbi of Sweden in 1914. He helped to organize the First Zionist Congress in 1897, acted as a consultant and wrote on cultural matters and Hebrew literature. See his memoirs, Landet mellam öster och väster (1927: The Country between East and West) translated into Hebrew by M. Giora as Ben Mi-zerach le-Ma'arav, new ed., Tel Aviv 1986. See also the Introduction by Avner Holtzman, in: Marcus (Mordecai) Ehrenpreis: Le'an? Massot Sifrutiyot (Heb.), edited with an In-troduction and Notes by Avner Holtzman, Jersualem 1998, pp. 11-71.

16   The Ehrenpreises stayed with the Grüngards during their visit to Tel Aviv in 1935. The friendship between the families was carried on into the following generation, between the Grüngard children and Miriam Ehrenpreis-Nathanson and Theodor (Teddy) Ehren-preis.

began to feel isolated in the Swedish capital, remote from Berlin which, after the War, had become the hub of Zionist and Hebrew ventures. In July 1923 they travelled to Bad Homburg, near Frankfurt, to participated in a »literary-musical event« with prominent Hebrew writers, including »Bialik, Achad Haam, Dr. M. Birnbaum, S. Agnon, Dr. Bruch, S. Goldmann – Frankfurt, M. Gonzer – Berlin, Ben-Elieser, S. Ben-Zion – Jerusalem, A. Frank«.[17]

The galloping inflation in the Weimar Republic was a blessing for the Grüngards as for some other Jewish men of letters who dreamed of establishing publishing houses for Hebrew books. Their advantage lay in the foreign currency which steadily gained in value against the falling Reichsmark. In 1923, bolstered by a large bank credit, Faiwel Grüngard bought the villa on Freiherr-vom-Stein-Straße in the upscale neighbourhood of Schöneberg. Mrs. Grüngard desired to be right in the centre of things – not in provincial Stockholm but in cosmopolitan Berlin, not in the east of the city but in one of its finest streets in the west.

No sooner did they settle in Berlin than Braina Grüngard opened her house to Jews – mostly from eastern Europe – and to Zionists. The telephone »Stefan 9073« was registered in her name, and so it appeared in the Berlin telephone directory.[18] Faiwel was away most of the week as his new business – an oil factory – was in Danzig. Braina Grüngard reigned unhindered in the huge villa, aided by her staff. She hosted members of her and Faiwel's family, sometimes for many months. Her address was passed on from one to another with the information that whoever knocked on her door was sure to get something to eat. The Grüngard children remember how needy Jews came by day and night, at times well after midnight, and were given hot soup or some money.

Shortly after arriving in Berlin, Braina began hosting parties with at times up to one hundred guests. A letter written in beautiful Hebrew by her husband Faiwel, away in Spindlermühle (now in the Czech Republic), gives a good impression of what an evening at her salon must have been like:

»As I am writing to you […] I am steeped in silence and serenity; not a sound is heard, while at your house on Freiherr -vom-Stein-Straße [he writes: Ben Chorin von Stein – A.F.] there is commotion and great noise. The rooms are lit with electric bulbs, not least the ones on the walls and those

<hr/>

17 The event took place at the Braunschweig Hotel. See: Heinz Grosche, Geschichte der Juden in Bad Homburg vor der Höhe 1866 bis 1945, Sonderband in der Reihe Geschichte der Stadt Bad Homburg vor der Höhe, Frankfurt 1991, p. 40.
18 Berliner Adressbuch 1925. In 1929, the name was changed to Grüngard, Faiwel, director. Berliner Adressbuch 1929, p. 1089. The last entry is from 1934 where the profession is given as merchant, Berliner Adressbuch 1934, p. 779.

fixed to the ceiling, spreading light and warmth. Perhaps even the fireplace is burning. From all corners of the metropolis, from east and west, north and south (mostly of course from the west) men and women hasten to the great feast. The men, dressed in black smoking jackets and white shirts, the women in evening dresses, pearl-necklaces embellishing their ample decoltés, onyx and jasper on their fingers, their cheeks made up, their lips painted red, their hair curled, their eye-brows shaved to a third. At the entrance, the lady of the house welcomes her guests with a smile and a nod, conveying her tremendous joy, her happiness and satisfaction that these important guests, these lovely, dear guests honour her with their visit.

The visitors will very soon take their seats, open their eyes and ears wide and express their wonder at the beautiful rooms, the fine furniture, and the good taste. They will perhaps express wonder too for the lady of the house, whom they cherish, honour and admire, and for whom they are ready to go through fire and water. The feast will begin soon, the ›concert‹ commence, and the guests will open their mouth wide, partly in amazement, partly to devour the sweetmeats and savouries, the crackers and sandwiches, apples and oranges, bananas and tangerines, nuts and candies, cognac and liqueur, tea and coffee, beer and wine. The hostess is radiant. How delighted she is, how happy, so very happy. [...] How delighted she is that so many men and women honour her with their visit. Not one of them shies away, not one refuses the drink and food she offers, and nobody hastens to leave. They consent when she urges them to stay till cock-crow. How overjoyed she is that the feast brings about new acquaintances, new friends, devoted and committed. Actually, there was a moment of great danger, for a certain man could have spoiled the feast and the gaiety. ›Who is that wicked man?‹ – that's obvious. But lo, the Almighty created a remedy for all aches and the danger subsided. Had that man remained in the city, the danger would have echoed from all sides. Had he been present, the lady of the house would have worried, fearful lest his face not be lit in a manner appropriate for welcoming the guests; lest he not bow his head for every guest as is fitting. Who knows whether he would have smiled properly, would have paid enough compliments, whether his eyes would have expressed joy and happiness as befits the occasion. Had this man hidden somewhere in the city, she would have been worried and angry lest somebody meet him by chance in the street, in a café or in the theatre. Perhaps he would have returned home before cock-crow, before dawn, while the guests were still in the house. Then the guests would have suspected that it wasn't his party, that the hubbub did not accord with his wish, that his signature on the beautiful, artistic invitation cards had appeared without his consent. [...]But the danger passed, and the remedy worked. There are, in this country, wondrous huge mountains, strewn with lovely woods, and covered with white, pure snow. There the sun shines brightly, the air is clean and restorative. How pleasant it is to wander over the hills, to slide with a small sledge on the snow and breathe the wonderful air. The man who was banished from home until the feast was over was not sent to Devil's Island, but to that marvellous place. This way both sides remained unharmed.«[19]

In the Grüngard archive are two of the invitation cards mentioned by Faiwel, the only ones that have survived. »F.Grüngard and Wife« invite for a »tea evening« to take place on Saturday, December 5th, 1925 at 8.30 pm at their home on Freiherr-vom-Stein-Straße 12A. »We would like to show our guests the latest Palestine film *Eretz Israel*, including pictures of the inauguration of the Hebrew University. Lawyer Sammy Gronemann has kindly agreed to speak on the subject.« According to the Berlin calender of the *Jüdische Rundschau*, the same film was shown publicly on the following morning at the Beba-Lichtspiele.[20] There is no mention of the screening at the Grüngards. Obviously, it was of a private, elitist nature, and it was accompanied by a lecture by the Zionist lawyer and writer Sammy Gronemann,[21] a friend of the hosts. The Hebrew University was dear to the Grüngards who travelled to Jerusalem to attend the inauguration ceremony of the first university in *Eretz Israel* on April 1st, 1925.

The second invitation card is no less intriguing. »On January 16th, at 8:15 pm, the Man-Society [German: Mensch-Gesellschaft – A. F.] will hold a banquet in our house [...] in honour of MAN [German: MENSCHEN – A.F.]. Among

19 Faiwel Grüngard, letter (Heb.) to his wife in Berlin, sent from the Grand Hotel mit Dependance Bellevue, Haus Daheim, jeder neuzeitlicher Komfort, Spindlermühle, 29 January 1930. It is most likely that the house concert was given by Andreas Weißgerber, who performed in the Berliner »Singakademie« two days later, according to the Jüdische Rundschau of 28 January 1930, p. 4. There it says: »Ermäßigte Eintrittskarten für Zionisten zu diesem Konzert sind im Büro der Berliner Zionistischen Vereinigung, Meinekestr. 10, erhältlich. Weißgerber ist von seinen Konzerten in Palästina in weiten zionistischen Kreisen sehr bekannt.« Weißgerber, born in 1900 in Volo (Greece), was a child prodigy. He played the violin in public before he was five years old. At the age of nine, he came to Berlin and studied with Prof. Issay Barmas. He played on a Stradivarius and was considered an international star. In 1934-5, he took part in the film documentary Hebrew Melody (directed by Helmar Lersky), a production of the Reichsverband der jüdischen Kulturbünde in Germany. In 1936 he emigrated to Palestine where he died in 1941. See: Salomon Wininger, Grosse Jüdische National-Biographie, Rpt. Nendeln/ Liechtenstein 1979, Vol. 7, 491-492.
20 Cf. Jüdische Rundschau, Nr. 94, 1 December 1925, p. 7, and Nr. 95, 4 December 1925, p. 6.
21 For the life and work of Gronemann see Hanni Mittelmann, Sammy Gronemann: Zionist, Schriftsteller und Satiriker in Deutschland und Palästina, Frankfurt 2004.

F. Grüngard und Frau
erlauben sich

am Sonnabend, den 5. Dezember 1925 zu einem Teeabend einzuladen. Wir wollen den neuesten Palästinafilm „Erez Israel", der auch Aufnahmen von der Einweihung der Hebräischen Universität enthält, unseren Gästen zeigen. Das Referat hat liebenswürdigerweise Herr Rechtsanwalt Sammy Gronemann übernommen.

8½ Uhr   Freiherr vom-Stein-Str. 12 a   Antwort erbeten.

The Grüngard family invites to a lecture, 1925. Private ownership

Am 16. Januar 1925, abends 8¹⁵ Uhr, veranstaltet die MENSCH-GESELLSCHAFT in unserm Hause, Berlin-Schöneberg, Freiherr vom Stein-Straße 12 a (Telefon Stefan 9073) ein Bankett zu Ehren des

MENSCHEN

Es wird u. a. Herr *F. Schneersohn* einen Bankett-Vortrag halten
über das Thema

Die innere Souveränität eines jeden Menschen
(Mensch-Lehre und Mensch-Gesellschaft).
Wir laden Sie höfl. zu diesem Bankett ein. Um Antwort wird gebeten.

F. Grüngard und Frau

Invitation to a lecture by the *Mensch-Gesellschaft*, 1925. Private ownership

others, Mr. F. Schneersohn will hold a banquet lecture about the inner sovereignty of every single person [German: eines jeden Menschen – A. F.] (theory of man and human society) [German: (Mensch-Lehre und Mensch-Gesellschaft) – A.F.].« Unfortunately, I have found no further information about that exclusive group and cannot say whether the members included non-Jews as well as Jews. However, that particular evening lecture was given by the well-known psychologist and author Dr. med. Fischel Schneersohn.[22]

No doubt one of the highlights of the Grüngard salon was the celebration party of Shaul Tschernichowsky's 50th birthday.[23] Among the guests speaking in honour of the poet were Dr. Max Soloweitschik[24] and Professor Heinrich Loewe.[25] The Hebrew poet who stayed in and around Berlin from 1923-1931 was a close friend of the Grüngards. He is the one who gave Braina Grüngard her Hebrew name, *Shechuma* (Hebrew: the brown one), arguing that it was improper for a Zionist woman to have a Diasporic name. She in turn served him

22 Fischel Schneersohn (1887-1958), born in Kamenec Podolsk, grew up in a hassidic environment, and studied medicine in Berlin (1908-1913) and Kiev. He worked as psychologist in Kiev, and published books, especially on the psychology of children and youth. In 1923, he came to Berlin and set up an information centre for the education of children at the local Jewish community. Author of psychological studies as well as historical novels, in 1927 he published a study of the foundations of Menschenwissenschaft and the study of nerves, including an article on »Mensch-Gesellschaft, allgemeine Richtlinien«, which comes close to the title of the lecture he gave at the Gründgard soirée. The first Man-Society was apparently founded in Warsaw in 1921. Two years later, in 1923, Schneersohn founded another group, in Berlin. Cf. Fischel Schneersohn, Der Weg zum Menschen. Grundlagen der Menschenwissenschaft und der Lehre von der Nervosität, Berlin 1928, p. 93-95. I am grateful to Anne-Christin Saß for her assistance in this matter. Schneersohn later emigrated to Eretz Israel and became professor of psychology. See Salomon Wininger, Grosse Jüdische National-Biographie, Vol. 5, pp. 444-445.

23 See: Ben-Zion Katz, Al Chayey Shaul Tschernichowsky (25 articles published in installments), here: Toldot Magbit achat, in: Hazeman, 24 March 1944. The celebration must have taken place after the official birthday which was on 20 August 1925, as the 14th Zionist congress took place in Vienna from 18-28 August. See also Ben-Zion Katz's memoir, Al Itonim ve-Anashim, Tel Aviv 1983, pp. 133, 136, 152-154.

24 Dr. Max-Menachem Soloweitschik (in Israel: Solieli), 1883-1957, born in Kovna, was a Bible scholar and Minister for Jewish Affairs in Lithuania between 1919 and 1921. An ardent Zionist, he came to Berlin in 1923 and was co-editor of the Encyclopaedia Judaica published by the Eschkol Verlag. He emigrated to Palestine in 1933. See: Salomon Wininger, Grosse Jüdische National-Biographie, Vol. 5, pp. 568-569, and Gezel Kressel, Lexikon ha-Sifrut ha-ivrit ba-Dorot ha-acharonim, Tel Aviv 1965, pp. 479-80.

25 Ben-Zion Katz, Be-Chavila na'a uvechoser kol, cf. Fn. 23, in Hazeman, 11 February 1944. Heinrich Loewe (1869-1951) was a writer and Zionist activist. With others, he founded the Hebrew language club Chovevey Sefat Ever in 1891, and the Berliner Zionistische Vereinigung BZV in 1898. Between 1902 and 1908 he was editor of the Jüdische Rundschau. He emigrated to Palestine in 1933. See Robert Jütte, Die Emigration der deutschsprachigen »Wissenschaft des Judentum«. Die Auswanderung jüdischer Historiker nach Palästina 1933-1945, Stuttgart 1991, pp. 63-65, 100-102.

warm meals whenever he came by, or as she used to say in Yiddish, «Tscher-nichowsky iz gekummen oif kest« (Yiddish; Tschernichowsky came for room and board). The poet, a medical doctor by profession (who had studied in Heidelberg and Lausanne), was unable to obtain permission to work as a physi-cian in Germany because he was a Russian citizen.[26] Indeed, the poet suffered great poverty during the Berlin period of his life and was acutely dependent on the financial help of local friends. This was in fact the reason why a small group of admirers and well-wishers assembled at the home of the Grüngards[27] shortly after the meeting of the Zionist *vaad ha-po'el* in Berlin in 1925 to see what could be done to help the poet in difficult times. Nachum Sokolov came up with the idea of publishing a ten-volume edition of Tschernichowsky's poetry as an ap-propriate present »in the name of the Hebrew nation«. The sale of the books, he added, would enable Tschernichowsky to live decently as befits a great poet.[28] Ben-Zion Katz[29] took upon himself the task of collecting the money necessary for the edition. He travelled to East Europe and England, and advised col-leagues in *Eretz Israel* and the USA to raise donations. Katz was stunned as well as deeply disappointed to find out how indifferent and even stingy the Jews were.[30] In his report he mentions those Berlin Jews who donated money: »Zal-man Schocken, 30 pounds (through Dr. Yaakov Klatzkin), Dr. M. Pines, 25 pounds, Mr. F. Grüngard, 20 pounds, and other sums from five to ten pounds.« And he adds: »These sums were given to Tschernichowsky as advance payment, enabling him to exist, albeit in extreme poverty, in Fichtengrund until he left for Eretz Israel in Sivan 1931.«[31]

Shaul Tschernichowsky was not the only Hebrew writer to frequent the Grüngards. Among others were Chayyim Nachman Bialik, who after immigrat-

---

26 Ben-Zion Katz, Be-Berlin biyemey ha-Inflazia, cf. Fn. 23, Hazeman, 4 February 1944.
27 Ben-Zion Katz, Be-Chavila na'a uvechoser kol, cf. Fn. 23, Hazeman, 11 February 1944.
28 Ben-Zion Katz, Ibid. (11.2).
29 Ben-Zion Katz (1875-1958), born in Lithuania, writer and journalist, founded and edited the Hebrew newspaper Hazeman in Peterburg, later in Vilna. He emigrated to Eretz Israel in 1929, wrote for the liberal newspaper Haaretz and was among the co-founders of the newspaper Haboker. About Katz see: Nurit Govrin, Ha-Emet hi bischwilo ha-Sensazia ha-gedola beyoter. Ben Zion Katz, Itonai lochem, in: Kesher 38, Spring 2009, pp. 100-116.
30 Ben-Zion Katz, Be-Maarechet Hatekufa, cf. Fn 23, Hazeman, 25 February 1944; Toldot Magbit achat, cf. Fn. 23, Hazeman, 24 March 1944, and 31 March 1944. No less disap-pointed was Katz with Tschernichowsky's »dismal welcome« in Eretz Israel. See: Ben-Zion Katz, Kabalat ha-Panim be-Eretz Israel, cf. Fn. 23, Hazeman, 13 April 1944.
31 Ben-Zion Katz, Toldot Magbit achat, cf. Fn. 23, Hazeman, 24 March 1944, and 18 Feb-ruary 1944.

ing to Erez Israel in 1924, came on occasional visits to Berlin.[32] The Grüngards
were owners of the legendary bibliophile edition of Bialik's work, published in
1923 in Berlin by *Hoza'at chovevey ha-shira ha-ivrit* (Publisher of the lovers of
Hebrew poetry). To be precise, it is Braina's name which features on their copy,
one of 1000 copies printed on high quality paper and partly bound in leather.[33]
That same year, 1923, saw the publication of Zalman Schneur's book of poetry,
Chezyonot, at Schneur's newly founded and owned publishing house *Hasefer*.
The book had a special place in the Grüngard library, as Faiwel considered
Schneur, a family friend who frequented them during his visits to Berlin, to be
one of the finest modern poets. Truly, whoever was on his way to or from *Eretz
Israel* attended the soirées or came by. The list includes the Hebrew writers
Yaakov Cahan,[34] Avraham Shlonsky who, in June 1930, presented the Grün-
gards with a newly published copy of his poetry collection, *Be'ele ha-yamim*,[35]
Dr. Marcus Ehrenpreis as well as leading Zionist politicians and activists such as
Nachum Sokolov, Moshe Kleinman, editor of *Haolam*, the central organ of the
World Zionist Organization, Zeev Jabotinsky, and Zalman Rubashov, later
Shazar, who according to Braina used to deliver passionate speeches, pacing up
and down the huge salon and waving his arms energetically.[36]

But not only travelling visitors frequented their home. Among the Grüngards' friends and acquaintances were the philosopher David Koigen;[37] Dr.

32 In a letter (Heb.) from Tel Aviv to his wife in Berlin written on Sukkot 19?? (year not
    mentioned, probably beginning of the 1930s), we read: »I visited Ben-Zion Katz, who
    invited some thirty writers (among them also Tschernichowsky and Mrs. Bialik who all
    send you regards) [...].« Among the writers in *Eretz Israel* whom Faiwel Grüngard be-
    friended was also Moshe Smilansky (letters from F. Grüngard to his wife, 23 October
    1932, and 29 May 1934) who, like himself, owned orchards. In another letter (Heb.), sent
    from Tel Aviv to his wife in Berlin on 23 October 1932, Faiwel writes about a visit to
    Bialik on the evening of Simchat Tora.
33 On the edition, see Alik Mishori, Lezayer be-Ivrit. Tel Aviv 2006. Also Anat Feinberg,
    Schweizer Helden, in: Rück-Blick auf Deutschland, cf. Fn. 5.
34 Yaakov Cahan (1881-1960), poet and dramatist. Born in Sluzk, Belarus, he was active in
    the Revisionist movement, and emigrated to *Eretz Israel* in 1934. Cahan translated vari-
    ous works of Goethe into Hebrew, including Faust, and was twice awarded the Israel
    Prize for Literature (1953 and 1958).
35 The date written on the dedicated book is 19 June 1930. According to the family tradi-
    tion, Shlonsky signed his name with the golden pen which Juditz received for his Bar
    Mitzva and took the pen along with him...
36 In the Grüngard archive is a humorous, rhymed thank-you poem (Heb.) entitled
    »To the lovers of pie«. In brackets it says: »To the poet F. Grüngard, after reading his
    poem ›pie‹.« The last stanza expresses gratitude to the lady of the house, Mrs. Grüngard.
    Unfortunately, the author's name is not mentioned. Could it have been Yaakov
    Cahan?
37 Dr. David Koigen (1879-1933), Professor of Philosophy and Sociology at the University
    of Kiev, fled Russia and settled in Berlin in 1921, where he founded and edited the jour-

Meyer Isser Pinès, author of a history of German-Jewish literature, originally a supporter of the Territorialist movement who became an ardent Zionist;[38] the writer and editor of the Hebrew newspaper *Hazeman*, Ben-Zion Katz; Zionist writer and lawyer Sammy Gronemann and his wife Sonia; Shoshana Persitz, owner of the *Omanut* Publishing House from Bad Homburg;[39] Dr. Max Soloweitschik, the bible scholar and Zionist activist; and the young historian and philosopher Shimon Rawidowicz, to name but a few. They all shared a passion for Hebrew and *Eretz Israel*, and most were originally from Russia, some – like Soloweitschik – even from Lithuania where Braina and Faiwel were born. But there were others too, who had never been to Palestine and spoke no Hebrew, but fluent Yiddish, like the actor Alexander Granach, or the paintress Olga Markovna Meerson (1880-1930). Meerson, a highly gifted artist of Russian origin, studied with Kandinsky and later with Matisse who painted Meerson, his disciple and lover, in 1911. In 1913 she married the musician Heinz Pringsheim, who was Thomas Mann's brother-in-law, and gave birth to daughter Tamara, but the marriage soon fell apart.[40] Meerson's paintings were occasionally on display at the Grüngard salon, in the hope of finding interested purchasers. The Grüngards owned Meerson's last painting, which she painted before she com-

nal *Ethos*. His only son, Georg (1913-1976) was a close friend of the Grüngard children, both in Berlin and later in Israel.

38 Dr. Meyer Isser Pines (1881-1942?), writer and journalist, was the author of the French dissertation Histoire de la littérature judéo-allemande (Paris, 1911) which was translated into various languages, including German. Ben-Zion Katz writes about him and his Zionist and literary activities in the series Al Chayey Shaul Tschernichowsky, Be-Amerika, in: Hazeman, 10 March 1944. See also: Encyclopaedia Judaica, 2nd Edition, ed. by Fred Skolnik and Michael Berenbaum. Detroit 2007, Vol. 16, and Salomon Wininger, Grosse Jüdische National-Biographie, Vol. 5, pp. 36-37.

39 Shoshana Persitz (1892-1969), daughter of Hillel Zlatopolsky, a Zionist banker from Kiev, studied at the universities of Moscow and Paris, and was active in the Jewish organisation Tarbut in Russia. In 1917, together with her husband, she founded the *Omanut* Publishing House which she transfered from Russia to Frankfurt in 1920. She emigrated to Palestine in 1925, and was later elected to the Knesset. In 1968 she was awarded the Israel Prize for Education.

40 The little we know of Olga Meerson is found in Hilary Spurling, Matisse. The Master, New York 2005, pp. 16-33; 73-97; 363. I am very grateful to Hilary Spurling for her assitance in this matter. I am also most grateful to Dr. Inge Jens for her kind help and advice. I likewise wish to express my gratitude to Rachel Garver and Ruth Bradshaw, granddaughters of Olga Meerson, who in their mother's home in London (September 2009) shared with me details about the life of Meerson and also showed me the paintings in their possession.

mitted suicide on June 29 1930.[41] As she never finished it, the painting is not signed.[42]

And there were also those among the guests like the actress Elisabeth Bergner, or people who spoke German only, as the mathematician Walther Mayer, Einstein's Jewish assistant whom he nicknamed »*der Rechner*«.[43] And there was of course a large group of Jews who were not famous, mostly of Russian origin, some of them friends of the family from days long gone.

It is quite likely that the Grüngards would have left Germany before 1933 had Faiwel had his own way. Soon after the family settled in Berlin, he visited Palestine regularly, mostly on his own. He bought plots of land in the new city of Tel Aviv, shares in the upcoming project of the Tel Aviv port (*otzar mifaley yam*), as well as land in Hadera on which he planted citrus trees. As soon as the trees bore fruit, he founded the *Zehaviyot Yafo Company* which arranged for the export of the oranges and grapefruit to various European countries.[44] The letters he sent home to his family in Berlin are touching: they express the boundless love of a passionate Zionist. Here is, for example, a letter he wrote on the paper of the Metropole Hotel in Rome: »The weather in Italy is nice, in Eretz Israel surely much nicer. The skies, Italian skies, are dark, but these skies are not mine. The sky of Eretz Israel, my sky, is even now – I assume – blue and beauti-

---

41 Cf. Karl Schlögel, Katharina Kucher, Berhard Suchy, Gregor Thun (Hg.), Chronik russischen Lebens in Deutschland 1918-1941, Berlin 1999, Chronik 1930, No. 6633. There it says she was married to the musician Prinzheim, which is of course a mistake, and should be Pringsheim. There are two relevant entries in the diary of Hedwig Pringsheim, mother of Heinz and mother-in-law of Olga. On 24 June 1930 it says: »Brief von Peter; an Alfred von Heinz, in dem er seine bevorstehende Scheidung von Olga anzeigt!«. In the entry dated 1 July 1930 it says: »Brief von Klaus, mit der erschreckenden Nachricht, daß Olga sich aus dem Fenster gestürzt hat (wegen der Trennung u. bevorstehenden Scheidung von Heinz) u. tot ist «. I am most grateful to Cristina Herbst, editor of the diaries, who passed on to me (E-Mail, 15 September 2009) this valuable information. According to the family, Heinz had a liaison with a young woman. Heart-broken, Olga could not face the divorce and committed suicide.

42 Matisse biographer Hilary Spurling wrote to me: »It seems to me very highly likely that your picture was painted by Olga Meerson, although this is the only flower painting of hers that I have seen.« E-mail by Hilary Spurling, 15 April 2007. I myself was shown a number of very similar paintings when I visited Tamara Meerson in London, in September 2009.

43 Walther Mayer, 1887-1948. Cf. Thomas Levenson, Albert Einstein. Die Berliner Jahre 1914-1932, Munich 2005, p. 435. Prof. Dr. Armin Hermann, author of the biography Albert Einstein: Der Weltweise und sein Jahrhundert, told me that Einstein who disliked parties used to send Mayer in his stead.

44 The heading on the offical paper reads: The Jaffa Goldfruit Cooperative Society Ltd. Exporters of selected Jaffa oranges and grapefruit. Telegraphic address: Goldfruit Hadera, P.O.Box 11, Telephone no. 19.

ful, and the sun there – my sun – glows, I think, even now, warming body and soul.«[45]

In truth, Faiwel's involvement in Hebrew and Zionist matters often took place outside his home which was, it seems, the unmitigated domain of his wife Braina. He took part in the activities of the Hebrew Club, *Beit vaad ivri* (from 1929 onwards *Beit am ivri*).[46] With his wife, he attended the Hebrew performances of the TAI (Eretz-Israel Theatre) and the visiting *Habimah* theatre,[47] sat occasionally in the Hebrew corner of the *Romanisches Café*, supported Hebrew writers (as discussed above) and Hebrew literature. His name appears on the list of 36 Berliners (including institutions!) who subscribed to the complete works of David Frishman.[48] Supporting the idea of disseminating Hebrew culture in the Diaspora, Faiwel Grüngard participated in the congress which launched *Brit ivrit olamit* in June 1931, and was elected to its central committee (*Va'ad merkazi*) as one of the Berlin representatives.[49] Only a year later, during the planning of the first Hebrew Congress, he was one of those who were at variance with the founding father of the *Brit*, Shimon Rawidowicz. While Rawidowicz wanted the Congress to be held outside Palestine, Faiwel Grüngard, Dov Lipez, Dr. Max Soloweitschik, Dr. Meyer Pines and Dr. Avraham Rosenfeld voted, successfully, in favor of convening the Hebrew Congress in *Eretz Israel*.[50] For Faiwel Grüngard there was only one Hebrew centre, and at that point, in 1932, his long sustained plan was about to materialize. The final rift between Rawidowicz and the opponents occurred when seven members of the central committee disapproved of Rawidowicz's wish to establish the headquarters of the World Executive in London following the National-Socialists' rise to power in Germany. The unequivocal letter sent to Rawidowicz from Tel Aviv on 9

45 Faiwel Grüngard, letter (Heb.) to his wife, 15 November (no year mentioned). In another letter (Heb.), written in Tel Aviv on 23 October 1932, he writes to his family in Berlin: »Although I count the days and hours until I am again with you, and although I miss you so much, still, it is difficult for me to leave Eretz Israel. I feel here 'like a fish in water', despite the incredible heat [...]«.

46 For Beit Vaad Ivri and other Hebrew activities in Berlin see: Barbara Schäfer, Berliner Zionistenkreise. Eine vereinsgeschichtliche Studie, Berlin 2003, pp. 142-152. Also Michael Brenner, cf. fn. 5.

47 For the performances of the TAI and Habimah in Berlin see Shelly Zer-Zion, The Germam-Jewish Elite and the Formation of Jewish/Zionist Theatre: 1916-1931, Ph.D. Dissertation, Hebrew University, Jerusalem, June 2006.

48 See: Kol Kitvey David Frishman, Vol. 6, Warsaw and New York: Hoza'at Lili Frishman, p. 229.

49 Abraham Levinson, The Hebrew Movement in the Diaspora, cf. fn. 5, p. 110.

50 Ibid., p. 113.

Iyyar 1934 was signed by poet Yaakov Cahan, Dr. Meir Klumel,[51] Dr. Abraham Rosenfeld, Dov Lipez,[52] Faiwel Grüngard, Dr. M. Soloweitschik, and Y. Gutman.[53]

The Grüngards arrived in Tel Aviv for good on April 12 1934. Most of their friends had already left Germany, many for *Eretz Israel*. Officially, they had waited for Ayala to finish *Abitur*, her matriculation exams at the Rückert Schule.[54] By this time their son, Juditz, was already studying insurance mathematics in Bern. He had started his academic studies in Berlin in 1931, and was a member of the KJV (Kartellverband Jüdischer Verbindungen), but left when the Nazis came to power. An excellent chessplayer, he had won the chess tournament in Berlin but was told not to show up for the awarding ceremony.[55] The cup was sent home to him. In 1935, with a Ph.D. (with honors) in actuarial studies,[56] he joined his family in Tel Aviv, becoming one of the first and leading insurance experts in the country.

Faiwel Grüngard, a miserable businessman, did not do better in Palestine than he did abroad. One by one, he sold the precious plots of land he had bought in order to finance the orchard and keep his family going. Regardless of the new circumstances, his wife Braina lived like an elegant lady in Tel Aviv, just as she had in Berlin. She had a jour fixe every Wednesday evening in her gorgeous five room flat overlooking the sea, decorated with her beautiful furniture

---

51 Dr. Meir Klumel (1875-1936), born in Widze near Vilna, studied Semitic languages at the university of Strasbourg, served as chairman of the Zionist organisation in Poland and of Tarbut, and emigrated to Eretz Israel in 1932. See: Encyclopaedia Judaica, 2nd Edition, Vol. 12, p. 234.

52 Dov Lipez (1898-1990) was director of the educational section of Tarbut in Lithuania, where he was born. He emigrated to Palestine in 1933, was director of Am Oved publishers and later founded his own publishing house, *Am Hasefer*. His son was the writer and translator Aharon Amir.

53 See: Benjamin Ravid, Shimon Rawidowicz u-Vrit Ivrit Olamit: Perek ba-Yachasim ben Tarbut Ivrit ba-Tefuza la-Ideologia ha-Zionit, in: Studies and Essays in Hebrew Language and Literature, Proceedings of the 16th Hebrew Scientific European Congress, Freie Universität Berlin, Institut für Judaistik, July 2001, pp. 119-154, here p. 144. My thanks to Professor Benjamin Ravid (Brandeis University) for his kind help.

54 The school report (Reifezeugnis) is dated 1 March 1934. Years later Ayala would recall: »I was not very happy there. Half of the pupils were Jews, but they looked down on me. They considered me an Ostjüdin, though I came from Sweden. I had a few Christian girl friends in the class with whom I got along fairly well and one or two Jewish girlfriends.«

55 A booklet in his memory, including a short biography and a selection of his chess compositions, was edited by Uri Avner, entitled Dr Jehuda Gruengard, Tel Aviv October 2002.

56 Isaak Grüngard, Beiträge zur mathematisch-technischen Grundlage der Invalidenversicherung, Inaugural-Dissertation der Philosophischen Fakultät II der Universität Bern, Zürich 1935.

from Berlin. The parties were attended by thirty to forty friends and acquaintances, new and old. Although he was honorary president of a social-cultural Tel Aviv club named »*Lechu neranena*«, Faiwel withdrew more and more into himself. There was no Spindlermühle to which to escape when his wife was presiding over her salon in Tel Aviv. Thus, on Wednesday evenings, before the guests flocked to her soirée, he found refuge at *Café Tarshish* or *Sheleg Levanon* on the promenade, smoked, read a book, or watched the crowd pass by.

The lovely villa on Freiherr-vom-Stein-Straße was not arianized. The Grüngards' Swedish nationality proved most helpful. Before they left for Palestine, they rented out the house and were able to keep the rental money even though the coversheet of the official file, in which the Germans meticulously recorded all legal and financial matters, was stamped JUDE.[57] And so, with the monthy rent they received, the Grüngards continued to travel in Europe as Swedish citizens, attending the 19th Zionist Congress in Lucerne in 1935. They also spent time in luxurious health resorts and spas as they had during their Berlin period, with vacations in Karlsbad, Marienbad, Franzensbad, Nice, and St. Moritz among others. And yes, unbelievable as it may sound, they travelled to Berlin in 1936, to watch and participate in the excitement of the Olympic games… In addition, Mrs. Grüngard went to Berlin in 1938 in order to have a breast cancer operation at the Jewish Hospital… But that is surely another story.

57 Coversheet of file R87, 2175, now kept in the Bundesarchiv (Berlin). On 26 March 1934, upon leaving Germany, Mr. Grüngard gave the caretaker, Mrs. Emma Adolph, proxy to let the villa and act on his behalf in all legal and rental matters. The villa was let from 1 April 1934. The surplus after deduction of various expenses was transferred to an account at the Dresdner Bank. On 13 September 1940, the property was considered alien property and was handed over to forced administration (Zwangsverwaltung). In spring 1944, the villa was heavily damaged due to a bomb in the immediate vicinity, and in February 1944, it was totally destroyed (Bundesarchiv R87, 8884, Blatt 13). After the war Faiwel Grüngard and later his widow Braina were re-instituted as owners (Bundesarchiv R87, 2175, and Grundbuch des Amtsgericht Schöneberg, Vol. 120, Blatt 3863). In 1945 a new custodian was appointed, Landgerichtsdirektor Otto von Werne. He administered the property until it was sold to the Senate of Berlin on 26 November 1959 (Amtsgericht Schöneberg, Grundbuch, Vol. 120, 3863). The Senate of Berlin built a kindergarten on the property.

Wahrnehmungen

Karin Neuburger

Fiktion und Wirklichkeit –

Micha Joseph Berdyczewskis Leben und Werk in Berlin (1912-1921)

Seinen Umzug von Breslau nach Berlin bereitete der 1865 in Podolien geborene und seit 1890 vorwiegend in Deutschland lebende jüdische Schriftsteller und Publizist Micha Joseph Berdyczewski sorgfältig vor. Während zweier mehrwöchiger Aufenthalte bemühte er sich vor allem darum, Kontakte zu knüpfen, wobei er sich auf Bekanntschaften aus seiner Studentenzeit, die er Anfang der neunziger Jahre des 19. Jahrhunderts in Berlin verbracht hatte, stützen konnte. Es ging ihm dabei vor allem darum, nach Möglichkeiten zu suchen, sich und seine Familie finanziell abzusichern. Dies allerdings war kein einfaches Unterfangen, denn Berdyczewski hatte sich zum Ziel gesetzt, in Berlin endlich die Voraussetzungen dafür zu schaffen, sich nur noch seiner wissenschaftlichen Arbeit widmen zu können, in die nun auch seine Frau, Rachel Ramberg, die in Breslau als Zahnärztin für einen zwar kärglichen Unterhalt gesorgt hatte, eingebunden werden sollte.[1] Im April 1911 gelang es ihm schließlich dank der Unterstützung Martin Bubers und mit Hilfe des Lektors des Fischer-Verlags, Schriftstellers und Publizisten Moritz Heimann, ein dreijähriges Stipendium von 250 Mark monatlich zu erhalten.[2] Damit war der Grundstein für ein Auskommen der dreiköpfigen Familie gelegt.

Im Juni 1911 machten sich die Berdyczewskis von Charlottenburg auf, wo sie ein möbliertes Zimmer angemietet hatten, um in Berlin eine passende, d.h. vor allem in einem günstigen, jedoch nicht ärmlichen Viertel gelegene Wohnung zu suchen, die auch nicht weit entfernt von einer der Berdyczewskis Sohn Emanuel zu besuchenden Oberschule liegen sollte. Im August desselben Jahres bezog die Familie dann eine Drei-Zimmer-Wohnung in der in Friedenau gelege-

---

1 Die Tagebücher, die Berdyczewski vom Jahre 1902 an bis zu seinem Tod im Jahre 1921 in deutscher Sprache geführt hat, sind bisher nicht veröffentlicht worden, können aber im Archiv des Autors, das sich in der israelischen Stadt Holon befindet und von Prof. Avner Holtzman verwaltet wird, eingesehen werden. Erschienen allerdings sind hebräische Übersetzungen großer Teile der Aufzeichnungen Berdyczewskis. Im weiteren werde ich mich mehrere Male auf das deutschsprachige, von Berdyczewski mit dem Titel »Chronik« versehene Tagebuch beziehen, wobei ich das jeweilige Datum des Eintrags angeben werde. Hier: Chronik, 6.4.1911.
2 Chronik, 6.4.1911.

nen Laubacherstrasse, die damals – wie Berdyczewski in seinem Tagebuch vermerkte[3] – zum Teil noch einer Baustelle glich. In der Tat war das für heutige Begriffe relativ zentral gelegene Wohnviertel, das anders als die meisten Bezirke Berlins nicht auf einen historischen Dorfkern zurückgeht, nur ungefähr vierzig Jahre zuvor am Rande der Stadt gegründet und erst im Jahre 1920 zusammen mit der bis dahin eigenständigen Stadt Schöneberg in das neu entstehende Groß-Berlin eingemeindet worden.[4]

Am Rande der Stadt Berlin bewegte sich Berdyczewski aber nicht nur aufgrund seiner wirtschaftlichen Lage. Vielmehr war seine Randposition im Verhältnis zur Stadt Berlin und zu ihrer Gesellschaft – oder vielleicht müsste man besser sagen: zu ihren Gesellschaften – noch durch andere Parameter bestimmt.

Zunächst könnte man argumentieren, sie sei Ausdruck einer psychischen Konstitution, die sich spätestens in den Anfängen seines Erwachsenendaseins herausbildete. Als Sohn eines chassidischen Rabbiners wurden in den Jugendlichen große Hoffnungen gesetzt, die er, der sich bald als *Iluji* (hochbegabter Schüler) einen Namen machte, allerdings enttäuschte, als er sich, anstatt sich allein dem Thora- und Talmudstudium zu widmen, intensiv mit Schriften der jüdischen Aufklärung (Haskala) auseinandersetzte. Aufgrund dieser intellektuellen Neigung, die unter Juden im osteuropäischen Raum zwar keine Ausnahme bildete, in dem spezifischen Milieu, dem Berdyczewski entstammte, wohl gerade deshalb aber umso energischer bekämpft wurde, führte wiederholt dazu, dass er aus den gesellschaftlichen Kreisen, in die er hineingeboren wurde, ausgeschlossen wurde. Am schmerzlichsten mag Berdyczewski sich seines Außenseitertums in diesem Zusammenhang bewusst geworden sein, als er von seinem Schwiegervater, der ihn beim Lesen »verbotener« Bücher ertappte, des Hauses verwiesen wurde, und Berdyczewski so gezwungen war, sich von seiner jungen Frau, der er sich sehr verbunden fühlte, scheiden zu lassen.[5]

Diese Episode aus seinem Leben wurde von Berdyczewski mehrere Male literarisch verarbeitet. Dabei scheint es nicht zufällig, dass er immer weniger Interesse für die psychische Verfassung seiner Figuren aufbrachte. Von wachsender Bedeutung war für ihn dagegen, sie in den Kontext der Auseinandersetzung zwischen jüdischer Tradition und Moderne zu stellen,[6] d.h. in den Kontext

3   Chronik, 13.8.1911.
4   Zur Geschichte Berlin-Friedenaus siehe: http://de.wikipedia.org/wiki/Berlin-Friedenau.
5   Aus ähnlichen Gründen wie die erste, im Jahre 1882 geschlossene Ehe ging auch die zweite, im Jahre 1888 geschlossene Ehe Berdyczewskis in die Brüche. Vgl. die von Dan Miron erstellte Kurzbiographie Berdyczewskis in: M. Y. Berdyczewski, Miriam. A Novel of Two Townships, Israel, 1971, S. 7-9 (Hebräisch).
6   Avner Holtzman, Late Divorce, in: Ders., Literature and Life. Essays on M. J. Berdyczewski, Jerusalem 2003, S. 18 ff. (Hebräisch).

eines Denkens, das ihn immer weiter weg von der in der Tradition der Roman-
tik zum Ausdrucksbereich der »Innerlichkeit« stilisierten Literatur[7] drängte,
und ihn sich stattdessen immer tiefer ins Terrain geisteswissenschaftlicher Forschung hervorstoßen ließ. Vor diesem Hintergrund erscheint ein vorwiegend
psychologisch motiviertes Verständnis von Berdyczewskis Randposition im
Raum der Großstadt Berlin, wenngleich es nicht völlig von der Hand zu weisen
ist, verkürzt. Dies ist umso mehr der Fall, als der Entschluss, das heute in der
Ukraine gelegene, gegen Ende des 19. Jahrhunderts zu Russland gehörende
Podolien zu verlassen, um an deutschen Universitäten zu studieren, dazu angetan
war, das auf dem eben skizzierten Hintergrund entstandene Außenseitertum
Berdyczewskis zu überwinden. Denn damit stand ihm die Möglichkeit offen,
sich – wie viele andere aus Osteuropa stammende Juden[8] – in eine Gesellschaft
einzugliedern, die ihm zumindest darin entsprach, dass in ihr die Frage, wie
Tradition und Moderne miteinander in Einklang zu bringen seien, ein zentrales
Thema des öffentlichen, und zwar nicht nur jüdischen Diskurses darstellte.[9]
Dass Berdyczewski diese Möglichkeit allerdings nicht wahrnehmen konnte, lag
nicht so sehr in seiner Persönlichkeit begründet, als vielmehr in der Struktur
eben jenes Diskurses, der seine und anderer Juden Integration in die deutsche
Gesellschaft erst ermöglichte, i.e. des Diskurses der Moderne, der sich im
Europa des 19. Jahrhunderts durchsetzte[10] und im Berlin des beginnenden
20. Jahrhunderts eine seiner prägnantesten Formen annahm.[11] Mit anderen
Worten, die von Berdyczewski in Berlin eingenommene Randposition wird im

---

7   Vgl. hierzu Isaiah Berlins Ausführungen hinsichtlich der Entwicklung von Innerlichkeit
    in der deutschen Romantik, die einhergeht mit der kulturellen Vorrangstellung der
    Literatur und insbesondere der Lyrik; Isaiah Berlin, The Roots of Romanticism, Tel Aviv
    2001 (Hebräische Übersetzung), S. 58, 69, 79, 121.
8   Aufgrund der schwierigen wirtschaftlichen Lage, infolge der vor allem im letzten Drittel
    des 19. Jahrhunderts im Südwesten Russlands wütenden Pogrome, aber auch aus poli-
    tisch-ideologischen und intellektuell-kulturellen Gründen, wie im Falle Berdyczewskis,
    der sich dem in gewissen deutschen Kreisen gepflegten humanistischen Bildungsethos
    verschrieb, entschied sich eine große Anzahl von Juden, ihre Heimat in Osteuropa zu
    verlassen und gen Westen zu wandern. Diese Bewegung hatte schwerwiegende Auswir-
    kungen auf die jüdischen Gemeinden in Deutschland und auf die Bevölkerungsstruktur
    mancher deutscher Städte, wie z.B. der Stadt Berlin.
9   Michel Foucault beschreibt die Historisierung des Bewusstseins im Europa des begin-
    nenden 19. Jahrhunderts, die die Frage hinsichtlich der Beziehung zwischen Gegenwart
    und Vergangenheit ins Zentrum des Denkens stellt. Siehe: Michel Foucault, Les mots
    et les choses. Une Archéologie des sciences humaines, Paris 1966, S. 14 und 229 ff.
10 Foucault, Les mots, S. 13.
11 Dass Berlin zu Beginn des 20. Jahrhunderts zur »Hochburg der Moderne« avancierte,
    darf als Allgemeinplatz gelten. Vermerkt findet sich dieser Sachverhalt z.B. auf Seite 12
    in David Clay Larges in deutscher Übersetzung (Karl-Heinz Siber) erschienenem Buch
    Berlin, Biographie einer Stadt, München 2002.

Weiteren als strukturelles Problem dargestellt werden, das als solches nicht nur die gesellschaftliche und politische Wirklichkeit und somit die physischen Lebensumstände Berdyczewskis bestimmte, sondern darüberhinaus auch in seinen literarischen und wissenschaftlichen Schriften ihren Niederschlag fand. In diesem Sinne gerät sie zum Schnittpunkt von Wirklichkeit, Fiktion und Forschung.

Als einen Grund, aus Breslau wegzuziehen und sich in der Metropole Berlin niederzulassen, nennt Berdyczewski in einem im Oktober 1910 verfassten Brief, den er an seinen in den USA als Dozent für jüdische Wissenschaften arbeitenden Freund Zvi Malter richtete, den Wunsch, sich gesellschaftlich zu integrieren:

> »[…] was uns in Breslau niederdrückt, ist, dass wir hier wie einsame Mönche in einer Einsiedelei sitzen, ohne jegliche Kontakte zur Außenwelt zu unterhalten. Bisher vergrub ich mich in meinen Büchern und war von allen Menschen und vom Leben abgelenkt. Jetzt aber habe ich manchmal ein gewisses Bedürfnis danach, mit einem Menschen zu reden, mich einem Menschen anzunähern, wenngleich ich mir der Eitelkeit der Menschen sehr wohl bewußt bin.«[12]

Anders als Breslau, das sich mit seiner um 1925 ca. 23.000 Seelen zählenden, noch immer überschaubaren jüdischen Gemeinde eher provinziell ausnahm,[13] bot die Großstadt Berlin mit einer zu dieser Zeit ca. 150.000 eingeschriebene Mitglieder zählenden Gemeinde[14] im gesellschaftlichen Umgang ganz andere Möglichkeiten. Während Berdyczewski in Breslau zum Stadtgespräch wurde, nachdem er seinen Sohn vom Religionsunterricht an der jüdischen Schule zu befreien gesucht hatte,[15] konnte er mit Recht darauf hoffen, sich in der Berliner Gemeinde mit ihrem pluralistischen Aufbau, ihren diversen Bildungs- und Kulturinstitutionen freier bewegen zu können. Dazu gehörte auch ein offeneres Verhältnis zur nichtjüdischen Gesellschaft, an dem Berdyczewski durchaus gelegen war.

Noch in Breslau wandte er sich an den ortsansässigen protestantischen Theologen Carl Heinrich Cornill, der sich in seiner 1894 erschienenen Studie zur Prophetie im alten Israel als aufgeschlossen gegenüber der jüdischen Tradition

---

12 Teile des Briefwechsels zwischen Berdyczewski und Malter wurden von Ya'akov Kavkov aus dem Jiddischen ins Hebräische übersetzt und zusammen mit einem kurzen Einleitungstext veröffentlicht in: Ginzei Micha Yosef, Band 7, Micha Joseph Berdyczewski – Bin Gorin Archiv, Holon 1977. Die zitierte Stelle stammt aus einem Brief vom 14.10.1910, S. 152 [von mir ins Deutsche übersetzt, K.N.].

13 Diese Information ist der Website http://de.wikipedia.org/wiki/Juden_in_Breslau zu entnehmen.

14 Siehe: http://de.wikipedia.org/wiki/Jüdisches_Leben_in_Berlin.

15 Chronik, 28.9.1910.

gezeigt hatte,[16] und sich auch zu Berdyczewskis Arbeiten positiv äußerte. Cornill versprach Berdyczewski sogar, ihn in seinem Bemühen, seine religionswissenschaftlichen Schriften zu veröffentlichen, zu unterstützen. Kurz darauf, im Juni 1910, erlitt er allerdings einen Nervenzusammenbruch und konnte sein Versprechen daher nicht einlösen.[17] Immerhin mag die Begegnung mit Cornill Berdyczewski angespornt haben, nun auch in Berlin Kontakte zu nichtjüdischen Gelehrten zu suchen, die an seinen, im Bereich der jüdischen Religionsgeschichte angesiedelten Forschungen Interesse zeigen könnten. Wie seinen Tagebüchern zu entnehmen ist, unterhielt er dann auch – oft vermittelt durch seinen getauften Freund Moritz Heimann – Beziehungen zu an deutschen Universitäten lehrenden Theologen und Orientalisten, u.a. zu Adolf von Harnack, Hugo Winkler und Alfred Jeremias.[18] Doch gerieten ihm diese nicht über das Formale hinausreichenden Kontakte zumeist zu enttäuschenden Begegnungen, die ihn in dem Bestreben, seine in deutscher Sprache verfassten Arbeiten veröffentlichen zu können, nicht weiterbrachten.[19]

Das Desinteresse deutscher Theologen, Religionswissenschaftler und wissenschaftlicher Verlage an Berdyczewskis religionsgeschichtlichen Arbeiten mag angesichts Christian Wieses ausführlicher Darstellung des Verhältnisses zwischen Jüdischen Studien und protestantischer Theologie im Wilhelminischen Deutschland nicht verwundern. Wie Wiese in Abhebung von Scholems bekanntem Diktum hinsichtlich des faktisch nicht vorhanden gewesenen deutschjüdischen Dialoges darlegt, war dieses Verhältnis zwar nicht von eindeutiger Ablehnung, doch aber von tiefer Ambivalenz geprägt. Als solches zeugt es von der Unfähigkeit des »Einen«, i.e. der protestantischen Repräsentanten der deutschen Mehrheitskultur, den »Anderen«, i.e. die jüdische Minderheitskultur, als gleichberechtigtes Gegenüber anzuerkennen. Diese Unfähigkeit hat damit zu tun, dass das moderne Subjekt, wie es sich im Ausgang des 18. Jahrhunderts zu formieren begann, als Individuum oder als kulturelle, d.h. auch nationale Einheit, darauf ausgerichtet ist, seinen Ursprung anzuzeigen, um so seine Identität

16 Christian Wiese, Challenging Colonial Discourse. Jewish Studies and Protestant Theology in Wilhelmine Germany, Leiden & Boston 2005, S. 240 f.
17 Carl Heinrich Cornill musste infolge seines Nervenzusammenbruches sein Amt niederlegen. Er verstarb im Juni 1920 in Halle (Saale), wo er die letzten zehn Jahre seines Lebens verbrachte. Siehe: http://de.wikipedia.org/wiki/Carl_Heinrich_Cornill. Berdyczewski berichtet in seinen Tagebüchern über diesen Sachverhalt. Siehe: Chronik, 11.6.1910.
18 Siehe z.B. Chronik, 26.11.1911; 10.4.1913.
19 An dieser Stelle muss allerdings erwähnt werden, dass sowohl Harnack als auch der namhafte Schriftsteller Gerhart Hauptmann sich für die Verleihung der deutschen Staatsbürgerschaft an Berdyczewski und seine Familie einsetzten. Vgl. Chronik, 6.11.1914. Im Jahre 1920 wurden die Berdyczewskis dann auch eingebürgert.

zu konstituieren und damit seine Existenz allererst zu legitimieren.[20] Denn der Drang zur Ursprünglichkeit, den Foucault als ein charakteristisches Merkmal des modernen Denkens bezeichnete,[21] beinhaltet auch den Drang zur Überwindung des »Anderen«, der als solcher allerdings paradoxerweise zugleich ein notwendiges Korrelat der eigenen Existenz bildet,[22] und so an den Rand gedrängt eben noch geduldet wird. Exemplarisch lässt sich die Verdrängung des jüdischen »Anderen« an Delitzschs im Januar 1902 vor der »Deutsche[n] Orientgesellschaft« zu Berlin in der Gegenwart Kaiser Wilhelms II. gehaltenen Vortrag zeigen.

Delitzsch präsentierte die babylonische Kultur als eigentlichen Ursprung der jüdisch-christlichen Tradition, deren auf dem Monotheismus basierende Ethik dann aber durch den Anthropomorphismus und Partikularismus der Hebräischen Bibel zunächst verdeckt und erst in den Propheten, den Psalmen und letztendlich in Jesu Lehre wieder freigelegt worden sei. Damit wird, wie Wiese bemerkt, die Hebräische Bibel als irdisches Phänomen dargestellt, das der babylonischen Kultur in weiten Teilen moralisch unterlegen ist.[23] Interessant ist hierbei – und darin zeigt sich die oben angesprochene Ambivalenz –, dass die jüdische Kultur gerade dort diskreditiert wird, wo Delitzsch das Christentum in ihre unmittelbare Nähe stellt. Denn wie das Christentum wird auch das Judentum zunächst als aus dem babylonischen Monotheismus hervorgegangene, kulturelle Entwicklung konzipiert. In diesem Sinne werden die beiden einander gleichgestellt, um im selben Atemzug auch schon den Beweis ihrer Ungleichheit zu liefern. Da dem Christentum die Rolle des allein rechtmäßigen Repräsentanten des babylonischen Monotheismus zugesprochen wird, wird das Judentum ins Abseits gedrängt. Mehr noch, es wird seiner Stellung am Ursprung und damit seiner Authentizität beraubt, die durch die geschichtliche Abfolge gesichert zu sein schien.

Doch nicht nur Delitzsch, auch Berdyczewski beteiligte sich, wie viele andere seiner jüdischen und nichtjüdischen Zeitgenossen im mitteleuropäischen Raum, am Wettstreit um die Stellung am Ursprung. Diese forderte er für das Judentum ein und zwar – in spiegelbildlichem Verhältnis zu Delitzschs Argumentation – gerade dort, wo er es dem Christentum anzunähern beabsichtigte,

---

20 Vgl. hierzu David E. Wellberys Zusammenfassung der in Fichtes Wissenschaftslehre vorgestellten Problematik der Konstitution eines autonomen Ichs. David E. Wellbery, The Specular Moment. Goethe's Early Lyric and the Beginnings of Romanticism, Stanford 1996, S. 57-59.

21 Foucault, Les mots, S. 339 ff.

22 Siehe hierzu Wellbery, The Specular Moment, S. 158 (hier kommt dieser Sachverhalt in gender-Begriffen zur Darstellung).

23 Vgl. hierzu Wiese, Challenging Colonial Discourse, S. 231.

indem er es auf die christlich geprägte, europäisch-säkulare Vorstellung einer universalen Menschheit ausrichtete. Solch eine Ausrichtung war Berdyczewskis Ansicht nach erforderlich, um der jüdischen Gesellschaft ein modernes Gesicht zu verleihen. Sie ging einher mit dem Verzicht auf die Vorstellung von der Auserwähltheit des jüdischen Volkes, an der Berdyczewskis Ansicht nach auch das liberale Judentum, wie es sich in Deutschland aufgrund der Auseinandersetzung mit der Moderne entwickelt hatte, festhielt. Auf besonders harsche Weise formulierte Berdyczewski seine Kritik in dieser Angelegenheit im Tagebucheintrag vom 27. Februar 1906, der unter dem Eindruck einer Mitgliederversammlung des *Centralvereins deutscher Staatsbürger jüdischen Glaubens* geschrieben wurde:

>»Alles schrie: deutsch, wir sind ein Glied der großen deutschen Nation. Unser Goethe. Goethe ist unser; das Judentum ist gewiß unser; das Christentum ist nicht unser; und die Deutschen, deren Kultur auf den Grundlagen des Christentums aufgebaut und ohne die gar nicht denkbar ist, was sind sie: unser oder nicht unser? Alle proklamieren sie die Freiheit, die absolute Freiheit des Geistes und doch wollen sie sich auf eine jüdische Formel binden, die ihnen nicht einmal nahe liegt, denn wenn es in Deutschland Leute gibt, die vom biblischen Geist etwas wissen und am Werk der Propheten sich laben, dann sind es Christen und nicht Juden.«[24]

Ähnlich, wenngleich sachlicher, äußerte sich Berdyczewski in seinem Tagebuch zu demselben Problem wenige Wochen zuvor, am 13.1.1906:

>»Die deutschen Juden fallen in der Bildung und in der Sprache mit ihrem Wirtsvolk zusammen; sie haben die Literatur und Kultur der Deutschen vollständig aufgenommen, und sich nur als Religionsgemeinschaft, die neben diesen Dingen steht, erklärt. Nun ist aber die Religion der Deutschen die Trägerin dieser Kultur und Sprache und man kann nicht eine Sache nur zur Hälfte hinnehmen. In geistigen Dingen giebt es nur ein Ja-Sagen bis zu Ende oder ein völliges Nein-Sagen, alles, was in der Mitte liegt, hat keine Kraft und kann nichts Lebensfähiges erzeugen.«[25]

Berdyczewskis Forderung nach Einbindung des Judentums in die moderne, sprich: deutsche Gesellschaft, führte allerdings nicht so weit, dass er, wie viele andere seiner jüdischen Zeitgenossen im mitteleuropäischen Raum, bereit gewesen wäre, dem Judentum als solchem eine Absage zu erteilen und zum Chris-

---

24 Chronik, 27.2.1906; Herr Prof. Avner Holtzman (Universität Tel Aviv) war so freundlich, mir eine Kopie der entsprechenden Seiten aus dem handschriftlich niedergelegten Tagebuch Berdyczewskis zukommen zu lassen. Ihm sei hiermit mein herzlichster Dank ausgesprochen.

25 Chronik, 13.1.1906.

tentum überzutreten. Vielmehr suchte er nach einem Weg, das Judentum auf eine Weise zu reformieren, dass es sich immer noch als eigenständige Kulturform von der christlichen Kultur unterscheiden, zugleich aber dem universalistischen Ethos der modernen, d.h. liberalen Gesellschaften entsprechen konnte.

Solch ein universales Judentum beabsichtigte Berdyczewski in seinem Werk *Sinai und Garizim. Über den Ursprung der israelitischen Religion. Forschungen zum Hexateuch aufgrund rabbinischer Quellen*[26] zu entwickeln – oder besser: freizulegen. Denn Berdyczewskis Ansicht nach war das Judentum in seiner ureigensten Form ein universalistisch orientiertes Gesellschaftssystem, dessen Spuren in den alttestamentlichen und den nachfolgenden jüdischen Schriften zwar verwischt, aber doch nicht vollständig eliminiert worden waren.[27]

»Mit dem Abschluß des biblischen Kanons«,

so Berdyczewski im Vorwort des genannten Werkes,

> »haben nämlich die Kämpfe und die Bewegungen, die zu einer Verschleierung des historischen Tatbestandes geführt haben, ihr Ende nicht gefunden; auch im späteren Judentum, welches der eigentliche Träger und Erbe Judas sein sollte, hat ein gutes Stück alten Israelitentums weiter fortgelebt. Ja, noch mehr: auch die uralten heidnischen Mythen und Vorstellungen, in deren Bekämpfung und Beseitigung das Judentum seine Mission sah, tauchten später in der alten Stärke wieder auf unter den Juden und gewannen keinen geringeren Platz in der Volksseele als die Sinailehre und dergleichen.«[28]

Das Israelitentum, so lehrt Berdyczewski im Weiteren unter Anführung zahlreicher Quellentexte, war anders als es das spätere Judentum wahrhaben wollte, keine auf Abgrenzung von der Umwelt bedachte Gemeinschaft.[29] Demgemäß waren die Gesetze, wie z.B. das Sabbatgebot, die für die jüdische Religion prägend sein sollten und in denen sich die Scheidung zwischen Israel und den an-

---

26 Micha Josef Bin Gorion (Micha Joseph Berdyczewski), Sinai und Garizim. Über den Ursprung der israelitischen Religion. Forschungen zum Hexateuch aufgrund rabbinischer Quellen. Herausgegeben von Rahel und Emanuel Bin Gorion, Berlin 1926. Im folgenden zitiert unter SuG.

27 Interessanterweise entspricht Berdyczewskis Argumentationsstruktur der von Delitzsch auch darin, dass er ein drei-Phasen-Modell annimmt: eine Phase der Ursprünglichkeit und Reinheit (bei Delitzsch: babylonischer Monotheismus; bei Beryczewski: Israelitentum) wird von einer Phase abgelöst, in der die Kultur nur in getrübter Form fortbesteht (bei Delitzsch: Judentum; bei Berdyczewski: rabbinisches Judentum), um schließlich wieder in geläuterter Form hervorzutreten (bei Delitzsch: Christentum; bei Berdyczewski: universales, modernes Judentum).

28 SuG, Vorwort, S. XV.

29 SuG, Vorwort, S. XV.

deren Völkern manifestiert, den Israeliten fremd.[30] Und wenn sie solche Gebote kannten, wie z.b. das der Beschneidung, das laut Berdyczewski nicht von den Israeliten als Zeichen des Bundes mit Gott eingeführt, sondern von ihnen am Berg Garizim im Bund mit den Sichemiten übernommen wurde, so war deren Sinn ein ganz anderer. Sie waren Ausdruck allgemeiner Vernunftregeln und dazu gemacht, der Verbindung zwischen Israel und anderen Völkern zu gedenken.[31]

Berdyczewski bewegte sich mit seiner Theorie von den Anfängen der israelitischen Religion durchaus in der Tradition der »Wissenschaft des Judentums«. Ähnlich wie schon Zunz oder später auch Abraham Geiger,[32] verknüpfte auch er die universale Idee der Wissenschaft mit der reformatorischen Hoffnung, das, was im Judentum andauern kann, von dem zu trennen, was zeitlich und menschlich-subjektiv begrenzt ist, wobei Letzterem vor allem die rabbinische Gesetzestradition zugerechnet wurde. Dennoch mag es angesichts der Radikalität, mit der er einen jüdischen Universalismus einforderte, und angesichts seiner überaus kritischen Haltung jüdischen Zeitgenossen gegenüber nicht verwundern, dass er sich in ihren Kreisen kaum etablieren konnte. Auch hier bewahrte sich Berdyczewski also sein Grenzgängertum, für die seine Wohnlage im Berlin des zweiten Jahrzehnts des 20. Jahrhunderts so bezeichnend ist. Schließlich befindet sich die Laubacher Straße weit entfernt von den im heutigen Berlin-Mitte gelegenen Institutionen moderner jüdischer Gelehrsamkeit, i.e. des 1873 eröffneten orthodoxen Rabbinerseminars in der Brunnenstrasse und der Berdyczewskis intellektuellen Neigungen sicherlich eher entgegenkommenden Hochschule für die Wissenschaft des Judentums, die sich in der Artilleriestrasse (heute: Tucholskystrasse) befand.

Dass Berdyczewski dieses Grenzgängertum auch kultivierte, mag den folgenden, im Dezember 1904 geschriebenen Zeilen seines schon erwähnten Freundes Zvi Malter zu entnehmen sein:

»Was hast Du denn noch mit dem Judentum zu tun? Die Rabbinen haßt Du, die Zionisten beleidigst Du, die hebräischen Maskilim und Schriftsteller hältst Du beinahe durchweg für wilde Kreaturen, für Taugenichtse oder für Grobiane […]. Auch Deine Bekannten und Anhänger, Deine Freunde und die Dir in Liebe verbundenen Juden hast Du aus diesem oder jenem Grunde

---

30 Diese Argumentation hinsichtlich des Schabbatgebots findet sich in Berdyczewskis Besprechung der ersten Verse des Buches Genesis. SuG, S. 4 ff.
31 SuG, S. 440.
32 Vgl. hierzu Wiese, Challenging Colonial Discourse, S. 80 (Zunz); S. 88 f. (Geiger).

zurückgewiesen, und ich bin vielleicht noch der Einzige, der von ihnen üb-
riggeblieben ist …«[33]

Bemerkenswert ist, dass die im Sinne eines Vorwurfs formulierte Frage: »Was
hast Du denn noch mit dem Judentum zu tun?« zugleich auch eine Beschreibung von Berdyczewskis intellektueller Tätigkeit darstellt. Denn so sehr sich
Berdyczewski auch mit universellen Werten identifizierte und in diesem Sinne
das Judentum in Frage stellte, so sehr näherte er sich diesem durch seine andau-
ernde Beschäftigung mit der jüdischen Texttradition und mit jüdischer Geschichte wieder an. Mehr noch: der von Shulamith Volkov beschriebenen Dy-
namik von Assimilation und Dissimilation entsprechend,[34] scheinen beide
einander zu bedingen; d.h. je universeller sich Berdyczewskis Denken gestaltete, umso notwendiger war es für ihn, der sich seines Judentums ja nicht ganz
entledigen wollte oder konnte, die Beziehung zu diesem aufrechtzuerhalten.
Von dieser Notwendigkeit zeugt selbst *Sinai und Garizim*. Denn, obgleich seine
Arbeit in weiten Teilen auf der Scheidung verschiedener Quellen, aus denen
sich der biblische Text zusammensetzt, beruht, und sich somit auf die wissen-
schaftlich-historische Methode der protestantischen Bibelkritik stützt, will sich
Berdyczewski gerade von dieser frei wissen. Sie nämlich sei es, so erklärt Berdyczewski, die den Blick verstelle. Um der Forderung nach einer Überwindung
von wissenschaftlicher Voreingenommenheit gerecht zu werden, gelte es demnach, selbständig vorzugehen, d.h. im Rekurs auf rabbinische Quellen die
grundlegenden Motive der biblischen Erzählungen hervortreten zu lassen.[35]
Berdyczewski ist also darauf bedacht, sich, wenn nicht methodisch, so zumindest in der Auswahl des Textkorpus, d.h. der Bezugspunkte seiner Forschung,
auf rein jüdischem Boden zu bewegen. In seiner Universalität spricht er dem
von ihm erzeugten Narrativ so noch eine »jüdische« Identität zu, und der rabbinischen Texttradition einen ursprünglichen Wahrheitsgehalt, den er der Tradition der protestantischen Bibelkritik abspricht.

Dazu angelegt, zu zeigen, dass das Judentum recht eigentlich dem entspricht,
was die christliche Religion und später die aufgeklärt-humanistische deutsche
Kultur an Werten beinhalten, gerät *Sinai und Garizim* so unversehens zum Manifest jüdischer Ursprünglichkeit. Mit anderen Worten: Indem es ein universales Judentum konstruiert und so für eine weitestgehende Assimilation jüdischer

---

33 Briefwechsel Berdyczewski – Malter, in: Ginzei Micha Yosef, Band 7, Micha Joseph
    Berdyczewski – Bin Gorin Archiv, Holon 1977, S. 134.
34 Shulamit Volkov, »The Dynamics of Dissimilation. *Ostjuden* and German Jews«, in: Ye-
    huda Reinharz & Walter Schatzberg (ed.), The Jewish Response to German Culture from
    the Enlightenment to the Second World War, Hanover & London 1985, S. 195-211.
35 SuG, Vorwort, S. XIV.

Kultur an die aufgeklärt-humanistische Tradition eintritt, beweist es zugleich die Existenz eines authentischen, ursprünglichen Judentums im Verhältnis zur christlichen und der auf dieser fußenden deutschen Kultur. Die christlich-deutsche Kultur wird somit an den Rand gedrängt und damit im Grunde für obsolet erklärt.

Vor diesem Hintergrund mag es nicht verwundern, dass Berdyczewski weder *Sinai und Garizim* noch eine der anderen Forschungsarbeiten, die er während der letzten fünfzehn Jahre seines Lebens erstellt hatte,[36] veröffentlichen konnte. Für nicht-jüdische Deutsche war eine derartige Sicht auf ihre Kultur schwerlich zu akzeptieren, und für Juden war das von traditionellen Merkmalen jüdischer Kultur befreite Judentum als solches kaum noch erkennbar. Berdyczewskis Versuch einer radikalen Verbindung dessen, was er als »deutsch« und als »jüdisch« wahrnahm, führte demnach nicht zu der erhofften gesellschaftlichen Einbindung seiner Ideen oder auch nur seiner Person. Selbst seine Hoffnung auf eine Dozentenstelle im Bereich der jüdischen Studien zerschlug sich schon bald nach seiner Ankunft in Berlin, was den Prozess seiner Isolierung noch vorantrieb.

In diesem Zusammenhang spielte die Großstadt Berlin eine besondere Rolle, denn in der zur Metropole heranwachsenden Stadt Berlin konnte der Einzelne, konnte Berdyczewski, zwar rege Kontakte zur Außenwelt pflegen und so seine Einsamkeit in Grenzen halten, zugleich aber frei von verbindlichen – und d.h. auch: ihn bindenden – Affiliationen bleiben. In diesem Sinne ist die Aufgabe, die Berlin für Berdyczewski erfüllte, derjenigen ähnlich, die er in einem relativ frühen Stadium seiner schriftstellerischen Laufbahn der deutschen Sprache zugesprochen hatte:

»Nur in ihrer Sprache«,

so schrieb Berdyczewski im Jahre 1898 an den Literaturkritiker Mordechai Ehrenpreis,

> »nur in ihrer Sprache gelang es mir, gut zu erzählen [...]. Nur dann, wenn ich die hebräische Leserschaft und den mich mit ihr verbindenden hebräischen Willen verlasse, nur dann bin ich objektiv und kann die höchsten Stufen der Dichtkunst erreichen, die ich im Hebräischen nicht erklimmen kann.«

Berdyczewski schrieb diese Zeilen, als er sich nach Weimar zurückgezogen hatte, um dort, in der Stadt Goethes, intensiv an einem deutschsprachigen autobiographischen Roman zu arbeiten. Es handelte sich hierbei um eine Art Bildungs-

---

36 Zu nennen sind in diesem Zusammenhang vor allem folgende Arbeiten Berdyczewskis, die allesamt von seinem Sohn Emanuel posthum herausgegeben wurden: Das Leben Moses, Tel Aviv 1961; Yehuda und Israel, Tel Aviv 1964; Saul und Paul, Tel Aviv 1971 (alle drei hebräisch).

roman, in welchem er seine Entwicklung im Übergang von der traditionellen Lebensform des osteuropäischen Shtetl zu einer modernen Existenz in Deutschland nachzuzeichnen gedachte.[37] Allerdings führte Berdyczewski dieses Romanprojekt nie zu Ende. Nachdem er den ersten Teil seines Manuskriptes dem S. Fischer Verlag vorgelegt hatte, wurde ihm mitgeteilt, dass es sich aufgrund sprachlicher Mängel nicht für die Veröffentlichung eigne.[38] Berdyczewski musste seinen Traum, sich als deutscher Schriftsteller zu etablieren, somit zunächst begraben. Doch auch spätere Versuche, diesen Traum, dem er bis zu seinem Lebensende anhing,[39] zu verwirklichen, schlugen fehl.[40] Auch sie waren, wie später Berdyczewskis Forschungsarbeiten für die Schublade bestimmt, was über das sprachliche Problem hinaus auch auf ein stoffliches Problem zurückzuführen ist. Zu Beginn des 20. Jahrhunderts mag weder das nichtjüdische noch das jüdische deutsche Lesepublikum Interesse am Lebensweg eines »Ostjuden« gefunden haben. Denn just zu dieser Zeit kamen im Zuge der großen Migrationsbewegung, die von Ost- nach West-Europa und von dort oft weiter nach Amerika führte, relativ viele Juden nach Deutschland.[41] Aufgrund ihres traditionellen Habitus' oft leicht erkennbar, erregten sie den Unmut der deutschen Behörden und wurden auch häufig zum Ziel antisemitischer Propaganda, die wiederum den deutschen Juden zum Problem wurde. Diesem suchten sie auf verschiedene Weise zu begegnen,[42] unter anderem auch dadurch, dass sie sich von den »Ostjuden« distanzierten, deren Judentum angeblich die Fortschrittlichkeit ihrer Religion und damit ihr eigenes Assimilationsvermögen in Zweifel zogen, und sie, die oft selbst vor nicht allzu langer Zeit aus Osteuropa nach Deutschland gekommen waren, nicht nur auf für sie unangenehme Weise an ihre persönliche oder familiäre Vergangenheit erinnerten, sondern darüber hinaus sozusagen auch ihre genuine Zugehörigkeit zum deutschen Volk in Frage stellten.

---

37 Avner Holtzman, Berdyczewski in Weimar, in: Ders., Literature and Life, S. 32.
38 Ebd.
39 Chronik, 5.4.1908.
40 Bis auf die Veröffentlichung von zwei kleineren Werken, die in den Bereich anthropologisch orientierter Betrachtungen des Shetl-Lebens fallen: *Zwei Generationen* und *Vom östlichen Judentum*. Siehe hierzu auch: Avner Holtzman, The Image of the Shtetl in Berdyczewski's Work. A Three-Lingual Perspective, in: Ders.: Literature and Life, S. 60-68.
41 Allein 2,75 Mio. jüdische Durchwanderer, die von Osteuropa weiter nach *Eretz Israel* oder Amerika reisten, haben sich zwischen 1905 und 1914 in deutschen Hafenstädten einschiffen lassen: Steven Aschheim, The Ambivalent Heritage, in: Ders., Brothers and Strangers. The East European Jew in German and German Jewish Consciousness, 1800-1923, Wisconsin 1982, S. 37.
42 Siehe Yfaat Weiss, Citizenship and Ethnicity. German Jews and Polish Jews, 1933-1940, Jerusalem 2000, S. 20-52. (Hebräisch).

So wenig das deutsche Judentum von diesem Hintergrund wohl für einen von Osteuropa in ihre eigene Lebenswelt führenden Bildungsroman zu erwärmen war, so sehr hatte es allerdings das Bedürfnis, eine Vorstellung davon zu gewinnen, was ihm auf dem Wege der Assimilation oftmals verloren ging: eine Vorstellung vom »Wesen« des Judentums, auf das, wie in nostalgischer und oft verklärender Rückwendung auf die Kultur des Shtetl proklamiert wurde, die »Ostjuden« einen unmittelbaren Zugriff zu haben schienen.[43] Auf dieses Bedürfnis reagierte Berdyczewski, als er 1913 damit begann, Geschichten, Sagen, Legenden und Märchen aus der talmudischen Literatur zu sammeln, thematisch zu ordnen und in einer von seiner Frau Rachel Ramberg angefertigten deutschen Übersetzung herauszugeben. Die in diesem Zusammenhang doch etwas gewagte Wahl des Gattungsbegriffes »Märchen« scheint nicht zufällig. Sie zeugt von der wohl von Berdyczewski wie auch von seinen Lesern geteilten Vorstellung, er erfülle eine ähnliche Aufgabe, wie sie die Gebrüder Grimm etwa hundert Jahre zuvor wahrgenommen hatten. Auf mittelbarem Wege gelingt ihm so doch noch eine Teilhabe an der deutschen Kultur. Auf mittelbarem Wege – zum einen, da diese Art der schriftstellerischen Tätigkeit kaum freien, »unmittelbaren« Ausdruck zulässt, und zum anderen, da es sich um die Pflege eines jüdischen Kulturerbes handelt, das als solches der Ausbildung einer mit der deutschen »Identität«, d.h. dem Ethos der Universalität, im Einklang stehenden, jüdischen »Identität« dienen sollte.[44]

Es ist das Oszillieren der »Identitäten« – Deutschtum und (Ost-)Judentum, Moderne und Tradition, Universalismus und Partikularismus, Forscher und Literat, Sammler historischer Materialien und mit dem Blick auf die Zukunft gewandter Kulturschaffender –, das zu Berdyczewskis Randposition führt, wobei er immer wieder eine der beiden, in einem Gegensatzpaar genannten Möglichkeiten als Ziel anvisiert, ohne sich der anderen aber, wenn er dieses Ziel denn erreichen sollte, ganz entledigen zu können. Zum Ausdruck kommt dieser Sachverhalt auch in Berdyczewskis Verhältnis zur Sprache. Dies geht schon aus den oben zitierten Zeilen hervor, die Berdyczewski an Ehrenpreis richtete, wobei er seinen Wunsch, sich in der deutschen Sprache und nicht im Hebräischen als Schriftsteller zu etablieren, mit dem Argument rechtfertigte, er benötige den Abstand zur hebräischen Leserschaft und zum hebräischen Willen, um die Qualität seiner literarischen Arbeit zu steigern. Dieser Abstand aber scheint ihm nicht zu genügen, sich dem Deutschen, das ihm zur alltäglichen Umgangssprache wurde, so sehr anzunähern, dass es zum »Eigenen« würde. Vielmehr bleibt

---

43 Siehe: Aschheim, Brothers and Strangers, S. xvii.
44 Auf Berdyczewskis Vorstellung, Kenntnisse einschlägiger Texttraditionen konstituiere Identität, werde ich im Weiteren noch zurückkommen.

es weiterhin »ihre« Sprache, i.e. die Sprache der »Anderen«. Mehr noch: Obgleich sich Berdyczewski in seinen letzten Lebensjahren nur widerwillig – wenn man seinen Tagebucheinträgen Glauben schenken darf, vor allem aufgrund finanzieller Überlegungen und infolge der von außen an ihn herangetragener Bitten[45] – dazu hergab, jiddische und hebräische Literatur zu schreiben, wurde er gerade in diesen Sprachen, und vor allem im Hebräischen, zu einem der hervorragendsten Schriftsteller. Vorangetrieben wurde die Kanonisierung seiner Werke, als sich das Verlagshaus *Stybel* im Jahre 1919 unter der Voraussetzung, dass Berdyczewski sich erneut der Schöpfung von Werken in hebräischer Sprache zuwende, dazu verpflichtete, sein Werk in Form von Gesamtausgaben zu verlegen. Diese erschienen in den Jahren 1922-1925, nach dem Tode Berdyczewskis, der sie allerdings noch für den Druck vorbereitete. Er bot sie einer Leserschaft dar, zu der er sein Leben lang schon allein dadurch Abstand hielt, dass er sich in Berlin oder Breslau aufhielt, während sie sich in Osteuropa – in Polen, in der Ukraine, in Russland – oder aber in *Eretz Israel* befand.

Womöglich war es, um Berdyczewskis oben zitiertes Argument aufzunehmen, eben dieser physisch-geographische Abstand, gepaart mit dem zeitlichen Abstand, der sich daraus ergab, dass er über beinahe ein Jahrzehnt hinweg dem Schreiben von hebräischer Literatur entsagte, der es ihm erlaubte, seiner Verpflichtung gegenüber *Stybel* nachzukommen. Tatsache ist, dass Berdyczewski in seinen beiden letzten Lebensjahren neben drei kürzeren Romanen einen, wie er ihn selbst nannte, »großen Roman« verfasste. Eine junge Jüdin namens Miriam steht im Mittelpunkt des nach ihr benannten Werkes, an dessen Rand sie, wie der Untertitel »Roman aus dem Leben zweier Städte« andeutet, immer wieder gedrängt wird. Während dieser Umstand in der bisherigen Rezeption von *Miriam* als ein schwerwiegender Mangel beschrieben wurde, der als solcher selbst die Zugehörigkeit dieses Werkes zur Gattung des Romans in Frage stellt,[46] soll er im folgenden als Ausdruck einer Poetik verstanden werden, die durch eben jene oszillierende Bewegung bestimmt ist, welche sich im Leben und Denken Berdyczewskis immer wieder bemerkbar machte.

Ähnlich wie der Autor des Romans findet sich auch dessen Hauptfigur, Miriam, deren Lebensweg von der frühen Kindheit bis zum Erwachsenendasein er nachzeichnet, letztendlich am Rande einer Großstadt wieder. Und ähnlich

---

45 Chronik, siehe z.B. 30.8.1908; 8.1.1909; 11.9.1912.

46 Dan Miron, Vorwort zu: Miriam. A Novel of Two Townships, Yachdav, Israel 1971, S. 13 (Hebräisch). Miron benutzt dann auch im Weiteren den Gattungsbegriff »Erzählung« für *Miriam*. Zur Rezeptionsgeschichte des Romans siehe Zipora Kagan, A Completed Novel. M. Y. Berdyczewski, Miriam – A Novel of Two Townships, Haifa 1997, S. 15-19. (Hebräisch). Die folgenden Verweise auf den Text des Romans unter *Miriam* beziehen sich auf diese, von Zipora Kagan herausgegebene wissenschaftliche Ausgabe.

wie Berdyczewski gelangt auch Miriam dorthin, indem sie sich in immer bestimmter werdenden Schritten aus der traditionellen jüdischen Kleinstadt, dem
Shtetl, herausbewegt, in dessen gesellschaftliches Gefüge sie sich als heranwach-
sende Frau nicht wirklich einbinden kann. Dies hat damit zu tun, dass sie
aufgrund ihrer vom Erzähler immer wieder beschworenen, äußerlichen wie in-
nerlichen Schönheit selbst jenen ihrer Verwandten und Bekannten unnahbar
bleibt, die sie durchaus schätzen und ihre Nähe suchen. So zum Beispiel Menasche Margalith, ein Freund Yechiel Eichenstadts, dem Verwandten Miriams,
der sie, nachdem das Haus ihrer Eltern abgebrannt war, bei sich aufnahm.[47] Als
Menasche, der an Miriam Gefallen fand, ihr Zimmer betritt, um nach ihrem
Wohl zu fragen, da sie nicht am gemeinsamen Abendessen teilgenommen hatte,
zieht er sich sogleich zurück, denn »das Mädchen erschien ihm wie der Mond
bei Tag«.[48]

Der Vergleich Miriams mit dem am Tage leuchtenden Mond und die Ver-
knüpfung ihrer Gestalt mit der des Mondes an weiteren Stellen des Romans
verweist den Leser auf eine jüdische Tradition, die sich aus Jesaja 30,26 herleitet,
wo eines der Zeichen für die Erlösung der Welt beschrieben wird: »und des
Mondes Schein wird sein wie der Sonne Schein«.[49] Die Gestalt Miriams wird so
zur Vorbotin der kommenden Erlösung und nimmt sich als Romanfigur deshalb etwas blaß aus,[50] weil sie als Ideal der Gesellschaft eher einen Spiegel vor-
hält, als sich auf sie einzulassen und in lebendigem Austausch mit den Personen,
denen sie begegnet, und den Konflikten, die sich aus diesen Begegnungen erge-
ben, zu formen.

Das allerdings heißt nicht, dass die Gestalt Miriams sich nicht entwickeln
würde. Vielmehr wird sie im Verlaufe des Romans immer mehr zu dem, was sie
im Kern immer schon war, zu dem, was in der Gesellschaft des Shtetl, der sie
sich entwindet, keinen Raum hat. Im Prozess ihrer Selbstfindung wird sie zur
selbstbestimmten Persönlichkeit, die von geschichtlich bedingten gesellschaftlichen Normen befreit ein universales Individuum darstellt. Aufgrund unserer
Kenntnisse der Ausführungen Berdyczewskis in *Sinai und Garizim* mag es nicht
verwundern, dass sie als solches durchaus christliche Züge trägt. Miriam ist
auch Maria, wenn sie sich am Ende des Romans dazu entscheidet, bei einem
Arzt namens Koch als Krankenschwester in die Lehre zu gehen, um wie er

---

47 Miriam, Teil II, 1. Kapitel, S. 161.
48 Miriam, Teil III, 13. Kapitel, S. 230.
49 Zitiert aus der revidierten lutherschen Übersetzung, herausgegeben von der Württem-
    bergischen Bibelanstalt Stuttgart 1973.
50 Wie in der Literaturkritik häufig hervorgehoben. Siehe: Kagan, A Completed Novel,
    S. 18.

– religiöser und nationaler Zugehörigkeit unerachtet – jenen zu Hilfe zu sein, die mittellos sich anders keine Hilfe zu verschaffen wüssten.

Verbunden ist Miriam dem betagten Arzt Koch aber noch auf andere Weise als allein aufgrund ihrer Bereitschaft, tätige Nächstenliebe zu leisten. Wie Miriam selbst, stammt auch er aus dem Milieu des Shtetl, aus dem er in jungen Jahren gewaltsam herausgerissen wurde, um als Soldat in der russischen Armee zu dienen. Da die während seiner Militärzeit gemachten Erfahrungen die im Cheder[51] gewonnenen Kenntnisse überlagert haben, bindet ihn an das Shtetl kaum mehr als wenige Kindheitserinnerungen. Auch darin ist er Miriam ähnlich, die als Mädchen in der jüdischen Texttradition nicht unterrichtet wurde und stattdessen russische Literatur zu lesen begann. Und dennoch macht sich seine wie auch ihre »Jüdischkeit« nicht nur an der Erinnerung ans Shtetl fest, sondern hat auch mit der jüdischen Texttradition zu tun, die in seine[52] und vor allem in ihre vom Erzähler dargebotene Lebensgeschichte eingewoben ist.[53] Der Erzähler zeichnet sich aber für die »Jüdischkeit« seiner als universale Individuen konzipierten Figuren noch auf andere Weise verantwortlich. Er hebt sie über ihre Universalität hinaus, indem er sie in eine Geschichte einbindet und sie somit an einem geschichtlichen Prozess teilhaben lässt. Mit anderen Worten: im Gegenzug zur Idealisierung Miriams wird ihre Geschichte erzählt und damit auch ihre Geschichtlichkeit postuliert, die sich weit über ihre eigene Person hinaus erstreckt und nicht nur ihre Familie, sondern verschiedene Personen aus deren Umfeld umfasst. Auf diese Weise gerät der Roman zu einer Hommage an das, was oft zum Inbegriff des »Jüdischen« stilisiert wurde, und sich hier als überaus spannungsreiches soziales Gefüge offenbart: das Shtetl in der zweiten Hälfte des 19. Jahrhunderts.

Dass es der Erzähler – und nicht Miriam – ist, der diese Art der Rückbindung der gestaltgewordenen Idee in einen geschichtlichen und damit kulturell bestimmten Kontext vollzieht, ist von Bedeutung. Denn dieser Umstand scheint zu bestätigen, was die widerspruchsbeladene Abkehr von der protestantischen Tradition der Bibelauslegung in *Sinai und Garizim* schon nahelegte: dass Universalismus und Partikularismus einander nicht ausschließen, sondern einander allererst bedingen; und dass Miriam folglich ohne Stütze des Erzählers kaum zu

---

51 Cheder (Zimmer) bezeichnet die traditionelle Lehranstalt für jüdische Jungen im Kleinkind- und Kindesalter, in der sie die hebräischen Schriftzeichen wie auch die biblischen Bücher, angefangen mit dem Buch »Leviticus«, erlernen.

52 Zur Gestaltung der Figur Kochs auf dem Hintergrund jüdischer Quellen siehe: Kagan, A Completed Novel, S. 76-78.

53 Auch hierin besteht eine Parallele zu *Sinai und Garizim*, sucht Berdyczewski doch auch dort, wie oben erwähnt, die jüdische »Identität« aufgrund der Bindung an den traditionellen jüdischen Text-Korpus zu garantieren.

existieren in der Lage wäre. Sie ist Fiktion, nicht nur in dem Sinne, dass sie eine Gestalt in einem literarischen Werk ist, sondern darüber hinaus auch in dem Sinne, dass sie Wirklichkeiten ausblendet in dem, was sie ist – die Verkörperung eines universalen Judentums, das der rabbinischen Tradition entsagend in allgemein gültigen Werten der Menschheit aufgeht und auf diesem Hintergrund zum brückenschlagenden Glied der Gesellschaft wird.

Darin aber scheint Miriam dem zu gleichen, der sie am Rande der Stadt Berlin weilend allererst erschaffen hat. Denn obgleich Berdyczewski in seinen Tagebuchaufzeichnungen politische Geschehnisse durchaus erwähnte, aufmerksam Zeitung las und bei Pogromen in der Ukraine Vater und Bruder verloren hat, scheint er, wenn es um das Ideal einer universalistischen Menschheit geht, eben jenen Entwicklungen in der europäischen, in der deutschen und auch der jüdisch-deutschen Gesellschaft, die diesem Ideal zuwiderlaufen, nicht oder kaum Rechnung tragen zu können. Dazu war er wohl in zu hohem Grade einem Fortschrittsglauben verpflichtet, demzufolge die Irrungen und Wirrungen menschlichen Lebens – oder genauer: die dem humanistischen Bildungsideal zuwiderlaufenden Elemente im gesellschaftlichen Zusammenleben – letztendlich zu überwinden sind.

Mikhail Krutikov

»Oberflächenäußerungen« and »Grundgehalt« –
Weimar Berlin as a Memory Site of Yiddish Literature

It is well known that the Weimar period was the time of the flourishing of Yiddish cultural activity in Berlin, when the city became a temporary home for a community of assorted Jewish intellectuals and artists of different ideological, linguistic and aesthetic orientations. But the city itself had not yet established a prominent presence in Yiddish literature at that time. Even the relatively small number of literary works that were set in Berlin dealt predominantly with the traumas of the recent past, focusing on the effects of the combined catastrophe of World War I, the Russian revolution and the ensuing military conflicts, which inflicted unprecedented sufferings and dislocations on the eastern European Jewry.

One of the best examples of this kind are David Bergelson's Berlin stories, arguably the best works of Yiddish prose produced in Berlin.[1] Bergelson's characters, formerly middle-class Russian Jews, still live, mentally and emotionally, in their recent past and pay scarce attention to their present situation in Berlin. Their conflicts and dramas play out in rooms and corridors of pensions or rented flats, most of which are located in the western areas of the city, but these locations are of little significance for the stories. These displaced and traumatized former middle-class Jews from Russia rarely come into contact with the outside world, and when they occasionally do – as it happens, for example, in »Blindness«, a story about a troubled Russian Jewish woman in her late thirties who befriends a blind young German war veteran by presenting herself as a young student – their meetings take place in a location which lacks any particularity, which emphasizes the ephemeral character of their relationship and the isolation of the Jewish migrants in the city. Similarly, the poet Moyshe Kulbak wrote and published in Berlin some of his most original works, but all of them were set in the primordial mythical landscapes of his native Lithuania and Belarus. Discussing Kulbak's powerful recreation of that mythological rural land-

---

1   On Bergelson's Berlin stories see Marc Caplan, »The Corridors of Berlin – Proximity, Peripherality, and Surveillance in Bergelson's Boarding House Stories« in the present volume.

scape of eastern Europe, Jordan Finkin contrasts it to »[t]he gaping absence of big-city imagery« in his poetry of the Berlin period.[2]

The cityscape of Berlin acquires presence in Yiddish literature only in the 1930s, when Jews are no longer welcome in the capital of the Third Reich. Now Yiddish writers reconstruct Weimar Berlin as memory space, recreated by the power of their literary imagination, similarly to the imaginative recreation of old landscapes of eastern Europe in the literary imagination of the 1920s. Weimar Berlin emerges in the Yiddish literature of the 1930s as a great cosmopolitan city, full of tensions, ruptures and conflicts which are ripening under the surface of glossy urbanity. Portrayed on the epic scale as the epicenter of a world catastrophe which is about to happen, Berlin possesses a weighty material presence. The city's districts, streets and buildings are identifiable by their names and characteristic features, but they also bear symbolic and metaphorical meanings in the large-scale artistic scheme of things. These meanings, however, can vary in accordance with the ideological views and aesthetic preferences of the authors and their intended audiences.

With all their richness of detail and vitality of representation, most of the Yiddish literary reconstructions of Weimar Berlin have significant gaps and omissions, which are also indicative of the intentions of their authors. Thus, the Scheunenviertel is missing on most of the Yiddish literary maps of Berlin, with the notable exception of Israel Joshua Singer's novel *Di mishpokhe Karnovski* (1943; English *The Family Carnovsky*, 1969). Rather than depicting Berlin's foremost Jewish neighborhood and its Yiddish-speaking population, Yiddish writers turn their attention to the life of middle-class German Jews and Gentiles, who reside in the affluent central and western areas of the city, from Unter den Linden to Grunewald. This lack of interest in the life of eastern European Jewish migrants on the part of Yiddish literature is in a striking contrast with the new fashion for all things »ostjüdisch« among the German Jewish intelligentsia of the Weimar period and the remarkably vivid portrayals of the Scheunenviertel and its inhabitants by prominent German Jewish writers such as Joseph Roth, Alfred Döblin, Walter Mehring and Martin Beradt.

This contrast reflects an important difference in cultural outlook between Jewish writers in German and Yiddish. Whereas »longing for Jewish authenticity« with its admiration of the »apparently authentic Jewish world of Eastern

---

2   Jordan Finkin, »›Like fires in overgrown forests‹: Moyshe Kulbak's Contemporary Berlin Poetics,« in Yiddish in Weimar Berlin: At the Crossroads of Diaspora Politics and Culture, ed. Gennady Estraikh and Mikhail Krutikov, Oxford 2010, p. 85. On Kulbak's prose of the Berlin period, see Marc Caplan, »Belarus in Berlin, Berlin in Belarus: Moyshe Kulbak's Raysn and Meshiekh ben-Efrayim between Nostalgia and Apocalypse,« in the same collection.

Europe« was, as Michael Brenner and other scholars have demonstrated, one of the key features of the Jewish cultural renaissance in Weimar Germany,[3] Yiddish writers and intellectuals treated this new fashion with sarcasm, whereas eastern European Jewish artists and actors tried to capitalize on it. Reporting to his Polish readership from Berlin in the early 1920s, the prominent Polish Yiddish writer Hersh Dovid Nomberg mocked the German-Jewish »craving« [lekhtsenish] for »genuine« *yidishkayt*:

> Anyone who comes from the other side of the border with an aspiration [pretenzye] to be heard, and seen, has to be first of all genuinely Jewish, Jewish of the 84th proof. [...] From a painter it is required to paint »Jewish«, that is, beard and peyes, a face distorted [farkrimt] by sufferings, mad [tsedulte] eyes after pogrom. At the very least – a menorah, a synagogue, gravestones. From literature is required nothing else but deep mysticism, starry eyes, God, angels, rebbes and Hasidim. And from theatre – give them at least some kind of a synagogue mysteria. *The Dybbuk* will probably satisfy the taste.[4]

Countering the new German Jewish »craving« for authenticity, Nomberg argued for the right of east European Jews to be just »human«, recalling with nostalgia the »fat years« of Yiddish culture before the war, when humanity rather than authenticity seemed to be an accepted norm.

For Yiddish writers, the peculiar interest of German Jewish intelligentsia in the »authentic« eastern European Jew was part of a new trend, which they tried to explain to their readers. The prominent psychiatrist and public intellectual Fishl Schneerson (1887-1958) interpreted this trend as an intellectual response to Germany's defeat in the war. Trying to escape from the traumatic reality, he wrote in his novel *Grenadierstraße*,

> The German Jewish intelligentsia became interested in the old and the new Jewish mysticism, Kabbalah and Hasidism [...] Many young men and women from assimilated Jewish homes were reading with fascination the popular translations of Hasidic stories, especially the stories of the Baal-Shem and his followers. [..] It nearly seemed as if Baal-Shem had once again revealed himself in Berlin, and, walking with his mysterious steps over the Germanized Jewish homes, awakened the uprooted Jewish youth by the great miracle of his life.[5]

3 Michael Brenner, The Renaissance of Jewish Culture in Weimar Germany, New Haven 1996, pp. 130-31.
4 Hersh Dovid Nomberg, Dos bukh felyetonen, Warsaw 1924, pp. 136-37.
5 Fishl Shneerson, Grenadir-shtrase (roman fun yidishn lebn in Daytshland), Warsaw 1935, p. 17.

Schneerson's novel *Grenadierstraße: A Novel from Jewish Life in Germany* appeared in Warsaw in 1935 with the imprint of the leading Yiddish literary weekly *Literarishe bleter*. Most of its characters are members of an extended affluent German Jewish family, who embody a variety of professional and ideological choices available to the upwardly-mobile German Jewry at the turn of the twentieth century, such as pursuit of a career in law, scholarship, finances or even politics, combined with adherence to the modern Orthodox or liberal Judaism, Zionism, or Marxism. The main character of the novel, Johann Ketner, personifies the younger generation of German Jewish intellectuals with their search for spirituality in the imagined Orient, which is signified for him in Grenadierstraße at the heart of the Scheunenviertel.

Yet in spite (or maybe because) of the great spiritual significance of this location, it has no material presence in the novel. Ketner never visits the area until the final episode of the novel, where he follows the procession of Hasidim who accompany their Rebbe from the Alexanderplatz Station to the Scheunenviertel. The action of the novel unfolds in the living rooms and artistic salons of Berlin and Hamburg villas, in lecture halls and the Anatomical Theatre of the Friedrich-Wilhelms-Universität, and in the public areas of central Berlin. Scheerson, a scion of the famous Lubavich family who studied medicine in Berlin before World War I and worked as the director of a Jewish orphanage in Scheunenviertel after the war, was equally at home in the worlds of traditional east European Judaism and German culture and scholarship. Along with a number of Yiddish novels, he also published scholarly and popular works in Russian, German, and Hebrew. Writing for the Yiddish audience he presented a critical, but also sympathetic, collective portrait of the Berlin Jewry and its »marinated Jewishness«.

The Berlin novels of the leading Yiddish writer of the interwar period, Sholem Asch's *Baym opgrunt* (At the Abyss, 1935; published in German under the title *Der Krieg geht weiter* and in the English translation from German as *The War Goes On*, both 1936) and Israel Joshua Singer's *The Family Carnovsky*, echo some of the concerns, themes and images of *Grenadierstraße*. Like Schneerson, these novels tell the story of the decline of the German Jewish bourgeoisie in the first three decades of the twentieth century under the combined pressure of external and internal forces, such as the loss of vitality and assimilation on the one hand, and the rising nationalist anti-Semitism, economic and political instability on the other hand. A different picture is presented in the two literary works written in the Soviet Union around the same time. The unfinished novel by Meir Wiener portrays the cosmopolitan milieu of leftist bohemian intellectuals and artists in the early 1920s. This was a decisive period in Wiener's life and career, when under the influence of Soviet Yiddish writers

Leyb Kvitko, Perets Markish and Der Nister (Pinhas Kahanovich) he switched from German and Hebrew to Yiddish and developed strong pro-Soviet sympathies, which led to his emigration to the Soviet Union in 1926. Kulbak's poem *Disner tshayld garold* (1933), written about ten years after his sojourn in Berlin and five years after his emigration from Vilna in Poland to Minsk in the Soviet Union, presents a satirical revision of the author's Berlin Lehrjahre in the spirit of the militant Soviet Marxist critique of the bourgeois decadent culture. Predictably, the center stage in these two works is taken by the representatives of the two opposing sides in the class conflict, the proletariat and the bourgeoisie, with the Jewish aspect playing no prominent role. Each of these works has recently attracted scholarly attention and been analyzed in certain detail.[6] The following discussion attempts to read them comparatively, focusing on the specific forms of the symbolic representation of the Berlin urban space in the Yiddish literature of the 1930s. As Siegfried Kracauer noted in 1927,

> Der Ort, den eine Epoche im Geschichtsprozeß einnimmt, ist aus der Analyse ihrer unscheinbaren Oberflächenäußerungen schlagender zu bestimmen als aus den Urteilen der Epoche über sich selbst. […] Jene gewähren ihrer Unbewußtheit wegen einen unmittelbaren Zugang zu dem Grundgehalt des Bestehenden. An seine Erkenntnis ist umgekehrt ihre Bedeutung geknüpft. Der Grundgehalt einer Epoche und ihre unbeachteten Regungen erhellen sich wechselseitig.[7]

Following this insight, I try to read the »surface-level expressions« of Berlin in the works of Yiddish literature as metaphors, metonymies and synecdoches that convey different messages about the »fundamental substance of the state of things« at various particular historical moments. Thus, describing the architecture of the late imperial period, Sholem Asch conveys the sense of internal volatility behind the grand exteriors:

> Everywhere arose colossal edifices with enormously huge cornices, false pillars, countless useless angles, bow windows set at a dizzy height, aggressively

---

6   On Schneerson, Asch and Wiener, see Mikhail Krutikov, »Unkind Mirrors: Berlin in Three Yiddish Novels of the 1930s«; for a detailed analysis of the German-Jewish relationships in *The Family Carnovsky*, see Elvira Grözinger, »Between Literature and History: Israel Joshua Singer's Berlin Novel *The Family Carnovsky* as a Cul-de-Sac of the German-Jewish ›Symbiosis‹«, both in *Yiddish in Weimar Berlin*, pp. 224-238 and 239-261. On Kulbak's poem, see Rachel Seelig, »A Yiddish Bard in Berlin – Moishe Kulbak's *Naye lider* and the Flourishing of Yiddish Poetry in Exile« in the present volume.

7   Siegfried Kracauer, Das Ornament der Masse, Frankfurter Zeitung, 9. und 10. Juni 1927. (quoted from Siegfried Kracauer, Das Ornament der Masse. Essays, Frankfurt am Main 1973, p. 50.

thrusting towers. [...] Gigantic torsos sprang without apparent support from the walls, bearing heavy cornices on their fantastically muscular shoulders and mighty heads. Anyone passing beneath one of these cornices could not help feeling that the whole thing must fall upon him in a moment.[8]

However, similar imagery in the novel *The Family Carnovsky* by Israel Joshua Singer carries a different message:

Herr Joachim Holbeck's twin, four-story houses in Berlin's Tiergarten Quarter were solid and massive, complete with columns, towers, cornices, balconies, and carvings. Their walls were thick, their windows large, their ceilings intricately carved. The marble stairways were broad, the sculptured angels and seraphim chubby, the ground-floor shop windows huge and dazzling bright. The houses had two entrances each, one for the tenants and the other for servants, delivery boys, and postmen. To beggars, street musicians, and peddlers, even the side entrances were barred.[9]

This is just one illustration of the internal dialogue that Singer conducts in his novel with Asch. The same architectural structures that Asch perceived as unstable and lacking support were portrayed by Singer as solid and massive. Asch used the architectural metaphor to expose the inner insecurity hidden behind the façade of boastful confidence of the German Jewish bourgeoisie, which came to Berlin from the provinces and invested its energy and money into the building of the German imperial capital, whereas for Singer the same architectural structures signified the assertive confidence of the old Prussian landowning nobility which invested its capital into real estate and became the true master of Berlin.

Both writers used the typical structure of the Berlin apartment building, with its several courtyards and a diverse body of tenants, as a microcosmic space representing the whole city. The Carnovsky family, which came from Poland at the turn of the twentieth century with the dream of realizing the maskilic ideal of living as »a Jew at home and a man in the street«, resides in a »great apartment house on Oranienburger Straße,« where they occupy a »spacious« front apartment, which is contrasted by »the apartments facing the courtyard were a world apart, small, congested, and filled with children« (Singer 26). The social contrast between the well-off Jewish family and the majority of poor Gentile tenants has an inevitable anti-Semitic dimension. Ironically, it is »in the street,«

8   Sholem Asch, The War Goes On, translated by Willa and Edwin Muir, New York 1936, p. 93. Further quotes are given from this edition.
9   Israel Joshua Singer, The Family Carnovsky, translated by Joseph Singer, New York 1969, p. 119. Further quotes are given from this edition.

more precisely, in the courtyard of his own house, rather than at home, that young Georg Carnovsky first realizes that as a Jew he can never be accepted as German, a discovery that has a great impact on the formation of his personality.

Unlike Singer, Asch has no Jewish tenants in the apartment block in Rankestraße, which represents a cross-section of Gentile Berlin. This massive house was built by the Jewish family firm of Bodenheimer, which became rich by investing in the development of the Kurfürstendamm area in the second half of the nineteenth century, but was later acquired by a Gentile owner named von Sticker. The building is populated by families of different social stature and political orientation, ranging from the relatively well-off and staunchly conservative nationalist Prussian Junker and independent Goethe scholar von Sticker to the mechanic Albert Spinner who is a member of the Social Democratic Party. Although the house was built by a Jewish firm, Jewish tenants are not welcome there, a situation which, as Asch makes clear, will soon become the norm in Germany. Bringing together most of his Gentile characters in one large building located in the area that is associated with modernity and Jews is a simple and efficient compositional device which enables Asch to expose the layers of class and racial prejudice under the thin veneer of modern liberalism and socialism, which gets easily peeled away.

Whereas the non-Jewish characters tend to live in close spatial proximity despite their differences in social standing and political views, the Jewish characters usually reside in isolated spaces, even when they live in the most populated areas of the city. The well-to-do Jews, such as the Bodenheimer and the Ketner banker families, or the prominent doctor Georg Carnovsky, reside in comfortable villas in Tiergarten and Grunewald. But the sense of security and stability, which seemingly comes with prosperity, turns out to be illusory. Stability is threatened both inside the villas, where various family tragedies unfold, and outside, by the increasingly aggressive and violent anti-Semitism. The young protagonists of the novels by Schneerson, Asch, and Singer have been raised in those luxurious villas. The contrast between the apparently comfortable environment and the increasing precariousness of the Jewish situation in Weimar Germany has a strong impact on the formation of their personalities. This is aggravated by the »mixed« nature of their parents' marriage, with a Jewish husband and a German wife in the novels of Asch and Singer. Although both parents of Johann Ketner are Jewish, they embody different types of Judaism: the father is a stern champion of the Prussian values of order and discipline, whereas the mother comes from a Hamburg family with strong east European roots and represents the »oriental« spirituality.

Another important space of personality formation is the university. Located on Unter den Linden, Friedrich-Wilhelms-Universität is the place of everyday interaction between three distinct groups of students: the Christian Germans, the German Jews and the eastern European Jews, mostly from Russia, who are unable to study at home due to the discriminatory *numerus clausus*. The university experience has a powerful formative effect on Johann Ketner and Hans Bodenheimer. The encounter with the aggressive nationalism of German students, which stands in stark contrast to the presumed humanistic mission of the German university, forces the young acculturated Jews to rethink their views on the world and their place in it. Johann, who attends the university before the war, switches from medicine to humanities, hoping that he will find answers to his philosophical problems, and develops a strong spiritual longing for »authentic« *yidishkayt*. Hans, who enters the university« in the early 1920s, responds to the violent Nazi terror by identifying with the Jewish students. In both cases the confrontation with anti-Semitism awakens the spiritual side of their personality and results in a radical personality change.

Unlike the protagonists of the novels by Asch and Schneerson, written in the mid-1930s, the character development of Georg Carnovsky is barely affected by his university experience. Like Johann, he studies at the Berlin University on the eve of the war, but switches his subjects in the opposite direction, from philosophy to medicine. The cause of this change is love rather than an encounter with anti-Semitism. Georg meets Elsa Landau, the daughter of a tenant in his father's rental apartment house in the proletarian district of Neukölln. The only Jew in the entire house, Dr Landau is a committed idealist and internationalist, who believes that his duty is to provide affordable health care to the poor. Educated in the same spirit, his daughter eventually decides to sacrifice her love for a political career as a Social-Democratic deputy in the Reichstag, and predictably becomes victim of an aggressive anti-Semitic campaign. Unlike Johan or Hans, Georg Carnovsky undergoes no spiritual awakening and eventually marries Teresa Holbeck, a personification of German *Bürgerlichkeit* and *Gemütlichkeit*.

The fact that *The Family Carnovsky* is the only Yiddish novel that includes the Scheunenviertel in its fictional space may have to do with its overall message. Berlin is presented in the novel as a transitional station on the way of the global Jewish migration from east to west, from Poland to America, and the Scheunenviertel functions as a synecdoche representing this transitional state. The neighborhood is full of Jewish signifiers: stars of David on the shop-signs, »Hebrew stamps testifying that the animals had been slaughtered according to ritual law under the supervision of eminent rabbis,« (Singer 50) Jewish food on display in restaurant windows, wigs on the heads of elderly women and skull-caps on the heads of men, »Jews with phylactery sacks tucked under their arms;

Jews wearing velvet Galician hats and long beards; [...] Jews with long sidelocks, with medium sidelocks, and with short sidelocks,« (Singer 51). Singer
stresses the boisterous display of Jewishness on the streets of the neighborhood
which Germans mockingly call »Jewish Switzerland«:

> Outside, Dragonerstraße boiled like a cauldron. Adding to the already
> crowded conditions were the thousands of homeless and exiled Jews from the
> other side of the border. They had come here from Galicia, [...] from Poland,
> Rumania, Russia – from wherever the war and the carnage had driven them.
> [...] They all somehow eked out a living, crowded the small kosher restau-
> rants and every inch of the neighborhood's living space. The police made
> frequent raids, seeking persons without proper credentials, and the old quar-
> ter throbbed with hustle, bustle, and strife. Brokers arranged deals, peddlers
> bickered, beggars clamored for donations, policemen blew whistles, money-
> changers bartered foreign currencies, and pious Jews prayed with fervor.
> (Singer 161)

Yet some of the more discerning visitors from eastern Europe found even the
Scheunenviertel variety of *yidishkayt* not genuine enough. They believed that
true eastern European Jewishness can survive only in the unique environment
of the shtetl. In Martin Beradt's German novel *Die Straße der kleinen Ewigkeit*,
probably the most subtle realist literary representation of the Scheunenviertel,
there is an interesting exchange between a Galician Rabbi, who came to Berlin
for a medical cure, and the local eastern European Rabbi Jurkum. The Galician
Rabbi calls for a »Rückkehr der Juden nach Wilna, Warschau, Czenstochau,
nach Bialystok, nach Brody, kurz, in jene Bezirke, aus denen sie fortgezogen
waren, Heimkehr in die Städte, wo sie äußerlich verkümmerten, aber in einer
starken und frommen Gemeinschaft lebten. [...] Dort herrschte dafür jüdisches Leben.«[10] Rabbi Jurkum counters this with an argument that Jews should
settle around the world in order to fulfill their historical mission and establish
a safety network for those who are expelled from their traditional places, and
the Scheunenviertel is part of this international Jewish support system.

A similar figure of Galician Hasidic Rebbe makes a brief but significant
appearance in *Grenadierstraße*. An accidental encounter between Johann and
this Rebbe at the Alexanderplatz Station is described both in the opening and
the closing episodes of the novel, providing a conceptual frame for Johan's
whole life. When he sees the Rebbe, his first reaction is to take a photograph of
this exotic person, a gesture that shows his modernist artistic sensitivity. The
Rebbe protests vehemently and the crowd of Hasidim hides him behind their

---

10 Martin Beradt, Die Straße der kleinen Ewigkeit, Frankfurt am Main 2000, p. 225.

umbrellas from the curiosity of the public. Mesmerized by this direct encounter with the mysterious oriental *yidishkayt*, Johann and his wife follow the Rebbe and his crowd to Grenadierstraße, leaving the reader to guess how their lives will evolve after this existential event.

When the same Rebbe visited Berlin before Word War I, he paid a visit to a neo-Orthodox German synagogue and made a sarcastic remark: »this synagogue is a true photograph of *yidishkayt* – not a hair is missing, only there is no life. A beautiful photograph, the Almighty will want to have it.«[11] By denying authenticity to German neo-Orthodox Judaism, the Rebbe implicitly questioned it validity. Responding to this critique, Johann's uncle, who represents in the novel the German neo-Orthodox position, argued that while the majority of Russian Jews completely abandon Judaism and join radical political movements when they leave eastern Europe and come to Germany, the German Orthodoxy found a way of maintaining the balance between tradition and modernity by preserving the legal code of Judaism but modifying their lifestyle according to the customs of the country.

The only character who comes close to the idealized image of the authentic *Ostjude* as it was cultivated among nationally-inclined German Jewish intelligentsia is Reb Ephraim Walder, the owner of a Jewish bookstore in Dragonerstraße, and world-renown expert and collector of Jewish books in *The Family Carnovsky*. He has dedicated his life to the writing of two books, a Hebrew treatise entitled *The Book of Knowledge*, »a work that reorganized nearly the entire Torah, beginning with the Scriptures and including the Babylonian and Jerusalem Talmuds«, and a German book aimed at explaining the foundations of Judaism to Gentiles, »for Reb Ephraim was convinced that all the Christian hatred for the Jews was based on a lack of understanding of the Jewish Torah and scholarship.« (Singer 55-56) Yet with all his aura of the old-world erudition and intellect, he is not an »authentic« eastern European Jewish sage, but merely a reproduction of an old-age maskil, a replica of Moses Mendelssohn or Solomon Maimon fighting for a cause that has been lost long ago.

The shop downstairs is run by Reb Ephraim daughter Yentl/Janet, who somehow reminds us of Barbra Streisand's impersonation of Yentl the Yeshiva Boy, the heroine of the story by Israel Joshua Singer's brother Isaac Bashevis Singer, who, happily singing and dancing, left the Old Country for America but got »stuck away in Berlin's ugliest street,« where she was lost somewhere in a world of parapets and honeyed phrases«. (Singer 53). Here one can purchase a broad variety of mass-produced reproductions of Jewish authenticity: records of famous cantors singing the *kol-nidrey* prayer and of Yiddish theater tunes, reli-

---

11 Shneerson, Grenadir-shtrase, p. 176.

gious books and cheap Yiddish novels: »Things sold here included skullcaps, Sabbath candles, Hanukah candelabra, brass Passover ceremonial plates, marriage licenses, printed forms, white linen robes, and black covers for coffins.« (Singer 52). The phonograph in the store constantly »wailed the latest tunes from America, blending cantorial chants, theater melodies, and cloying duets.« (Singer 161)

This transformation of the »authentic« eastern European *yidishkayt* into cheap merchandise in Berlin serves as an illustration for Walter Benjamin's concept of aura in the famous essay »Das Kunstwerk im Zeitalter seiner technischen Reproduzierbarkeit« (The Work of Art in the Age of Mechanical Reproduction), which appeared the same year as Schneerson's novel. Benjamin writes: »Noch bei der höchst vollendeten Reproduktion fällt eines aus: das Hier und Jetzt des Kunstwerks – sein einmaliges Dasein an dem Orte, an dem es sich befindet«[12] Similarly, when *yidishkayt* is transplanted, no matter how accurately, from an eastern European shtetl to a European city, it loses the aura of authenticity and turns into a photographic reproduction. As Benjamin explains, »Die Reproduktionstechnik [...] löst das Reproduzierte aus dem Bereich der Tradition ab«.[13]

The theme of cheap imitation, mass production and poor replication of the solid and genuine objects, values, and people of the pre-war age was also prominent in the writing of Bruno Schulz, a Polish Jewish modernist author who lived in the town of Drohobycz in Galicia. In a fascinating episode titled »Tailor's Dummies« in *The Street of Crocodiles,* Schulz develops a concept of the »second Genesis of creatures«, speaking in the name of the narrator's father:

> Our creatures will not be heroes of romances in many volumes. Their roles will be short, concise; their characters – without a background. Sometimes for one gesture, for one word alone, we shall make an effort to bring them to life. We openly admit: we shall not insist either on durability or solidity of workmanship: our creations will be temporary, to serve a single occasion.[14]

A similar »second Genesis« takes place in Berlin after the war. Georg Carnovsky ironically comments on the baby boom in post-war Berlin: »It seems that all Berlin is making babies. They're speeding up the production that lagged during the war. But the product is a poor one, a cheap imitation of the real thing.« (Singer 152) Nomberg writes about people in Berlin turning into »ersatz peo-

---

12 Walter Benjamin, Das Kunstwerk im Zeitalter seiner technischen Reproduzierbarkeit, Drei Studien zur Kunstsoziologie, Frankfurt am Main ⁴1970, p. 13.

13 Ibid., p. 16.

14 The Complete Fiction of Bruno Schulz, translated by Celina Wienewska, New York 1989, p. 32.

ple«, »shadows« with »green, yellow, bony faces and extinguished eyes« as a result of living on the stern diet of ersatz food during the war years.[15]

Another victim of the »second Genesis« or »mechanical reproduction« is money, once a stable signifier of material values. Nomberg observed that all across Europe money has lost its »charm« [zibeter kheyn] after the war: »today banknotes have lost all their charm. One holds them differently, one counts them differently, in short: there is no respect for them – unless they're dollars.« The American dollar has become the »Kaiser of all currencies«, and everything and everybody in Europe depends on it.[16] Nowhere in Europe was this process more painful and destructive than in Germany, where the hyperinflation of 1923 ruined the entire middle class.

In fact, some modern historians, such as Gerald Feldman, view the hyperinflation of 1923 as a more complicated and nuanced phenomenon than emerges from its literary treatment, and warn us against reading the artistic »representations« of inflation as objective evidence, arguing that writers and intellectuals were one of the groups which directly suffered from inflation. According to this view, there is »[l]ittle wonder [...] that most of the writings on inflation concentrate on problems of moral and social decline, the foibles of the new rich and the plight of the middle class«.[17] But unlike economic historians, cultural historians view inflation as a shock experience which had a profound impact on the collective psyche of the German people. Bernd Widding specifies three aspects of this impact, and believes that »the interrelated discourses that capture the dynamics of massification, of devaluation or transvaluation of individually and commonly held values, and of increasing circulation constitute the core of cultural debates during the 1920s.« As Widding demonstrates in his illuminating study of German culture of the 1920s, »[t]he experience of inflation resonates in all of these discourses, sometimes openly, sometimes as a half-hidden, threatening scenario, lurking in the background.«[18] Inflation eroded the foundation of the civil society in Germany, directly contributing to the victory of National Socialism, which Widding views as »a product of and a response to inflation.«[19]

Sholem Asch's novel could serve as a good illustration of Widding's point. Asch even goes as far as to suggest a parallel between the Jewish speculator Aron

15 Nomberg, Dos bukh felyetonen, p. 104.
16 Ibid., p. 142.
17 Gerald D. Feldman, ›Weimar Writers and the German Inflation‹, in Fact and Fiction: German History and Literature 1848-1924, ed. Gisela Brude-Firnau and Karin J. MacHardy, Tübingen 1990, p. 182.
18 Bernd Widding, Culture and Inflation in Weimar Germany, Berkeley 2001, p. 23.
19 Ibid., 226.

Yudkevich and Adolf Hitler, who appears in the last part of the novel as a thinly disguised »man on the platform«, the instigator of the Munich putsch of 1923. They both profited from the inflation: »[a] whole generation had run off the rails; a stray Jew from the East, for instance, had eventually been able to strip Hans's father of his whole inheritance. In the same way, the man on the platform was cashing in on the inflation.« (Asch 500) This parallel might seem inappropriate today, but it did not surprise the prominent Yiddish critic Shmuel Niger, who described both characters as »devils playing their dark play in the bog of the inflation and catastrophe«.[20] But a closer look at these two characters can easily distinguish between the hapless Jewish speculator who places all his bets on the depreciation of the German mark and loses his fortune after the stabilization of the German currency towards the end of 1923, and the sinister Führer whose influence on German society keeps growing despite the end of the inflation and the failure of the putsch.

It is true that the portrayal of Yudkevich comes close to the stereotypical anti-Semitic caricatures of a Jewish inflation profiteer that can be found in the German press of the 1920s. But Asch also shows some compassion for Yudkevich, suggesting that his unscrupulous business behavior is a reaction to the psychological trauma of the pogroms and devastations of the Civil War in Ukraine, where his father was murdered. Aron's brother Misha chose to join the Bolsheviks and made a swift career in the Red Army. Even though Asch clearly disapproves of both choices, he portrays the two brothers not without some sympathy, which clearly sets them apart from the Nazi activists and sympathizers who are presented as purely negative characters.

All his business acumen notwithstanding, Yudkevich is merely a hapless imitator of the real king of inflation, the German industrialist Hugo Stinnes,[21] a sinister »man with the black beard«, who »controlled enterprises which might have served for thousands of industrialists, might have given employment to hundreds of thousands of middle-class clerks and draughtsmen, and could have fed millions of workmen. He had the power of a State within a State« (Asch 121). According to Asch's version of German history, Stinnes takes control over German economy after the murder of Walter Rathenau and steers it in the direction of nationalist isolationism, opening way to power for Hitler and his followers. By shadowing closely Stinnes's financial operations, Yudkevich manages to build up his own fortune: »[t]he man with the black beard was buying up whole streets, whole towns, hotels, castles, factories, railways, shipping com-

---

20 Shmuel Niger, Derteylers un romanistn, New York 1946, p. 477.
21 Widding devotes a whole chapter of his study to the place of the »myth« of Hugo Stinnes in the artistic and literary discourse of the German inflation, but does not mention Asch's novel. See Widding, Culture and Inflation, pp. 134-165.

panies – and among these gigantic operations Judkewitch's activities passed unremarked.« (Asch 524) But his success turns into a failure when »the man with the black beard began to take an interest in Judkewitsh« (Asch 524).

Aron Yudkevich has a predecessor in German literature named Simon Chajim Kaftan, the protagonist of the play *Der Kaufmann von Berlin* by the German Jewish author Walter Mehring (1929). Modeled after Shakespeare's Shylock, the Galician Jewish speculator Kaftan is portrayed, in Michael Brenner's words, as »both perpetrator and victim« of capitalism.[22] Both Kaftan and Yudkevich are driven in their feverish speculation activity by their love for a woman, a daughter and a wife respectively. Both female characters are cold and greedy creatures who drain the men for money but give no love in return.

Entangled in debts that he was unable to pay, Yudkevich is also exposed as a man without a passport who was registered with the police under a false name. Yudkevich's downfall also resembles that of Kaftan, who exclaims, in his idiosyncratic mixture of Yiddish and German, in the final episode of the play: »Fargessen! Farloren! Wu ist der Weg, wu bin ich gekommen zu gehn? Wu ist mein Eigen? Mein Haus?«[23] But contrary to Kaftan, who flees Berlin unrepentant, only to be replaced by the new Kaftan who is arriving at the Alexanderplatz Station from Galicia to take the place of his predeccessor, Yudkevich experiences a moral rebirth after his bankruptcy. The loss of his fortune brings his wife closer to him, as she consoles him with her wisdom: »I tell you, Aronchik, that the hand of God is visible in this; your money was perhaps taken from you to give you the chance of becoming a better man.« (Asch 526) The novel ends with Yudkevich and his wife leaving Berlin for France, which from Asch's vantage point in his villa in Nice was probably the only country in Europe where Jewish immigrants from Eastern Europe could still feel relatively safe.

Unlike Asch, Singer has little interest in epic depictions of grand historical events in his novels, focusing instead on the private sphere. Although Singer's fiction, as Anita Norich tells us, »is always firmly and self-consciously grounded in a particular historical and cultural context«,[24] he prefers to focus on the private sphere. Norich suggests a possible reason: »since history is too overwhelming in this novel, there is a shift to the individual whose progress and fate may, at least theoretically, be encompassed by the novel.«[25] Neither war nor the inflation figures prominently in *The Family Carnovsky*. Singer merely brings a few characteristic details to illustrate the degradation of Germany under the impact

22 Brenner, The Renaissance, p. 194.
23 Walter Mehring, Die höllische Komödie. Drei Dramen, Düsseldorf 1979, p. 263.
24 Anita Norich, The Homeless Imagination in the Fiction of Israel Joshua Singer, Bloomington 1991, p. 69.
25 Ibid., p. 54.

of the inflation, such as the influx of American tourists, »who kept their hats on in the lobbies« of the best Berlin hotels and were amused by their newly acquired ability »to exchange a single dollar bill for millions of marks« and »to sleep and to make love in beds previously occupied by princes, princesses, and world-famous opera stars.« (Singer 165). He concludes this brief sketch of Berlin during the inflation with a matter-of-fact statement: »just as unexpectedly as the inflation had begun, so unexpectedly did it end – almost overnight German marks regained their value and the hotels emptied of foreign speculators.« (Singer 198) The inflation leaves no visible marks on Singer's characters, which were shaped by an inherited composition of ethnic and racial features. Although Schneerson differed from Singer in his conception of character development, believing that spiritual efforts can overcome hereditary factors, he also treated inflation in a cursory way, merely stating that, although Johann lost the fortune he inherited from his wealthy father, he was able to make a decent living as a portrait artist in the Weimar Republic and even could purchase a small villa in Grunewald.

The post-war dislocation not only brought masses of poor eastern European Jews to Berlin but also affected the social order in the city, intensifying class conflicts between different districts:

A new breed of people appeared in the Tiergarten Quarter, a type never before seen in the neighborhood. They came from the outlying sections, from Neukölln. They came in their ragged clothes, carrying red banners and they made such an uproar that it even carried through the thick walls and heavily draped windows of the previously impervious Holbeck houses. Along with the red flags and raucous voices they brought the maladies of the poor – diphtheria, typhus, and dysentery. (Singer 122)

In Singer's novel, as Susan Slotnik remarks, »the neighborhoods described are always meant to underline the social status of the various characters, and their stance vis-à-vis the East and West.«[26] But at the same time Singer »almost entirely ignores the existence of the famous Berlin of the twenties, the scene of artistic avant-garde, Bohemian decadence, and radical politics.«[27] Unlike Asch, Singer does not situate any episodes or characters of his novel in the areas associated with the »roaring twenties«, such as the Kurfürstendamm area.

The contrast between the »decadent« western Berlin and the proletarian areas of the city is most pronounced in Soviet writings, such as Kulbak's poem

---

26 Susan A. Slotnick, »Concepts of Space and Society: Melnits, Berlin and New York in I. J. Singer's Novel *Di mishpokhe Karnovski*«, The German Quarterly, vol. 54, no. 1 (January 1981), p. 36.

27 Ibid.

Childe Harold from Disne and Wiener's unfinished novel. By taking his curious autobiographic protagonist, a young eastern European Jewish intellectual who comes to Berlin in search of education and new culture, across the city, Kulbak creates as series of vignettes which capture the broad diversity of Berlin's cultural expression, from the *Goethetag* bourgeois celebrations of the high cultural legacy to the bohemian atmosphere of cafés where Berlin poets polish their beautiful »word carvings« [verter-shnitserayen] and of the »screaming« theaters where Alexander Granach is »rushing about on the empty stage like a lunatic« [yushet oyf der vister bine vi a tiref] and Alexander Moissi is singing like a »sick and pale ballerina«. Dead poetry stinks, producing expressionism and Dada in its decay.[28]

Whereas Kulbak's grotesque satirical images of the avant-garde artistic trends of the 1920s suit well the socialist realist critique of the bourgeois »decadence« which became official in the early 1930s, they also have roots in Yiddish criticism and literature. Thus, Nomberg, like Kulbak, viewed Dada as a cheap imitative product of the war years, along with the »war bread, war money and war wealth«. »Europe lies dead and swarms with worms«, Nomberg reported from Berlin in the early 1920s, and »in the defeated land one can see this phenomenon more clearly than anywhere else.«[29] Writing a few years after Kulbak, Asch in equally grotesque terms depicted Berlin boheme of the early 1920s, which gathered in the artistic salon of Yudkevich's wife: »It swarmed with half-naked fauns, inadequately clad nymphs, boxers in nothing beyond leather aprons, step-dancers with wildly checkered trousers, dreamy Aladdins in Persian robes.« (Asch 422)

In Kulbak's poem, the positive counterpart to sleepy bourgeois Bellevue and roaring decadent Kurfürstendamm is the working-class district of Wedding. Whereas the former areas are depicted parodically, mocking romantic and expressionist styles, the latter is portrayed according to the rules of »proletarian realism«, soberly emphasizing the class unity of the working masses and their heroic determination to fight for a better future. In order to highlight the contrast between the proletatian and the bourgeois Germanies, Kulbak needed to collapse the chronology of events. Whereas his depictions of the »decadent« western areas are based on his own memories from the early 1920s, the imagery of the workers' uprising in Wedding has its source in the novel *Barrikaden am Wedding* by Klaus Neukrantz (1931; a Yiddish translation was published in Minsk in 1933), which narrates the events of the *Blutmai* of 1929 in a pseudo-

28 Moyshe Kulbak, Gut iz der mentsh: geklibene lider un poems, Moscow 1979, p. 183.
29 Nomberg, p. 117.

objective reportage style.[30] The separate fragments of the night landscape of Wedding come together, forming »dos tsveyte Daytshland«, embodied in the »cold, grey million« of the united workers who are preparing for the revolutionary battle: »fun toyer tsu toyer / plakatn. In der fintster – a fon. / grupes arbeter. A halber toyer. An opgebrokhener balkon.« (from one gate to the next – posters. In darkness – a flag. Groups of workers. A half of a gate. A broken balcony.)[31]

The clash between the two hostile forces takes place on Alexanderplatz, and »dos blonde feygele fun tauntsien-shtrase, / un ale ire zise fraynt« (»the blond birdie from Tauentzienstraße and all her sweet friends«, coming home after the night of partying, watch, with a mixture of fear and admiration, the »other Germany« march »on kloysters, on tfises, on shleser, / on rentes, on tshekes, on gold.« (with no churches, no prisons, no locks, no rents, no cheques, no gold).[32] At this point, Kulbak's poetic style turns into apocalyptic pathos, carrying distant echoes of his earlier expressionist prose, such as the novels *Montik* and *Moshiekh ben Efrayim*. The proletarian masses emerge as a messianic force about to sweep away the decayed old Europe together with »Beethoven and Goethe, and the Cologne cathedral« – the workers are the »letste velf, vos voyen / in di khurves fun a system.« (last wolves howling on the ruins of a system).[33]

Alexanderplatz as the place of the final apocalyptic battle between the proletarian and the bourgeois forces has a symbolic significance. As Peter Jelavich tells us, »the Alexanderplatz and its environs comprised a variety of contradictory images. On the one hand, it represented the modernity of Berlin, with its department stores, cinemas, hectic traffic and constant construction. [...] On the other hand, the Alexanderplatz signified poorer sectors of the population: proletarians, part-time workers, unemployed, criminals, prostitutes, Jewish immigrants.«[34] The last category of the Alexanderplatz area residents is completely missing in Kulbak's representation, presumably because the immigrant Jews have no role in his apocalyptic vision of the proletarian apocalypse.

Meir Wiener's unfinished novel is probably the only text of Yiddish literature that brings together the »Jewish« and the »proletarian« topography of Weimar Berlin, the cafes in Charlottenburg, artistic studios in Schönenberg, comfortable apartments in Lichterfelde, and nouveau-riche salons near Alexanderplatz, as well as a cellar shop in Grenadierstraße and the working class areas. The novel follows the complicated relationship between the Polish Jewish artist Slovek

---

30 I am grateful to Robert Peckerar for this reference.
31 Moyshe Kulbak, Gut iz der mentsh, p. 200.
32 Ibid., pp. 204-05.
33 Ibid, pp. 206-07.
34 Peter Jelavich, Berlin Alexanderplatz: Radio, Film, and the Death of Weimar Culture, Berkeley 2006, pp. 6-7.

Lagodny and his lover Lena, a German girl of lower class background who was sold to him as a model by her father. Driven by a mixture of curiosity and jealousy, Slovek subjects Lena to painful interrogations about her past. Her stories reveal aspects of Berlin's low life that are far away from the immigrant bohemian intellectuals who congregate in cafes in Charlottenburg and Schöneberg. Eventually Lena reveals that her mother came to Berlin as a daughter of a Jewish immigrant family on their way to America, but got stuck in the city where she married a déclassé German man. Lena's grandfather's watch repair shop was for her the only safe place where she would be protected by her loving grandfather from all kinds of abuse, much of it inflicted by her own father. Yet for Slovek – as well as for Wiener – Lena's Jewishness plays no significant role because her main characteristic is her lower class origin and upbringing.

During his long walks along Berlin streets, Slovek discovers the poor areas of the city, where he finds the solution to his emotional and intellectual problems. Contrary to Kulbak, Wiener does not contrast the rich and the poor districts as the signifiers of the opposing classes, but shows the gradual transformation of the former into the latter, as the solid bourgeois architecture of western Berlin turns into its cheap imitation:

> The streets, through which he [Slovek] was now walking, were no longer clean and tidy. The houses, which were not quite old, were built in a pretentious style imitating the elegant buildings of Charlottenburg, but in a cheaper way, made out of cheaper materials. The plastering of the building walls had large stains and cracks in many places, the streets were full of children, who in the more affluent areas would have already been at home and asleep. Boys were playing various games, scenes from family life were being played out publicly between men and women. A drunkard was certainly not such a rare phenomenon here as it was in the districts of Charlottenburg and Wilmersdorf. Benches in a large garden square were occupied by people who had no reason to hurry to a comfortable home – although outside it was chilly and wet.[35]

The long walk eventually brings Slovek to the communist worker Franz Heinecke, who resolves his predicament by dismissing it as bourgeois bias.

The »Berlin text« of Yiddish literature was largely produced during the 1930s, when Berlin was perceived as a major battlefield of the two major conflicts of the epoch, the fight between Nazism and humanism or between the bourgeoisie and the proletariat. The Berlin cityscape provided a stage for a drama that had one of these two conflicts at its core. Schneerson, Asch, and Singer, who dealt

---

35 Meir Wiener Archive, Manuscript Department of the Jewish National and University Library, Jerusalem, 1763/16, p. 392.

with the former conflict, situated their narratives of the decline of the German Jewry era in the isolated living quarters of the Jewish bourgeoisie, which were contrasted to the Gentile communal spaces. The increasing precariousness of Jewish existence in Berlin was thus offset by the growing consolidation of German society, where different social groups were united in their rejection of the »alien« elements. Whereas Schneerson and Asch, writing in the mid-1930s, were still moderately optimistic in their vision of the situation and put their hopes on the spiritual power of the individual personality, Singer's view, from the vantage point of the early 1940s, was hopelessly pessimistic.

The communist authors followed the Soviet Marxist interpretation of fascism and the final stage of the crisis of capitalism, focusing on the intensification of the class struggle, for which Berlin served as the primary arena. Both Kulbak and Wiener chose as their protagonist the familiar figure of a budding Jewish artist who came to Weimar Berlin from eastern Europe in search of education and culture, and reinterpreted it according to the Marxist scheme. Disappointed in the decadent decay of the avant-garde culture, these protagonists turn to the proletarian masses where they find both artistic inspiration and ideological guidance.

Rachel Seelig

A Yiddish Bard in Berlin –
Moyshe Kulbak's *Naye lider* and the Flourishing
of Yiddish Poetry in Exile

»Ikh bin itster in berlin. Dos bin ikh gekumen in ›eyrope.‹«[1] So wrote Moyshe Kulbak on September 13, 1920, to the literary critic Shmuel Niger. »I am presently in Berlin. Now I have arrived in ›Europe.‹« Here, in the cultural and intellectual hub of Central Europe, Kulbak would immerse himself in the humanistic tradition of Goethe and Schiller and absorb current poetic trends in the hope of producing a similarly rich literary tradition in Yiddish. His implicit aim was the advance of Yiddish poetry and its integration into European *belles lettres,* which would in turn allow East European Jewry to attain the status of a modern European nation, and Yiddish, the long-maligned *mame-loshn,* the status of a national tongue. Indeed, Kulbak was speaking not only personally but also for Yiddish culture when he proclaimed to have »arrived in Europe.« Yet his arrival was hardly consistent with his actual experience of Berlin. A diet of German literature and philosophy may have whetted an intellectual appetite, but it would not satisfy an empty stomach. Lacking a local audience and earning little for his sporadic publications, Kulbak did not assimilate into local intellectual circles and struggled to make ends meet. His brief time in Berlin between 1920 and 1923 was the loneliest of his life, but also the most prolific.

Peter Gay famously argued that the legacy of Weimar culture was created by figures later exiled from Germany, such as Thomas Mann, Walter Gropius and Bertolt Brecht, »outsiders, propelled by history into the inside.«[2] What, then, can be said of this non-German poet exiled *in* Berlin during the years of the Weimar Republic? If Kulbak was a mere sojourner on the sidelines of contemporary Berlin society, why did he proclaim so enthusiastically to have arrived? Paradoxically, Kulbak found himself both propelled into the center of Europe and consigned to the periphery. As a transitional space between his youth on the rural outskirts of Vilna and his future in Soviet Minsk, Berlin provided him

---

1 Moyshe Kulbak, »Finef briv fun moyshe kulbak tsu shmuel niger« (Five Letters from Moyshe Kulbak to Shmuel Niger), in Di goldene keyt (The Golden Chain, No. 13, 1952), p. 236.
2 Peter Gay, Weimar Culture: The Outsider as Insider, New York 1970, p. xiv.

with the freedom of aesthetic experimentation necessary to construct his imagined »Yiddishland.« After all, newly established *Großberlin* was less a bastion of European culture (in the singular, Hegelian sense) than a cauldron of European cultures (in the plural).³ The 1920 Greater Berlin Act (*Groß-Berlin-Gesetz*), which doubled Berlin's population (bringing it to four million), made it the second largest city in Europe and greatly expanded its economic, political and ethnic diversity. Berlin thus became a symbol of cosmopolitanism following the disintegration of the multiethnic, multilingual European Empires and amid the rampant rise of ethnic nationalist movements throughout Europe.

Like Kulbak, Yiddish literature itself merely sojourned in Berlin, which was more of a clearinghouse than an actual literary center. Although Berlin became the second-largest producer of Yiddish books and periodicals between 1920 and 1924, most publications were sent abroad to Eastern Europe and America, while those produced abroad rarely traveled in the opposite direction, making it difficult for Yiddish writers in Berlin to acquire Yiddish publications — including their own. Kulbak complained to Niger that he could not obtain a single copy of an anthology in which he had published poems. He wrote: »I can't get my hands on it here in Berlin. I have one copy of *shirim* [Kulbak's first volume of poems, published in Vilna in 1922], which was given to me by someone as a gift. I hesitate to do so but am sending it to you.«⁴ While Yiddish publishers were focused on foreign audiences, the local reading public showed little interest in the Yiddish literature being produced in their own backyard. Although German-Jewish books and journals were filled with sentimental portrayals of East European Jewry, local audiences were largely oblivious to contemporary, avant-garde trends in Yiddish literature. Martin Buber, regarded as the patron saint of the »Ostjuden,« introduced a romanticized image of East European Jewish life and tradition to German audiences through his German translations of *The Tales of Rabbi Nachman* (1906) and *The Legend of the Baal-Shem* (1908). Locating the primordial essence of Jewish culture in Hasidic folklore, he encouraged assimilated German Jews to recognize their East European brethren as the torchbearers of a myth of national and spiritual origin. Delphine Bechtel argues that German Jews, many of whom were inspired by Buber, »looked back to the

3   For a nuanced historical analysis of the dual definition of »culture« and its implications for modern Jewish thought, see Paul R. Mendes-Flohr, »The Jew as Cosmopolitan,« in Divided Passions: Jewish Intellectuals and the Experience of Modernity, Detroit 1991), pp. 413-423. Mendes-Flohr places Hegel's conception of a singular high culture, which he believed to be confined to the intellectual and aesthetic attainments of Europe, in opposition to J.G. Herder's understanding of »culture« as a pluralistic anthropological category, that which distinguishes individual nations.

4   Moyshe Kulbak to Shmuel Niger, letter dated December 17, 1920, Berlin. »Finef briv,« p. 237.

world of Yiddish literature and culture as to a place of origin tinged with senti-
mentalism and nostalgia, because they needed to romanticize it in order to define their own identity. They did not want to make the effort of really understanding its modernist, avant-garde aspects.«[5] For the Yiddish writers in their
midst, Berlin remained a lonely *Sprachinsel*, a temporary refuge in which Yiddish literature flourished but remained inaccessible and invisible.[6]

The dialectic of arrival and exclusion lies at the heart of Kulbak's work. *Naye
lider* (New Poems), published by the Berlin-based *klal-farlag* in 1922, reflects the
itinerant existence of the interwar Yiddish poet and the longing for a Yiddish
poetic tradition on par with that of other European nations. Kulbak believed
that in order for Yiddish culture to »arrive in Europe« it required a lyric tradition emerging from the roots of its folklore, blossoming into Romantic poetry
and reaching its apogee in avant-garde verse. Merging mystical and folk motifs
with Romantic refinement and Symbolist experimentation, the volume is an
attempt to create an authentic and fully evolved poetic tradition rooted in the
physical landscape of Eastern Europe and the legendary landscape of Jewish
folklore. In this way, it reflects the primary goal of »Yiddishism,« namely, the
formation of a national Jewish culture rooted in Yiddish and the Diaspora. The
rise of this cultural doctrine was closely associated with the emergence of the
Bund (the Jewish Socialist movement, established in Vilna in 1897), which emphasized the indigenousness of Yiddish to Eastern Europe, celebrated it as the
language of the Jewish masses and supported it as the only distinctly »Jewish«
feature of an otherwise secular Socialist identity.[7] However, the term Yiddishism must not be conflated with Bundism. According to David E. Fishman, although the Bund was more active than any other political party in pressing the
agenda for the recognition of Yiddish, its use of the language was largely utili-
tarian. Bundists valued Yiddish literature first and foremost as »a vehicle for
agitation among the masses« and therefore had difficulty accepting the sophisticated modernist Yiddish writing that began to arise in the first decade of the
twentieth century.[8] Indeed, Yiddishism was a cultural movement that ran the
political gamut to include Diaspora Nationalists, Territorialists, Communists

5 Delphine Bechtel, »Babylon or Jerusalem: Berlin as Center of Jewish Modernism in the
   1920s,« in Dagmar C.G. Lorenz and Gabrielle Weinberger, eds. Insiders and Outsiders:
   Jewish and Gentile Culture in Germany and Austria, Detroit, Mich. 1994, p. 121.
6 I borrow the term *Sprachinsel* from Susanne Marten-Finnis and Heather Valencia, Sprachinseln: Jiddische Publizistik in London, Wilna und Berlin 1880-1930, Cologne 1999.
7 As Jeffrey Shandler notes, »While the revival of a vernacular Hebrew came to be linked
   especially with Zionist plans to create a new Jewish state, Yiddishism was generally tied to
   a validation of Jewish life in the diaspora, centered in Eastern Europe.« Jeffrey Shandler,
   Adventures in Yiddishland: Postvernacular Language & Culture, Berkeley 2006, p. 36.
8 David E. Fishman, The Rise of Modern Yiddish Culture, Pittsburgh 2005, p. 53.

and even Zionists. Notwithstanding their political differences, they were uni-
fied by one belief: Yiddish was the national language of the Jews and, as such,
deserved recognition both within the Jewish community and from non-Jewish
state authorities. The major event marking the upswing of Yiddishism was the
Czernowitz Yiddish language conference of 1908, led by Nathan Birnbaum,
Chaim Zhitlovsky, and I.L. Peretz, all of whom who shared a commitment to
Yiddish but represented different political and religious perspectives and
goals.[9]

The poem that opens *Naye lider* is a ditty sung by a cheeky wandering
minstrel. Like his contemporaries, Itzik Manger and Moyshe Leib Halpern,
who invented the folksy voices of rascals and scoundrels, *purim-shpilers* and
badkhens,[10] Kulbak introduces a mischievous native son who traverses White
Russia wild and free.

ikh bin a bokher a hultay…[11]	A Youthful Rogue Am I…[12]
ikh bin a bokher a hultay,	A youthful rogue am I,
hob ikh mir a shtekn,	At my side a cane,
tray-ray-ray, tray-ray-ray	Tra-la-lie, tra-la-lie,
kh'shpan in alde ekn.	I stride to all domains.
kum ikh tsu a kretshme tsu,	I come upon an inn
klamp ikh on in toyer,	And give the door a pound,
»ver bistu? ver bistu?«	»Who are you? Where you been?«
entfer ikh: a geyer.	I answer: outward bound.
leydikgeyer, azoy fri!	Loafer traveling so free!
khutspenik farshayter…	You idle and you squander…
tri-li-li, tri-li-li	Tra-la-lee, tra-la-lee

---

9 For an in depth analysis of the Czernowitz conference and its leading figures, see Emanuel S. Goldsmith, Architects of Yiddishism at the Beginning of the Twentieth Century,
   New York 1976.

10 The traditional *purim-shpiler* (Purim player) was a performer, usually appearing in cos-
   tume, who recounted the story of the Purim holiday in rhymed paraphrases and parodies
   on liturgical texts, adding obscenities and bawdy humor to entertain the audience. The
   badkhen (wedding jester) likewise used irreverent humor to entertain the guests at Jewish
   weddings. Itzik Manger, a contemporary of Kulbak, famously took on the role of the
   purim-shpiler in his writing. He comments in his introduction to the book *Medresh itzik*:
   »As I wrote this book the rogue's cap of the Yiddish Purim play hovered always before
   my eyes,« Itzik Manger, The World According to Itzik: Selected Poetry and Prose, translated by Leonard Wolf, New Haven 2002, p. 3.

11 Kulbak, Naye lider (New Poems), Berlin: klal-farlag, 1922, p. 7.

12 All translations are my own.

un ikh gey mir vayter.	I proceed to wander.
kum ikh tsu a brunem tsu,	Over to the well I stray,
kh'trink zikh on mit vaser,	To drink till thirst is quenched,
shtey ikh in dem morgn-groy,	I stand in graying light of day,
vi a hon a naser ...	Like a rooster fully drenched ...
fort a poyerl farbay:	A farmer traveling by
»tso tshuvatsh na svetshye?«	Greets me with a »Howdy!«
veys ikh nit un tu a brey:	I shrug bewildered and reply:
svetshye? – petshe metshe ...	Howdy? – howdy shmowdy ...

In the post-WWI era, observes David Roskies, folklore became the »vehicle of Jewish self-determination, the basis for the Jewish claim to normalcy and nationhood, to land and to landscape.«[13] In Kulbak's opening, folksy familiarity is achieved through the poem's tonic-syllabic structure, comprised of rhyming quatrains containing a fixed number of syllables and stresses per line, with the frequent use of colloquial contractions such as *kh'shpan* (instead of *ikh shpan*) or *alde ekn* (instead of *al di ekn*) helping to maintain the quick oral rhythm.[14] A simple ABAB rhyme scheme and steady trochaic meter, which bring to mind a nursery rhyme, emphasize the speaker's impish nature.

The use of folk motifs appears to root the freewheeling minstrel in his native landscape, but soon enough he is marked as an outsider — a »leydikgeyer« — a penniless wanderer. In the final quatrain, a peasant offers a greeting in Byelorussian, a sudden linguistic intrusion, which to the typical Vilna reader would register as both familiar and foreign. This is of course difficult to capture in English translation. In my version I have resorted to the dialect of the American South, which the Anglo-American reader will recognize as »local-yokel« vernacular. (No Yankee city slicker would say »howdy,« but one can imagine the

13 David Roskies, »The Last of the Purim Players: Itzik Manger,« in Prooftexts 13 No. 3 (Sep 1993), p. 211.

14 Benjamin Harshav discusses the term »tonic-syllabic« in his discussion of Yiddish prosody. While the »syllabic« organizational principle refers to the number of syllables per verse, the »tonic« principle refers to the number of stressed syllables per verse. The verse is »tonic-syllabic« if it is organized into a fixed number of stressed and unstressed syllables in a fixed order. In this poem, the syllabic count of each quatrain is 7-6-6-6, with the number of stressed syllables per line following the pattern 4-3-4-3. According to Harshav, poems such as this one, which have a fixed strophic structure comprised of equal numbers of measures per line, betray the influence of the folksong, whereas freer length and number of measures are associated with more modern, experimental forms. Kulbak played with both rhythmic groups in Naye lider. See Benjamin Hrushovski (Harshav), »On Free Rhythms in Modern Yiddish Poetry,« in Uriel Weinreich, ed. The Field of Yiddish: Studies in Yiddish Language, Folklore and Literature, New York 1954, pp. 219-266.

words »howdy shmowdy« coming from any New York Jew traveling through the deep south and feeling, as it were, ill at ease on the range!) The speaker's nonsensical response — »petshe metshe« — may be utter »narishkayt« but, as such, is also fully »yidishlekh«; it reflects youthful chutzpah while drawing attention to the separation of Yiddish from its neighboring Slavic languages. At the same time, it is precisely this collision of languages that defines the speaker as a hero of Yiddishism, a Jew who sings proudly in Yiddish but feels at home in a multilingual sphere. At the turn of the twentieth century, a range of Jewish intellectuals, self-styled »golus-natsionalistn« (Diaspora Nationalists), embraced Jewish existence in the multilingual Diaspora and viewed autonomy in Eastern Europe rather than sovereignty in a territorial homeland as their most pressing goal.[15] The speaker's simultaneous familiarity and discomfort with his multilingual environment in fact root him in his native realm.

The significance of the folksy opening cannot be overstated. Like his Yiddishist forefather, I. L. Peretz, Kulbak saw folklore as the beginning of a national literary culture; only at the turn of the twentieth century, however, was the unrefined potential of the language developed into a lyric tradition. Kulbak expressed this view in the 1918 essay *Dos yidishe vort* (The Yiddish Word):

> In the folksong one can already see that Yiddish had acquired ›the seventh charm.‹ Heartily Yiddish and folkish (*yidishlekh un folkstimlekh*) words were woven together in naïve verses and breathed with the primitive precision of folk-creation. But the language of the folksong sharpened unconsciously. The nation did not appreciate the artistic worth of the word. The Yiddish poets consciously purified the language.[16]

Kulbak credited Peretz with creating »the first lyrical style in Yiddish,« but conceded that his poetic lexicon lacked words for tenderness and delight in nature.[17] Peretz had himself ridiculed his own attempt to write a love story in a language that is full of jokes and pranks (*vitsn un blitsn*) but has no suitable words for affection; the measly few Yiddish expressions for love, he wrote,

---

15 Some Diaspora Nationalists, led by their cultural hero Chaim Zhitlovsky, emphasized the role of Yiddish language and literature as the vehicles of Jewish national revival. Others, under the influence of Simon Dubnow, were more politically inclined and strove for the transformation of the Russian state into a federation of nationalities with equal recognition of all national groups and their languages, including the Jews and Yiddish. Dubnow went so far as to advocate Russian-Hebrew-Yiddish trilingualism, with an equal status to be granted within the Jewish community to all three languages. For more on the cultural and political strains of Diaspora Nationalism, see Fishman, p. 62-3.

16 Kulbak, »Dos yidishe vort« (The Yiddish Word), in *Oysgeklibene shriftn* (Collected Writings), ed. Shmuel Rozshanski, Buenos Aires 1976, p. 299.

17 Kulbak, »Dos yidishe vort,« p. 301.

»taste like goose fat (*gentsn-shmalts*)!«[18] According to Kulbak, Yiddish gained the capacity for romantic and sentimental expression with later writers, such as Dovid Einhorn and Sholem Asch, whose verse, he wrote, »emits the smell not of ›goose fat‹ but rather of ›grasses,‹ the smell of the field that God has blessed.«[19] Kulbak understood that Yiddish had little time to travel a long way from *gentsn-shmalts* to Whitmanesque Leaves of Grass. The onus was on Peretz's immediate successors to harvest the ancient crops and plant the new seeds of a distinctive national culture. In Kulbak's words:

> A Turgenev or a Balmont of our own has yet to arise to sing the Yiddish language as the Russian language has been sung. But he will come – the love of Yiddish will inspire such a poet. (…) The Yiddish word has been synthesized by the finest spirits of the nation and carries with it the musical rhythm of singing Jewish souls. If our language has something to conquer, it will do so with its flowers rather than with its pamphleteering paper swords.[20]

In other words, folklore was the foundation—but not the fulfillment—of a national canon. Without the shoulders of great Romantics upon which to stand, the new Yiddish poets would have to borrow and modulate existing European trends.

This belief helps to explain the shift that occurs in *Naye lider* from the folksy opening to neo-Romantic and modernist influences. The poem *In a yadlovn vald* (In a Forest of Firs) bears no trace of the folk tradition. Instead, Symbolist freedom of verse blends with Imagist precision and direct relation to the object at hand. But the desire to ground Yiddish poetry in its native landscape is felt strongly.

in a yadlovn vald …[21]	in a forest of firs …
shtil. vu es pintelt royt	still. where pointy red of
a pozemke	strawberry—
un vu es kletert shtilerhayt	and little worm climbs
a vereml	quietly
in dem tsunoyfgenem fun tsvayg tsu tsvayg	in web of clumsy branch with
di knokhike,	branch,
in dem geflekht fun shtam un vortslen	lattice of mossy trunk and
mokhike …	roots …

18   Peretz, »Monish,« in Ale verk (Complete Works), New York 1947, p. 23.
19   Kulbak, »Dos yidishe vort,« p. 302.
20   Ibid., pp. 303-4.
21   Kulbak, Naye lider, p. 9.

un tif iz di gedikhtenish di horike,   deepening thicket, hairy
di peterdike—   and dense—
es iz a kvelenish a mikhomorike   overflowing spring delights
bay di kortshes   by green-bearded
di grinberdike…   tree stumps…
un vu es tut a shushk   a hush passed from
a grezl tsu a grezl,   grass to grass,
a klung,   a sound
a plushk   a splash
a milder kvelkhele,   a gentle source
un vu es tut a shprung   and spring of
a bidner hezl, –   humble hare—
a ker dos groye felkhele   gray fur turns round
durkh paportnik,   through ferns,
in kalter kropeve,   cold nettles,
af alter foylenish…   upon old rot…
un shtil,   and still,
un kil   and cool
hilkht op in vald   the forest echoes
dos bloy-farhoylenish…   blue-concealment…

Unlike the first poem, the speaker's presence is not even felt; nature in its pan-
theistic splendor is the true hero. In keeping with this theme, the rhyme seems
less a product of artistic innovation than an outgrowth of Yiddish morphology
(plural adjective endings and diminutive words — knokhike, horike, kvelkhele
are responsible for the flow). The repeated suffix »enish«, which may be added
to a verb to create an abstract noun or gerund, not only enhances the rhyme but
also blurs the conceptual boundary between stasis and movement, stability and
evolution.[22] Thus, the neologism »kvelenish« could be either a synonym for
kvele (a spring) or an inflected version of the verb *kveln* (to delight); verb-noun
ambiguity infuses the natural object with emotional intensity. Even the proper
noun *gedikhtenish* (thicket), like the German word for poem, *Gedicht*, gestures
toward the »thickening« forest as a metaphor for poetic composition. Objects
emerge one by one, layer upon layer, coming together in a mighty cosmic »web«
of natural existence and mystical transformation.

---

22   For instance, the Yiddish word *shtupenish,* meaning »crowd« or »congestion,« is taken
     from the verb *shtupn* (to push) and thus denotes the kind of chaotic activity that occurs
     in an overcrowded place.

In mere pages, Kulbak moves from folksong to Romanticism through Symbolism and Imagism, all while remaining planted in the White Russian countryside. But where is Berlin? Glaringly absent from the poems is the environment in which they were produced. Although actual images of the modern metropolis are lacking, the influence of contemporary Berlin can be felt in the shift that occurs toward the end of *Naye lider* toward avant-garde verse. The cycle »Raysn« (White Russia) offers the first inkling of Kulbak's Expressionist turn, invoking Jews of the soil with crude, earthy language, but also with nostalgia and myth.[23] Kulbak borrowed from the Expressionists the motif of the flight from civilization into nature as a panacea to the alienation and stolidity of bourgeois urban life.[24]

Yet it was not until Kulbak left Berlin that the influence of its cultural milieu emerged with full force. Whereas the poems from his Berlin years are all set in Eastern Europe, the few verses that he set in Berlin were penned shortly after he had settled in Soviet Minsk in 1928. In the mock-epic poem *Disner tshayld herold* (Childe Harold of Disno), Kulbak ridicules the bourgeois German culture he once embraced and shows preference for a firmer Socialist stance. The hero, known as *Lyulkeman* (Pipeman), journeys from Jewish Lithuania westward, only to discover a Janus-faced Berlin, a vibrant metropolis in the throes of economic and political upheaval. Poetry readings in smoke-filled cafes and the riveting nightlife ablaze in electric lights signal the decline of the old bourgeois order. Here are a few verses:

s'hert lyulkeman un hert di dule tsayt:	Pipeman listens, hears an age gone mad:
berlin fargeyt zikh in geshrayen;	Berlin fades in screams;
der alter mikhel in di gleklekh shrayt;	Old bourgeoisie screaming in bells.[25]

---

23 With the help of Shmuel Niger, *Raysn* first appeared in the New York-based newspaper *Di tsukunft* (The Future) in 1922. In a letter dated November 27, 1921, Kulbak wrote to Niger: »I am sending you a long poem, ›White Russia,‹ for *Tsukunft* or wherever you see fit for it to be printed.« Clearly, Kulbak was struggling to publish and relied on his American connections for his livelihood, as the continuation of the letter suggests: »My business affairs have again taken a turn for the worse. I ask you to persuade people not to ›exploit‹ me for my poem. Perhaps it would be possible to arrange for the honorarium to be sent upon acceptance of the piece (if anyone accepts it!) rather than once it has been printed? Every moment is dear.« Kulbak, »Finef briv,« pp. 238-9.

24 Neil H. Donahue (ed.), *A Companion to the Literature of German Expressionism*, New York 2005, p. 14.

25 Kulbak uses the name Michael to refer to the German middle class, a common nickname at the time.

es shrayen di teaters un muzeyen.	Screaming in the theaters and museums.
...	...
un di geshtorbene poezye shtinkt...	And dead poetry stinks...
es iz di gsise fun a vaytn broyzn,	The dying body of a distant glimmer,
es iz di meyse, vos iz zis, —	Its demise is sweet, —
ekspresyonizm shprayzt mit royte fis,	Expressionism treads on red feet,
dada — mit aropgelozte hoyzn.[26]	Dada with its pants down.

Gone is the flowing enjambment and organic imagery. Instead, we find staccato end-stopping and disconnected images linked solely by a steady rhyme scheme, a technique which invokes and lampoons the »Reihungstil« (sequence style) made famous by Jakob van Hoddis' quintessential Expressionist poem *Weltende* (End of the World, 1911).

Disdain for urban, bourgeois life is a pretext for the Pipeman's absorption into the Communist movement. The glamour of the Kurfürstendamm, the grand boulevard of affluent Charlottenburg, is contrasted with the »Other Germany,« that of the worker's movement in the proletarian neighborhoods of Neukölln, Moabit and Wedding.[27] Like the leading German Expressionists, Kulbak treats Berlin as an object of both fascination and contempt. Ironically, his disavowal of Europe represents the culmination of his efforts to integrate Yiddish poetry into European letters by bringing Yiddish verse from neo-Romanticism and Symbolism to avant-garde expression. The delayed influence of German Expressionism therefore presents a challenge to Kulbak's usual academic categorization as a »Soviet Yiddish writer.« For Kulbak, the »Yiddish« aspect of this description always came before the »Soviet.« Like his alter ego, who accepts Communism less out of ideological conviction than the need for socialization, Kulbak saw the Soviet Union as a means, not an end. Although he initially left Berlin for Vilna, he was soon drawn to the burgeoning Yiddish cultural institutions in the Soviet Union, the only place, it seemed, where Yiddish literature could survive. He was not the only Berlin exile to hold this belief. Dovid Bergelson, who, unlike Kulbak, lived quite comfortably in Berlin, published a programmatic statement in favor of the Soviet Union as the center of

26 Kulbak, »Disner tshayld herold« (Childe Harold of Disno), in Kulbak, Geklibene verk, Collected Works, New York 1953, 229-266: 239. Translations are my own.
27 One canto offers an account of the *Blutmai* (Bloody May) rioting in Wedding that took place on May 1, 1929, between members of the Berlin Communist Party and the police that left thirty-three dead and hundreds injured.

Yiddish literature in the inaugural 1926 issue of *In shpan* (In Harness), a Moscow-based journal for the »worker reader.« The essay, entitled »Dray tsentren« (Three Centers), dismissed New York and Warsaw in favor of Moscow as the only cultural center able to endure the vicissitudes of modern history.[28] In contrast to Bergelson's dogmatic Soviet stance, however, Kulbak was forever a loyal native son of Vilna. His resistance to the propagandistic trends of Soviet literature and the varied literary influences in his work indicate that he never gave up the dream of integrating an autonomous Yiddish culture into the broader cultural map of Europe.

Kulbak's Berlin years marked not only the geographical and temporal transition from Imperial Russia (prewar Vilna) to the Soviet Union (post-revolution Minsk) but also his poetic evolution from aspiring Romantic bard to iconoclastic Modernist. In tracing his transition from Berlin to the Soviet Union, it becomes clear that the roots he sought could not be found physically; instead, they were attained by way of literary development. Through exposure to modern literary trends within the politically and artistically open environment of Berlin, he achieved new styles and produced new treasures to enrich a modest Yiddish national canon. As arrival and outsider, his paradoxical status was strangely productive; while exile provided him with the freedom to construct a native poetic landscape, the delayed influence of German Expressionism in his later poems reflects the next phase of his cultural program.

Kulbak's example demonstrates the important role that Weimar Berlin played in the development of modern Yiddish poetry. I argue that for Kulbak, among other Yiddish exile writers, Berlin served both as an actual cultural center and a metaphorical construct, a symbol of cosmopolitan Europe in an era of territorially based ethnic nationalisms. To be sure, the open atmosphere that characterized interwar Berlin made it a natural center for the cultivation of new political ideologies and aesthetic programs; yet, if »center« implies cohesion and visibility, perhaps the status of Weimar Berlin for Yiddish literature must be qualified. Put paradoxically, Berlin was the »center of the periphery,« an environment in which Yiddish literature flourished in absentia. Viewed as both a physical and theoretical space, the figure of Weimar Berlin may serve as the linchpin of a heterogeneous model of Jewish literary history that does not »take root« in a particular landscape or language but rather grows out of the various languages of Jewish exile. The construction of such a model dovetails with recent critical attempts to remap international literary space, or what Pascale Casanova has termed »the world republic of letters,« which challenge formalist and ecumeni-

---

28 For a translation of »Three Centers,« see Joseph Sherman and Gennady Estraikh, eds, David Bergelson: From Modernism to Socialist Realism, London 2007, pp. 347-56.

cal conceptions of literature as inhabiting a metaphorical universe to which all nations and languages have equal access by drawing attention to the concrete ways in which language systems, aesthetic orders and genres struggle for dominance.[29] With this in mind, the stakes of this project become even greater: the model of Jewish literary history that I propose may serve the broader purpose of reclaiming a transnational dimension of literature that has been reduced to the political and linguistic boundaries of nations.

29 Pascale Casanova, The World Republic of Letters, translated by M. B. DeBevoise, Cambridge, Massachusetts 2004.

Britta Korkowsky

»The Narrator that Walks by Himself« –
Schklowskis Erzähler, Kiplings Kater und das Freiheitsparadoxon in Berlin

Viktor Schklowski hat seinen Briefroman *ZOO oder Briefe nicht über die Liebe*[1] während seiner vergleichsweise kurzen Zeit im Berliner Exil verfasst und auch dort veröffentlicht. Sein namenloser Erzähler weist zahlreiche Parallelen zur realen Person Viktor Schklowski auf und auch Alja, die Adressatin seiner Briefe, ist angelehnt an Elsa Triolet. Schklowski hatte sich während seines Berlinaufenthalts in sie verliebt, wobei sie seine Gefühle allerdings nicht erwiderte. Die ähnlich unglückliche Liebe des Erzählers zu Alja bildet den Rahmen des Briefromans. Alja verbietet dem Erzähler jedoch, über Liebe zu schreiben, so dass das Genre des klassischen Briefromans bei Schklowski gewissermaßen ausgehöhlt und dadurch parodiert wird.[2] Trotz des Verbots schreibt der Erzähler natürlich

1 Schklowskis Roman ist insgesamt viermal herausgegeben worden, wobei die einzelnen Ausgaben vom Autor selbst teilweise verändert wurden. Als Basis dieser Untersuchung dient der Nachdruck der Berliner Erstausgabe von 1923. Viktor Šklovskij, ZOO. Pis'ma ne o ljubvi, ili tret'ja Ėloiza [1923], in: ders., Ešče ničego ne končilos', Moskau 2002, S. 267-332. Diese Ausgabe wird in der Folge abgekürzt mit ZOO. Um zusätzlich einige Änderungen Schklowskis mit einbeziehen zu können, wird ergänzend auf die Ausgabe aus den Gesammelten Werken von 1973 zurückgegriffen, der auch die deutsche Übersetzung zugrunde liegt. Ders., ZOO ili pis'ma ne o ljubvi, in: ders., Sobranie sočinenij v trech tomach, tom 1, Moskau 1973, S. 163-230. Diese Ausgabe wird abgekürzt mit ZOO². Die deutsche Ausgabe wird mit ZOO²ᵃ bezeichnet: Ders., Zoo oder Briefe nicht über die Liebe, übersetzt von Alexander Kaempfe, Frankfurt a. M. 1980. In der Regel folgen die zitierten Übersetzungen der deutschen Ausgabe. Die komplette Entwicklung der verschiedenen Ausgaben lässt sich anhand der englischsprachigen Übersetzung auf einen Blick nachvollziehen, da hier zusätzlich das Material in einem Anhang abgedruckt ist, das in den einzelnen Ausgaben zum Teil der Zensur zum Opfer gefallen ist oder von Šklovskij selbst umgestellt wurde. Siehe Viktor Shklovsky, Zoo, or Letters not about Love [1923], translated by R. Sheldon, Ithaca, London 1971.
2 Jan Levčenko, Istorija i fikcija v tekstach V. Šklovskogo i B. Ėjchenbauma 1920e gg, Dissertationes Semioticae Universitatis Tartuensis 5, Tartu 2003, S. 65. Aage Hansen-Löve, Der russische Formalismus, methodologische Rekonstruktion seiner Entwicklung aus dem Prinzip der Verfremdung, Wien 1978, S. 552. Hansen-Löve betont, dass das Tabu, über Liebe zu schreiben, zum einen anfangs durch die Brechung des Briefromans eine stark ironische Wirkung nach sich zieht, gleichzeitig aber gegen Ende des Romans demotivierend wirkt, da das Tabu nun mit den Anforderungen an einen »echten« Liebesbrief und zusätzlich stark mit dem Berlin-Material konfrontiert wird.

Umschlag der Erstausgabe von Schklowskis »ZOO«. Berlin 1923

auch immer wieder von seiner Liebe zu Alja und knüpft auch in anderer Hinsicht an den Briefroman des 18. Jahrhunderts an, da der Brief auch hier nicht nur Mittel zur Kommunikation über eine gewisse Distanz ist, sondern vielmehr die Möglichkeit des Schreibenden impliziert, sich produktiv mit seinem Selbst auseinanderzusetzen und dabei ein aktualisiertes Identitätskonzept zu entwerfen. Genau das tut auch Schklowskis Erzähler, der sich in seinen Briefen hauptsächlich als Leidender definiert, zum einen aufgrund der unerfüllten Liebe, zum anderen aufgrund des Heimatentzugs.[3] Berlin ist für den Erzähler ein Ort, an dem er weder leben kann noch will. Er leidet sehr stark unter seinem Heimweh nach Russland.

Im fünften Brief zitiert der Erzähler aus der Kindererzählung »The Cat that Walked by Himself« von Rudyard Kipling.[4] Dieses Zitat bildet hier den Ausgangspunkt für eine kurze Analyse des Freiheitsbegriffes sowohl von Schklowskis Erzähler als auch von Kiplings Kater.

Im genannten Brief berichtet der Erzähler seiner Adressatin von Alexej Remisov und dem Affenorden, einer Schriftstellervereinigung, der auch Schklowskis Erzähler angehört und die nach seinen Angaben organisatorische Ähnlichkeiten mit den Freimaurern aufweist.[5] Er selbst hat den Rang eines »stummelschwänzigen Äffleins«[6] inne, den er sich selbst zugeschrieben hat. In diesem Brief, der von Berichten über Alexej Remisow und das Affenheer dominiert wird, spielt der Erzähler zusätzlich auf die Bibel an. Zunächst ist von der »Schaffung neuer Dinge«[7] in Bezug auf die Literatur die Rede, für die der Erzähler einige Beispiele anführt. Hierfür nutzt er ein klar religiös konnotiertes Vokabular, was in der deutschen Übersetzung jedoch verloren geht. Das Schreiben ist ein ebensolcher Schaffensprozess wie Gottes Schöpfung der Welt. Die Literatur im Allgemeinen erhält auf diese Weise einen sakralen Status, sowohl für den Erzähler als auch für Remisows Affenorden. Auch beschreibt er das Leben des Schriftstellers als ein Nomadenleben, denn die literarischen Themen werden verbraucht

3 Anja Tippner, »Adressat (un)bekannt: Intimität, Perigraphie und Selbstreflexion in Viktor Šklovskijs Briefroman ZOO ili pis'mane o ljubvi«, in: Nadežda Grigor'eva, Schamma Schahadat, Igor' P. Smirnov (Hg.), Nähe schaffen, Abstand halten, Zur Geschichte der Intimität in der russischen Kultur, Wiener Slawistischer Almanach, Sonderband 62, Wien, München 2005, S. 227-244, hier: 239.

4 Rudyard Kipling, »The Cat that Walked by Himself« [1902], in: ders., Just so Stories for Little Children, The Bombay Edition of the Works of Rudyard Kipling, Vol. XVI, London 1914, S. 157-175.

5 Näheres zur Organisationsstruktur und Geschichte des Affenordens in: Elena Obatnina, Car' Asyka i ego poddannye, Obes'jan'ja Velikaja Palata A. M. Remizova v licach i dokumentach, Sankt-Peterburg 2001.

6 Šklovskij, ZOO, S. 282 / ZOO², S. 182. / ZOO²ᵃ, S. 33.

7 Šklovskij, ZOO, S. 283 / ZOO², S. 182 / ZOO²ᵃ, S. 34.

[s]o wie die Kuh das Gras frisst [...]. Ein Schriftsteller kann nicht Ackerbauer sein – er ist ein Nomade; mit seiner Viehherde und seiner Frau wech-
selt er immer wieder zu einem neuen Thema über.[8]

Dieses Nomadentum der Schriftsteller und speziell des Affenheeres verweist im
Kontext des Briefes, in dem neben der Schöpfungsgeschichte zusätzlich, wenn
auch verfremdet, auf die Vätergeschichte angespielt wird, letztlich auf das auser-
wählte Volk Israel, das anfangs ebenfalls umherzog. In diesem Vergleich wird eine
Verbindung von Schklowskis Erzähler zur jüdischen Kulturtradition deutlich.
Gleichzeitig ist das hier beschriebene geistige Nomadentum eine metaphorische
Darstellung der transzendentalen Heimatlosigkeit des Schriftstellers, die speziell
in Russland nicht etwa als Merkmal eines modernen Bewusstseins galt, sondern
vielmehr als Voraussetzung für die sprichwörtlich gewordene russische Seele, die
ihrerseits Teil des Nationalstolzes ist.[9] Im Fall von Remisows Affenheer ist vor allem die Freiheit des Geistes als Produktionsvoraussetzung des Schriftstellers anzu-
sehen, wobei Schklowskis Verfremdungstheorie für den Erzähler sicherlich mit
im Vordergrund steht. Das Ziehen von Weidegrund zu Weidegrund ist mit der
steten Notwendigkeit eines Wechsels der Verfahren in der Kunst gleichzusetzen,
gefolgt von einer Erneuerung der Wahrnehmungsmechanismen, die Schklowski
in seinem theoretischen Werk propagiert.[10] Schklowskis Erzähler zufolge

> gibt [es] zwei Einstellungen zur Kunst. Die eine zeichnet sich dadurch aus, dass
> daß ein Werk als Fenster zur Welt angesehen wird. Mit Worten und Bildern
> will man ausdrücken, was hinter den Worten und Bildern liegt. Künstler von
> diesem Schlag verdienen es, Übersetzer genannt zu werden. Die andere Ein-
> stellung besteht darin, daß man die Kunst als eine Welt eigenständiger Dinge
> betrachtet. Die Wörter, deren Wechselverhältnis, die Gedanken, die Ironie
> der Gedanken, ihre Nichtübereinstimmung: das ist es, was den Inhalt der
> Kunst ausmacht. Falls sich die Kunst mit einem Fenster vergleichen läßt,
> dann nur mit einem aufgepinselten.[11]

---

8   Ebd. ZOO, S. 283 / ZOO², S. 182 / ZOO²ᵃ, S. 34.
9   Svetlana Boym, »Estrangement as a Lifestyle: Shklovsky and Brodsky«, Poetics Today
    17:4 (1996), S. 511-530, hier S. 514.
10 Z.B. Viktor Šklovskij, »Voskrešenie slova« [1914], in: ders., Gamburgskij sčet, stat'i, vo-
    spominanija, èsse, Moskau 1990, S. 36-42. Hier erläutert Schklowski die Abstumpfung
    in der Wahrnehmung anhand des einzelnen Wortes, das ursprünglich eine Bedeutung
    hatte, die sich aus dem Wort selbst erschließen ließ und nun nur noch wiedererkannt
    wird. Auffällig ist dabei, dass er vor allem religiös konnotiertes Vokabular nutzt, um
    diesen Sachverhalt zu erklären.
11 Šklovskij, ZOO, S. 316 / ZOO², S. 215 / ZOO²ᵃ, S. 94.

Diese zwei möglichen Sichtweisen der Kunst finden ihre Entsprechungen im Bild des Ackerbauers und des Nomaden. Der Ackerbauer bleibt an ein und demselben Ort, so wie der Künstler geistig an einer Stelle verhaftet bleibt, indem er versucht, die Welt um sich herum in Kunst zu übersetzen. Der Nomade hingegen sieht sich ständig mit wechselnden Eindrücken konfrontiert und erschafft sich durch die Verarbeitung dieser seine Welt ständig neu. Der Künstler wird damit zum Schöpfer einer eigenständigen Welt.

Das Verweilen des Nomaden an einem Ort kommt dem gewohnten Sehen gleich, das statt einer Wahrnehmung der Dinge einen bloßen Wiedererkennungseffekt evoziert. Der Ackerbauer ist in diesem Sinne als ein Künstler zu betrachten, der beispielsweise nicht durch Illusionsdurchbrechung das Artifizielle in der Kunst hervorhebt, sondern versucht, ein exaktes Abbild der realen Welt zu schaffen und so kein neues Sehen erzeugt. Er bleibt im Alten verhaftet. Der Nomade hingegen ist ein Künstler, der sich auf diese Künstlichkeit zurückbesinnt und das Gewohnte durchbricht, indem er die Kunst als das betrachtet, was sie im Sinne Schklowskis ist: Kunst und kein Weltimitat. Der Vergleich, den der Erzähler an dieser Stelle wählt, zeigt den Fortschritt und das Revolutionäre in der Kunst mithilfe eines (technischen) Rückschritts, da der sesshafte Bauer in der Geschichte eine Weiterentwicklung des Nomadentums aufgrund verschiedener Innovationen darstellt. Die Rückkehr zum Nomadentum ist gewissermaßen ein Aufbruch *ad fontes*, um dadurch letztlich das Neue zu schaffen. Der Erzähler wählt das Nomadenleben als Ideal und nicht etwa ein aketisches Dasein als Eremit. Besitz und Familie sind für ihn unerlässlich und werden in seinem Vergleich durch die Frau und die Herde repräsentiert. Es ergibt sich folglich eine Art innerer Heimat als eine Konstante, die es in der Gemeinschaft des Affenordens so ähnlich geben muss. Hierin widerspricht sich der Erzähler scheinbar sogleich, indem er das Leben des Affenheeres wie folgt mit dem von Kiplings Kater vergleicht:

> Unser großes Affenheer lebt wie Kiplings Katze auf dem Dach: für sich allein. Ihr geht in Kleidern, ein Tag löst bei euch den anderen ab; in Mord, und [sogar mehr noch] in der Liebe, seid ihr altmodisch. Das Affenheer nächtigt nicht dort, wo es zu Mittag aß, es trinkt den Morgentee nicht dort, wo es schlief. Es ist stets ohne Wohnung.[12]

Den Angehörigen des Affenordens ist die Fremdheit gegenüber der Welt der Menschen gemeinsam, ebenso wie die Heimatlosigkeit. Das Leben des Affenordens nimmt das Leben der russischen Emigranten in Berlin vorweg. Es ist gekennzeichnet durch eine Sinnkrise, ausgelöst durch das Gefühl der Entwur-

---

12   Ebd. ZOO, S. 283 / ZOO², S. 182 / ZOO²ª, S. 34. [Ergänzung der Übersetzung: B. K.]

zelung und mündet in das Gefühl der Rastlosigkeit. Trotzdem mischen sich unter diese Gefühle auch zusätzlich Stolz und das Gefühl der Freiheit. Das Bewusstsein, sich deutlich von den anderen Menschen zu unterscheiden, hatten die Angehörigen des Affenordens bereits in Petersburg. In Berlin hat es sich nur noch weiter verstärkt. Der Affenorden stellt eine Gesellschaft in der Gesellschaft dar, die sich klar abgrenzt. Die hierarchischen Strukturen innerhalb des Ordens sind ebenso festgeschrieben wie bei einer tatsächlichen Affenherde im Urwald. Bis zu einem gewissen Grad stellt Remisows Affenheer die Rückkehr zu einer idealen Urgesellschaft dar, die überschaubar ist in ihrer Größe und umherzieht, dabei aber trotzdem feste Strukturen aufweist.

Die oben zitierte Anspielung auf Rudyard Kiplings Kindererzählung »The Cat that Walked by Himself« zeigt zunächst das Prinzip einer gesellschaftlichen Unabhängigkeit auf, die im Affenorden allerdings auf andere Art vorhanden ist als in Kiplings Erzählung. Zwar beteuert der Kater in der Erzählung immer wieder: »I am the Cat who walks by himself, and all places are alike to me«,[13] trotzdem sagt er sich nicht vollkommen los. Nachdem alle anderen wilden Tiere von den beiden Höhlenmenschen in der Erzählung domestiziert worden sind, versucht auch der Kater, Teil dieser Gemeinschaft zu werden. Im Unterschied zu den anderen Tieren ist er jedoch nicht bereit, seine Freiheit dafür vollkommen aufzugeben. Er hält weiter an seinem Credo fest. Seine eigene Entscheidung führt ihn nun nicht irgendwohin in die Wildnis, sondern an das wärmende Feuer der Menschen. Auch nachdem er durch ein Abkommen mit der Frau seinen Platz am Feuer und täglich warme Milch »for always and always and always«[14] ergattert hat, besteht der Kater auf seinen Prinzipien: »But still I am the Cat who walks by himself, and all places are alike to me.«[15] Durch diese Aussage verhindert er selbst seine Integration in die Gesellschaft der Menschen, da der Mann ihn fortan mit Fußtritten davon jagen und auch der Hund, der beste Freund des Menschen, den Kater verfolgen wird, wenn dieser untätig am Feuer liegt und nicht seinen Aufgaben nachkommt. Der Kater ist ihrer Gesellschaft in Form der Höhle zwar gewissermaßen angegliedert, besteht jedoch weiter auf seine eigenen Freiräume. Solange er die Abmachung mit den Menschen einhält, nämlich kinderlieb zu sein und die Mäuse in der Höhle zu fangen, hat er nichts zu befürchten und wird geduldet. Letzten Endes lässt sich feststellen, dass Kiplings Kater die Nähe zur menschlichen Gesellschaft regelrecht gesucht hat, auch wenn er sich nicht komplett von ihr vereinnahmen

---

13 Kipling, »The Cat that Walked by Himself«, S. 158.
14 Ebd. S. 172.
15 Ebd.

lassen wollte. Dadurch widerlegt der Kater sein eigenes Lebensprinzip. Ihm ist eben nicht einerlei, wo er sich befindet.

Das Affenheer von Remisow scheidet zwar aus der bestehenden Gesellschaft aus, steht allerdings nicht allein da wie der Kater in Kiplings Kindererzählung, sondern bildet seine eigene Gesellschaft aus, mit eigenen Regeln und hierarchischen Strukturen. Eine vollkommene Freiheit kann es im Grunde in dieser Parallelgesellschaft nur bedingt geben, da auch sie ihren Gesetzen folgt. Anders als der Kater in Kiplings Erzählung kann sich der Affenorden von der Gesellschaft lossagen und ist nur bedingt auf ihre Infrastruktur angewiesen, da er sich seine eigene schafft.

Auch Kiplings Kater und Schklowskis Erzähler weisen Parallelen auf.[16] Am Ende des fünften Briefes setzt sich der Erzähler implizit mit dem Kater ins Verhältnis:

Ich gebe mein Gewerbe als Schriftsteller, meinen freien Weg über die Dächer nicht preis: nicht für einen europäischen Anzug, nicht für blankpolierte Schuhe, nicht für hohe Valuta, nicht einmal für Alja.[17]

Der Erzähler nutzt hier die Bildlichkeit aus Kiplings Geschichte, um seinen Standpunkt bezüglich der Verbindung von der Lebensart zum Dasein als Schriftsteller zu verdeutlichen. Für den Erzähler hat der Beruf des Schriftstellers einen sehr hohen Stellenwert. Die Freiheit des Schriftstellers, die im Zitat angeführt wird, ist für ihn gleichbedeutend mit der persönlichen Freiheit. Dem Erzähler ist zwar seine Freiheit durch seine Emigration nach Berlin auf den ersten Blick nicht genommen worden, trotzdem sehnt er sich nach Russland zurück. Er weiß, dass dieser Rückweg ihm vorerst versperrt ist. Ebenso war dem Kater zunächst die Höhle der Menschen versperrt und nur hierhin hat es ihn gezogen. Für den Erzähler und den Kater gilt also gleichermaßen, dass es ihnen eben nicht einerlei ist, an welchem Ort sie sich befinden, auch wenn der Kater nicht müde wird, das Gegenteil zu behaupten. Im letzten Brief, der an das Zentrale Exekutivkomitee in Russland gerichtet ist, formuliert der Erzähler die Bitte, nach Hause zurückkehren zu dürfen. Hier greift er erneut einige Motive aus dem oben angeführten Zitat auf:

16 Vgl. Verena Dohrn, Die Literaturfabrik, Die frühe autobiographische Prosa V. B. Šklovskijs – Ein Versuch zur Bewältigung der Krise der Avantgarde, Slavistische Beiträge Bd. 216, München 1987, S. 127-130. Dohrn macht darauf aufmerksam, dass das Bild von Kiplings Kater sich ebenfalls in Schklowskis *Tret'ja Fabrika* (Dritte Fabrik) befindet, und zieht eine Parallele zwischen dem Kater und den jeweiligen Erzählern, die den gesamten Verlauf der Kindererzählung mit dem Leben Schklowskis und seinem Verhältnis zur sowjetischen Kultur in Beziehung setzt.

17 Šklovskij, ZOO, S. 284 / ZOO², S. 183 / ZOO²ᵃ, S. 36.

Laßt mich nach Rußland heim, mich und mein bescheidenes Gepäck: sechs
Hemden (drei zu Hause, drei in der Wäsche), ein Paar gelbe Stiefel, die ver-
sehentlich mit schwarzer Schuhcreme gewichst wurden, eine blaue alte Hose,
in die ich vergeblich eine Falte einzubügeln versucht habe.[18]

Aus diesem Brief geht hervor, dass der Erzähler sehr wohl versucht hat, sich
zeitweilig der westlichen Lebensart anzupassen, jedoch vergeblich. Der europäische Anzug wird durch die sechs Hemden und die alte Hose repräsentiert und
auch die Stiefel sind nun geputzt, genau wie Alja ihm ganz nach dem Motto
»Kleider machen Leute« im neunzehnten Brief geraten hat.[19] Das Reinigen der
Stiefel entbehrt allerdings des gewünschten Erfolges, da das falsche Mittel verwendet wurde. Auch der Versuch, eine Bügelfaltenhose zu erhalten, misslingt
und stellt seinerseits einen Bezug zum zwölften Brief her, der mit den Worten
beginnt: »Ich schwöre es dir: Hosen müssen keine Bügelfalten haben! Hosen
trägt man gegen die Kälte.«[20] Der Erzähler muss folglich seine rein pragmati-
sche Sichtweise auf die Kleidung aufgegeben und versucht haben, sich der
Mode unterzuordnen, jedoch letztendlich erfolglos. Auch Alja, deren Liebe zu
erlangen das höchste Ziel des Erzählers zu sein scheint, wird im letzten Brief
negiert und als »Realisierung einer Metapher«[21] bezeichnet, wodurch sie im
Nachhinein zu einem rein textuellen Phänomen degradiert wird. An dieser Stelle
überschneiden sich zwei verschiedene narrative Ebenen, nämlich die extradiegetische, die nicht in der fiktiven Welt der Romanhandlung angesiedelt ist, und
die diegetische, die einzig die durch Narration vermittelte Welt repräsentiert.
Die Reduktion von Alja auf eine rein textuelle Erscheinung entspricht dem im
Vorwort angekündigten Romanaufbau, wo die Liebe zu einer Frau als Motivation für den Briefroman genannt wird und so die Verknüpfungstechnik der
einzelnen Episoden bloßgelegt wird.[22] Indem diese erzähllogisch getrennten
Ebenen gleichzeitig innerhalb des Textkörpers existieren, kommt es zu einem
unlösbaren Widerspruch, einer Metalepse. In die Diegese dringt eine weitere
Instanz ein, in diesem Fall eine extradiegetische. Einer solchen Grenzüber-
schreitung kann sowohl eine komische als auch phantastische wie groteske Wirkung folgen.[23]

18 Šklovskij, ZOO, S. 329 / ZOO², S. 230 / ZOO²ᵃ, S. 123.
19 Ebd. ZOO, S. 313 / ZOO², S. 211 / ZOO²ᵃ, S. 85.
20 Ebd. ZOO, S. 296 / ZOO², S. 193 / ZOO²ᵃ, S. 53.
21 Ebd. ZOO, S. 329 / ZOO², S. 230 / ZOO²ᵃ, S. 122.
22 Ebd. ZOO, S. 271 / ZOO², S. 165 / ZOO²ᵃ, S. 7. Vgl. Levčenko, Istorija i fikcija, S. 81.
23 Gérard Genette, Die Erzählung, München ²1998, S. 167-169. Genette gibt zahlreiche
    Beispiele für Metalepsen, unter anderem auch aus Laurence Sternes *Tristram Shandy*, der
    als eines von Schklowskis Vorbildern gilt und den er in seinem theoretischen Werk aus-
    führlich untersucht hat.

Fakt ist, dass der Erzähler zeitweilig versucht hat, den kapitalistischen Lebensstil Aljas, der mit einem gewissen Grad von Genusssucht einhergeht, zu adaptieren. Seine Hose lässt sich jedoch nicht mit einer akkurate Bügelfalte versehen und auch die mit der falschen Schuhcreme geputzten Stiefel zeigen, dass der Assimilationsprozess nicht erfolgreich war. Der diegetische Erzähler wendet sich nun von Alja ab, verleugnet sogar ihre Existenz und bemüht sich um seine Rückkehr nach Russland, dem nun (erneut) sein gesamtes Sehnen gilt.

Die intertextuelle Bezugnahme auf Kiplings Erzählung, die zunächst den Freiheitsbegriff des Affenordens verdeutlichen soll, stellt zusätzlich eine Oppositionsbeziehung zum Titel von Schklowskis Roman her. Das Tier wird dem Menschen gegenübergestellt, wobei speziell seine Freiheit und Wildheit idealisiert wird. Im Zoo jedoch sind die Tiere ihrer Freiheit beraubt und in einer fremden Umgebung eingesperrt. So wie die Tiere des Zoos in Käfigen eingesperrt sind, so sind die russischen Emigranten aus ihrem Land ausgesperrt. Ferner haben sie einen ähnlich exotischen Status im Berliner Stadtalltag inne.[24] Dem Roman *ZOO* steht nach dem Vorwort noch ein längerer Auszug aus dem Poem »Das Tiergehege« von Welimir Chlebnikow voran, das die semantische Verschiebung von »Leben« und »Kunst« exemplifiziert.[25] Der Romantitel »ZOO« erhält so einen übergeordneten intertextuellen Bezug, noch bevor der eigentliche Text beginnt. Dadurch entsteht zusätzlich eine Verbindung zur Vorkriegsavantgarde.[26] Im Poem »Das Tiergehege« beschreibt Chlebnikow einen Besuch im Zoo, vermutlich in Berlin, da er zweimal die Deutschen erwähnt, die dorthin einen Ausflug machen. Bereits der Anfang des Gedichts enttarnt das vermeintliche Paradies des Zoos. Der Zoo wird eingangs direkt angeredet: »Oh, Garten!«[27] In dieser Anrede spielt Chlebnikow auf den Garten Eden an, dessen freies Ideal jedoch mithilfe der darauffolgenden Ergänzung sofort demontiert wird:

Wo das Eisen dem Vater gleicht, der den Brüdern bedeutet, daß sie Brüder sind, und der dem blutigen Geplänkel Einhalt gebietet.[28]

---

24 Elsbeth Wolffheim, »Fragmentierung der Lebensgeschichte, Zu den autobiographischen Aufzeichnungen von Achmatova, Mandelštam, Cvetaeva, Šklovskij und Nabokov«, in: Literaturwissenschaftliches Jahrbuch 34 (1993), S. 327-346, hier: S. 342.
25 Hansen-Löve, Der russische Formalismus, S. 557.
26 Wolfgang Stephan Kissel: »Figuren der Exklusion in Viktor Šklovskijs *Zoo, oder Briefe nicht über Liebe*, Zum russischen Berlin-Text der frühen Zwanziger Jahre«, in: Walter Fähnders, Wolfgang Klein, Nils Plath (Hg.), Europa. Stadt. Reisende. Blicke auf Reisetexte 1918-1945, Reisen, Texte, Metropolen, Bd.4, Bielefeld 2006, S. 193-214, hier S. 203.
27 Šklovskij, ZOO, S. 273 / ZOO², S. 169 / ZOO²ᵃ, S. 11.
28 Ebd.

Das Eisen, das hier stellvertretend für die Gitterstäbe der einzelnen Tierkäfige steht, zerstört das Idyll des Gartens,[29] ist aber gleichzeitig ordnendes Element. Auch Anfang und Titel des Poems stehen in einer Oppositionsbeziehung, denn die Freiheit des Paradieses steht der Assoziation mit dem Gefängnis, die durch das Tiergehege beziehungsweise den Zoo hervorgerufen wird, entgegen.[30] Die veränderten Lebensumstände, unter denen die Tiere im Zoo ähnlich leiden wie die russischen Emigranten in Berlin bilden ebenfalls eine Parallele.[31] Der Erzähler schildert im sechsten Brief einen Besuch im winterlichen Berliner Zoo, in dem er auch den großen Menschenaffen beschreibt, der sein Winterquartier in der doppelt fremden Umgebung des Aquariums hat.[32] Dieser lebt zum einen in einem mitteleuropäischen Zoo in der Welt der Menschen, zum anderen im Aquariengebäude zwischen Fischen und Amphibien. Hier vergleicht der Erzähler die Situation des Affen mit der der russischen Emigranten in Berlin. Beide wurden ihrer natürlichen Umwelt entrissen:

Ohne [Wald] muss er sich maßlos langweilen. Die Menschen hält er für böse Geister. Den ganzen Tag langweilt sich dieser arme Ausländer in den Innenräumen des Zoo.
Nicht einmal eine Zeitung gibt man für ihn heraus.[33]

Beinahe alle Aussagen in diesem kurzen Abschnitt treffen sowohl auf den Erzähler als auch auf den Affen zu, bis auf die Tatsache, dass die Emigranten sehr wohl über eine eigene Presselandschaft verfügten. Eine Ambiguität enthält der Satz »Den ganzen Tag langweilt sich dieser arme Ausländer in den Innenräumen des Zoo«. Auch im hiesigen Kontext kann nicht nur der Affe gemeint sein, da der Erzähler im selben Brief betont, viel zu viel Zeit zu haben, weil Alja keine

29 Kirsten Lodge, »Velimir Chlebnikov's Zverinec as a Poetic Manifesto«, in: Russian Literature LI (2002), S. 189-198, hier: S. 194-195. www.elsevier.com/locate/ruslit (23.10.2008)
30 Ebd. S. 193.
31 Evelyn Bristol, »Shklovskii as a Memoirist«, in: Peter Rollberg (Hg.), And a Meaning for a Life Entire: Festschrift for Charles A. Moser on the Occasion of his Sixtieth Birthday, Columbus 1997, S. 323-335, hier: S. 328.
32 Peter Steiner, »The Praxis of Irony: Viktor Shklovsky's Zoo«, in: Robert Louis Jackson, Stephen Rudy (Hgg.), Russian Formalism: A Retrospective Glance, A Festschrift in Honor of Victor Erlich, New Haven 1985, S. 27-43, hier: S. 29.
33 Šklovskij, ZOO, S. 285 / ZOO², S. 185 / ZOO²ᵃ, S. 38. [Angleichung der Übersetzung: B. K.] Die späteren Fassungen nennen statt des Waldes (les) die Tätigkeit beziehungsweise das Geschäft (delo), die der Affe entbehren muss. Indem hier nicht mehr nur die fehlende, gewohnte Umwelt moniert wird, sondern die fehlende sinnvolle Aufgabe, wird der Affe noch stärker vermenschlicht und damit in höherem Maße mit dem Erzähler vergleichbar.

Zeit für ihn hat. Nur deshalb geht er überhaupt in den Zoo.[34] Es ist also möglich, dass er hier die Außenperspektive einnimmt und von sich in der dritten Person schreibt. Einsamkeit und Isolation machen das Dasein des Affen ebenso aus wie das des Erzählers. Auch Affen sind im Grunde gesellige Tiere und leben in einer Herde. Der Affe ist nicht nur seiner gewohnten Umwelt, sondern auch der Gesellschaft der Artgenossen entrückt und sieht sich in einer fremden Umgebung nur von bösen Geistern umgeben, für die er die Menschen hält. Auch der Erzähler teilt diese Wahrnehmung bezüglich Berlins. Im vierzehnten Brief wendet er sich an seine Freunde in Petersburg: »Rettet mich vor den Schattenmenschen, vor den Menschen, die man von der Deichsel losgespannt hat; vor dem Rost [...].«[35] Die Mitmenschen des Erzählers sind in seinen Augen schon zu schattenhaften Geistern geworden, die aus ihrem ursprünglichen Leben losgerissen und in einen anderen Kontext verpflanzt wurden. Sie sind in Berlin Fremde, wie auch der Affe, der isoliert von Seinesgleichen ein tristes Dasein im Zoo fristen muss.

Die Freiheit, an der der Erzähler so gerne festhalten möchte, indem er lieber den freien Weg über die Dächer wählt, kann es für ihn kaum geben. Für den Erzähler gilt ebenso wenig wie für Kiplings Kater »all places are alike to me«. Berlin ist nicht Russland und nur dorthin möchte er zurück. Da ihm dieser Weg versperrt ist, muss er Berlin im Grunde als riesiges Gefängnis wahrnehmen. Bereits die Analogie zwischen den Zootieren und den russischen Emigranten zeigt seine Unfreiheit. Ferner schlägt sich das Gefühl der Unfreiheit in den Berlin-Bildern des Erzählers nieder. Er betont, dass Berlin überall gleich aussehe und dass man mit der Straßenbahn nirgendwohin fahren könne. Selbst mit den öffentlichen Verkehrsmitteln gebe es für ihn kein Entrinnen aus Berlin. Das viele Metall, das den Erzähler in Berlin umgibt, spielt zusätzlich, ebenso wie die eingesperrten Tiere im Zoo, auf das Gefangensein an. Berlin ist ein eisernes Gefängnis.[36] Die zwölf eisernen Brücken, die sich als Leitmotiv durch den gesamten Roman ziehen, und die Bahngleise sind seine Gitterstäbe. Alja ist sich der Wirkung der zwölf Brücken durchaus bewusst, wenn sie im ersten Brief an ihre Schwester schreibt:

---

34 Vgl. auch Šklovskij, ZOO², S. 185 / ZOO²ᵃ, S. 38. Im Post Scriptum des Briefes, das in der ersten Ausgabe nicht enthalten ist, teilt der Erzähler wie nebenbei mit, dass der Affe gestorben sei. Er kommentiert den Tod des ihm nahen Verwandten nicht weiter. Der Tod ist nur die logische Konsequenz eines sinnlosen Daseins, eines Daseins, das er ähnlich führt.

35 Ebd. ZOO, S. 302 / ZOO², S. 198 / ZOO²ᵃ, S. 62.

36 Anatolij Viševskij, »Kak sdelan ZOO Viktora Šklovskogo«, Canadian-American Slavic Studies 27:1-4 (1993), S. 165-180, hier: S. 168.

Um hierher zu gelangen, muß man, woher man auch kommt, unter zwölf eisernen Brücken hindurchgehen. Das wird die Leute abschrecken, [vom Kurfürstendamm] aus einen Katzensprung zu machen.[37]

Die Brücke ist hier ungewöhnlicherweise kein verbindendes Element. Für Alja fungieren die Brücken tatsächlich als eine Barriere, die allerdings für sie selbst nicht zu gelten scheint, denn sie verlässt ihre Gegend von Zeit zu Zeit, um Tanzen oder Einkaufen zu gehen. Die Brücken sperren also nicht sie ein, sondern die anderen aus, so auch den Erzähler.

Neben den immer wieder genannten zwölf eisernen Brücken betont der Erzähler auch an anderer Stelle, dass noch weitere Dinge in Berlin beziehungsweise in Deutschland aus Eisen bestehen, wodurch im Text ein Geflecht von Äquivalenzen entsteht. Im achtzehnten Brief beschreibt der Erzähler eine Fahrt mit der Berliner U-Bahn, bei der er die metallenen Geräusche, die bei der Beschleunigung entstehen, und die Enge der Passagen zwischen den Häusern in den Vordergrund stellt. Die Leierkastenmänner an den Bahnhöfen spielen keine Lieder. Zu hören ist nur »Berlins mechanisches Stöhnen«.[38]

Im Gegensatz zur deutschen beziehungsweise westlichen Literatur aus der Weimarer Zeit, in der die belebten Orte wie Alexanderplatz oder auch der Kurfürstendamm und der Tiergarten zur Veranschaulichung des Berliner Lebens benutzt werden, ist in der russischen Emigrantenliteratur das Gleisdreieck zum Sinnbild Berlins geworden.[39] Monströse metallene Technik, so weit das Auge reicht. Das Gleisdreieck, »das Forum aller Berliner Züge«,[40] ist ein Verkehrsknotenpunkt und folglich Umsteigebahnhof. Verlässt man den Bahnhof, öffnet sich der Blick auf ein Geflecht von Gleisen. Dieses eiserne Geflecht ist menschenleer. Das Gleisdreieck bezeichnet der Erzähler als »Deutschlands eisernes Herz«.[41] Er befindet sich im Zentrum dieses Eisengeflechts, sodass die Gleise

---

37 Šklovskij, ZOO, S. 276 / ZOO², S. 176 / ZOO²ᵃ, S. 22. [Angleichung der Übersetzung B. K.] In ZOO² und ZOO²ᵃ ist es nicht der Kurfürstendamm sondern Unter-den-Linden, vermutlich um die Handlung in den zur Zeit der Erscheinung der späteren Ausgabe bereits sowjetischen Teil der Stadt Berlin zu verlegen, beziehungsweise aus dem kapitalistischen Herzstück Westberlins in die Hauptstadt der DDR. Der Kalte Krieg hinterließ folglich auch hier seine Spuren.

38 Ebd. ZOO, S. 311 / ZOO², S. 206 / ZOO²ᵃ, S. 77.

39 Alexander Dolinin, »›The Stepmother of Russian Cities‹ Berlin of the 1920s through the Eyes of Russian Writers«, in: Gennady Barabtarlo (Hg.), Cold Fusion, Aspects of German Cultural Presence in Russia, New York, Oxford 2000, S. 225-240, hier: S. 233. [Matthias Freise, Britta Korkowsky, »Drei Gleisdreiecke. Boris Pasternak, Viktor Šklovskij und Joseph Roth sehen Berlin«, in: Germanoslavica 21:1 (2010). Heft bei Redaktionsschluss noch nicht veröffentlicht.

40 Šklovskij ZOO, S. 310 / ZOO², S. 206 / ZOO²ᵃ, S. 76.

41 Ebd. ZOO, S. 311 / ZOO², S. 206 / ZOO²ᵃ, S. 77.

und Hochgleise ihn umgeben wie Gitterstäbe in einem Käfig oder Gefängnis und letztlich wiederum auf den großen Menschenaffen im Aquarium des Zoos verweisen, mit dem sich der Erzähler, wie bereits gezeigt, während seines Zoobesuchs identifiziert und den er im sechsten Brief beschreibt.

Im fünfundzwanzigsten Brief berichtet der Erzähler, dass der Frühling in Berlin Einzug hält. Das gibt neue Hoffnung: »Glauben wir an unsere Heimkehr! Der Frühling naht.«[42] Der Erzähler assoziiert mit dem Frühling vor allem den Frühling in Petersburg.

> Die Nächte sind dort weiß, die Sonne geht auf, noch ehe die Brücken vereinigt sind. […] Berlin hat andere Uferstraßen. Auch sie sind schön. Es geht sich gut an diesen Kanälen entlang in die Arbeiterviertel.
>
> Dort verbreitern sich die Kanäle bisweilen zu stillen Häfen, über dem Wasser hängen Hebekräne in der Luft. Wie Bäume. Dort, am Halleschen Tor, noch jenseits der Gegend, in der du wohnst, steht der runde Turm der Gasfabriken, wie bei uns am Umgehungskanal. […] Die Kanäle sind auch dann sehr schön, wenn an ihrem Ufer ein Hochgleis entlangführt.[43]

Hier wird deutlich, dass nicht nur Berlin ohne Natur beschrieben wird, sondern auch Petersburg. Das Frühlingsidyll in Petersburg kommt ohne das zarte Grün knospender Bäume und ohne Vogelgezwitscher aus. Es handelt sich auch hier nur um städtische Industrielandschaften in Form von Brücken und Fabriktürmen. Charakteristisch sind für den Erzähler die frühe Helligkeit und die geöffneten Brücken in Petersburg. Diese offenen Brücken stehen in einer Oppositionsbeziehung zu den zwölf eisernen Brücken, unter denen man auf dem Weg zu Alja hindurchgehen muss. Die Brücke ist hier kein verbindendes Element, das man überqueren kann, sondern eine Barriere, unter der man hindurch muss, vergleichbar einer Klappbrücke über einen Wasserweg, die im geschlossenen Zustand die durchgehende Schifffahrt behindert. Die geöffneten Brücken über den Kanälen in Petersburg werden aus der Perspektive des Schiffers betrachtet, weshalb sie für einen freien Weg stehen. Die zwölf Berliner Brücken sind geschlossen und gehören durch ihre Beschaffenheit aus Metall zum Paradigma des Gefängnisses.[44] Die geöffneten Brücken in Petersburg verweisen folglich auf ein Leben in Freiheit. Das Gefühl des Eingesperrtseins kann hier gar nicht erst aufkommen. Obwohl Berlin und Petersburg Ähnlichkeiten aufweisen, wie die Kanäle oder den Turm des Gaswerks am Halleschen Tor, und obwohl dieses Berlin dem Erzähler zu gefallen scheint, bleibt das eiserne, fremde

---

42 Ebd. ZOO, S. 323 / ZOO², S. 220 / ZOO²ᵃ, S. 104.
43 Ebd. ZOO, S. 323-324 / ZOO², S. 220-221 / ZOO²ᵃ, S. 104-105.
44 Viševskij, »Kak sdelan ZOO Viktora Šklovskogo«, S. 168.

Berlin auch an dieser Stelle in Form eines Hochgleises, das am Kanal entlang-
läuft, präsent. Die Schönheit des Frühlings am Berliner Kanal kann letztlich
nicht darüber hinwegtäuschen, dass es sich bei diesem Industrielandschaftsidyll
nach wie vor um ein Gefängnis für den Erzähler handelt.

Die Freiheit, die der Erzähler mithilfe des Kipling-Zitats propagiert, gibt es
in Berlin für ihn nicht. Er unterliegt demselben Irrtum wie der Kater in der
Kindererzählung. Beide behaupten, dass sie niemanden benötigen und ihnen
der Ort gleich sei, an dem sie leben. Der Erzähler widerlegt diese Behauptung
allein durch seine Liebe zu Alja und der Kater sucht trotz seiner wiederholten
Beteuerung »I am the Cat that walks by himself« die Nähe der Menschen und
der anderen bereits domestizierten Tiere. Auch die Behauptung »all places are
alike to me« trifft weder auf den Erzähler noch auf den Kater zu. Wäre beiden
der Ort tatsächlich so gleichgültig, würde der Erzähler in Berlin nicht so sehr
unter seinem Heimweh nach Russland leiden und der Kater wäre mit einem
Leben in den »Wet Wild Woods« fernab vom wärmenden Feuer der Menschen
vollauf zufrieden.

Der Grund für den Aufenthalt des Erzählers in Berlin wird im Roman nicht
explizit genannt. Aus seiner Bitte an das Zentrale Exekutivkomitee im neun-
undzwanzigsten Brief ist er ebenfalls nicht zu erschließen. Fest steht, dass seine
Emigration nach Berlin nicht freiwillig erfolgte. Der Erzähler war gezwungen,
Russland zu verlassen, andernfalls hätte er seine Freiheit verloren. In Berlin kann
er jedoch seiner knapp geretteten Freiheit nicht teilhaftig werden. Er ist zwar
nicht direkt eingesperrt, aber eben ausgesperrt, das heißt er kann seinen Aufenthaltsort nur bedingt frei wählen, weshalb Berlin mithilfe der Eisenanalogien zu
einem Gefängnis stilisiert wird. Die Emigration, die für den Erhalt der persönlichen Freiheit notwendig war, stellt schließlich eine spürbare Freiheitseinschränkung für Schklowskis Erzähler dar. Eine ähnliche Freiheitseinschränkung
erfährt auch Kiplings Kater, der überall hingehen kann, wobei die Höhle der
Menschen ihm verschlossen bleibt, weil er sich nicht restlos in die Gemeinschaft
eingliedern wollte. Aus dem Wechselspiel von Eingesperrtsein und Ausgesperrt-
sein ergibt sich letztlich ein Freiheitsparadoxon.

Schklowskis Erzähler kann sich nicht auf ein Leben in Berlin einlassen. Er
vergleicht die Stadt mit seiner Heimatstadt Petersburg, sodass für ihn ein fikti-
ver Raum entsteht, in dem Elemente Berlins und Petersburgs miteinander ver-
mengt werden und sich überlagern.[45] Er ist nicht nur aus Russland ausgesperrt,
sondern auch aus Berlin. Er empfindet sein Berlin als Gefängnis, da er die Welt,
die aus seinen Petersburger Erinnerungen und seiner Wahrnehmung Berlins

---

45 Wolfgang Stephan Kissel: »Figuren der Exklusion in Viktor Šklovskijs *Zoo, oder Briefe
    nicht über Liebe*«, S. 204.

gespeist wird, nicht verlassen kann. Diese Zwischenwelt ist ein Ort des Übergangs, beispielsweise, wenn der Erzähler die Berliner Häuser mit Koffern vergleicht[46] und sein Berlin so zu einem gigantischen Wartesaal wird. Die Stadt Berlin als Metropole der Moderne kann er daher nicht sehen. Ähnlich wie der Kater, der sich nicht vollends der Gesellschaft der Menschen angliedern will, ist der Erzähler nicht willens, sich der westlichen, kapitalistischen Lebensweise in Berlin anzupassen, selbst wenn dieser Weg zu Alja führen könnte. Kiplings Kater stellt sein Freiheitsideal über alles und verbaut sich damit den Weg in die warme Höhle der Menschen. Am Beispiel des Katers wird gezeigt, dass die Eingliederung in eine Gesellschaft mit Kompromissen und der Aufgabe einer absoluten Freiheit einhergehen würde. Im Fall des Erzählers ist es sein Festhalten an der alten Heimat, das ihm ein Leben in Berlin unmöglich macht.

Die gescheiterte Liebe zu Alja versinnbildlicht zum einen das Heimweh des Erzählers nach Russland, zum anderen steht Alja für Berlin, denn sie ist an die westliche Lebensweise gewöhnt. Auch stellen die zwölf eisernen Brücken für sie keine Barriere dar. Sie bewegt sich im Gegensatz zum Erzähler frei in der Metropole, da sie sich auf die hiesige Lebensart eingelassen hat. Sie führt ein Leben als Kosmopolitin, wobei sie sich eher nach London sehnt als nach ihrem Herkunftsland Russland:

> Obwohl ich [in Berlin] geruhsam lebe, sehne ich mich nach London. Nach der Einsamkeit, dem gemessenen Tageslauf, der Arbeit von früh bis spät, der Badewanne und dem Tanz mit netten jungen Männern.[47]

Der Begriff der Heimat als topographisch bestimmbarem Ort ist Alja fremd, da sie sich überall und nirgends zu Hause zu fühlen vermag und damit eine Art innerer Heimat gefunden zu haben scheint. Letztlich ist nur sie es, die dem Anspruch des Katers und auch des Erzählers gerecht wird. Im Gegensatz zu den beiden kann sie ihren Weg frei wählen, in Berlin und in der Welt, weil sie sich den Gegebenheiten anpasst. Alja könnte dem Muster des Katers entsprechend von sich selbst sagen: »I am the woman that walks by herself and all places are alike to me«, und in ihrem Fall wäre diese Aussage auch zutreffend.

---

46 Šklovskij, ZOO, S. 309 / ZOO², S. 205 / ZOO²ᵃ, S. 75.

47 Ebd. ZOO, S. 276 / ZOO², S. 176 / ZOO²ᵃ, S. 22-23. Nicht nur London gilt Aljas Sehnen, sondern beispielsweise auch der Insel Tahiti. Siehe ebd. ZOO, S. 314 / ZOO², S. 213 / ZOO²ᵃ, S. 90.

Jeffrey Wallen

Migrant Visions –

The Scheunenviertel and Boyle Heights, Los Angeles

When the twenty-year-old Abraham Joshua Heschel moved to Berlin in 1927 to study at the university, his biographers note:

>»For the first time he entered a non-Jewish world, having left Hasidic Warsaw […] and secular Vilna. […] Yet he did not maintain his ancestral pattern by renting rooms in the city's predominantly East European Jewish section, known as the Scheunenviertel. This area of East Berlin, not far from the university and near the Alexanderplatz, was populated by Jewish immigrants who maintained the dress and customs of their shtetls. […] at first, Heschel worshipped at a synagogue of Talmud learning recommended by his family, the Hevra Shaas of Rabbi Hayim Moses Feldmann-Postman, located on Grenadier Strasse in the Scheunenviertel. There Heschel prayed wearing a *gartel* (ritual belt) favored by Hasidim. Heschel also worshipped a few blocks away at the Hasidic shtiebl of Boyan.«[1]

For a budding East European Jewish intellectual, Berlin offered an astounding array of Jewish and non-Jewish spaces. Heschel took courses at the University of Berlin (on religious and non-religious subjects), studied at the liberal *Hochschule für die Wissenschaft des Judentums*, maintained ties with the orthodox Rabbinerseminar, and participated in many cultural activities. In this quick portrait, the Scheunenviertel is presented as an enclave of East European traditional Jewish life, in some sense a separate space from the rest of the city, that Heschel can visit but that will not directly shape his life in Berlin. But what sort of community was the Scheunenviertel for those migrants who settled there, and especially for those who came to Berlin out of economic necessity or to flee violence and political oppression? How did they experience their neighborhood, and perceive the urban space of Berlin?

What makes the Scheunenviertel, both then and now, such a rich topic for investigation is this intermixing of spaces: a neighborhood bearing the signs of a traditional Jewish community in Poland or Galicia, but in the heart of the

---

1   Edward K. Kaplan and Samuel H. Dresner, Abraham Joshua Heschel: Prophetic Witness, New Haven 1998, p. 101.

modern metropolis of Berlin. A newly arrived Jew from the east would find much that was familiar on Grenadierstrasse: signs in Hebrew letters, Yiddish conversation on a street filled with carts and horses, men with long beards dressed in kaftans, even the typical smells of Jewish food. But the evidence of being in Berlin would be impossible to miss: the physical spaces of the built environment, with their cramped living spaces, often in cellars and attics; Bülowplatz (today Rosa-Luxemburg-Platz) and the *Volksbühne* a block away, with the Communist party headquarters across the street from it; tram lines nearby; and many prostitutes on certain streets, attracting Berliners from other neighborhoods.

The Scheunenviertel was also an »ephemeral environment,« a geographical and temporal transition between east and west, and past and future.[2] East European Jewish immigrants were unsure whether they would stay in Berlin, move further west, return east, or even go to Palestine. Many did not have proper papers for staying and working in Berlin, nor the means to get to America. Rather than an almost timeless slice of East European life transported to the heart of Berlin, the Scheunenviertel was a precarious space where many inhabitants faced not only discrimination but deportation. From Prussia alone, about four thousand Jewish migrants were transferred back to Eastern Europe between 1922 and 1932.[3] The Scheunenviertel was also geographically an »artificial« space in Berlin: a remnant of an earlier stage of the city. By the 1920s the days of the Scheunenviertel were numbered, regardless of who would gain power. Parts of the neighborhood had been razed in urban redevelopment projects in the first decade of the twentieth century, and the area, with its narrow streets and high concentration of residential and commercial spaces, was a throwback to a pre-cosmopolitan mode of urban organization.[4] Ironically, a

2 See the Call for Papers for the conference: ‹http://jewish-studies.org/imgs/uploads/World%20Wide/Call_for_papers_Charlottengrad-Scheunenviertel_.pdf›.

3 Michael Brenner, The Renaissance of Jewish Culture in Weimar Germany, New Haven 1996, p. 201). He is citing Trude Maurer's *Ostjuden in Deutschland 1918-1933*, Hamburg 1986, p. 398. She states that there were a *minimum* of 3,900 Ostjuden who were deported, but probably more, as she is using the lists of names and nationalities to identify the Jews among the deportees.

4 Redevelopment began in 1902, in the »worst« parts of the Scheunenviertel, and some sections were torn down in 1906-1907. Further redevelopment was halted due to lack of funds. For a detailed description and short history of the buildings, inhabitants, and living conditions of the Scheunenviertel in 1925, see »Die Grundstücks- und Wohnungsaufnahme sowie die Volks-, Berufs- und Betriebszählung in Berlin im Jahre 1925: Die Siedlungs-, Wohnungs- und Bevölkerungsverhältnisse in der Dragoner-, Grenadier-, Linien-, Rücker- und Mulackstrasse,« Mitteilungen des Statistischen Amts der Stadt Berlin, Heft 5, März 1929.

place seemingly rooted in tradition, pre-modern social relations, and organic aspects of urban life is, in the modern metropolis, the most »artificial« of spaces.

In order to bring out the migrants' perceptions of this urban space, I will present a comparison with another immigrant community of East European Jews: Boyle Heights, which was the center of Jewish migration in Los Angeles in the 1920s and 1930s, and the migrants were overwhelmingly *Ostjuden*. The number of Jews in Boyle Heights and in all of Los Angeles in the 1930s was roughly parallel to the number of *Ostjuden* and to the total Jewish population of Berlin.[5] Yet whereas Berlin was an intermediate point between east and west, Los Angeles was seen as a last stop. Los Angeles is also often thought as the anti-city, the antithesis to the urban models of New York, Paris, or Berlin–a place where »community« is entirely lacking, and which is defined by its disconnection from the past (as one scholar put it, »How does one write a history of a sand castle?«).[6] I will use this comparison to analyze which factors were the most important for shaping the spaces and determining the possibilities for the East European Jewish migrant community. For example, did their social networks, communicative spaces, and ideologies suggest a greater orientation towards the past or the future? In what ways was the community »ephemeral« and in a transitional state? What were the possibilities for a hybrid urban culture with residents from different backgrounds?

When people refer to the Scheunenviertel or to Boyle Heights as a »shtetl,« they do not literally suppose that the people living there perceived the urban space just as if it were a small town in East Europe. But old habits and patterns can provide the orientation for navigating the new urban space. Pictures of the Scheunenviertel in the 1920s, and especially of Grenadierstrasse, often depict a vibrant and markedly Jewish street life, with many carts, merchants, and East European-looking Jews filling the street, with no room left for automobiles or

---

5 Los Angeles, in contrast to Berlin, had less accurate statistics about the Jewish population in the 1920s and 1930s. The number of Jews living in Boyle Heights in the 1930s is cited as anywhere from 35,000 to 80,000. About one-third of Los Angeles Jews lived in Boyle Heights in the 1920/30s (Max Vorspan and Lloyd P. Gartner, History of the Jews of Los Angeles, Philadelphia 1970, p. 204; George Sanchez, Becoming Mexican American: Ethnicity, Culture and Identity in Chicano Los Angeles, 1900-1945, New York 1993, p. 75). See also Wendy Elliott, »The Jews of Boyle Heights, 1900-1950: The Melting Pot of Los Angeles,« Southern California Quarterly, 78:1 (1996), pp. 1-10.

6 Steven Zipperstein, Introductory Remarks, Conference on Los Angeles Jews, recorded 1990, audiotape, Tape 1 Side 1, University of California, Los Angeles Archives, Harriet Rochlin Collection of Western Jewish History, 1689, Box 88.

trucks.[7] Almost every description mentions the many *shtiblakh* (small prayer rooms) and synagogues, and accounts often stress the continued connection to the shtetl or place one came from – there are frequent mentions of taking in newcomers from one's town, associating with people from one's region, and even of considering a return »home« to Poland or Russia.[8] The patterns of life from East Europe continued to organize the spaces and the experiences of the migrants.[9]

Yet in the recent books about the Scheunenviertel where one finds these pictures, the critical essays describe the Scheunenviertel as »Ein Unort«[10] [an unplace or bad place], as a »Transitraum ohne Ausgang«[11] and a »Transitraum ins Nirgendwo« [a transit zone without an exit, or leading nowhere].[12] These evocations of a non-place, suggestive even of an airport transit lounge, seem to be the polar opposite of everything associated with the »shtetl« or with an old neighborhood in a city, and evoke instead the »non-places« described by Marc Augé in his book of that name: hyper-modern spaces »which cannot be defined as relational, or historical, or concerned with identity.«[13] Can this be correct, to think of the Scheunenviertel as structured by both pre-modern and hyper-modern relations to space?

These are very insightful descriptions. The Scheunenviertel in the 1920s contained similar forces of uprootedness, transitoriness, and of imagining one's true dwelling as always elsewhere – forces that erode a sense of place and undermine

7   Elke Geisel (ed.), Im Scheunenviertel: Bilder, Texte und Dokumente, Berlin 1981; Verein Stiftung Scheunenviertel (ed.), Das Scheunenviertel: Spuren eines verlorenen Berlins, Berlin 1994; Horst Helas, Juden in Berlin-Mitte: Biografien–Orte–Begegnungen, Berlin 2001.

8   See Martin Beradt's posthumously published novel about life in the Scheunenviertel in the late 1920s: Die Strasse der kleinen Ewigkeit, Reinbek bei Hamburg, 2003.

9   Heschel, in a talk about East European Jewish life, states: »Everything in their life is fixed according to a pattern; nothing is left to chance.« The importance of these patterns comes up several times in his talk, given at YIVO in 1945, and these patterns were not lost immediately upon moving to Berlin. Abraham Joshua Heschel, »The Eastern European Era in Jewish History,« in: East European Jews in Two Worlds: Studies from the YIVO Annual, ed. Deborah Dash Moore, Evanston, Ill. 1990, p. 5).

10 Title of the introduction, by Günter Kunert, to Eike Geisel's book Im Scheunenviertel, pp. 7-9.

11 Eike Geisel, in his afterword to Martin Beradt's Die Strasse der kleinen Ewigkeit, entitled »Nachruf zu Lebzeiten«, uses this term (p. 355).

12 Michael Bienert uses this term in his excellent introduction to his edited collection of Roth's writings about Berlin: »»In Berlin friert man schon bei plus 15 Grad Celsius«: Eine Reise durch die 20er Jahre mit Joseph Roth,« in Joseph Roth in Berlin: Ein Lesebuch für Spaziergänger, Köln 2003, p. 21.

13 Marc Augé, Non-Places: Introduction to an Anthropology of Supermodernity, trans. John Howe, London 1995, pp. 77-78.

the possibility of community.[14] Boyle Heights, in contrast, functioned for East European Jewish immigrants in a nearly opposite manner, providing an urban space in which they imagined they could realize their ideas for community and for Jewish life. In Inge Unikower's biographical novel about life in the Scheunenviertel, the character Gershon, after going to a meeting at the *Kulturverein Progress*, asks himself, in response to the vision of a bright socialist future painted by the speaker, »Where on earth is a place for us?«[15] In the Scheunenviertel, the answer to this question is repeatedly »Not *here*.« I want to suggest that in Boyle Heights the answer would instead usually have been »Here!« What were the differences that made one neighborhood but not the other a *space* for realizing whatever visions of the future the migrants had for themselves and their children? And why in Berlin, which provided so many new connections and possibilities of intellectual community for someone like Heschel, was the urban space of the Scheunenviertel such a poor ground for supporting an immigrant Jewish community?

In Berlin, East European Jews had a lesser legal status than their non-Jewish neighbors. They were not and could not become German citizens, and were sometimes living and working illegally in Germany. Even when not »illegal,« migrant Jews were viewed as »outsiders,« not only elsewhere in Berlin and by anti-Semites, but by their neighbors (the majority of the residents in the Scheunenviertel were not Jewish).[16] Conversely, some German Jews viewed those from the East as embodying the inwardness of the Jewish soul, of having »their real inner home« in Judaism because they could not feel part of the German nor the Polish nation, and as being a counterforce to something coming »from the environment« causing »the progressive deterioration of [one's] Jewish identity« (as Gershom Scholem puts it).[17] Perceived both as outsiders and as possessors of

---

14 The most frequently cited passages about the Scheunenviertel are probably those by Joseph Roth in the Berlin section of his book *Juden auf Wanderschaft*. Bienert states that Roth's view of the Scheunenviertel changed dramatically from his writings in the early 1920s, to the melancholy descriptions of the 1927 *Juden auf Wanderschaft*, as the conditions for the Jews changed for the worse. Joseph Roth, Juden auf Wanderschaft, Munich, 2006; Michael Bienert, In Berlin friert man, p. 23.

15 »Wo auf der Erde ist ein Platz für uns?« Inge Unikower, Suche nach dem gelobten Land, Berlin 1978, p. 98.

16 An article by Georg Davidsohn about Grenadierstrasse from the *Israelitisches Familienblatt* 12 Sept. 1929, reprinted in *Das Scheunenviertel: Spuren eines verlorenen Berlin* (p. 126), states that about one third of the inhabitants were Jewish, judging from the address book. Michael Bienert uses the same figure, but states the Jewish population would have been a little higher early in the decade.

17 Heschel in the essay mentioned above »The Eastern European Era in Jewish History« repeatedly emphasizes the inwardness of East European Jews, p. 2. The phrase »their real inner home« comes from »Emil Schorsch«, Monika Richarz (ed.), Jewish Life in Germany:

an innerness no longer accessible to Germans, the boundaries that separated them from their new environment were doubly reinforced.

None of these factors were present in Boyle Heights. The Jews moving to Boyle Heights faced no threat of expulsion and no legal problems with work permits. This was not the case for their neighbors of Mexican or Japanese descent; in the early 1930s, about 1/3 of the Mexicans – 50,000 – who had been living in Los Angeles returned to Mexico, many of them deported against their will;[18] and in 1942, all the Japanese-Americans were forced from their homes and sent to concentration camps.[19] There were laws preventing Jews from living in many neighborhoods in Los Angeles, and they faced employment discrimination in several industries, but their neighborhood was a haven from such pressures.[20] Within Boyle Heights, East European Jews were not at all viewed as outsiders. The population consisted entirely of »minorities.« Jews were the largest group, followed by Mexicans and Japanese, and there were Molokans, Armenians, African-Americans, and many others as well. The immigrants were learning what it was to be »American« *from each other*, not from the Anglo majority of the greater city.[21] The Jews, who made up perhaps half or more of the population, perceived Boyle Heights *both* as a Jewish *and* as a multiethnic, heterogeneous community.[22] The public schools especially, which almost all

Memoirs from Three Centuries, Bloomington 1991, p. 337. Gershom Scholem, From Berlin to Jerusalem: Memories of My Youth, New York 1988, p. 25.

18 George Sanchez, Becoming Mexican American, pp. 123, 224-25.

19 Until the 1990s, the term »internment camps« was more commonly used to describe the places where the Japanese Americans were sent to in 1942. They were officially called »relocation centers.« The scholarly consensus has changed during the last fifteen years. The book *Los Angeles's Boyle Heights*, published by the Japanese American National Museum in 2005 and adapted from their exhibition in 2002, uses the term »concentration camps,« and I have followed their usage (pp. 70, 72).

20 Housing covenants, prohibiting property owners to sell to specific groups such as African Americans, Asians, Latinos, and Jews, were legally enforceable until 1948, when the Supreme Court ruled against them. Mike Davis discusses employment discrimination in his essay »Sunshine in the Open Shop: Ford and Darwin in 1920s Los Angeles,« in Tom Sitton and William Deverell (ed.), Metropolis in the Making: Los Angeles in the 1920s, Berkeley 2001, pp. 96-122.

21 George Sanchez, Boyle Heights, Conference on Los Angeles Jews, recorded 1990, audiotape, Tape 3 Side 1, University of California, Los Angeles Archives, Harriet Rochlin Collection of Western Jewish History, 1689, Box 88.

22 People whom I interviewed would talk at one moment about how Jewish the neighborhood was, and at another moment they would describe its multicultural character and talk about their positive interactions with people of other ethnic groups. No one seemed to see a contradiction between these two descriptions. Similar dual characterizations can be found in the 1996 documentary film made by the Jewish Historical Society about Boyle Heights, *Meet Me at Brooklyn and Soto*, and in Wendy Elliott's *The Jews of Boyle Heights, 1900-1950: The Melting Pot of Los Angeles*.

children attended, provided a common culture.[23] Attending the University of California at Berkeley or Caltech–then as now among the world's leading universities–was a real possibility for many Jewish students, both men and women.

The physical spaces in these two places were also quite different. Boyle Heights was on the other side of the Los Angeles River from downtown Los Angeles. While many residents took a streetcar or drove to other parts of LA for work, most of their activities (shopping; cultural, social, and political life; education) took place within the boundaries of the community. They lived in homes, rather than tenements. Some Jews owned their homes, and some had gardens for raising flowers or food. Almost everyone could feel part of the dream of living in the sunshine of Los Angeles (and could take the streetcar to the beach, an hour away), despite the difficulties of making a living during the Depression.[24] While the living spaces were quite small, there was not a desire to quickly move to a »better« neighborhood. The Scheunenviertel was porously open to urban, cosmopolitan Berlin. Yet it was not a »desirable« place to live, and residents often said they lived »near Alex« (Alexanderplatz was nearby) rather than in the Scheunenviertel.[25] A survey of the living spaces of the Scheunenviertel in 1925 describes the squalid condition of many of the dwellings, with little light or fresh air, toilets mainly in the stairwells, sometimes neither gas or electric lighting, and very few trees, strips of grass, or gardens.[26] Paradoxically, the Jews in the Scheunenviertel were both more in contact with and less at home in the most urban spaces of the city than were those in Boyle Heights.

The starkest difference is that for the Jews in Boyle Heights, their community and Los Angeles was the horizon for establishing their new life and building their future. They thought they could realize their dreams *in* Los Angeles. Perhaps even more striking, the Jews in Boyle Heights dreamed *of* Los Angeles. Their visions–whether of a socialist future, or of *yidishkayt*, or merely of a fu-

---

23 There was only one high school for Boyle Heights (Roosevelt High), and the Jewish and Japanese students were the leaders of the student government and the school newspaper. There was some separation between ethnic groups in the school, as Mexican students were mostly on a »vocational« track, whereas Jewish students were mostly on pre-university track.

24 Some Jews first moved to Los Angeles for health reasons, such as to recover from tuberculosis.

25 Morris Gruenberg begins his memoir of growing up in the Scheunenviertel in the 1920s and '30s, »Though rarely so called by its inhabitants, who rather preferred to describe the location of their residence as being ›near the Alex,‹ to avoid the stigma connected with the notorious area, it was indeed within the Berliner *Scheunenviertel* where I lived,« (Berlin N-54, Maitland, Florida 2000, p. 15).

26 Mitteilungen des Statistischen Amts der Stadt Berlin, März 1929, Heft 5, p. 3.

ture of nearly unlimited opportunities for their children – shared quintessential elements of the Los Angeles imagined by most of its residents (and the city was composed almost entirely of recent immigrants to California). Their imagined identity was expansive – based more on ideas to be realized than on connections to the places and traditions from where they came in Eastern Europe – and it was not in conflict with the spaces in which they lived.

A poem published in Yiddish in 1925 by Joseph Kutzenogy expresses the tensions between old and new worlds, between east (Russia and New York) and west, upon moving to Los Angeles.

Los Angeles
  Far—
  From New York narrow streets, Chicago clouds, Pittsburgh smoke—
  Los Angeles!
  You'll become drunk by the smell of orange blossoms, dazzled by the
                 immense mountains, refreshed by the orderly proud palm trees.
  Orange blossoms, mountains immense, palms proud—
  They came, people.
  Tired.
  Small, airy, sunny cottages they built themselves. Adorned with greenery,
                 and strolling calmly, contentedly.
  The nights fall—bright-white. Desires forgotten awaken. Perpetual
                 uneasinesses are revived.
  But the streets are still, windows—blind, doors—closed.
  And the night is bright.
  And the night is white.

Los Angeles
  Vayt—
  fun Niu York eynge gasn, Shikager volkns, Pitsburger roykh—
  Los Angeles!
  Verst farshikert fun'm reyekh fun marantsn-bli, farblendt fun di
                 rizike berg, derfrisht fun di keseyder-shtoltse palmes.
  Marantsn-bli, berg rizike, palmes shtoltse—
  zaynen gekumen mentshn.
  Mide.
  Zikh kleyne, luftike, zunike shtiblakh oysgeboyt. Mit grins
                 baputst un shpatsirn zikh ruik, tsufridn.
  Faln tsu di nekht—likhtik-vayse. Vekn farlangen fargesene.
                 Lebn uf eybike umruikayt.

Zaynen ober di gasn shtil, fentster—blind, tirn—farmakht.
Un di nakht iz likhtik.
Un di nakht iz vays.[27]

The poem has some of the stereotypical images that drew Jews (and others) from the eastern American cities to Los Angeles (orange blossoms, palm trees), but it also describes the »small, airy, sunny cottages« that the immigrants built, and their calm [ruik], contented strolling. »Ruik« contrasts with the »eybike umruikayt« [perpetual uneasinesses] of the Jew, which are revived at night. Yet the night itself is transformed, »bright« and »white.« When I first read the poem, I misread the final »vays« [white] as »vayt« [far], repeating the first word of the poem, which would give it a harsher cast. The trajectory of the poem is not circular – the distance from the east presents a radically new landscape, and new possibilities, even if the people are still only partially transformed.

For the Jews of the Scheunenviertel, becoming part of »Berlin« in any way that was central to the vision of the city as imagined by its other inhabitants was a remote or non-existent possibility. Their dreams certainly overlapped with the dreams of other poor and working class people in Berlin, but their notions of identity were often tightly connected to the places from which they came, and their exclusion, as permanent outsiders, from the imagined future of Berlin worked against every effort to develop a new East European Jewish community in Berlin.

The ways in which the different urban spaces shaped the horizons and experiences of those who lived there, were influenced by the Jewish organizations and institutions in both neighborhoods. One will find, not surprisingly, many similarities between the Scheunenviertel and Boyle Heights in this respect: a wide range of philanthropic, religious, and cultural organizations (and sometimes the same ones – there was a branch of ORT in Los Angeles as well). But the life and the effects of these organizations within each community were often quite different. Here are a few quick contrasts.

In 1916, Siegfried Lehmann established the *Jüdisches Volksheim* in the Scheunenviertel, intending to »create a sense of Gemeinschaft [community] among the East European Jewish youth« (in Michael Brenner's words),[28] and also hoping to transform the »'dejudaised bourgeois'« Jews of West Berlin.[29] The *Volksheim*

---

27 Joseph Kutzenogy (Kaitz), Kveytlakh, Los Angeles 1925, p. 28. Vorspan and Gartner mention this poem, and provide an incomplete translation (p. 117). The translation here is by Mandy Cohen.
28 Brenner, The Renaissance, p. 187.
29 Stephen Aschheim, Brothers and Strangers: The East European Jew in German and German Jewish Consciousness, 1800-1923, Madison 1982, p. 195.

was meant to be a space of encounter and mutual transformation between German and Eastern Jews, but mainly with those from the west instructing those from the east.[30] It attracted many prominent people: Gustav Landauer, a leading German anarchist, gave the opening speech, and Martin Buber, Samuel Agnon, and Franz Kafka were involved in some degree. Yet the *Volksheim* did little to address the needs of those living in the Scheunenviertel. A few years later many of its functions were taken over by different Jewish welfare agencies;[31] Lehmann went on to found a youth village and agricultural boarding school in Palestine in 1927; and in 1929 it closed, having failed in the mission of inculcating the youth of the Scheunenviertel with the idea of a socialist, Jewish community.[32]

The Soto-Michigan Jewish Community Center (named after the intersection where it was located) in Boyle Heights, built in the mid 1930s, grew out of an early community center first established in the previous decade with funding from the Federation for Jewish Charities.[33] It sponsored a full array of cultural and athletic activities, summer day camps, clubs, and was well known for the leftist politics of its members, who invited many speakers whose political ideology ranged from social democrat to communist.[34] Few of the speakers had anywhere near the intellectual prominence of those at the *Jüdisches Volksheim*, and perhaps its most memorable cultural feature was its architecture.[35] Memoirs by and interviews with people from Boyle Heights frequently mention the Soto-Michigan JCC, and other community centers and *Folkshule*, founded by socialist labor or Zionist groups, as the center of their activities when growing up. After 1945, when the neighborhood became less Jewish, the Center began to reach out to other ethnic groups, started an annual Friendship Festival,

30 Aschheim writes, »The leaders were young, idealistic, middle-class German Zionists and the students mostly Eastern Jewish children« (p. 194).
31 Aschheim, p. 197.
32 See Carolin Hilker-Siebenhaar (ed.), Wegweiser durch das jüdische Berlin, Berlin 1987, p. 67.
33 Los Angeles' first Jewish community center, the Modern Hebrew School and Social Center, later renamed Soto-Michigan, opened in Boyle Heights in 1924. See Steve Sass, »Remember the Roots of the JCCs,« 18 April 2002, ‹http://www.jewishjournal.com/community_briefs/article/remember_the_roots_of_the_jccs_20020419›.
34 ‹http://www.jewishjournal.com/community_briefs/article/boyle_heights_jcc_20060310›.
35 The Center was designed by Raphael Soriano, one of the pioneers of California Modernism. Julius Shulman, the preeminent photographer of California Modernist architecture, who grew up in Boyle Heights, got him the commission. See Aaron Paley, »Playing Jewish Geography with Julius Shulman, 27 June 2008, ‹http://www.forward.com/articles/13614›.

and continued to operate until there were very few young Jews left in the area.[36]

In one case, there was a visionary but failed attempt to create *Gemeinschaft*; in the other, the creation of an organization that largely succeeded in implementing the ideals of community of its founders, even after the make-up of the local community started to change. Historians of Jews in Los Angeles often emphasize their sense of »rootlessness,«[37] but in Boyle Heights this functioned positively, to facilitate forming new connections with others in the community. The majority of Jews who came to Boyle Heights were not religiously observant, and many had been in the United States for perhaps a dozen years before moving to Los Angeles. The authors of *History of the Jews of Los Angeles* write, »Los Angeles Jews from Eastern Europe had made too many stops en route to organize upon a *landslayt* basis. Most congregations were founded, simply enough, by neighborhood« (Boyle Heights was quite a large area – well over 10 square kilometers).[38] In interviews, people who grew up there often speak of walking from *shul* to *shul*, visiting friends and relatives, during the High Holidays.[39] *Landsmanshaftn* were much less numerous and important in Los Angeles than in cities in the eastern United States, and similarly, one person I interviewed recalled going to Boyle Heights every weekend with his father (born in Lithuania) and going from one *landsmanshaft* to the next, rather than just associating with those people from his father's town.[40] This *wandering* between places connected to East Europe may be a sign of rootlessness, but it also forged new relations between people with different traditions, patterns, and memories.

In the »ephemeral environment« of the Scheunenviertel, the residents were continually in fear of being uprooted by the authorities, even if the actual number of East European Jews deported from Berlin in the 1920s was not all that high.[41] Police raids, threatened arrest for sheltering illegal immigrants, and the disruption of economic activities that catered to migrants were common. In his

---

36 George Sanchez, »›What's Good for Boyle Heights Is Good for the Jews‹: Creating Multiracialism on the Eastside during the 1950s,« American Quarterly 56.3 (2004): pp. 642-45. Deborah Dash Moore, To the Golden Cities: Pursuing the American Jewish Dream in Miami and L.A., New York 1994, pp. 201, 211.

37 Deborah Dash Moore, To the Golden Cities, p. 54.

38 Vorspan and Gartner, p. 164.

39 Pauline Hirsch, Boyle Heights Reunion, recorded 1978, audiotape, University of California, Los Angeles Archives, Harriet Rochlin Collection of Western Jewish History, 1689, Box 87.

40 For the role of the *landsmanshaftn* in New York, see Irving Howe, World of Our Fathers, New York 1976.

41 See note 3.

memoir about growing up in the Scheunenviertel, Morris Gruenberg describes the »family-type restaurant« that his mother operated a few nights a week in their small two-room apartment, cooking mainly for refugees, and sometimes putting them up for the night as well. After several visits by the authorities looking for illegal immigrants, she was forced to stop cooking for others and had to get a job outside the home in a cigarette factory, leaving her young son home alone during the day. She also had to send to the Jewish Orphanage in Pankow a recently arrived young cousin who had been staying with them, but who did not have papers.[42] Amidst these pressures, and with the much smaller physical and (often temporal) distance from the east, the continued force of one's roots was much stronger in the Scheunenviertel than in Boyle Heights. But the adherence to the traditions brought with them from the east worked to *fragment* the social and physical space in the Scheunenviertel. Interviews with those who grew up there note little mixing between those who came from different places.[43] Max Kahane, who moved to Grenadierstrasse near the end of World War I (and who was born in 1910), discusses the relations between the newly arriving East Jewish migrants from 1919-1923:

> Ebensowenig wie es eine rasche Verschmelzung der Ostjuden mit den Deutschen gab, gab es eine solche Annäherung mit den jüdischen Emigranten aus Russisch-Polen (Lodz, Warschau) oder gar aus dem Inneren Russlands. [...] Es gab fast keine gesellschaftlichen Annäherungen.[44]

Elke Geisel notes the tensions between different groups, each with their own prayer rooms almost adjacent to each other on Grenadierstrasse:

> Keine Strasse, die so viele Betstuben versammelt wie diese, deren jede einer eigenen mitgebrachten Tradition folgt, sich absetzt gegen die nächstliegende, manchmal in Fehde mit der benachbarten liegt und doch zusammen mit allen anderen eine gedrängte Topographie der religiösen Strömungen des östlichen Judentums ergibt [...] Namen und Orte einer fremden Welt, deren schillernde Vielfalt sich nur dem erschließt, der zu ihr gehört.[45]

---

42 Morris Gruenberg, Berlin N-54, pp. 35-39.

43 New York also provides an interesting contrast, and a very different case. With its huge Jewish population – two million in the 1920s – the division of Jews into many different groups and organizations did not fragment the spaces of the neighborhoods in at all the same ways.

44 »Erinnerungen an die Grenadierstrasse: Max Kahane in einem Gespräch mit Horst Helas,« in: Das Scheunenviertel, p. 94. See also Sol Landau, Bridging Two Worlds, New York 1968, p. 36.

45 Geisel, p. 18.

The relations between Jews and non-Jews – and in most of the streets of the Scheunenviertel, Christians were in the majority – were of course even less harmonious. Morris Gruenberg recalled, »the attitude of most Christians in our street toward their Jewish neighbors ranged from polite coolness to open hostility,« although they lived under the same poor economic conditions.[46] Navigating the urban space of Berlin in these circumstances, the city can shrink almost to a few interconnected dots, with everything else hardly registering on the consciousness.

For many in the Scheunenviertel, there was neither the sense of belonging and stability of the shtetl nor the openness, modernity, and interactivity of the metropolis. In his memoir about his father Rabbi Ezekiel Landau, Sol Landau describes the *shrinking* of his father's world, when he moves from the provinces of Czechoslovakia to the Scheunenviertel:

> In Czecho-Slovakia his work required constant contact with the non-Jewish world and especially with the official church community. At the same time he had continued to pursue his advanced philosophical studies and his general reading. The daily opportunity to study with the Bezoiner Rov [his father-in-law, Abraham Grynberg] and observe his activities narrowed his world of contact almost exclusively to Jews and directed him to studies in depth in the more limited field of homiletics and responsa.[47]

For women, the spaces could be especially confining and restricted. Some did piecework at home, and the possibilities of movement for women in very religious household (which were a minority of the Jewish households) were quite limited. Mischket Liebermann, ironically, whose father was a very pious rabbi and who moved the family from Galicia to Grenadierstrasse in 1914, got the opportunity to go to public school because of her sex. A neighbor noticed that she was not going to school, complained to the authorities, who threatened her father with fines and imprisonment, and who finally relented and allowed her and her younger sister to go to school. She comments that her father would have gone »to the barricades« to resist sending his sons to a non-Jewish school, but relented »since we were only girls.«[48]

In Boyle Heights, where the orientation was more towards the future, political and Yiddish cultural organizations – and often a fusion of the two – were

---

46 Morris Gruenberg, Berlin N-54, p. 56.
47 Sol Landau, Bridging Two Worlds, p. 37.
48 Mishket Liebermann, Aus dem Ghetto in die Welt, Berlin 1977, p. 11. She writes further, »Die Frauen kamen aus ihren vier Wänden kaum heraus. Wenn, dann nur, um einzu-kaufen. Selten gingen sie zu Besuch, in die Synagoge zweimal im Jahr.« There is a lot more to be said about gender and urban space.

the dominant ones. Even when these groups were offshoots of organizations founded in New York or elsewhere – such as the *Arbeiter ring* (Workmen's Circle – a labor and cultural group), *Habonim* (Zionist), or the *International Ladies Garment Workers Union* – their orientation was strongly guided by local visions.[49] The interests and transformational hopes of these groups were often national and international in scope, but they saw their future in Los Angeles. This was largely the case even for *Habonim*, a Zionist organization whose LA branch was formed in the 1930s when David and Mina Yaroslavsky moved there for health reasons. They also started a second *Folkshule* in the neighborhood (their son is now an elected representative to the Los Angeles County Board of Supervisors, representing the Westside of Los Angeles).[50] Groups with different missions and outlooks sometimes worked together, such as in founding a secular Jewish school (meeting in the afternoons after public school) by the labor Zionist groups *Poale zion* (Hebrew-oriented) and the *Farband* (Yiddish-oriented). The same building, »which came to be known as the *Folks hoyz*,« also contained two very leftist labor unions (carpenters and painters), which conducted all their business in Yiddish into the 1940s, and a social and cultural center that »became a cooperative institution« holding »a variety of events, ranging from Yiddish plays to debates among leading socialists.«[51] The *space* of Boyle Heights encouraged such cooperation.[52]

I do not want to paint a picture all of harmony, mixing, and cooperation on the one hand and division, exclusion, strife, and fragmentation on the other. The rise of National Socialism in the 1920s and 1930s tends to overwhelm depictions of East European Jewish migrant life in Berlin at the time, and makes Joseph Roth's claim about Hirtenstrasse (in the Scheunenviertel) in 1927 – »So traurig ist keine Strasse der Welt« – seem prescient.[53] There were strong political

49 For example, in Los Angeles the majority of the garment workers to be organized were Mexican, and spoke Spanish, and the Jewish union leaders' work required active engagement and cooperation with others having very different world views. For some of the differences between organizing in Los Angeles and New York, see the first five chapters of Rose Pesotta, Bread Upon the Waters, New York 1987.

50 Adar Belinkoff, »Habonim and Hashomer Hatzair,« in Roots-key: Newsletter of the Jewish Genealogical Society of Los Angeles 23:2-3 (2003), pp. 44-46, contains an informative discussion of the early history of these two Zionist groups in Los Angeles.

51 David P. Shuldner, Of Moses and Marx: Folk Ideology and Folk History in the Jewish Labor Movement, Westport, CT 1999, pp. 151-52.

52 Kenneth Burt, discussing »Los Angeles exceptionalism,« writes: »Socialists and Communists in Boyle Heights were more willing to work together than in other cities.« See Kenneth C. Burt, »Yiddish Los Angeles and the Birth of Latino Politics: The Polyglot Ferment of Boyle Heights,« ‹http://www.jewishcurrents.org/2008_may_burt.htm›.

53 Joseph Roth, Juden auf Wanderschaft, p. 67.

divisions in Boyle Heights (mirroring splits in national groups, such as between the Workmen's Circle and the Communist affiliated International Worker's Order), and one can find many examples of successful cooperation in the Scheunenviertel across sectarian lines. I am not trying to emphasize particular examples of division or cooperation and claim they are representative, so much as to sketch the outlines of the spaces (physical, social, cultural) that helped shape the dynamics and the outcomes of such interactions.

The »melting pot« of Boyle Heights – as it was referred to both then and later – provided spaces for the development if not realization of communal and individual dreams for its largest constituent group, the newly arrived East European Jews. In our current cultural moment, »melting pot« now has negative connotations of forced assimilation, but for those with economic and political power it had differently negative connotations in the 1930s. Boyle Heights was given the lowest possible rating by the Home Owners Loan Corporation (these ratings governed who could receive a mortgage):

> This is a »melting pot« area and is literally honeycombed with diverse and subversive racial elements. It is seriously doubted whether there is a single block in the area which does not contain detrimental racial elements and there are very few districts which are not hopelessly heterogeneous.[54]

That which was »hopelessly heterogeneous« for the bankers was largely *hopeful* for those with a vision of a new society.

In Berlin, what is most inspiring and memorable in retrospect are organizational work (largely for Jews elsewhere in Europe), scholarly production, and cultural events. It is unnecessary to list here the full spectrum of these activities, and other essays in this volume will discuss many of them, but just to give two examples related to what I have already discussed: Heschel became a central figure in David Koigen's seminar; and on one night at the *Kulturverein Progress* one could have heard first Else Lasker-Schüler and then Dovid Bergelson reading from their work.[55] Los Angeles in the 1920s did not offer such intellectual and cultural opportunities. In Boyle Heights, it was not particular achievements nor the work of any particular organizations that stand out.[56] For a short period (all this would begin to change in the 1940s), the urban space fostered a very

---

54   See Sanchez, p. 637, and Eric Avila, Popular Culture in the Age of White Flight: Fear and Fantasy in Suburban Los Angeles, Berkeley 2004, pp. 35-36.

55   Inge Unikower, Suche nach dem gelobten Land, pp. 97-98.

56   One person whom I interviewed, who was both a member of Habonim and of the Girl Scouts (a non-Jewish group, which met »in a Christian Center«) when growing up, wrote »It was strange to hear that someone is interested in Boyle Heights, not an exciting or interesting place.«

strong sense of community that made it possible to harmonize very different circles of group identity, without the need to choose between them, or to leave Los Angeles in order to realize dreams of transformation or belonging.[57]

57 I would like to thank Aubrey Pomerance and Horst Helas, who helped with research in Berlin, Karen Wilson and Caroline Luce who helped me in Los Angeles, and Mandy Cohen who helped with Yiddish translation.

Über die Autorinnen und Autoren

Tobias Brinkmann, Dr. phil., ist der Malvin and Lea Bank Associate Professor of Jewish Studies and History, Pennsylvania State University, University Park, PA (USA). Publikationen: »Travelling with Ballin«: The Impact of American Immigration Policies on Jewish Transmigration within Central Europe 1880-1914, International Review of Social History 53 (2008), 459-484; Jews, Germans, or Americans? German-Jewish Immigrants in the Nineteenth-Century United States, in The Heimat Abroad: The Boundaries of Germanness, ed. by Krista O'Donnell et. al. (2005), 111-140; Von der Gemeinde zur »Community«: Jüdische Einwanderer in Chicago 1840-1900 (2002).

Oleg Budnitskii, Ph.D., is Professor of History at the Higher School of Economics and Senior Fellow at the Institute of Russian History of the Russian Academy of Sciences, Moscow. He is also Academic Director of the International Center for Russian & East European Jewish Studies, and Editor-in-Chief of the Archive of Jewish History (Arkhiv Evreiskoj Istorii). He is author and editor of over 200 publications on political history of Russia and Russian Jewry of the second half of the 19th and the 20th century, including monographs (titles translated from Russian into English): Money of the Russian Emigration: Kolchak's Gold, 1918-1957 (2008): Russian Jews between the Reds and the Whites (1917-1920) (2005); Terrorism in Russian Revolutionary Movement: Ideology, Ethics, Psychology (2000).

Marc Caplan, Ph. D., is the Zelda and Myer Tandetnik Professor of Yiddish Literature, Language, and Culture at the Johns Hopkins University. His book on 19th century Yiddish and post-colonial African literatures in comparison, How Strange the Change: Language, Temporality, and Narrative Form in Peripheral Modernisms, will be forthcoming from Stanford University Press. His other studies to date on Yiddish modernism in Weimar Germany have appeared in recent collections published by the Legenda Series in Yiddish (Volume 8) and the Studia Rosenthaliana (Volume 41).

Verena Dohrn, Dr. phil., ist Koordinatorin des DFG-Projekts »Charlottengrad und Scheunenviertel. Osteuropäisch-jüdische Migranten im Berlin der 1920/30er Jahre« und Wissenschaftliche Mitarbeiterin im Teilprojekt »Gemeinschaft und Integration. Mittler zwischen den Kulturen im russisch-jüdischen Berlin 1918-1940« am Osteuropa-Institut der Freien Universität Berlin. Sie gab

Simon Dubnows »Buch des Lebens. Erinnerungen und Gedanken« heraus (2004/5) und habilitierte über »Jüdische Eliten im Russischen Reich. Aufklärung und Integration im 19. Jahrhundert« (2008).

GENNADY ESTRAIKH, Ph. D., is Associate Professor of Yiddish Studies, Skirball Department of Hebrew and Judaic Studies, New York University. His field of interest is the history of Jewish intellectual life of eastern European Jews. Recent books: Yiddish in Weimar Berlin (ed. with Mikhail Krutikov, 2010); Yiddish in the Cold War (monograph, 2008); David Bergelson: From Modernism to Socialist Realism (ed. with Joseph Sherman, 2007).

ANAT FEINBERG, Dr. phil., ist Honorarprofessorin am Lehrstuhl für Hebräische und Jüdische Literatur an der Hochschule für Jüdische Studien in Heidelberg. Publikationen: George Tabori (2003); Nachklänge. Jüdische Musiker in Deutschland nach 1945 (2005); (Hg.) Moderne Hebräische Literatur (2005); (Hg.) Rück-Blick auf Deutschland; Ansichten hebräischsprachiger Autoren (2009).

ZSUZSA HETÉNYI, Ph. D., is a Professor and PhD-program director in the Institute for Slavic Studies, ELTE University, Budapest, DSc of Academy of Sciences and a literary translator (Nabokov, Bulgakov, Russian-Jewish prose anthology, 2000, and others). Her main works include a monographic study on Biblical and messianic motifs in Babel's »Red Cavalry« (1991); In the Maelstrom: The History of Russian-Jewish Literature (in Hungarian 2000, in English 2008, CEU-Press). She edited and co-authored the 2-volume History of Russian Literature (v. 1: 1997, v. 2: 2002). Her fields of interest are the Russian Prose of 20th century, authors of dual identity, emigration, Biblical motifs in literature and Jewish Prose.

ALEXANDER IVANOV is a research fellow in the Interdepartmental Center for Jewish Studies of the European University at St. Petersburg, Russia. His research has concentrated mainly on the history of Jewish agricultural colonization in Russia and Soviet Union in 1910s-1930s. Among his recent works are the chapter »ORT in the Soviet State, 1917-1938« in forthcoming collective monograph »Educating for Life – New Chapters in ORT History«, vol. 2, ed. by Gennady Estraikh (2010) and co-editing of the album »Photographing the Jewish Nation. Pictures from S. An-sky's Ethnographic Expeditions« (2009).

BRITTA KORKOWSKY ist Wissenschaftliche Mitarbeiterin im DFG-Projekt »Charlottengrad und Scheunenviertel. Osteuropäisch-jüdische Migranten im

Berlin der 1930/30er Jahre«, Teilprojekt »Die Problematisierung des Selbst in der russisch-jüdischen Exilliteratur aus dem Berlin der Zwanziger Jahre« am Seminar für Slavische Philologie an der Georg-August-Universität Göttingen (Prof. Dr. Matthias Freise).

MIKHAIL KRUTIKOV, Ph. D., is Associate Professor of Slavic and Judaic Studies, University of Michigan, Ann Arbor. Publications: From Kabbalah to Class Struggle: Expressionism, Marxism and Yiddish Literature in the Life and Work of Meir Wiener (2010); Yiddish Fiction and the Crisis of Modernity (2001); co-editor (with Gennady Estraikh), Yiddish in Weimar Berlin: At the Crossroads of Diaspora Politics and Culture (2010).

KARIN NEUBURGER, Ph. D., ist Lehrbeauftragte an der Abteilung für deutsche Sprache und Literatur des Instituts für mittel- und osteuropäische Kulturen an der Hebräischen Universität Jerusalem, Israel. In ihrer Forschung beschäftigt sie sich mit Werken der neueren deutschen, jiddischen und hebräischen Literatur in ihrem kulturellen Kontext. Veröffentlichungen: Aufsätze zu Yoel Hofmann, Uri Zvi Grinberg, Micha Yosef Berdyczewski, Franz Kafka, Yadé Kara u.a. – Kritische Edition und Übersetzung von Uri Zvi Grinberg, »Mephisto« (2007).

TAMARA OR, Dr. phil., ist Wissenschaftliche Mitarbeiterin im DFG-Projekt »Charlottengrad und Scheunenviertel. Osteuropäisch-jüdische Migranten im Berlin der 1920/30er Jahre«, Teilprojekt »Bialiks Weimar – Die Berliner Hebräische Bewegung und die jüdische Nation 1918 -1933« am Lehrstuhl für Jüdische Geschichte und Kultur des Historischen Seminars der Ludwig-Maximilians-Universität München (Prof. Dr. Michael Brenner). Ihre Promotion über deutsch-zionistische Frauenorganisationen (1897-1938) wurde 2009 veröffentlicht. 2010 erscheint ihre englischsprachige Monographie zum Thema: Wissenschaftlich-feministischer Kommentar zum Traktat »Betsah« des Babylonischen Talmud.

GERTRUD PICKHAN, Dr. phil., ist Professorin für die Geschichte Ostmitteleuropas und Leiterin der Abteilung Geschichte am Osteuropa-Institut der Freien Universität Berlin. Sie leitet das DFG-Projekt »Charlottengrad und Scheunenviertel. Osteuropäisch-jüdische Migranten im Berlin der 1920/30er Jahre« und ist Autorin der Studie »Gegen den Strom. Der Allgemeine Jüdische Arbeiterbund ›Bund‹ in Polen 1918-1939« (2001) sowie zahlreicher Aufsätze zur osteuropäischen Geschichte.

SHACHAR PINSKER, Ph. D., is Associate Professor of Hebrew Literature and Culture, Near Eastern Studies Department and the Frankel Center for Judaic Studies, University of Michigan. He is the author of »Literary Passports: The Making of Modernist Hebrew Fiction in Europe« (2010), and the co-editor of »Hebrew, Gender and Modernity: Critical Reponses to Dvora Baron's Fiction« (2007). He published articles and chapters on Hebrew and Yiddish literature, Modernism, Religion, Gender and Urban Studies.

ALEXANDRA POLYAN is lecturer of Jewish Studies at the Institute for Asian and African Studies, Moscow State University, and in the Center for Biblical and Jewish Studies, Russian State University for the Humanities. Her fields of interest are Yiddish and Yiddish Literature, History and Culture of East-European Jewry, Linguistics and Folklore. Publications: Paul Nathan: Ostjuden in Germany and Antisemitic Reaction. Translated by A.L. Polyan (2009) in: Arkhiv Yevreyskoy Istorii, v. 5, Moscow, 254-263. With O.V. Budnitskii (2009); Introductory article to: Paul Nathan: Ostjuden in Germany and Antisemitic Reaction, in: Arkhiv Yevreyskoy Istorii, v. 5, Moscow, 247-253.

ANNE-CHRISTIN SAß ist Wissenschaftliche Mitarbeiterin im DFG-Projekt »Charlottengrad und Scheunenviertel. Osteuropäisch-jüdische Migranten im Berlin der 1920/30er Jahre«, Teilprojekt »Transnationalität und Jiddischkeit. Kulturelle Vielfalt im osteuropäisch-jüdischen Berlin der 1920/30er Jahre« am Osteuropa-Institut der Freien Universität Berlin (Prof. Dr. Gertrud Pickhan). Publikationen: Ir wa'em bejisra'el. Berlin – Erfahrungen jüdischer Migranten in der Weimarer Republik, in: Makom. Orte und Räume im Judentum, herausgegeben von Michal Kümper u.a. (2007), S. 115-124; Die Weimarer Republik und ihre osteuropäisch-jüdischen Zuwanderer. Der Fall Moritz Zielinski, in: Bulletin des Deutschen Historischen Instituts Moskau Nr. 2 2008, S. 44-54.

RACHEL SEELIG is a Ph.D. candidate in Jewish Studies at the University of Chicago. Her dissertation, entitled »Between Center and Periphery: Weimar Berlin as a Multilingual Jewish Literary Center,« focuses on real and imagined encounters between German, Yiddish and Hebrew writers, and on the ways in which such encounters influenced the development of Jewish national and cultural identity between the wars. She received a B.A. in Comparative Literature from Stanford University and an M.A. in Jewish Studies from the University of Chicago.

Olaf Terpitz, Dr. phil., ist Wissenschaftlicher Mitarbeiter am Simon-Dubnow-Institut für jüdische Geschichte und Kultur, Universität Leipzig. Seine Forschungsinteressen umfassen Jüdische Kulturen Ost- und Ostmitteleuropas, Russische Literatur 19.-21. Jahrhundert, Migrationsliteratur und Komparatistische Literatur- und Kulturgeschichte. Publikationen: Die Rückkehr des Štetl. Russisch-jüdische Literatur der späten Sowjetzeit (2008); zahlreiche Aufsätze zur russisch-jüdischen Literatur und Kultur.

Jeffrey Wallen, Ph. D., is professor of Comparative Literature at Hampshire College in Amherst, Massachusetts, and Director of Hampshire's Berlin Program. He is the author of Closed Encounters: Literary Politics and Public Culture, and has recently published »Narrative Tensions: The Eyewitness and the Archive«, in Partial Answers (June 2009), and »From the Archives«, cowritten with Arnold Dreyblatt, in: Sonja Neef, José van Dijck, Eric Ketelaar (Eds.), Sign Here!: Handwriting in the Age of New Media (2006). His areas of research include nineteenth- and twentieth-century French, German, and British literature, Holocaust Studies, and Jewish Studies.

Markus Wolf, Dr. phil., war Wissenschaftlicher Mitarbeiter im Projekt »Charlottengrad und Scheunenviertel. Osteuropäisch-jüdische Migranten im Berlin der 1920/30er Jahre«, Teilprojekt »Die russische Revolution und die Juden im Spiegel des russischen Berlin, 1917-1939« am Lehrstuhl für Geschichte Osteuropas (Prof. Dr. Karl Schlögel) an der Europa-Universität Viadrina. Publikationen: Žid – Kritik einer Wortverbannung: Imagologie Israels zwischen staatspolitischem Kalkül und künstlerischer Verfremdung (2005); Bogoraz, Vladimir Germanovich (1865-1936), in: The Supplement to the Modern Encyclopedia of Russian, Soviet, and Eurasian History 3 (2003), S. 198-205; Das ethnonymische Denken, in: Die Welt der Slawen 46/1 (2001), S. 181-87.

Gerben Zaagsma, Ph. D., is a postdoctoral researcher at the Department of Hebrew and Jewish Studies, University College London, working on a project entitled »Jewish migrants and politics in Western Europe before the Holocaust«. Publications: Propaganda or fighting the myth of pakhdones? Naye Prese, the Popular Front, and the Spanish Civil War, in: Shiri Goren, Hannah Pressman and Lara Rabinovitch (Eds.), Choosing Yiddish: Studies in Yiddish Literature, Culture, and History (forthcoming). »The Local and the International – Jewish Communists in Paris Between the Wars«, Simon Dubnow Institute Yearbook 8 (2009) 345-363. »Red Devils«: The Botwin company in the Spanish Civil War', East European Jewish Affairs 33/1 (September 2003) 83-99.

Gedruckt mit freundlicher Unterstützung
der Deutschen Forschungsgemeinschaft
und der Stiftung Irène Bollag-Herzheimer

Bibliografische Information der Deutschen Nationalbibliothek
Die Deutsche Nationalbibliothek verzeichnet diese Publikation in der
Deutschen Nationalbibliografie; detaillierte bibliografische Daten
sind im Internet über http://dnb.d-nb.de abrufbar.

© Wallstein Verlag, Göttingen 2010
www.wallstein-verlag.de
Vom Verlag gesetzt aus der Frutiger und der Adobe Garamond
Umschlaggestaltung: Susanne Gerhards, Düsseldorf,
unter Verwendung einer Fotografie von Walter Gircke aus dem Jahr 1928,
© Beth Hatefutsot, Tel Aviv
Lithographie: SchwabScantechnik, Göttingen
Druck: Hubert & Co, Göttingen
ISBN 978-3-8353-0797-1